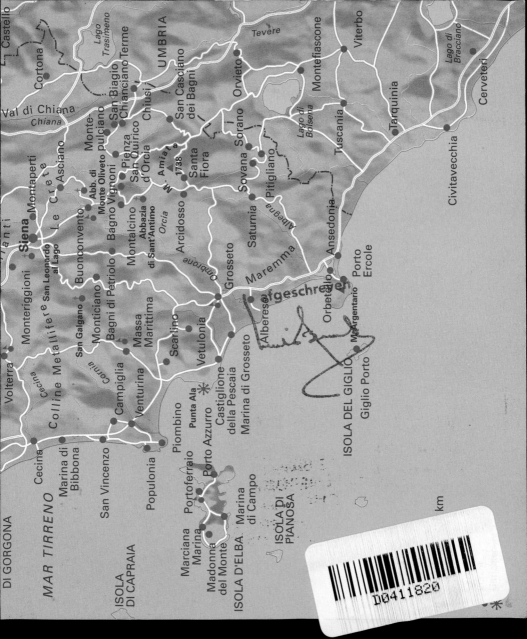

TOSCANE

TOSCANE

Anne Mueller von der Haegen
Ruth Strasser

KÖNEMANN

Blz. 2
Landschap met cypressen bij Chianciano

Schatten van Toscane:

Oorspronkelijke uitgave:
© 2000 Könemann Verlagsgesellschaft mbH
Bonner Straße 126, D-50968 Keulen
Oorspronkelijke titel: Kunst und Architektur Toskana

Artdirector: Peter Feierabend
Projectmanagement: Ute Edda Hammer, Kerstin Ludolph
Lay-out: Wilhelm Schäfer, Keulen
Fotoredactie: Monika Bergmann
Lithografie: Digiprint, Erfurt

© 2001 Nederlandstalige uitgave: Könemann Verlagsgesellschaft mbH, Keulen
Productie Nederlandstalige uitgave: TextCase, Groningen
Vertaling: Francis van Dijk (voor TextCase)
Redactie: Renate Hagenouw, Ellen Hosmar
Productie: Stefan Brahmsiepe
Projectcoördinatie: Lieve De Scheerder
Opmaak: Mercator, Groningen

Druk- en bindwerk: Neue Stalling, Oldenburg
Printed in Germany

3-8290-2651-X

10 9 8 7 6 5 4 3 2

Inhoud

Gezicht op het centrum

Le Mura – de stadsmuren

Piazza del Duomo

Gezicht op de stad

De sfeervolle stad bij avond

Uitzicht op de Piazza Grande

Landschap bij Siena

Een laan met bomen

Palazzi aan de Arno

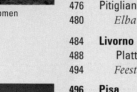

Gezicht op de zee

Landschap met cipressen

Cultuur- en kunstlandschap van Toscane – bakermat van de Renaissance Ruth Strasser

Een zomeravond in een willekeurig landhuis in Toscane: in de gloed van de ondergaande zon neemt het landschap dat zich voor onze ogen ontvouwt, een ongewoon kleurenpalet aan, van goudgeel, donkerpaars en zilvergroen tot diepzwart. De zachtglooiende heuvelruggen vervagen in bijna contourloze golven. Als een toneeldecor rijzen op de achtergrond de Apuaanse Alpen, onderdeel van de Apennijnen, en de Monte Amiata op. In dit door de natuur geschapen decor valt pas bij nadere beschouwing een tweede structuur op, een structuur als van een geweven lap stof, gemaakt door mensenhanden. Velden en akkers, een eindeloos lint van gestapelde stenen muurtjes, de rechthoekige, vierkante of ruitvormige plekken van hoeves, olijfboomgaarden en wijnvelden, de ommuurde stadjes op de heuveltoppen met hun steil oprijzende torens. De mens heeft zijn sporen nagelaten. Cultuurland Toscane – de woorden 'cultuur' en 'cultus' zijn afgeleid van het Latijnse *colere*, wat zoveel betekent als 'bebouwen, bewerken', maar ook 'verzorgen', 'bewaren' en 'hooghouden'. Aan de hand van archeologische en architectonische getuigenissen van een

Landschap in Crete

eeuwenlange kolonisatie is het begin van de landbouwkundige cultivering vast te stellen. Ook aan de twee voor Toscane typische boomsoorten, de olijfboom –die zonder compacte vorm en zonder vaste contour in het landschap lijkt op te gaan, maar tegelijkertijd met zijn lichte blaadjes de heuvels lijkt te tooien met een kantwerk van zilver– en de cypres, die met zijn heldere silhouet begrenzingen markeert en richtingen en onderverdelingen aangeeft. Beide zijn afkomstig van de Etrusken, de oorspronkelijke bewoners, en sindsdien zijn ze hier letterlijk geworteld. Aan de hier in de 1e eeuw v.Chr. wonende Etrusken dankt het gebied zijn naam. De naam 'Tuscia', die uit de tijd van de bestuursverandering door de Romeinse keizer Diocletianus (284-305 n.Chr.) stamt, veranderde in de Middeleeuwen in 'Toscana', het land van de Etrusken. Uit de Griekse benaming voor dit volk, 'Tyrrhenoi', ontstond de naam 'Tyrrheense zee', de Etruskische Zee dus. Hoog in de heuvels en boven brede rivierdalen liggen nog altijd de door Etrusken gestichte steden Volterra, Cortona, Arezzo en Fiesole. De door opgravingen blootgelegde begraafplaatsen getuigen van de luister van hun nederzettingen in de nabijheid van de zee en langs de 'ijzerstraat': Populonia,

Rosselle en Vetulonia. Zelfs in de wegen die van het oosten naar het westen lopen in het huidige Toscane, is het verbindingssysteem van de Etruskische haven Spina aan de Adriatische en de Middellandse Zee nog duidelijk te herkennen. Kunstenaars uit verschillende tijdperken hebben zich laten beïnvloeden door de plastische beeldhouwwerken van de Etrusken. Zo vertonen de weergaven van de Madonna met kind van bijvoorbeeld Arnolfo di Cambio sterke overeenkomsten met de Oudetruskische godin 'Mater matuta' (Museo Nazionale Archeologico, Florence). Zelfs de beroemde 'Pietà' van Michelangelo (Museo dell'Opera del Duomo, Florence) herinnert –in de figuur van Nico-demus, die het lijk van Christus vasthoudt– aan de dodenscène op een Etruskische sarcofaag die in het bezit was van de familie Buonarroti. Een ander voorbeeld is de lange, slanke, Etruskische bronzen figuur die Gabriele d'Annunzio 'Ombra della sera' (avondschaduw) noemde en die in de beelden van Alberto Giacometti weerspiegeld wordt. Of de eveneens moderne 'Pomona'-sculpturen van Marino Marini, die expliciet teruggaan op de vroege Etruskische beeldhouwkunst. Na de inname van de Etruskische steden door de Romeinen verliep de onderwerping van de Etrusken zeer snel. Al in de laatste eeuw voor Christus was de Etruskische taal bijna geheel verdwenen, hoewel veel elementen van de

Landschap bij San Quirico d'Orcia

Ignazio Danti (1536-1586), landkaart van Etrurië, 16e eeuw, fresco, Museo Vaticani, Galleria delle Carte Geografiche, Rome

Etruskische cultuur door de Romeinen werden overgenomen en enkele Romeinse senatorenfamilies van Etruskische afkomst waren. Ook de oude Romeinen hebben hun sporen nagelaten. Vooral belangrijke technische prestaties, zoals de grote Romeinse consulaire wegen die vanuit Rome (naar Gallië) werden aangelegd en die allemaal van het zuiden naar het noorden voeren: in Oost-Toscane de Via Flaminia; in het midden de Via Cassia en de Via Aurelia, die langs de Tyrrheense kust loopt en nog bekendstaat als de 'Strada statale 1'. Opmerkelijk is de schaakbordachtige plattegrond van de Toscaanse steden op de vlakte. Florence, Pistoia, Lucca en Pisa waren oorspronkelijk Romeinse

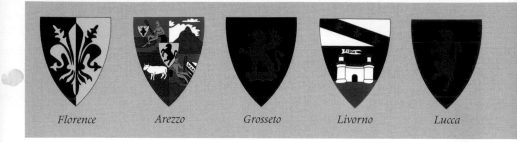

Florence   Arezzo   Grosseto   Livorno   Lucca

veteranenkoloniën volgens het Cardo-Decumanus-systeem, met een forum in het midden. Bewaard gebleven en opgegraven bouwsels geven ons een goed beeld van de oude Romeinse kunst en architectuur. Zo zijn daar de warme baden, theatercomplexen, villa's met ondergrondse heetwaterleidingen, fundamenten van het amfitheater in Lucca en Florence waarop middeleeuwse huizen gebouwd werden, zuilen en kapitelen die in de christelijke kerkenbouw als spolia werden hergebruikt, en rijk gedecoreerde sarcofagen. Tussen de 2e en de 4e eeuw volgde de kerstening van het gebied. Toen de uitoefening van het christelijk geloof door het edict van keizer Constantijn in 313 werd toegestaan, was 'Tuscia' al opgedeeld in lokale kerken. Uit de naam van de kerkgemeenschappen, 'plebes', ontstond het woord 'pievi' voor de parochiekerken. Ook een groot aantal Toscaanse bisschopszetels stamt uit deze tijd; niet alleen de provinciehoofdsteden zijn centra van bisdommen, maar ook kleine stadjes als Volter-

ra of Fiesole. Terwijl de vrije rijkssteden in het noorden nooit aanspraak maakten op de staatkundige soevereiniteit over een groot gebied, valt in Toscane de *contado*, het land, rechtstreeks onder de stad. Sinds de 5e eeuw vertonen *civitas* en *diocese* daarom grote overeenkomsten. De organisch aandoende, talrijke vroeg-middeleeuwse dorpjes op de heuveltoppen werden gesticht onder Langobardische of Frankische heerschappij. Hun namen herinneren hier vaak nog aan. Zo ontstond bijvoorbeeld de plaats Lamporecchio uit de naam van de vazal Lamprecht. De nederzettingen werden in de loop van de tijd met steeds omvangrijker muren en verdedigingswerken verstevigd. Bij de in de 12e en 13e eeuw vergrote kerken stuiten we overal op in oorkonden genoemde eerdere bouwwerken die naar de Frankische heiligen San Martino en San Michele zijn genoemd. Het belangrijkste gevolg van de Frankische heerschappij was de verspreiding van het leenstelsel. Het vazallendom, dat werd bepaald door

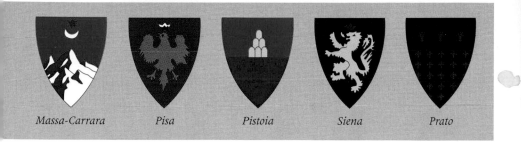

| Massa-Carrara | Pisa | Pistoia | Siena | Prato |

de persoonlijke betrekking tot de leenheer –dus tot de keizer, koning, graaf of hertog–, leidde tot een territoriale en politieke versplintering van Toscane. De keizer en de paus streden om de erfenis van de laatste markgravin, Mathilde van Canossa (1046-1115). Zij had bijna heel Toscane weten in te lijven. Wereldlijke en geestelijke heren lieten burchten bouwen. Ook kloosters en abdijen leken in deze tijd ware vestingen. De eenvoudige bevolking, die met de opbrengst van hun werk de feodale, ridderlijke levensstijl en de hoge uitrustings- en representatiekosten moest financieren, onttrok zich waar mogelijk door stille diplomatie aan het conflict van de machtigen: "Guelfo non son, né Ghibellin m'appello, chi mi dà da mangiar, tengo da quello" ("Ik wil me noch Welf, noch Ghibellijn noemen: degene die me te eten geeft, steun ik"). Rond 1100 ontstond het gildewezen in Toscane. Burgers, handelaren en ambachtslieden begonnen, door het instellen van gekozen consuls, prioren en ouderlingen, de weg

voor de 'vrije stadsrepubliek' te effenen. De nazaten van de Etrusken en de Romeinen dwongen zo in zekere zin de graven en feodale heren, die vaak van Germaanse afkomst waren, hun burchten en zetels op te geven en zich in de stad te vestigen. Als een van de eerste gebieden uit de late Oudheid probeerde Toscane het feodale stelsel af te schaffen. De belangrijkste verbindingswegen van Noord- en Midden-Europa met Rome en de zuidelijke regionen doorsneden –heuvelop en -af– heel Toscane. Men noemde ze Via Romea (de weg naar Rome) of Via Francigena (de weg naar Frankrijk). Plaatsen die aan deze wegen lagen, beleefden een snelle bevolkingstoename en een enorme economische bloei. Van belang voor de opkomst van de stad waren de inkomsten uit belastingen, de verkoop van lokale ambachtelijke en landbouwproducten, een doorlopende bezetting van de herbergen, en handelsbetrekkingen met buitenlandse kooplie-

Volgende bladzijde: klaprozen bij Pienza

den en metropolen. Hoe intensiever de wegen bewaakt werden, hoe veiliger de reis was. Dit gold niet alleen voor pelgrims, soldaten en avonturiers, maar ook voor kooplieden, koningen of keizers.

Uit deze tijd stammen de oudste nog bestaande kerken, waarvan de architectuur herinnert aan de kleurigheid van de Moors-Saraceense architectuur. Vaardige steenhouwers hielpen patronen van lakens en zijden stoffen op de muren over te brengen. De beeldende kunst werd al snel een zelfstandig fenomeen. Christus, die in Byzantium en in de vroege Middeleeuwen meestal als wereldheerser afgebeeld werd, veranderde in de lijdende Christus aan het kruis, en de maagd Maria van hemelse koningin tot verzorgende moeder Gods. Giotto toont ons de fysieke aanwezigheid van de mens; Boccaccio het gewone dagelijkse leven: de problemen van burgers en boeren, priesters en ambachtslieden.

Ludovico Buti, landkaart van de staat Florence, 16e eeuw

Florentijnse school, vijf beroemde mannen (de vaders van de perspectief), ca. 1500-1565, tempera op paneel, 42 x 100 cm, Musée du Louvre, Parijs

Dante schrijft in de bloemrijke taal van alledag zijn 'goddelijke komedie'.

Al in deze tijd valt het uitgesproken gevoel voor kunst van de Toscaners op. Ristoro d'Arezzo beschreef in 1282 de opgraving van vazen in Arezzo met de woorden: "Hun ornamenten waren zo prachtig dat de kenners die ze zagen bijna gek werden van verrukking." Twee eeuwen later uitte Savonarola zich op dezelfde manier: "Over goede schilderkunst zijn de mensen vaak zo verrukt dat ze bij de aanschouwing ervan buiten zinnen raken en bijna zichzelf vergeten." Voor de vormgeving van het oostelijke deel van de dom in Florence werd een model gebouwd, opdat de bevolking erover kon oordelen. Voor dit doel trok op 25 oktober 1367 de prominente, stemgerechtigde bevolking aan de dom voorbij. In de akte worden 354 leden van grote Florentijnse families vermeld. Het Florence van de familie de'Medici wordt het middelpunt van de Renaissance en het

Humanisme. Onder het mecenaat van deze heersersfamilie, die de stad als geen ander verfraaide, beleeft de artistieke scheppingsdrang een nieuwe bloeiperiode. Het menselijk oog, dat –zoals Leonardo da Vinci het uitdrukt– het venster in de gevangenis van het lichaam is, mag dingen zien die voorheen verborgen bleven. De regels van de centrale perspectief worden ontdekt en de vrijstaande, naakte sculptuur in een nieuwe vorm gegoten. Men beeldt topografische afbeeldingen van steden en landschappen en de menselijke omgeving af. Het portret en het stilleven worden zelfstandige genres. Mede dankzij de paus wordt het klassieke schrift veiliggesteld. De systematisch verkregen kennis van de klassieke spraak en het klassieke schrift leidt tot een verdiepte interesse in mythologische onderwerpen en verrijkt de schilder-, beeldhouw- en dichtkunst. Ook het Florentijnse Neoplatonisme van Marsilio Ficino (1433-1499) stoelt daarop. De

Gang in de door de familie de'Medici gestichte Galleria degli Uffizi in Florence

wetenschap komt tot bloei, anatomische studies worden in gang gezet, het bestuderen van de geschiedenis wordt een universitaire discipline, het eerste vertoonde melodrama van de componist Jacopo Peri (1561-1633) wordt als opera aan het hof van de familie de'Medici opgevoerd. Aan de hand van de nieuwe wereldkaart van de geograaf Paolo Toscanelli zoekt Christoffel Columbus (1452-1506) Oost-Indië en ontdekt Amerika, genoemd naar de Florentijnse zeevaarder Amerigo Vespucci (1451-1512). Aan het hof van De'Medici wordt

in de speciaal daarvoor gebouwde *tribuna* in het Uffizi een van de eerste kunstverzamelingen aangelegd. Daarmee legt men –net als aan andere Europese vorstelijke hoven– de basis voor een belangrijk museum. De kunstverzameling bevat antieke sculpturen, schilderijen, kunsthandwerk, munten en boeken, en getuigt van de uitvindersgeest van de mens in de vorm van natuurwetenschappelijke instrumenten; daarnaast blijkt de verscheidenheid van de natuur uit de daar bijeengebrachte curiosa. In kennerskringen wordt veel over deze zaken gediscussieerd. Het wetenschappelijk onderzoek wordt in gang gezet en gefinancierd, Ferdinando II de'Medici beschermt Galileo Galilei (1564-1642) na zijn veroordeling door de Inquisitie en laboratoranten doen alchemistische experimenten en proberen met gemalen bergkristal achter het door de Chinezen zo zorgvuldig bewaarde geheim van porselein te komen. De kunst van het inleggen van halfstenen zonder voegen, de zogenaamde Pietra-Dura-techniek, bereikt een tot dan toe ongekende bloei. Kunstacademies worden gevestigde instituten en onder kardinaal Leopoldo de'Medici wordt met de Accademia del Cimento de eerste wetenschappelijke academie in Europa gesticht. De universiteiten van Siena, Pisa en Florence worden uitgebreid, landbouwkundige onderzoekers experimenteren met nieuwe fruitsoorten en onbekende groenten en

Stamboom van de familie de'Medici dei Cafaggiolo, Biblioteca Riccardiana, Florence

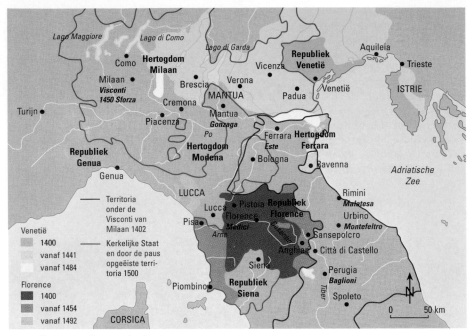

De Italiaanse stadsstaten in de 15e eeuw

sierplanten worden ingevoerd. Verbazingwekkend is dat in deze eeuw alle kringen aan het artistieke leven deelnemen. In bouwcommissies van openbare bouwwerken zitten vertegenwoordigers van alle denkbare beroepen: juweliers, meubelmakers, tapijtwevers, wiskundigen, opticiens, speelmannen, herauten en boekverluchters. De instandhouding en de decoratie zijn in handen van gilden. In het weeshuis Ospedale degli Innocenti –dat reeds in 1419 op verzoek van het stadsbestuur van Florence door Brunelleschi werd gebouwd– werd niet alleen gezorgd voor de vorming en opvoeding van vaak meer dan duizend kinderen, maar ook geëxperimenteerd met nieuwe geneesmiddelen, inentingen en voeding met koemelk.

Na de dood van de laatste De'Medici, Gian Gastone (1671-1731), viel het groothertogdom in handen van het huis Lotharingen. Frans Stephan, hertog van Lotharingen en de latere keizer Frans I, werd in 1737 groothertog van Toscane. Na zijn dood in 1765 werd Toscane onder zijn tweede zoon Pietro Leopoldo volgens Habsburgs model bestuurd. Toscane werd, door allerlei veranderingen onder invloed van Oostenrijk en Lombardije, het Europese voorbeeldland van de Verlichting. Privileges van de overheid, achterhaalde structuren in de rechtspraak, het asielrecht van kerken, het artistieke corpswezen en de gilden werden afgeschaft. De landbouwgronden van de kerk en het agrarische land van de De'Medici en de Stefansorde werden publiek verkocht. Het ontwate-

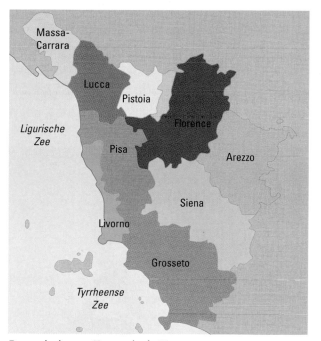

De provincies van Toscane in de 20e eeuw

ringsproject van de Toscaanse moerassen had een gunstige invloed op bodem en landbouw. Het schoolsysteem werd verbeterd. Geneeskunde en anatomie werden niet langer in de zalen van de ziekenhuizen onderwezen, maar op de universiteiten. Napoleon, die de republiek veranderde in het koninkrijk Italië en zichzelf in 1805 in Milaan tot koning liet kronen, zette de secularisatie en opheffing van religieuze orden voort. Er werden kadasters ingesteld, bevolkings-

registers opgericht en nieuwe straten aangelegd; de keizerlijke Scuola Normale Superiore –ook nu nog een elite-universiteit– werd in Pisa gesticht en Kamers van Koophandel werden geopend. In de tijd van de Habsburgers en ook onder de Franse invloed van 1795 tot 1815 ontwikkelde zich onder de burgerij van Toscane een nieuw nationaal bewustzijn. Er ontstonden ideeën over vrijheid en onafhankelijkheid die ook na het congres van Wenen en de Restauratie

–groothertog Ferdinand III keerde terug– niet meer te onderdrukken waren. In de eeuw van het Risorgimento publiceerden Giacomo Leopardi, Ugo Foscolo, Alessandro Manzoni en vele andere –vooral patriottisch georiënteerde– dichters, schrijvers en politici hun belangrijkste werken en beïnvloedden daarmee de strijd voor vrijheid en de eenheidsgedachte.

In dit politieke klimaat werd Toscane een trefpunt van Italiaanse geleerden, geheime genootschappen en samenzweerders. Het belangrijkste initiatief was de stichting (in 1821) van het literair-wetenschappelijke instituut Gabinetto Scientifico Letterario. Daarnaast verscheen tussen 1821 en 1833 het tijdschrift *Antologia* van Gian Pietro Vieusseux, een protestants schrijver uit Genève. Hierin konden historici, schrijvers en wetenschappers publiceren. Nationaal georiënteerde wetenschappelijke congressen vonden plaats in Florence, Pisa en Lucca: aan de Academia dei Georgofili werden wetenschappelijke debatten georganiseerd over de agrarische politiek. Geschokt door de revolutionaire gebeurtenissen van 1848 reageerde de laatste groothertog, Leopold II, met onderdrukking en overdreven strafmaatregelen; hij kon zich slechts met

Ugo Foscolo, dichter en literatuurhistoricus, 1778-1827

Alessandro Manzoni, Italiaans dichter, 1785-1873

Giacomo Leopardi, Italiaans dichter, 1798-1837

hulp van de Oostenrijkse troepen staande houden. Toen in april 1859 in Florence de patriottische opstand uitbrak, vluchtte de hertog. De tijdelijke regering van de Florentijnse baron Ricasoli proclameerde het einde van de Habsburgse overheersing in Toscane. In 1860 sloot Toscane zich na de volksstemming aan bij Piemonte-Sardinië en was vanaf die tijd met de politieke ontwikkeling van Italië verbonden. Van 1865 tot 1871 was Florence de hoofdstad van Italië. Natuurlijkheid, mate en harmonie zijn niet alleen typerend voor het Toscaanse landschap, maar ook voor de trotse, gemoedelijke bewoners. Het lijkt alsof de culturele veelzijdigheid, de artistieke overvloed en de geografische rijkdom van dit gebied zich uitkristalliseren in de bijzondere bescheidenheid van de mensen, die een en al *genuinità* (echtheid), beminnelijkheid en *garbo* (charme) zijn. Een onbevangen en tegelijkertijd zelfbewuste verhouding met verleden en toekomst kenmerkt de huidige bewoners van Toscane. Net als hun Etruskische, Romeinse, middeleeuwse en renaissancistische voorvaderen zijn deze mensen onlosmakelijk verbonden met het door ons zo gewaardeerde Toscaanse land.

Profiel van Toscane

Data, getallen en feiten:

- Het gebied ligt ten westen van de Apennijnen in het midden van Italië (inclusief de archipel rond Elba).
- Het zachtglooiende heuvel- en berglandschap van Toscane grenst in het noorden aan Emilia-Romagna, in het oosten aan de Marche en Umbrië en in het zuiden aan Latium. In het westen strekt de kust zich uit over een lengte van 350 km tot de Ligurische en Tyrrheense Zee.
- Oppervlakte: 22.992 km^2 (ongeveer 7,8% van Italië).
- Inwonertal: 3,7 miljoen (ongeveer 6,5% van de Italiaanse bevolking).
- Verdeeld in negen provincies: Arezzo, Florence, Grosseto, Livorno, Lucca, Massa-Carrara, Pisa, Pistoia en Siena.
- Hoofdstad: Florence.
- Zo'n twee derde van Toscane is agrarisch gebied (± 25%) en bos (± 40%).
- De belangrijkste rivieren: Arno (240 km), Ombrone (160 km), Sarchio (103 km).

Economie:

- Met jaarlijks meer dan vier miljoen bezoekers –waarvan ± 40% buitenlanders– is Toscane het belangrijkste toeristische gebied van Italië: de toeristische sector is een voorname bron van inkomsten voor de regio.
- Toscane is een van de belangrijkste agrarische gebieden van Italië. Het gebied is voor-

al beroemd om zijn wijn, olijfolie, eetbare paddestoelen, kaasproducten en worstspecialiteiten.
- Tot de veelvoorkomende bodemschatten horen vooral ijzererts (Elba en Grosseto), marmer (Carrara, Prato, Maremma), kwikzilver (Monte Amiata) en bruinkool (ten noorden van Florence).
- Industriegebieden vinden we vooral langs de noordelijke kust, onder andere metaalverwerking (bij Piombino), raffinaderijen (Livorno) en chemisch-farmaceutische industrie.
- Het belangrijkste textielcentrum van Toscane is Prato.
- Florence is onder meer beroemd om zijn vele kunstnijverheidsproducten (sieraden, papier, keramiek, leer- en vlechtwerk).
- Centra voor de visserij zijn de havensteden Livorno, Marina di Carrara, Piombino, Viareggio en Porto Santo Stefano.
- Talrijke steden in Toscane hebben zich de laatste jaren ontwikkeld tot moderne metropolen van dienstverlening.

Klimaat en reistijd:

- In Toscane heerst een mediterraan klimaat met hete, vaak droge zomers; meestal natte winters.
- Ideale seizoenen: lente en herfst, vooral de maand mei, want dan is het meestal zonnig, maar niet te heet; de temperatuur is ook

Het weer

Gem. temperatuur in °C	jan	feb	maart	april	mei	juni	juli	aug	sept	okt	nov	dec
Dag	8,3	10	14	18,5							13,8	9,1
Nacht	2,2	2,8	5,7	9	12,6	16,4			14,1	11,5	7	3,4
Zonuren per dag	3,7	4,3	5,3	6,8	8,5	9	10,6	9,4	7,6	6	3,6	3,1
Regendagen	9	7	8	8	9	6	3	4	6	9	11	9

Feesten en festiviteiten:

- Carnavale: carnaval in onder andere de steden Arezzo, San Gimignano en Viareggio (februari).
- Scoppio del Carro: historische optocht en vuurwerk in Florence (paaszondag).
- Maggio Musicale: muziekfestival in Florence (mei-begin juni).
- Regatta storica di San Ranieri: feestdag en *regatta* ter ere van de heilige Ranieri in Pisa (17 juni).
- Calcio in costume/Calcio storico: historische voetbalwedstrijd ter ere van de heilige Johannes de Doper in Florence (18, 24 en 28 juni).
- Palio delle Contrade: historische paardenrennen in de stad Siena, 12 juni en 16 augustus.
- Festival Pucciniano: muziekfestival in de stad Torre del Lago (midden juli-midden augustus).
- Settimana Musicale Saese: muziekfestival in Siena (laatste week van juli).
- Bravio delle Botti: vaten rollen in Montepulciano (tweede zondag in augustus).
- Mostra Mercato Internazionale dell'Antiquariato: antiekmarkt in Florence (september-oktober).
- Giostra del Saracino: historische optocht en ruiterwedstrijden in Arezzo (eerste zondag in september).
- Luminara di Santa Croce: fakkeloptocht ter ere van de Volto Santa in Lucca (13 september).
- Rassegna del Chianti Classico: groot wijnfeest in Grave/Chianti (tweede week van september).

Aankomst:

- Met de auto: vanuit het noorden over de tolwegen via La Spezia of Bologna langs de kust of over de A1 (Milaan-Bologna-Rome) naar Florence; de historische centra van talrijke steden zijn afgesloten voor autoverkeer (*zona blu*).
- Met de trein: de belangrijkste verbinding vanuit het noorden gaat naar Florence; via zijsporen zijn vanhieruit ook de andere gebieden van Toscane te bereiken.
- Met het vliegtuig: internationale luchthavens: Aeroporto Amerigo Vespucci/di Peretola (Florence) en Aeroporto Galileo Galilei (Pisa).
- Met de boot naar de eilanden: via de steden Livorno, Piombino en Porto Santo Stefano.

Toeristeninformatie:

- Nederland:
  Nationaal Italiaans Verkeersbureau (ENIT), Stadhouderskade 2, 1054 ES Amsterdam (tel. 020-6168244).
- België:
  Louizalaan 176, 1050 Brussel (tel. 02-6471741).

Ambassades:

- Nederlandse ambassade:
  Via Michele Mercati 8, 00197 Rome (tel. 06-3221141).
- Belgische ambassade:
  Via Monti Parioli 49, 00197 Rome (tel. 06-3609441).

Internet:

- www.turismo.firenze.it.

Openingstijden van de belangrijkste musea en kerken:

Florence

Bargello: 8.30-13.50 uur, maandag gesloten
Campanile di Giotto: zomer: 9-18.50 uur, winter: 9-16.20 uur
Cupola del Duomo: 8.30-18.20 uur, zaterdag: 8.30-17 uur, zondag gesloten
Galleria d'Arte Moderna e Galleria del Costume (Palazzo Pitti): 8.30-13.50 uur, 1e, 3e, 5e maandag in de maand en 2e, 4e zondag in de maand gesloten
Galleria degli Uffizi: 8.30-21 uur, zaterdag 8.30-24 uur, zondag 8.30-20 uur, maandag gesl.
Galleria dell'Accademia: 8.30-18.50 uur, zaterdag, zondag 8.30-13.50 uur, maandag gesl.
Galleria dell'Ospedale degli Innocenti: geopend 8.30-14 uur, woensdag gesloten
Galleria Palatina (Palazzo Pitti): 8.30-18.50 uur, zaterdag, zondag, feestdagen: 8.30-13.50, maandag gesloten
Museo di S. Marco: 8.30-13.50 uur, maandag gesloten
Museo e Chiostro di S. Maria Novella: 9-14 uur, vrijdag gesloten
Museo Marino Marini: 10-17 uur, zondag, feestdagen: 10-13 uur, dinsdag gesloten
Museo Nazionale Archeologico: 9-19 uur, zaterdag 9-14 uur, maandag 14-19 uur
Palazzo Vecchio: 9-19 uur, donderdag 9-13.30 uur, zondag, feestdagen: 8-13 uur

Pisa

Battistero: voorjaar: 10-19.40 uur; zomer: 13-19.40 uur; winter: 9-16.40 uur
Camposanto: voorjaar: 9-17.40 uur; zomer: 8-19.40 uur; herfst: 9-17.40 uur; winter: 9-16.40 uur
Duomo: voorjaar: 10-19.40 uur; zomer: 13.19.40 uur; winter: 10-18.45 uur, zondag, feestdagen: 15-16.45 uur
Museo dell'Opera del Duomo: voorjaar: 9-17.20 uur; zomer: 8-19.20 uur; herfst: 9-17.20 uur; winter: 9-16.20 uur
Museo Nazionale di Palazzo Reale: 9-13 uur, zondag gesloten
Museo Nazionale di S. Matteo: 9-19 uur; zondag, feestdagen: 9-14 uur; maandag gesloten

Siena

Duomo Libreria Piccolomini (in de dom)/Battistero di San Giovanni (onder in de dom): 16 maart-31 oktober: 9-19.30 uur, 1 november-15 maart 7.30-13 uur, 14.30-17 uur
Museo Civica: 16 maart-31 oktober: 10-19 uur; juli-augustus: 10-23 uur; 1 november-15 maart: 10-18.30 uur
Museo dell'Opera del Duomo: 16 maart-30 september: 9-19.30 uur; oktober: 9-18 uur; 1 november-15 maart: 9-13.30 u
Museo e Santuario di Santa Caterina: zomer: 9-12.30 uur, 14.30-18 uur; winter: 9-12 uur, 15.30-18 uur
Palazzo delle Papesse: 12-19 uur
Pinacoteca Nazionale: maandag: 8.30-13.30 uur, dinsdag-zaterdag: 9-19 uur, zondag, feestdagen: 8-13 uur, winter 8.30-13.30 uur
S.Maria della Scala: 1 april-31 oktober: 10.30-16.30 uur; 25 december-6 januari: 10-18 uur
Torre del Mangia: 16 maart-31 oktober: 10-19 uur; juli-augustus: 10-23 uur; 1 november-15 maart: 10-16 uur.

Massa

Massa

De provincie Massa-Carrara wordt gekenmerkt door de Apennijnse Alpen die als
een bergmassief langs de Toscaans-Liguri-
sche grens naar het noordwesten tot aan
Lucca in het zuidoosten lopen. De overvloedige marmervoorraden bepalen al
eeuwen het belang van de uit de 'tweeling-
steden' Massa en Carrara ontstane provincie. De hoofdstad Massa bestaat uit twee
kernen: het door de middeleeuwse vesting
gedomineerde Massa Vecchia, en Massa
Nuova, de representatieve benedenstad uit
de 16e eeuw. Het barokke Palazzo Ducale
beheerst de centrale Piazza Aranci die nog
altijd wordt omzoomd door een dubbele rij
sinaasappelbomen. Massa werd voor het

eerst in 882 in een oorkonde genoemd en was sinds de 10e eeuw de zetel van de bisschop van Luni. Een eeuw later behoorde de nederzetting tot het bezit van de graven Obertenghi, die de eerste burcht lieten bouwen. Vanwege de marmergroeven werd Massa afwisselend door Lucca, Pisa, de De'Medici uit Florence en de Visconti uit Milaan ingenomen. Pas toen Massa in 1442 samen met Carrara onder de heerschappij van de graven Malaspina kwam, trad er continuïteit in. Later nam de aangetrouwde Alberico I Cybo de macht over. In 1741 gingen beide steden over naar de hertogen van Este, onder wiens invloed ze bleven –behalve in de napoleontische bezettingstijd– tot de aansluiting bij het koninkrijk Italië in 1861.

Gezicht op de Piazza Aranci met het Palazzo Ducale

Duomo Santi Pietro e Francesco

De dom van Massa kan op een lange bouwgeschiedenis bogen. De gevel stamt pas uit 1936. Door de voorliefde van fascistische architecten voor pracht en praal en de aanwezigheid van marmergroeven in de buurt, was het vanzelfsprekend dat deze gevel uit waardevol Carrara-marmer werd opgetrokken. Elementen uit de renaissancistische en klassiek Romeinse architectuur vormen een uniforme structuur. Boven beide verdiepingen werd het middendeel door drie grote bogen in een voorportaal en een loggia veranderd. Een klassiek aandoende topgevel bekroont uiteindelijk het front en completeert het motief van de triomfboog tot een voorname, strenge architectuur die, ondanks al het glanzende marmer, zonder spanning blijft.

Interieur

Een blik in het schip van de kerk die aan de heiligen Petrus en Franciscus gewijd is, maakt meer duidelijk over het ontstaan. In 1389 werd hier een kleine kerk gesticht die door Jacopo Malaspina in 1447 werd vergroot. In

1616 kreeg de kerk, na verscheidene verbouwingen, zijn tegenwoordige afmetingen.
Architectuur en decoratie vertonen een barokke glans. Talrijke altaren en altaarstukken die in de 17e eeuw door met name lokale kunstenaars werden gemaakt, geven een indruk van de bloeitijd van deze kerk. De kerk werd in de 19e eeuw na de benoeming van Massa als bisschopszetel tot dom verheven.

Cappella del Ss. Sacramento, barokaltaar, 1694
marmer

Alberico II Cybo Malaspina en zijn broer kardinaal Alderano gaven in 1695 de architecten Giovan Francesco en Alessandro Bergamini opdracht een onderaardse crypte als graf voor de familie Cybo Malaspina te bouwen. Direct daarboven

ligt in het rechterdwarsschip de op verzoek van Carlo II gebouwde kapel van de heilige sacramenten, waarin in het midden een kostbaar, door Alessandro Bergamini ontworpen barok altaar staat.

Pinturicchio (ca. 1454-1513), madonna, 1489-1492
fresco (fragment)

Het in het altaar verwerkte frescofragment waarop de madonna te zien is, is het werk van een van de grootste Umbrische schilders uit de tweede helft van de 15e eeuw, Bernardino di Betto Biagio, oftewel Pinturicchio. Na een leertijd in de werkplaats van Perugino ging hij met hem naar Rome. Daar werkten ze samen in opdracht van de paus in de Sixtijnse kapel. Omdat Pinturicchio gold als een begaafd decoratieschilder met een elegante, vertellende stijl, lieten veel Romeinse families de decoraties van hun kapellen door hem verzorgen. Zo ontstond ook deze madonna. Pinturicchio heeft haar voor de kapel van de familie Cybo in de Romeinse kerk Santa Maria del Popolo gemaakt, vanwaaruit ze naar Massa is overgebracht.

La Rocca

Het oudere deel van Massa –Massa Vecchia– heeft zijn oorsprong in de eerste burcht, gebouwd door de feodale heerser Obertenghi. De wisselende eigenaren verbouwden steeds weer delen van de burcht die op een steile, uitstekende rots gelegen was en door een muur met vier verdedigingstorens werd omsloten. De uitbreiding van het uitgestrekte complex binnen de muur, Castello Malaspina of La Rocca genoemd, vond plaats onder de heersers van het geslacht Malaspina. In de 16e eeuw transformeerde het tot vorstelijke residentie. In het zuidelijke deel liet de familie Malaspina een renaissancepaleis bouwen dat door een uitgestrekte loggia met het middeleeuwse deel was verbonden en voor het grootste deel volgens de plannen van de bekende architect Niccolò Civitali (1482-1560) uit Lucca werd uitgevoerd.

De mooie voorgevel van het kasteel is voorzien van prachtig polychroom inlegwerk van verschillende marmersoorten. De muur die het slot omgeeft, bezit een omgang die over de gehele lengte begaanbaar is en fantastische vergezichten op stad en zee biedt.

Sala della Spina

Op de benedenverdieping bevinden zich enige met fresco's beschilderde ruimten. De decoratie van de Sala della Spina is hier een bijzonder fraai voorbeeld van. De ruimte is door een koepel overwelfd en helemaal van illusionistische schilderingen voorzien.

Boven een bijzonder fraai geschilderde marmeren borstwering vormen de eveneens geschilderde loggiavensters een schitterend kader voor een imaginair arcadisch landschap.

Het witte goud van de Apuaanse alpen

Ruth Strasser

Aan het eind van de 19e eeuw schreef een Engelsman naar aanleiding van zijn reis door Toscane: "Ongelofelijke dingen heb ik gezien –prachtige kerken, schitterende paleizen, lieflijke madonnaschilderijen–, heerlijke wijn heb ik gedronken en in een blauwe zee heb ik gezwommen. Maar de mooiste belevenis vond ik de steengroeven van Carrara: de arbeiders begonnen te zingen en het marmer begon te bewegen." De schrijver verwees hiermee naar de *cantilena*, de traditionele, door krachtig vloeken begeleide deun van de steenbewerkers, die ze ritmisch aanheffen wanneer ze de tonnen zware blokken met lange ijzeren stangen optillen en vooruitschuiven.

Wie op een heldere namiddag vanaf zee het bergmassief nadert, wordt bijna verblind door het stralende wit van de steile hellingen. Als gletsjers lichten de barsten met hun gladde, scherpe kanten, de *tagliate*, op in de avondzon. De hellingen vol marmerpuin, dat met dynamiet wordt verkregen, heten *ravaneti*. *Marmaros* noemden de Grieken dit edele, witte gesteente, de 'glanzende, verblindende'.

In de bergen rond de stad Carrara bevinden zich wereldwijd de grootste hoeveelheden van dit zeer gewaardeerde gesteente. De Apuaanse bergketen begint in het noorden, daar waar de drie gebieden Ligurië, Emilia-Romagna en Toscane aan elkaar grenzen, en strekt zich vervolgens 1080 km² in zuidoostelijke richting uit.

De geologische ontstaansgeschiedenis wijkt af van die van de Apennijnen. In het aflopende Trias aan het begin van de Jura, toen dit gebied nog onder water stond, werden door grote drukgolven die door de stijging van de zeespiegel ontstonden, alle kalkbestanddelen, mosselschelpen en allerlei alluviaal materiaal samengeperst, waarbij marmerkristallen werden gevormd.

De chemische formule $CaCo_3$ voor calciumcarbonaat heeft marmer gemeen met eierschalen, maar niet de metamorfe, regelmatig korrelige kristalvorm – in de zuiverste vorm sneeuwwit, en zonder vlekken of aders door verontreinigingen.

Meer dan honderd miljoen jaren later, toen in het Tertiair door de continentale verschuiving de waterspiegel daalde, kwamen deze marmervindplaatsen aan de oppervlakte en stapelden zich bijna 2000 m hoog op. De oorspronkelijke bewoners van de Apuaanse Alpen, de Liguriërs, noemden de steen *car*, waaruit later Carrara ontstond. De Romeinen begonnen echter pas met een systematische exploitatie. Tienduizenden gevangenen en slaven, waaronder Liguriërs en later gedeporteerde christenen, werden tot deze zware arbeid gedwongen: ijzeren wiggen moesten met grote hamers in de voorgebeitelde voegen gedreven worden, totdat het blok losliet.

Omdat marmer in vergelijking met andere steensoorten tamelijk gemakkelijk los te hakken is, kon er gebruik worden gemaakt van een verbluffend eenvoudige, maar langzame techniek. In de aangebrachte voegen werden wiggen van droog hout gedreven en met water overgoten. Het hout zette uit en de uitzetting van de capillaren was zo groot dat de wiggen de steen spleten.

Het tussen 15 en 20 ton zware blok werd verder getransporteerd op een soort houten slee (*lizza*), die over ingezeepte, beweeglijke houten liggers naar beneden gleed. Het al ter plekke voorbewerkte brokstuk werd begeleid door een zestienkoppige arbeidersploeg die achter, naast en –levensgevaarlijk– voor het blok moesten lopen. Aan de voet van de helling aangekomen ging het transport met ossenkarren verder naar de haven van de Romeinse stad Luni, ten noorden van de huidige badplaats Marina di Carrara, en vandaaruit per zeilschip naar Rome. Het plan van de Romeinse keizer Augustus (63 v.Chr.-14 n.Chr.) –"Ik heb Rome in baksteen aangetroffen, in marmer zal ik het achterlaten"– werd vooral in de keizertijd verwezenlijkt.

Pas door de economische crisis van het Romeinse rijk vanaf de 4e eeuw na Christus ontstond er een teruggang in de marmerexploitatie, die evenwel in de Romantiek en onder de

Gezicht op de marmergroeve bij Carrara

heerschappij van het huis Hohenstaufen weer toenam.

De invoering van springstof in de 16e eeuw bood een eenvoudiger manier om nieuwe groeven te openen. Het gebruik ervan werd echter al snel weer teruggebracht, omdat er erg veel onbruikbaar afval overbleef. Bijna tweeduizend jaar werd er daarom vastgehouden aan de moeizame en gevaarlijke exploitatie- en transportmethoden. De werkdag van een marmerarbeider duurde van 'maan tot maan'. In de nachtelijke uren verliet hij zijn huis aan de voet van de bergen om bij daglicht de groeve te bereiken; in de schemering begon hij aan de lange afdaling naar huis.

Ongeveer honderd jaar geleden bedacht men een nieuwe techniek voor de ontginning. Een spiraalkabel van drie om elkaar gewikkelde stalen draden werd continu over een speciaal loopwerk getrokken en als een strop om het blok marmer gelegd. Langs de stalen spiraal werd een mengsel van water en zuiver kwartszand getransporteerd en de mechanische wrijving zorgde ervoor dat het blok marmer doormidden werd gesneden. Deze techniek vereiste echter een precieze berekening van de aanhechtingspunten van het loopwerk en tegelijkertijd nauwkeurige kennis omtrent de richting en het verloop van de lagen in de steen. Als marmer aan de verkeerde kant wordt gesneden, is het materiaal –dat eigenlijk eeuwen standhoudt– niet meer weerbestendig.

"Wij zijn met de marmerblik geboren: deze gave is bij ons genetisch bepaald", zeggen de marmerarbeiders. Nog steeds zijn ze bijzonder trots op het beroep waarvoor al in de Romeinse tijd een bepaalde specialisatie in elke fase vereist was.

In Carrara worden zeer verschillende soorten marmer gewonnen. De waardevolste is de 'statuario', een zeldzame, zuiver witte tot ivoorkleurige soort die al in de Oudheid voor standbeelden werd gebruikt en nog slechts in zeer kleine hoeveelheden wordt aangetroffen. Zeer gewaardeerde soorten zijn verder 'venato' (wit met grijze aders), 'calacata' (wit of ivoorkleurig met crèmegele aders), 'bardiglio' (overwegend grijs), 'cipollino' (grijsgroen geaderde tekening), 'verde apuane' (groene tot zwartgroene kronkels) en 'paonazzo' (blauwviolet). In de drie berginkepingen Colonnata, Miseglia en Torano, die zich boven de plaats Carrara bevinden, liggen tot een hoogte van 1400 m circa 190 groeven die een productiecapaciteit op jaarbasis hebben van 1.000.000 ton. Ze vormen ongeveer 60% van de productie van alle groeven in de Apuaanse Alpen. In de jaren '70 van de 20e eeuw werd de huidige

Marmertransport per slee

productiemethode –voornamelijk dagbouw–
ingevoerd. Langs de zichtbare kant van het
blok worden horizontale en verticale kanalen
geboord, waardoor een van diamanttanden
voorziene kabel naar de snede wordt geleid.
Het nog altijd risicovolle transport gebeurt uitsluitend met vrachtauto's. Ze vervoeren de
marmerbrokken van duizelingwekkende hoogte naar beneden. Omdat keren doorgaans niet
gaat, moeten de vrachtauto's onder bepaalde
omstandigheden achteruit naar beneden rij-
den, wat ook vaak tot ongelukken leidt.

Gens marmoris, 'een geslacht uit marmer',
noemde de Romeinse schrijver Livius (59 v.Chr.-
17 n.Chr) de inwoners van Carrara. 'Marmer-
koppen' worden ze door de huidige Toscanen
genoemd: de voortdurende omgang met steen
zou hun karakter gevormd hebben. Niet toevallig was Carrara aan het begin van de 20e eeuw
het middelpunt van de radicaalste, maar
geweldloze Europese arbeidersbeweging, het
anarcho-syndicalisme.

Voor een andere stijfkop was juist het werken
met ruw materiaal de basis van zijn scheppingen: Michelangelo Buonarroti (1475-1564). Hij
huurde een kamer in Carrara en reed vele
malen op een muilezel de bergen in om zijn
marmer ter plekke uit te zoeken. De ware
beeldhouwer voegt volgens Michelangelo niets
toe, zoals met klei gebeurt, maar bevrijdt door
hakken de sculptuur uit de steen. Het beeld
verbergt zich al in het oermateriaal, het idee
ervoor zit in het hoofd van de kunstenaar, en
het is zijn opgave beide te verenigen. Onbe-
werkt marmer is een vormgevend element in de
beelden van Michelangelo. Het verbeeldt zijn
opvatting van het *non finito*, het opzettelijk

*Michelangelo, Lorenzo de'Medici, hertog van
Urbino, ca. 1525 (detail), marmer, Sagrestia
Nuova, San Lorenzo, Florence*

onvoltooid gelaten kunstwerk. Over de bergen
van Carrara zegt de Italiaanse dichter Giosuè
Carducci: "Dit gebergte is bijzonder, omdat het
niet alleen de natuurlijke verschijning, maar
ook het voortdurende veranderingsproces door
mensenhanden laat zien." Hele bergtoppen zijn
reeds weggehakt en er is berekend dat de
voorraden nog voor duizend jaar toereikend
zijn. Zullen de eeuwige marmerbergen daarna
geheel verdwenen zijn?

Carrara

Vanaf ongeveer 70 v.Chr. begonnen de Romeinen het marmer uit de steengroeven van Carrara te exploiteren. De havenstad voor het transport was het noordelijk gelegen Luni, waardoor Carrara eigenlijk alleen een nederzetting was voor de marmerarbeiders, gelegen aan de voet van het gebergte en aan de rivier de Carrione. Het oord werd voor het eerst in een oorkonde vermeld in 963, toen keizer Otto I het schonk aan de bisschop van Luni. In de 12e eeuw namen de inwoners van Pisa het werk in de –sinds de Middeleeuwen braakliggende– steengroeven weer op. Wisselende overheersers streden vanaf 1322 om het marmer: de Spinola uit Genua, de Rossi uit Parma, de Scalige uit Verona, de Visconti uit Milaan en de Guinigi uit Lucca. In 1422 werd de stad, samen met Massa, door de graven van Malaspina ingenomen. De geschiedenis van beide steden verliep vanaf dat moment parallel.

Palazzo Cybo Malaspina

Het Palazzo Cybo Malaspina getuigt van de heerschappij van hertog Alberico I. In de 16e eeuw liet hij op de plaats van de middeleeuwse burcht, waarvan nog restanten in de toren bewaard zijn gebleven, een paleis bouwen. Hij gaf ook opdracht tot de bouw van een muur rondom het nieuwe stadsdeel en –centraal in zijn stedebouwkundig concept– tot de naar hem genoemde Piazza Alberica. In 1769 stichtte Maria Teresa Cybo Malaspina d'Este, echtgenote van de hertog van Modena, de Accademia di Belle Arti. Daarin werden een museum en een beeldhouwschool verenigd. Tijdens haar regeerperiode stelde de zuster van Napoleon en vorstin van Lucca, Elisa Bacciocchi, in 1805 het Palazzo Cybo Malaspina beschikbaar aan de academie. Daar resideert de academie nog steeds.

Het Palazzo staat aan het eind van de Piazza Gramsci, waar zich vroeger een paleistuin bevond en die nu het levendige middelpunt van de stad is. Het gebouw bezit een mooie binnentuin met een renaissancistische zuilenhal, waar nog restanten van de oorspronkelijke schilderingen te zien zijn. Hier worden bovendien vondsten uit de Oudheid tentoongesteld: beelden uit het Romeinse theater van Luni, stèles en het Romeinse marmerreliëf van Fantiscritti dat in 1863 vanuit de gelijknamige groeve hiernaartoe is gebracht. Het stamt uit de tijd van keizer Septimius Severus (193-211) en toont drie antieke goden, respectievelijk helden als jongens (It. *fanti*), in het midden Jupiter, aan de ene kant Hercules en aan de andere kant Bacchus. Het kunstwerk draagt verder de signaturen (It *scritti*) van Michelangelo, Giambologna en Canova, waarmee –volgens oud gebruik– het bezoek van de beroemde kunstenaars bewezen is.

Carrara

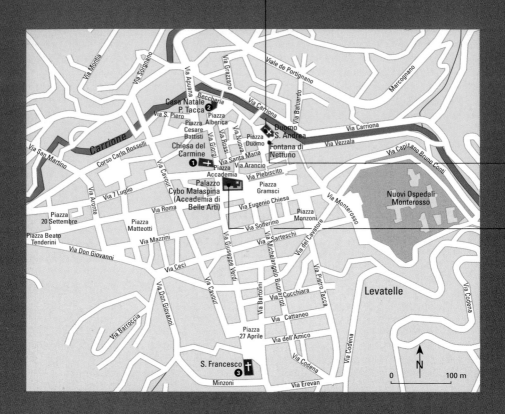

Via Montia
Via Sorgnano
Via Apuana
Via Grazzano
Viale de Portignano
Marcognano

Beccheria
Casa Natale
P. Tacca ❷
Via S. Piero
Piazza
Alberica
Piazza
Cesare
Battisti
Via Carriona
Via Baluardo
Duomo
S. Andrea
Via Carriona
Carrione
Corso Carlo Rosselli
Chiesa del
Carmine ❶ ✚
Via Santa Maria
Via Giorgi
Via Rossi
Via Nuova
Piazza
Duomo
Fontana di
Nettuno
Via Vezzala
Via Capitano Bruno Conti
Via San Martino
Via Cavour
Via Arancio
Piazza
Accademia
Via Plebiscito
Palazzo
Cybo Malaspina
(Accademia di
Belle Arti)
Piazza
Gramsci
Nuovi Ospedali
Monterosso
Via 7 Luglio
Via Aronte
Via Eugenio Chiesa
Via Monterosso
Piazza
20 Settembre
Via Roma
Piazza
Matteotti
Via Solferino
Piazza
Monzoni
Piazza Beato
Tenderini
Via Don Giovanni
Via Mazzini
Via Ceci
Via Sarteschi
Via del Cavatore
Via Michelangelo Buonarroti
Via Pietro Tacca
Levatelle
Via Barroccia
Via Don Giovanni
Via Cavour
Via Giuseppe Verdi
Via Bartolini
Via Cucchiara
Via Cattaneo
Via Codena
Piazza
27 Aprile
Via dell'Amico
Via Codena
Via Codena
S. Francesco
❸ ✚
Minzoni
Via Codena
Via Erevan
N
0   100 m

Duomo S. Andrea, Piazza Duomo, blz. 46

Fontana di Nettuno, Piazza Duomo, blz. 49

Palazzo Cybo Malaspina (Accademia di Belle Arti), Via Roma 1, blz. 43

Andere bezienswaardigheden
(niet in dit boek besproken):

1 Chiesa del Carmine, Piazza Accademia

2 Casa Natale P. Tacca, Piazza Alberica

3 S. Francesco, Piazza 27 Aprile

Duomo Sant'Andrea

Met het belangrijkste gebouw van Carrara, de geheel uit marmer opgetrokken dom, werd in de 11e eeuw begonnen. Door een uitbreiding van het complex naar het oosten, die een nieuwe apsis vereiste, kreeg de kerk in de 13e eeuw de huidige afmetingen. Grijze en witte banen verlevendigen het hele bouwwerk van de drieschepige basiliek en herinneren aan de gebouwen uit de Romantiek in Pisa. Net als bij de dom in Pisa is het onderste gedeelte van de voorgevel geleed door Romaanse blinde bogen, maar een verschil is dat hier alleen elke tweede console door een platte pilaar ondersteund wordt. Zo ontstaat een zekere ritmiek die open aandoet en de voorgevel relatief breed doet lijken.

Pas in de 14e eeuw werd de voorgevel rond het bovenste gedeelte, dat gotische invloeden heeft, uitgebreid. Een naar boven groter wordende zuilengalerij omgeeft hier een prachtig uitgevoerd roosvenster dat in een in cassetten verdeeld kwadrant uit het Trecento is geplaatst. Naast de apsis verheft zich de klokkentoren met spitse toren en hoekpiramiden uit het eind van de 12e eeuw, die teruggaat op Ligurische voorbeelden.

Hoofdportaal

Zowel de decoratie aan het hoofdportaal in de vorm van figuren als het acanthusfries aan het noordportaal verwijst naar de kunst uit het gebied van Emilia-Romagna en Verona. Mogelijkerwijs had de toenmalige, uit Verona afkomstige heer van de stad Carrara kunstenaars uit zijn eigen geboortestreek meegebracht.

Het hoofdportaal wordt geflankeerd door pilaren en heeft zowel in de ondersteuning van de deur als in de archivolt een vlakbewerkt reliëf met bloemenranken en dieren. Rond een adelaar die het hoogste punt van het tympaan markeert, is een fries met dieren uit de 12e eeuw te zien, waarvan enkele door het weer nauwelijks nog te identificeren zijn.

Bijna honderd jaar na het ontstaan van deze plastische decoratie, rond 1350, werd het deel van de gevel boven het hoofdportaal voorzien van het in een cassette geplaatste roosvenster en de zuilengalerij. De bouwkundige versiering van de kerk werd bovendien gecompleteerd door een rondlopend bogenfries aan de noord- en zuidkant. Het fries steunt op gebeeldhouwde consoles die onder andere leeuwen en stieren voorstellen. Dergelijke dierconsoles zijn vooral bekend uit Ferrara en Verona. Daar zijn op jachtfriesen dezelfde wolfshonden met ontblote tanden te zien als hier onder de bogen.

Interieur

De eenvoudig vormgegeven binnenruimte weerspiegelt de eeuwenlange bouwgeschiedenis van de kerk. In de Romantiek was de drieschepige zuilenbasiliek voorzien van een gewelfd plafond. Uit deze tijd stammen de zeer gevarieerde kapitelen van de arcade van het middenschip, waarop talrijke dieren- en jachtscènes te zien zijn. De vormgeving doet denken aan de gebeeldhouwde decoratie van het hoofdportaal. Vanaf de 14e eeuw werden de wanden van het middenschip van fresco's voorzien. Hiervan zijn slechts restanten over. De marmerdecoratie stamt bijna geheel uit het Cinquecento, uit de tijd dus waarin het Malaspina-geslacht een duurzame heerschappij over Carrara stichtte. Zo zijn er het hoofdaltaar en de 16e-eeuwse kansel, die in diverse soorten marmer uitgevoerd is en toegeschreven wordt aan twee beeldhouwers uit Carrara, Domenico di Sarto en Nicodemo. Iets later ontstond het door Francesco Bergamini ontworpen marmeren koorgestoelte.

Bovendien is de kerk rijk met beelden versierd. De oudste voorbeelden zijn het altaar van de goddelijke voorzienigheid aan de binnenkant van de gevel, waarschijnlijk een werk van Giroldo da Como uit de 14e eeuw, en een verkondigingsgroep van marmer in het rechterzijschip, die Franse invloeden vertoont en van rond 1310 is. Hier bevindt zich ook het 15e-eeuwse altaar met de relieken van de heilige Ceccardo, de stadspatroon van Carrara.

Fontana di Nettuno

Naast de dom bevindt zich een enigszins verweerd standbeeld dat bij een fontein hoort en aanvankelijk niet voor deze plek bedoeld was. Dit standbeeld maakt duidelijk dat Carrara in de loop der eeuwen de werkplaats van veel beeldhouwers was. De burgers van Genua gaven de Florentijnse beeldhouwer Baccio Bandinelli (1493-1560) de opdracht voor deze fontein. De Genuese admiraal Andrea Doria (die leefde van 1468 tot 1560), beroemd als vlootvoogd onder keizer Karel V en uitvinder van het eerste pantserschip, had na een eeuw de Franse overheersers overwonnen en zijn stad de vrijheid teruggeven. Met dit standbeeld zou hij als heerser over de wereldzeeën geëerd worden. Na de dood van de beeldhouwer in 1560 bleef de fontein evenwel onvoltooid in Carrara liggen en werd –zoals op de sokkel te lezen valt– in mei 1563 op zijn huidige plek neergezet. De figuur van de antieke zeegod Neptunus kreeg van de kunstenaar de trekken van Andrea Doria. Voor de eerste keer is hier een historische

persoon als hoofdfiguur vereeuwigd. Met zijn starre en onbeweeglijke bovenlichaam balanceert de zwaarlijvige figuur onzeker op de koppen van twee dolfijnen. Deze onstabiele en onevenwichtige houding leidt tot een oplossing van de klassieke contrapost en is kenmerkend voor het manieristische beeldhouwwerk van de kunstenaar Bandinelli.

Een bohémien in zijn tijd – Giacomo Puccini en de lyrische opera

"Hij was de mooiste man die ik ooit gezien heb." Over het uiterlijk van Giacomo Puccini bestond geen twijfel, in elk geval niet voor Alma Mahler-Werfel, die deze mening met talrijke andere vrouwen deelde. Over zijn prestaties als componist waren de meningen echter

Groepsfoto, met v.l.n.r. Giacomo Puccini (1858-1924), Giuseppe Giacosa (1847-1906) en Luigi Illica (1857-1919)

niet zo eensluidend. Terwijl Adolf Weissmann in 1925 vond dat Puccini met zijn opera's over het gewone dagelijkse leven een groot meesterwerk had volbracht, zei Benjamin Britten nog in 1951: "Wanneer ik *La Bohème* hoor, word ik helemaal onwel van de goedkoopte en leegheid van deze opera." Na 1904 ongeveer werd zijn werk echter met de opvoering van *Madame Butterfly* een overweldigend succes.

Sinds een voorvader van Puccini in 1740 als organist en kapelmeester van de dom in zijn geboortestad Lucca was benoemd, werd het stedelijke muzikale leven door deze familie bepaald. De Puccini waren muziekleraren, componisten, organisten en kapelmeesters. Giacomo werd op 22 december 1858 als vijfde kind van Michele en Albina Puccini geboren. De vader was directeur van het conservatorium in Lucca. Toen die in 1864 stierf, werd in een verdrag vastgelegd dat de toen zesjarige 'signor Giacomo' de positie van zijn vader als organist en kapelmeester over zou nemen zodra hij oud genoeg was.

Er is niet veel over de schoolperiode van de kleine Giacomo bekend, behalve dat hij een middelmatige leerling was en al vroeg als pianist in herbergen, bij volksfeesten of tijdens dansavonden in naburige badplaatsen, en als organist in Lucca, aan het levensonderhoud van zijn familie kon bijdragen.

Geestelijke muziek daarentegen interesseerde hem niet. Toen echter in 1876 Verdi's *Aida* met groot succes werd opgevoerd, stuurde zijn leraar compositieleer van het conservatorium in Lucca hem met twee vrienden naar de opera in Pisa. Te voet legden ze heen en terug twintig kilometer af, maar het was de moeite waard: "Het was alsof de muzikale hemel voor mij openging." Milaan en de opera waren nu Puccini's onbetwiste doel. In Milaan bevonden zich het Teatro della Scala, de grote en invloedrijke muziekuitgeverijen en het beroemde Conservatorio Reale.

Maar een studie in Milaan was duur en voor de familie onbetaalbaar. Ook de stad Lucca was niet bereid in een musicus te investeren die niet meer voor de post van organist beschikbaar was. Uiteindelijk werd Puccini dankzij een koninklijk stipendium en de financiële ondersteuning van een familielid aan het conservatorium van Milaan aangenomen. Hij leidde een armzalig, maar al tamelijk losbandig bestaan. Puccini volgde zijn pathetisch geformuleerde roeping –"God beroerde mij met zijn pink en sprak: componeer voor het

La Bohème, *titelblad van de eerste Ricordi-uitgave*

theater! Let op: alleen voor het theater!"– en bleef na voltooiing van zijn studie in Milaan. In 1884 schreef hij voor een muziekwedstrijd in

slechts drie maanden zijn eerste opera: de eenakter *Le villi,* die door muziekuitgeverij Sonzogno werd geweigerd met de opmerking dat

Hein Heckroth, La Bohème, *decorontwerp voor de uitvoering van Wolf Völker, in het stedelijk theater van Essen, 1930/1931*

het notenschrift onleesbaar was. Toen het Puccini echter lukte om met behulp van invloedrijke mecenassen de belangrijke uitgever Ricordi voor zijn werk te interesseren, werd dat de basis voor een levenslange vriendschap en samenwerking. De herziene versie van *Le villi* was zeer succesvol en werd door de diverse critici enthousiast ontvangen.

Intussen had hij met zijn minnares, een getrouwde vrouw uit Lucca, een zoon gekregen. Dat zorgde in het stadje voor de nodige

opschudding en een aanzienlijk schandaal. Maar al ten tijde van het eerste succes in 1884 trok Puccini zich terug in het moerasachtige gebied van Torre del Lago bij Viareggio. Hier kon hij werken, met de dorpsbewoners het glas heffen, in het meer vissen en op eenden jagen. In eerste instantie huurde hij een eenvoudige behuizing en enige tijd later verwierf hij een villa aan het meer.

Puccini leidde met zijn onconventionele levensstijl het leven van een bohémien en beantwoordde daarmee absoluut aan het kunstenaarsbeeld van het fin de siècle. Zwevend tussen melancholie en euforie zat hij vaak midden in de nacht aan de vleugel te componeren. Had hij in het café plotseling een inval, dan bracht hij het hele drinkgezelschap mee naar huis. Tijdens de lange arbeidsuren voor *La Bohème*, een perfect bij Puccini passend thema, werd een gelijknamige club opgericht, die het gereedkomen van het werk vrolijk en uitgelaten vierde. In 1900 volgde de compositie voor *Tosca*, in 1904 het enorme succes van *Madame Butterfly* en in 1910 *La Femciulla del West* die nog in hetzelfde jaar in New York werd opgevoerd.

Ondanks zijn vele buitenlandse reizen en zijn steeds wisselende woonplaatsen, keerde Puccini altijd terug naar de omgeving van het Massaciuccoli-meer. Tot ongenoegen van zijn vrouw Elvira wijdde hij zich naast de jacht ook aan andere genoegens, die voor haar natuurlijk niet verborgen bleven.

In haar boosheid om zijn talrijke flirtpartijtjes, rendez-vous en andere escapades hield ze een keer een koets in de gaten waarin ze de overspelige vermoedde en op heterdaad wilde betrappen. Toen ze daarin echter alleen haar rivale vond, bewerkte ze haar met een paraplu. De teruggekeerde echtgenoot ondervroeg ze over zijn jachtbuit. "Ach, alleen maar een paar snippen", was het laconieke antwoord en volgens ooggetuigen duurde de huiselijke storm die daarna opstak drie dagen. Zijn groeiende

roem en succes bij het publiek verzekerden de musicus en zijn familie van een leven in luxe en maakten Puccini's vele reizen mogelijk.

In 1922 traden de eerste symptomen van een dodelijke ziekte op. Zijn laatste opera kon Puccini niet meer voltooien. Toen hij in 1924 voor een operatie naar Brussel ging, namen de bewoners van zijn dorp afscheid van de grote componist en met hen de hele muziekwereld. Men ging er op voorhand vanuit dat hij de ingreep niet zou overleven. Inderdaad stierf Puccini op 29 november 1924 in België, ver van zijn vaderland. Hij werd in de buurt van zijn villa in Torre del Lago begraven.

Giacomo Puccini (1858-1924), partituur van het notenschrift voor La Bohème, 1896

Lucca en omgeving

Lucca

Op de vruchtbare vlakte van de Serchio, tussen de Apuaanse Alpen en Monte Pisano, ligt een van de mooiste provinciehoofdsteden van Toscane. Omgeven door muren en bastions uit het eind van de 16e en 17e eeuw laat Lucca een gesloten stadsbeeld zien. Liguriërs en Etrusken vestigden zich hier. Er zijn hier bewijzen gevonden van een nederzetting uit de 3e eeuw v.Chr. met de Keltisch-Ligurische naam *luc* (moeras), die in 180 v.Chr. als de kolonie 'Luca' werd ingenomen.

Op het kruispunt van belangrijke wegen ontstond een stad met een nog altijd herkenbaar schaakbordplattegrond. Caesar, Pompeïus en Crassus ontmoetten elkaar hier voor het driemanschap. De Longobarden kozen Lucca in 571 tot zetel van de hertog. Ook onder de Franken bleef de stad het centrum van het markgraafschap Tuscia. De positie aan de Via Francigena en de overzeese handel via het nabijgelegen Pisa bevorderde de economische bloei. Vooral luxeartikelen –bladgoud, brokaat en zijde– werden in heel Europa en de Oriënt verkocht. Tot eind 11e eeuw was de welvarende stad de zetel van de enige koninklijke muntplaats in Midden-Italië.

Het onafhankelijkheidsstreven, dat in 1080 met de verkiezing van een eigen consul was ingezet, had onder keizer Frederik Barbarossa in 1162 eindelijk succes. In deze tijd van economische groei en vrede ontstonden de belangrijkste bouwwerken van de Romantiek.

De grote concurrentie van Florence en Pisa leidde in de 13e en de 14e eeuw tot economische en politieke moeilijkheden en tot het vertrek van lokale kunstenaars. Vanwege de op een burgeroorlog lijkende omstandigheden gaven zij de voorkeur aan Florence en Venetië en daarmee verdwenen hun ambachtelijke kennis en vakmanschap.

Signore Castruccio Castracani regeerde vanaf 1316. Hij verzwakte Lucca door gebiedsuitbreidingen zodanig dat de stad, na de dood van Castracani, in 1328 door Pisa werd ingenomen. Pas onder keizer Karel V kreeg de stad veertig jaar later zijn onafhankelijkheid terug. Vanaf 1400 volgden vrede en economische groei onder de *Signoria* van Paolo Guinigi, de koopmansfamilie die de met zeven steeneiken beplante toren –het symbool van Lucca– liet bouwen.

Na de herinrichting van de republiek in 1430 bleef Lucca als enige Toscaanse stad onafhankelijk, maar in 1799 droeg Napoleon de stad als hertogdom over aan zijn zuster Elisa Bacciocchi. Na het congres van Wenen werd Maria-Luisa van Bourbon-Parma als regentes geïnstalleerd. Haar zoon Lodovico droeg het gebied in 1847 kort voor de vereniging van Italië over aan het groothertogdom Toscane.

Luchtopname van de Piazza Anfiteatro

Lucca

S. Michele in Foro, Piazza S. Michele, blz. 69

Piazza Anfiteatro, blz. 68

Palazzo Mansi (Pinacoteca Nazionale), Via Galli Tassi 43, blz. 77

Villa Guinigi (Museo Nazionale), Via della Quarquonia, blz. 78

Duomo S. Martino, Piazza S. Martino, blz. 70

Andere bezienswaardigheden:

1   Le Mura, stadsmuur, blz. 60

2   S. Frediano, Piazza S. Frediano, blz. 61

Le Mura – de stadsmuren

Het imposante, tot nu toe volledig intact gebleven verdedigingscomplex in Lucca is het laatste van de in totaal vier complexen in de geschiedenis van de stad – na de Romeinse, de Longobardische en de 'gemeentelijke' muur. Omdat de bestaande muren door de uitvinding van nieuwe oorlogsmachines niet meer voldeden, werden er in Lucca in de loop van de 15e eeuw op regelmatige afstand van elkaar nieuwe bolwerken voor kanonnen in een vooruitgeschoven positie gebouwd. Toen in het midden van de 16e eeuw de bekendste architecten van militaire bouwwerken met de bouw van een nieuwe muur begonnen, werden deze bastions in het ontwerp opgenomen. Rond 1650 was

het zeer dure bouwsel, ongeveer zes miljoen stenen later, gereed. De muren hebben een gezamenlijke lengte van 4,2 km en bestaan uit elf aarden wallen, die aan de basis tot 30 m breed zijn en aan de buitenkant tot 12 m hoog met stenen werden bekleed. Aan de buitenkant volgde een 30 m brede gracht en daarna nog een aarden wal ter bescherming. Deze muren hebben echter nooit stand hoeven houden tijdens een belegering; ze hebben alleen het water van de Serchio in 1812 moeten keren. De inwoners van Lucca zijn er zeer trots op dat hun stad nooit onder de heerschappij van de De'Medici-groothertogen is gekomen en maken daarom ook nu nog onderscheid tussen wie *fuori* of *dentro le mura*, buiten of binnen de muren van Lucca, geboren is.

San Frediano

In de 6e eeuw stichtte Fredianus, een van oorsprong Ierse bisschop en de stadspatroon van Lucca, in de buurt van het antieke theater een eenvoudige kerk, die in het begin van de 12e eeuw in Romaanse stijl verbouwd werd en in 1147 werd gewijd. Opdat de voorgevel de stadsmuur niet zou raken, werd deze bij uitzondering naar het oosten verplaatst. Drie eenvoudige portalen met hoge boogvelden tonen nog het oorspronkelijke ontwerp van de drieschepige basiliek.

Door de latere uitbreiding met zijkapellen kwamen de twee flankerende assen erbij.

In de 13e eeuw werd het middenschip verhoogd en de hoge topgevel werd met een (voor Toscane bijzonder ongewoon) gouden mozaïek versierd. Rond 1230 werden hiervoor Byzantijns geschoolde arbeiders van de beroemde schilderswerkplaats van de Berlinghieri aangetrokken.

Het mozaïek toont de 'Hemelvaart van Christus'. In het bovenste gevel-veld zit de verrezen Christus in een zogeheten mandorla, gedragen door twee engelen. Daaronder bevinden zich de zichtbaar opgewonden apostelen in antieke gewaden. Aan hun symmetrische ordening ontbreekt het middelpunt, omdat de figuur van Maria later plaats moest maken voor een spitsboogvenster.

Interieur

De drieschepige binnenruimte zonder dwarsschepen is, ondanks de latere uitbreiding, een van de mooiste voorbeelden van de Romantiek in Lucca. Twaalf zuilenparen –overeenkomstig het aantal apostelen– dragen de goed geproportioneerde arcades van het middenschip. Composietkapitelen zijn Romeinse spolia uit de 4e eeuw; de andere kapitelen stammen gedeeltelijk uit de 12e en de 15e eeuw.

De nu onversierde wand van het middenschip was vermoedelijk met fresco's beschilderd. Boven een kroonlijst bevindt zich de bovenste verdieping met haar regelmatig geordende vensters. In de 13e eeuw werd deze verdieping 3,30 m verhoogd. Omdat de oorspronkelijke proporties van de vroegchristelijke basilieken werden aangehouden, kreeg de ruimte een andere verhouding tussen breedte en hoogte (1:2), wat overeenkomt met de verhoudingen van de dom van Pisa. De tussen de 13e en 16e eeuw gebouwde zijkapellen zijn grafkapellen van de belangrijke families van Lucca en daarom met kostbaar beeldhouwwerk en schilderijen gedecoreerd. In de zogenaamde Zita-kapel bevinden zich de relieken van de gelijknamige stadsheilige. Bij de San Frediano hoorde oorspronkelijk een groot klooster. In de 16e eeuw vormde dit het centrum van de in Lucca aanvankelijk gedulde aanhangers van de Reformatie. Pas later trokken ze bijna allemaal naar Genève om aan de vervolging door de Inquisitie te ontkomen.

Doopvont, ca. 1150
marmer, h 330 cm, Ø 255 cm

Voor een lunet van gekleurd, geglazuurd terracotta, die rond 1510 werd gemaakt in de werkplaats van de Florentijnse beeldhouwersfamilie della Robbia en die een 'aankondiging' voorstelt, staat de grote Romaanse doopvont die in de 18e eeuw verwijderd werd en pas in 1952 weer werd opgesteld. De vont werd halverwege de 12e eeuw gemaakt. Hij bestaat uit een rond bekken met een centrale middenpijler, die versierd is met een gestileerde weergave van stromend water, waaruit een naakte jongeling en een zeemonster opduiken. Daarboven staat een schaal, met maskers waar water uit stroomt. De schaal is voorzien van een door zuilen gedragen koepel, die gedecoreerd is met afbeeldingen van de maanden en symbolen van de evangelisten. Meerdere kunstenaars hebben aan de schepping van dit werk bijgedragen. Zo zijn de figuren van de maanden en de apostelen op de koepel van de hand van een klassiek geschoolde Toscaanse beeldhouwer. De taferelen met veel figuren aan de onderkant van het bekken komen daarentegen overeen met de temperamentvolle stijl van een Lombardische meester. Ze geven momenten uit het leven van Mozes weer. Erg fraai is het reliëf van de 'Doortocht door de Rode Zee': hier lijken de soldaten van de farao op middeleeuwse ridders. Een derde, Byzantijns beïnvloede kunstenaar heeft zijn naam –'Robertus Magister'– achtergelaten. Van hem is de Christusfiguur: een goed herder met het lam op zijn schouder, omgeven door apostelen, heiligen en profeten.

Tussen paus en keizerrijk – de eindeloze strijd tussen Welfen en Ghibellijnen

Ruth Strasser

Wanneer de huidige bezoeker in middeleeuwse Toscaanse plaatsen toevallig omhoogkijkt, vallen hem onwillekeurig de verschillende kantelen van stadsmuren, raadhuizen en paleizen op: rechthoekig met rechte rand (Welfisch) of mooi gebogen, zwaluwstaartvormig (Ghibellijns). Alleen daaraan valt al af te lezen tot welke van de twee elkaar vijandig gezinde partijen een plaats, gemeente of familie behoorde – als de huidige bouwsels tenminste niet door latere restauraties of veranderingen door de vijand werden aangepast.

Vanaf 1240 duiken de begrippen Welfen en Ghibellijnen in de geschiedenisdocumenten op. Toscane vormde in die tijd absoluut geen politieke eenheid; het gebied was verdeeld in afzonderlijke stadsstaten, die elkaar om het minste of geringste in de haren vlogen en die in de machtsstrijd tussen keizer en heilige stoel verstrikt waren.

Welfen-steden voerden dan ook een pausvriendelijke politiek en keerden zich tegen inmenging van de keizer en het rijk in gemeentelijke kwesties; ze duldden geen keizerlijke vicarissen binnen de muren en wilden daarom ook geen belasting aan de keizer afdragen.

Tot de Ghibellijnen rekende zich de oude landadel, die overigens al lang geleden zijn landgoederen voor stadspaleizen verruild had en

Campanile van het Palazzo Vecchio, Florence

van pacht en belastingopbrengsten leefde. De edelen hoopten van de keizer steun te krijgen bij hun pogingen het verouderde ideaal van het leenstelsel te handhaven en zo de nieuwe economisch-politieke macht van de steeds sterker wordende koopmannen en handelaren te keren.

Het conflict tussen paus en keizer had zijn oorsprong in de 11e eeuw: de bisschop van Florence, Hildebrand, was benoemd tot paus Gregorius VII, en hij verbood de zogeheten lekeninvestituur. Dit was het sinds Karel de Grote vastgelegde recht van de keizer –de gezalfde des Heren– om bisschoppen en abten te benoemen. Met de afschaffing van de lekeninvestituur was ook verbonden de opheffing van het recht van een wereldlijk heer om kerk- of kloosterbelastingen te innen. De afloop van het verhaal is bekend. Hendrik IV, derde Duitse koning en rooms keizer uit het Frankisch-Salische huis, verklaarde met de woorden: "Ik, Hendrik, door gods genade koning, zeg u samen met al mijn bisschoppen: treed af, treed af!" De koning werd daarop in 1077 door de paus verbannen en was gedwongen de spreekwoordelijke 'zware' gang naar Canossa te maken om een voorlopige verzoening met de paus tot stand te brengen.

De strijd om de investituur werd in de regeringsperioden van keizer Frederik I Barbarossa uit het huis Hohenstaufen, van zijn zoon Hendrik VI en van zijn kleinzoon Frederik II, nog verscherpt, omdat zij de suprematie van de paus afwezen. Nadat paus Innocentius III

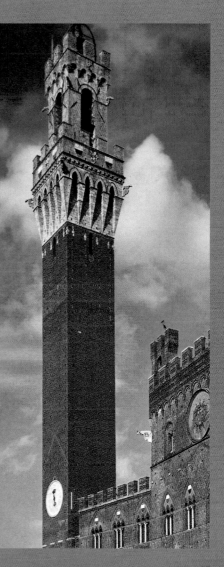

Campanile van het Palazzo Pubblico, Siena

zich in 1201 had uitgesproken voor de benoeming van een tegenkandidaat, de zoon van Hendrik de Leeuw, Otto IV uit het geslacht der Welfen, stond de toekomstige benaming van beide partijen vast. Volgens de geslachtsnaam werden de keizergetrouwen Waiblingers genoemd: Waiblingen in Würtemberg is het stamslot van de Hohenstaufen. Daar werd in het Italiaans *Ghibellini* van gemaakt. De Welfen als aanhangers van de paus werden *Guelfi* ('Welfen') genoemd.

De toch al met elkaar rivaliserende Toscaanse steden, waarvan het inwonertal in de loop van de 13e eeuw sterk toenam door de handel overzee en de oprichting van nauwelijks concurrentie kennende Noord-Italiaanse banken, namen de politieke verdeeldheid tussen keizer en paus in hun regeringsstatuten op. Dit betekende voor een inwoner van Florence of Siena dat het niet in eerste instantie belangrijk was in welke stad hij het levenslicht had aanschouwd, maar of zijn familie tot de Welfen of de Ghibellijnen behoorde en wat de positie was van het zittende stadsbestuur.

Pas in de loop van de geschiedenis kozen de afzonderlijke steden ondubbelzinnig partij. Florence en Lucca —als belangrijke handelscentra— stonden aan de kant van de op Rome georiënteerde Welfen, terwijl Pisa, Siena en Pistoia door keizergezinde families werden geregeerd die, wanneer de keizer over de Alpen trok, hem en zijn gevolg maandenlang onderdak in hun paleizen boden.

De politieke situatie in Toscane werd echter nog gecompliceerder. Tijdens een spel verwondde een zoontje van de machtige Cancellieri-familie uit Pistoia een kind van een fami-lielid licht met een zwaard. Toen de kleine onverlaat door zijn vader naar de ouders van het gewonde kind werd gestuurd om zijn excuses aan te bieden, werd het kind van de familie Cancellieri zonder pardon de hand afgehakt. Hij werd teruggestuurd met de boodschap: "Alleen met ijzer, niet met lege woorden, worden wonden aangebracht door een zwaard geheeld." Onder de Ghibellijnen in Pistoia ontstond daarop tweespalt en daarna werden ze de 'witten' en de 'zwarten' genoemd.

Deze stedelijke twisten sloegen echter ook over op het welfische Florence, waar een soortgelijke familievete ontstond toen een zekere Buondelmonte dei Buondelmonti, vriend van de eerbiedwaardige familie Donati, vanwege een niet ingeloste huwelijksbelofte werd vermoord door familieleden van het meisje. Corso Donati, een van de invloedrijkste mannen van Florence en een directe verwant van de 'zwarte' Cancellieri uit Pistoia, stichtte daarop de partij van de 'zwarte' Welfen in Florence. De vijand van Donati, de rijke handelsfamilie Cerchi, werd daardoor onvoorzien een representant van de 'witte' Welfen. Er werden toen allerlei verbonden gesloten; politieke tegenstanders die in andere Italiaanse steden in ballingschap leefden, huurden huurlingenleiders in; buitenlandse geïnteresseerden mengden zich in de verdeling van de machtsverhoudingen; overwonnen steden werden aan de hoogste bieder verkocht. Verraad van de kant van achtergebleven verwanten of vrienden van verdrevenen was aan de orde van de dag en na zonsondergang was er een avondklok. "Bloed stroomt door de straten en de honden likken het uit de goot", zo beschreef Dante beeldend de gevaarlijke situatie in het Florence van zijn tijd. Als 'witte' Welfische stadsgevolmachtigde werd hij ten slotte zelf het slachtoffer van de situatie: bij binnenkomst van de pauselijke troepen moest hij Florence voor altijd verlaten.

De Ghibellijnen verloren met het uitsterven van het geslacht Hohenstaufen een machtig aanhanger. Ook de jonge keizer Hendrik VII, die samen met zijn bondgenoten uit Pisa en Siena de paus wilde afzetten, bereikte zijn doel niet meer: hij stierf tijdens zijn tocht naar Rome. Toscaanse stedelingen organiseerden zich in toenemende mate in gilden en drongen op een algemene verkiezing voor het stadsbestuur aan. Toen in 1250 de Welfen wonnen en voor de eerste maal ambachtslieden en kleine handelaren, *popolo minuto*, aan de regering deelnamen, werd niet alleen het vermogen van de Ghibellijnse families in beslag genomen, maar nam men ook een wet aan waarin de adel politieke functies werd ontzegd en het leenstelsel werd opgeheven. Een wet in het staatsarchief van Florence van 6 augustus 1289 verbiedt de koop en verkoop van mensen als arbeidskracht en garandeert vrijheid en zelfbeschikking. Dit was een eerste aanzet tot de constitutie van mensenrechten, onafhankelijk van goddelijke wetten of keizerlijke bepalingen.

Giorgio Vasari, gezicht op de stad tijdens de belegering van de keizerlijke troepen in 1529 (detail), Palazzo Vecchio, Sala di Clemente VII, Florence

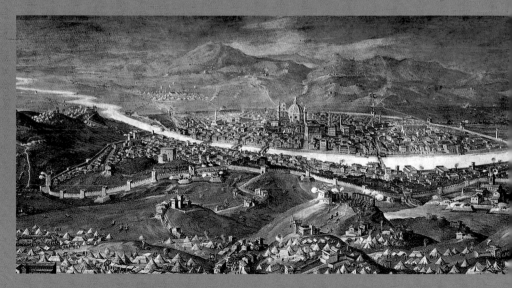

Amfitheater – Piazza Anfiteatro

Het niveau van het Romeinse amfitheater uit de 2e eeuw lag ongeveer drie meter dieper dan nu. Het was ellipsvormig en twee tegenover elkaar liggende rijen bogen, die door pilaren werden ondersteund, omgaven het theater. Het complex was volledig verwoest in de tijd van de grote volksverhuizing. De restanten werden elders gebruikt als bouwmateriaal, bij-

voorbeeld voor de zuilen van de Romaanse kerken van Lucca. Op de ruïnes van het theater werden onbekommerd nieuwe huizen gebouwd. Men was gedwongen uit te gaan van het elliptische grondplan van het gebouw uit de Oudheid – een vorm die het huidige plein nog altijd kenmerkt. Na een latere bebouwing van het hele gebied gaf Maria-Louisa van Bourbon-Parma in 1830 opdracht het plein vrij te maken. De vier bogen die nog altijd de entree vormen, verwijzen naar de ingangen van het voormalige amfitheater.

San Michele in Foro

Ondanks een tweehonderd jaar durende
bouwperiode bereikte de Romaanse basiliek San Michele in Foro nooit de geplande
hoogte. Daarom steekt de met marmer
beklede voorgevel, met daarop het grote
beeld van de aartsengel Michael, zo hoog
boven de midden- en zijbeuk uit. De bijnaam is afgeleid van het plein dat ooit als
forum van de Romeinse kolonie diende.
De benedenverdieping is ingedeeld met
arcaden, voorzien van gekleurde, ruitvormige incrustatie. Plastische zuilen ondersteunen de kostbaar versierde dwerggalerijen van de bovenste gevelzone en de top.
De meerkleurige incrustatie benadrukt de
eenheid van de geveldecoratie, waarvan
de originaliteit wordt bepaald door de
kostbaar gebeeldhouwde zuilenschachten,
kapitelen en consoles. Meester Guidetto
uit Como verbond hier begin 13e eeuw
decoratie-elementen van zijn Lombardische geboortestreek met de vormentaal
van de Pisaanse Romantiek.

Duomo San Martino

Deze 6e-eeuwse kerk werd in de 8e eeuw benoemd tot bisschopszetel. In 1060 zette men er een nieuwe kerk neer, die tussen de 12e en de 14e eeuw een groots opgezette verbouwing beleefde.

Voordat de toonaangevende meester Guidetto uit Como, die zich in een plastiek onder de rechterzuil van de eerste galerij heeft vereeuwigd, de marmeren voorgevel in 1204 kon voltooien, moest hij zijn plannen op de al aanwezige 69 m hoge campanile afstemmen. Dat verklaart de asymmetrie van de sierlijk aandoende gevel, die tegen de weerbarstige, tweekleurige in travertijn en baksteen uitgevoerde toren lijkt te leunen.

De voorgevel is in twee zones verdeeld. Op de benedenverdieping geven drie bogen toegang tot het voorportaal, waarvan de afsluiting mogelijk een topgevel als die van de San Michele in Foro had moeten krijgen. Elke zuil is afzonderlijk plastisch gedecoreerd: draken, leeuwen, menselijke figuren en geometrische patronen in reliëf en in zwart en wit marmer wisselen elkaar af.

Boven de arcaden zijn plantaardige ornamenten en diermotieven te zien, die aan patronen van de beroemde zijden stoffen van Lucca doen denken.

Aan de portalen bevinden zich opmerkelijke reliëfs met scènes uit het leven van de heilige Martinus, de heilige Regulus en Christus.

Lombardische kunstenaar, omgeving Lucca, de heilige Martinus en de bedelaar, ca. 1240
marmer, levensgroot

Bij dit beeldhouwwerk gaat het om een van de zeldzame levensgrote middeleeuwse ruiterstandbeelden in Italië. Het werk werd rond 1240 gemaakt voor de voorgevel van de dom, waar het nu door een kopie is vervangen. De lichtgebogen houding en rug van de bedelaar maken de nederige onderworpenheid aan de edele ruiter duidelijk.

Linkerzijportaal in de westgevel

Door de meervoudige onderverdeling en de kleuren maakt het portaal een gesloten indruk. Vooral van belang zijn de plastisch bewerkte elementen. Net als bij de andere portalen sieren reliëfs van rond 1260 de bovendorpel en het timpaan. Op de bovendorpel zijn de aankondiging, de geboorte van Christus en de koninklijke aanbidding weergegeven. Minstens zo levendig en vol uitdrukking als deze gebeurtenissen uit het leven van Christus zijn de figuren van de kruisafname in het timpaan.

Overeenkomstig de christelijke iconografie hebben de drie Maria's en de gelovige mannen zich rond het graf verzameld. De armen van Christus zijn reeds losgemaakt, terwijl Nicodemus juist de voeten bevrijdt. Tegelijkertijd omvat Jozef van Arimatea het lichaam van de Heer en laat het op zijn schouder glijden.

De beeldhouwer, die in de kring rond Nicola Pisano moet worden gezocht, wist op bewonderenswaardige wijze door de ordening van de figuren in het timpaan de emotionele uitdrukking te vergroten. Zo wordt het gewicht van de dode Christus door de weinig ruimte overlatende omlijsting nog versterkt. Het gelaat van Christus lijkt vredig, hij lijkt bijna te glimlachen. Jozef van Arimatea kijkt gespannen en toch liefdevol toe. De soldaat aan de rechterkant heft nieuwsgierig zijn hoofd, alsof hij onder de indruk is van hetgeen waarvan hij zojuist getuige is geweest.

Tussenreliëf in de voorgevel van de dom, scènes uit het leven van de heilige Martinus, voorstellingen van de maanden van het jaar, juli tot december (detail), 13e eeuw
marmer

De ontwerper van het rechterportaal, de zogenaamde Regulus-meester, heeft halverwege de 13e eeuw ook het reliëf tussen de portalen gemaakt. Onder de taferelen uit het leven van de heilige Martinus is een serie afbeeldingen met de maanden van het jaar te zien, die in een gelijkmatige reeks arcaden kleine werkende figuurtjes tonen. In bijzonder aantrekkelijke voorstellingen voeren ze de dagelijkse werkzaamheden van de betreffende maanden uit. In januari wordt het vuur verzorgd, in februari wordt er gevist, in maart worden de wijnstokken gesnoeid, in april wordt er gezaaid, in mei gaat de ridder met bloemen op zoek naar een bruid, in juni wordt het graan geoogst, in juli gedorst, in augustus geoogst, in september worden de druiven geperst en in oktober de wijnvaten gevuld. Geploegd wordt er in november en geslacht in december. In de zwikken van de arcaden zijn de bijbehorende dierenriemtekens te herkennen. Bekoorlijk in deze reliëfs is het contrast tussen de glanzende, bijna turkooizen achtergrond en het wit van de druk gebarende figuren.

Duomo San Martino

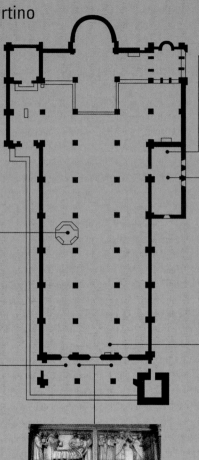

Jacopo della Quercia, praalgraf van Ilaria del Carretto, blz. 76

Volto Santo, blz. 75

0   10 m

Domenico Ghirlandaio, tronende madonna met de heiligen Petrus, Clemens, Sebastiaan en Paulus, rond 1479, sacristie

Linkerzijportaal in de westgevel, blz. 72

Scènes uit het leven van de heilige Martinus en afbeeldingen van de maanden van het jaar

Martinus en de bedelaar, blz. 71

Volto Santo, tussen 1170 en 1220
hout, h 250 cm

In een achthoekig, elegant tempeltje –het werk van de belangrijkste renaissance-beeldhouwer uit Lucca, Matteo Civitali (1436-1501)– bevindt zich de 'Volto Santo', het 'Heilige Gelaat'.

Dit 'Heilige Gelaat' verwijst naar een 'Christus Pantocrator'-voorstelling, waarin Christus als wereldheerser wordt afgebeeld. Gezicht, haren en baard zijn streng en symmetrisch weergegeven. Een lange, gegorde tuniek (de 'colobium') en de loodrecht gespreide armen benadrukken de opbouw in symmetrische assen van de figuur. Geen lichamelijk lijden, maar een triomfantelijke overwinning op de dood en het geloof in wederopstanding staan in dit werk voorop.

De legende gaat terug op de heilige Nicodemus, die een crucifix uit het cederhout van Libanon sneed voor een 'vera ikon', een 'echte afbeelding van Christus'. De icoon bleef lang verborgen en zou in 782 in een schip zonder bemanning aan de noordkust van Toscane bij Luni zijn aangekomen en vervolgens door onbekenden in een ossenwagen naar Lucca zijn vervoerd.

De notenhouten figuur van de 'Volto Santo' hoort bij een groep Romaanse crucifixen die tussen 1170 en 1220 gemaakt zouden zijn. De figuur gaat stilistisch mogelijk terug op een verloren gegaan ouder altaarstuk dat in de Middeleeuwen vanuit Syrië in Toscane kwam. In de Mid-deleeuwen werd de legende van het kruis van Lucca in alle Europese landen bekend. Zo liet koning Willem II zijn eed gewoonlijk vergezeld gaan van de woorden 'per sanctum Vultum de Lucca'. Ook in Franse minneliederen dook een 'Saint Vaudeluc' op. Zijn afbeelding kwam voor op de wapens van Vlaamse kooplieden en Dante Alighieri noemt hem in het XXIe gezang van de hel.

Elk jaar wordt op 13 september de kostbaar versierde 'Volto Santo' in een processie door de stad gedragen. Alle ramen en arcaden worden dan door ontelbare kleine lichtjes verlicht.

**Jacopo della Quercia (ca. 1374–1438),
praalgraf van Ilaria del Carretto, ca. 1406–1408**
marmer, 88 x 205 cm

Op 8 december 1405 stierf Ilaria del Carretto, tweede vrouw van Paolo Guinigi,
'signore' en stadsheer van Lucca, bij de
geboorte van haar tweede kind. Ter herinnering aan haar liet haar man door de jonge Siënese beeldhouwer Jacopo della
Quercia tussen 1406 en 1408 een van de
mooiste praalgraven van het Quattrocento
vervaardigen.
Het monument bevindt zich nu in de
sacristie. De beeldhouwer uit Siena en zijn
medewerker Francesco di Valdambrino
drukten in dit vroege werk in marmer
indrukwekkend de jeugd en de schoon-

heid van de jong gestorven vrouw uit. Ilaria ligt op een vrijstaande sarcofaag. Aan
haar voeten waakt, als teken van een over
de dood heenreikende trouw, een klein
hondje. Ze draagt een hooggesloten
gewaad met plooien die de natuurlijke
bevalligheid van haar figuur benadrukken.
Vooral het gelaat van Ilaria gaf Della Quercia indrukwekkend weer.
De duidelijk gotische stijl die in dit vroege
werk opvalt, verbindt zich harmonieus
met de vormen van de tombe, die de
Renaissance al aankondigen. Het doodsbed
wordt omgeven door tien naakte, 'levens-
lustige' putti met strakke guirlandes, die
voor het eerst sinds de Oudheid in een
dergelijke maatvoering en met zo'n autonomie zijn weergegeven.

Palazzo Mansi – Pinacoteca Nazionale

De familie Mansi liet haar 17e-eeuwse paleis, dat aan de buitenkant relatief eenvoudig is, een eeuw later verbouwen. Vanbinnen werd het paleis van bijzonder veel pracht en praal voorzien, met een exclusieve balzaal en een buitengewoon luxueuze bruidskamer.

Nu is de Pinacoteca Nazionale in het Palazzo Mansi gevestigd. Zwaartepunten zijn de 16e-eeuwse Venetiaanse en de 18e-eeuwse Vlaamse en Florentijnse schilderkunst. Het grootste gedeelte was een geschenk van groothertog Leopold II aan de stad Lucca naar aanleiding van de inlijving bij het groothertogdom Toscane.

Pontormo (1494–1557), portret van een jonge man, ca. 1522/1525
olieverf op paneel, 85 x 61 cm

Dit portret toont een persoon in een klassieke heerserspose. Fier rechtop, met zijn ene hand op zijn heup en zijn andere hand op een balustrade, kijkt de jonge man ons zelfbewust aan. Ondanks deze houding lijkt het lichaam in de mantel, die bijna het hele doek vult, tegen de zwarte achtergrond te verdwijnen. Alleen de wijdte en de dominante kleur van de mantel geven de jonge man volume. De houding van zijn hoofd en zijn blik en mimiek zijn jeugdig en zelfbewust, maar tegelijkertijd ook wat onzeker. De pose, de mantelbehandeling en de gezichtsuitdrukking zijn daarmee in een eigenaardige tegenspraak, die karakteristiek is voor Pontormo's anticlassicistische, manieristische manier van schilderen.

Giorgio Vasari schrijft in de biografie van Pontormo dat het hier om een natuurgetrouwe weergave gaat van de jonge Alessandro de'Medici –buitenechtelijke zoon van de De'Medici-paus Clemens VII–, die op dat moment dertien jaar oud was. Alessandro werd jaren later in 1537 als tiranniek heerser van Florence door zijn vader vermoord.

Villa Guinigi - Museo Nazionale

Paolo Guinigi regeerde vanaf het begin van de 15e eeuw dertig jaar lang over Lucca. In het centrum van de stad bezat hij reeds een groot paleis, het Palazzo Guinigi, toen hij buiten de middeleeuwse muren een door een prachtige tuin omgeven tweede domicilie liet bouwen. Na een grondige restauratie werd de Villa Guinigi in 1968 in gebruik genomen als Museo Nazionale. Het uitgestrekte, tweekleurige complex van baksteen, met zuilengalerijen op de benedenverdieping en op witte pilaren steunende vensters van een triforium op de eerste verdieping, herbergt nu een omvangrijke antiekverzameling en representatieve kunstwerken in alle genres van de Middeleeuwen tot de 18e eeuw.

Etruskische grafvondsten

Van bijzondere betekenis in de uitgebreide en indrukwekkende verzameling van het Museo Nazionale zijn de grafvondsten van een Etruskisch grafcomplex dat in 1892 aan de Rio Ralletta ten zuiden van Lucca in het voormalige moeras van Bientina werd blootgelegd. Het gaat hierbij om een Attische krater en gouden sieraden van hoge kwaliteit: oorringen, grote sierspelden, fibulae voor het bij elkaar houden van kleding, verschillende hangers en gedreven plaatjes.

Voor het maken van granulaat, de kleine gouden bolletjes voor de granulatie, smolten de Etrusken gouddeeltjes tussen fijngestampt houtskool bij ongeveer 1100 °C. Die goudbolletjes werden vervolgens met loog en regenwater gewassen en daarna gesorteerd – vaak waren ze niet groter dan 0,1 mm. Alleen met heel fijn dierlijk haar werden deze kleine korreltjes, meestal zonder de gebruikelijke hulpmiddelen, zoals aan elkaar gesoldeerde draden of ingekraste groeven, tot allerlei ornamenten of figuren verwerkt. Voor het solderen werd een basisch kopercarbonaat gebruikt, het zogenaamde chrysokoll, een 'goudlijm' die voornamelijk in malachiet, een smaragdgroen mineraal, voorkomt.

**Berlinghiero Berlinghieri
(ca. 1175/1180-vóór 1236),
tafelkruis, ca. 1220**
tempera op paneel,
175 x 140 cm

Zeer goed bewaard geble- ven is het beschilderde houten kruis van de schil- der Berlinghiero Berlin- ghieri uit Lucca, dat de sig- natuur 'Berlinghieri Me Pinxit' draagt.
Berlinghiero schilderde Christus aan het kruis in opgerichte houding met een rijkversierde lenden- doek. Het gezicht wordt omlijst door een met berg- kristal bezette aureool. De grote ogen kijken de toe- schouwer direct aan.
In deze staande houding –niet hangend en lijdend aan het kruis– vertegen- woordigt hij niet de 'Chris- tus patiens', maar de 'Christus triumphans', en daarmee degene die de dood heeft over- wonnen. Nadat in het vroege christendom kruisiging en passie door het kruis en het lam werden gesymboliseerd, besloot het concilie dat keizer Justinianus II in 691 bij- eengeroepen had, dat de gekruisigde Christus zélf weergegeven moest worden. Het was de taak van de schilder de levende Christus, die door zijn lijden de verlossing bracht, aanschouwelijk te maken. De tafelkruisen die vervolgens ontstonden, werden onderdeel van de iconostase: de van de oosterse kerk overgenomen schei- dingswand tussen de leken- en koorruim- te, die met iconen bedekt was en door drie deuren werd onderbroken. Tot in de 14e eeuw bleef de iconostase een gebruikelijk onderdeel van de kerk.

Imposante bomen, schilderijen en fonteinen – de Toscaanse villa
Ruth Strasser

Door de geschriften van klassieke schrijvers en de studie van het Latijn raakten de humanistisch gevormde Florentijnse burgers in de 15e eeuw bekend met de manier van leven van hun voorouders. Ze ontdekten daarbij al snel de door de Romeinen zo geroemde indeling van het leven in 'vita activa' –het drukke leven van een koopman, politicus of bankier– en in 'vita contemplativa' – de tijdelijke afzondering in een landelijke omgeving, waar men zich wijdde aan de muzen en de kunst. De nauwe band tussen stad en land, zo typerend voor de mediterrane cultuur, bleef altijd bestaan. Na het leenstelsel en de graafschappen van de Franken namen de vrije stedelijke gemeenten de omliggende gebieden weer in bezit: zo werden de steden landbezitter. De goedlopende organisatie van de 'civitas', de stadsrepubliek, werd overgenomen door het platteland. De natuur verloor daarmee de demonische dreiging die ze voor de middeleeuwse mens had.

In de raadzaal van het Palazzo Pubblico in Siena is op het fresco van Ambrogio Lorenzetti (ca. 1293-1348), dat halverwege de 14e eeuw is gemaakt, de vrijheid van het ongehinderde verkeer tussen stad en land afgebeeld.

Rond 1400 bezat het grootste deel van de stedelijke bevolking een stuk land in de *contado*,

Villa di Castello, Florence

de omgeving van de stad. De *villeggiatura* –het tijdelijke verblijf op het platteland– kwam tot bloei en de status van de land- en akkerbouw verbeterde. Het zomerverblijf werd een villa, die zich van een burcht of slot onderscheidde doordat de eigenaar geen soeverein was, maar een onder de stedelijke jurisdictie vallende burger, die het landhuis slechts van tijd tot tijd bewoonde.

Toch is de villa altijd met de landbouw verbonden gebleven en in een systeem van pachtboerderijen geïntegreerd geweest. Een voorbeeld van dit tamelijk nieuwe culturele instituut was de familie de'Medici uit Florence.

De bouwwerken van de stamvader Cosimo il Vecchio (1389-1464), de villa's Caffaggiolo en Il Trebbio, zijn met hun verdedigingstorens, omgangen en dakgoten nog in de stijl van een middeleeuwse burcht gebouwd en tot vesting verbouwd. Met de opkomst van de door de klassieke idealen geïnspireerde, theoretische verhandelingen over de architectuur van de villa, wordt dit verblijf een oord van 'otium', de geleerde rust: er wordt gestudeerd, gefilosofeerd met vrienden, gedicht, gemusiceerd en gejaagd. Verder kweekt men er sinaasappels, experimenteert men met het maken van wijn, worden de voordelen van een gezonde voeding benut en kan men er de zomerse hitte van de stad ontvluchten. Bij Boccaccio (1313-1375) is de villa het ideale oord waar men de verschrikkingen van de pest die in de stad woedt, kan ontvluchten. Petrarca (1304-1374) beschouwt de villa als een aangepaste levensvorm voor een lid van de geestelijke elite en de renaissancearchitect en architectuurtheoreticus Leon Battista Alberti (1404-1472) beveelt de villa aan "gewoonweg vanwege het genoegen, om alle voordelen die het platteland te bieden heeft –licht, lucht, weidsheid en panorama– uit te kunnen buiten". In vier tractaten houdt hij zich bezig met de betekenis van een landgoed, de keuze van het stuk grond geleid door geografische en klimatologische kennis en de architectonische vormgeving; elke villa moet over een grote zaal (*sale*) en een binnentuin (*cortile*) beschikken. Alberti houdt zich verder bezig met de aankleding en bespreekt de voordelen van de herontdekte landbouwkundige werkzaamheden voor lichaam en ziel van de huiseigenaar.

In 1598 schilderde de Vlaming Giusto Utens in opdracht van groothertog Ferdinando I de'Medici (1549-1609) een serie lunetten in de grote zaal van de Villa Artimino, waarin de villa's van deze bijzonder welgestelde familie nauwkeurig werden weergegeven. Daarin wordt duidelijk hoe het enorme aantal villa's eruitziet: heldere, lichte voorgevels, wanden en vensters in een harmonieuze verhouding; een strengheid die enigszins afgezwakt wordt door een zuilenhal, een loggia of terrassen. Ook binnen overheerst de eenvoud: eenvoudige bakstenen of natuurstenen vloeren; okerkleurig geverfde wanden, spaarzaam met fresco's versierd; weinig meubels, bijvoorbeeld een houten tafel met banken en krukjes, rustieke zetels, wandkasten; een grote kachel en een keuken met een bakoven.

Het afzien van pracht en praal, de beheerste terughoudendheid in de decoratie en in de vormgeving, is altijd een kenmerk van de Toscaanse villa gebleven. Eenzelfde eenvoud kenmerkt de bijbehorende tuin. Rond een hoofdas

Villa Medicea, Poggio a Caiano

zijn perken met wilde planten en fruitbomen en door struiken omzoomde paden aangelegd. De opstelling van bloemamfora en citrusbomen in terracottakuipen is symmetrisch. Bomen en pergola's met druiven en klimplanten zorgen voor schaduw; fonteinen op de kruispunten van tuinpaden, labyrinten en kunstmatige grotten van tufsteen, schelpen en gekleurde kiezels zorgen voor verrassende door- en inkijkjes. Het tijdperk waarin de wetten van de perspectief, de harmonieuze verhoudingen en de regels van de klassieke mathematiek werden ontdekt, paste deze begrippen ook toe in de architectuur en tuinaanleg. Men creëerde een grote diversiteit met verschillende groentinten en geometrische vormen –cirkels, vierkanten, bollen, kegels en cilinders– en door te spelen met licht en schaduw.

In zijn dagboek uit 1459 schildert de Florentijnse koopman Giovanni Rucellai een uitgebreid beeld van de 'ars topiaria', de kunst van het vormsnoeien. Voor de tuin van zijn villa had hij schepen, reuzen, draken en andere fabeldieren, tempels met zuilen, pausen en kardinalen laten snoeien van groenblijvende struiken, laurier en steeneiken.

In de 16e en 17e eeuw leidden de stijgende winsten uit handel en bankwezen tot grotere investeringen in de landgoederen. "Het is de algehele verslaving van de Florentijn: wint hij 20.000 dukaten, dan gebruikt hij 10.000 voor zijn landhuis", schreef een Venetiaans diplomaat.

Villa Medicea di Careggi, Florence

De tuin, die eerder gebouwd dan aangeplant wordt –met glooiingen, terrassen, muren met nissen voor beeldhouwwerk, symmetrisch aangelegde dubbele trappen en prachtige balustrades–, wordt in zekere zin de architectonische verlenging van de villa. In toenemende mate geeft men de voorkeur aan bewerkte stenen in allerlei vormen en aan water. Naast groenblijvende planten zijn dit de basiselementen van de Toscaanse renaissancevilla. Een belangrijk bestanddeel vormen de verrassende effecten en de kostbare, hydraulisch aangedreven attracties: ruisende watervallen, borrelende cascaden, watergrotten, automatisch vogelgetjilp en orgelspel – en kunstmatig bewegende draken. Hoe kostbaarder de enscenering, hoe amusanter het tijdverdrijf. Men kweekte in de Toscaanse tuinen exotische planten en maakte arabesken van geometrisch aangelegde perken, de zogenaamde *parterres de broderie.*

Met de inrichting van een klein openluchttheater werd de villa het toneel van schitterende feesten. Belangrijke voorbeelden van villa's uit die tijd zijn vooral in de omgeving van Lucca en Pistoia te vinden. Met het uitsterven van de familie De'Medici kwam het, onder het huis Habsburg-Lotharingen, tot een uitverkoop van de villa's. Er waren vooral Engelse geïnteresseerden, en daarmee verwerden de villa's tot pseudo-middeleeuwse ridderburchten en de Toscaanse tuinen tot Engelse parken.

Barga

Duomo San Cristofano

Het schilderachtige stadje Barga ligt op een heuvel midden in het Serchio-dal. Sinds de Middeleeuwen was het een belangrijk landbouwkundig en ambachtelijk centrum, dat bovendien bekend was om zijn zijden stoffen. Hoog boven de plaats ligt, op een groot *arringo*-plein met uitzicht op de stad, de Dom San Cristofano. Al in de 10e eeuw was hier een kleine zaalkerk ontstaan, die in de 14e eeuw door middel van een voorportaal tot de huidige omvang werd vergroot. Gelijktijdig werd de voormalige noordwand naast de getande toren in een voorgevel veranderd. De muren van travertijn en de eenvoudige decoratie stammen nog uit de 11e eeuw. Het fries in de Lombardisch-Romaanse stijl heeft vlakke consoles en een decoratie van menselijke en dierlijke figuren. In de kerk is het marmeren altaar zeker een bezichtiging waard. Dit altaar werd rond 1250, nog voor het tijdperk van de Pisani's, gemaakt.

Het mooie westportaal, dat naar de zestredige trap voert, werd rond 1200 aan de dom toegevoegd. Vooral opmerkelijk is het reliëf op de bovendorpel, tussen de twee leeuwenconsoles, waarop een wijnoogst is afgebeeld.

Guido Bigarelli (werkplaats), kansel, ca. 1250
marmer

De Romaanse ambo –een met de koorstoel verbonden kansel– in het middenschip van de drieschepige kerk is rijk met reliëfs en figuren versierd. Dit bijzondere werk

geldt als een van de belangrijkste kansels van Toscane voor de komst van Nicola Pisano. Tussen de jaren 1250 en 1256, toen de kerk tot parochiekerk met do4oprecht werd benoemd, werd dit waarschijnlijk door een kunstenaar uit de werkplaats van Guido Bigarelli in Lucca vervaardigd.

Op leeuwen en steunpilaren rusten vier roodmarmeren zuilen, waarvan de antiek aandoende bladkapitelen en een kapiteel met een adelaar de balustrade van de kansel dragen. De kansel heeft drie lessenaars. De lessenaar aan de linkerkant wordt ondersteund door een adelaar, het symbool van de evangelist Johannes. Onder vormen de symbolen van de overige evangelisten een pijler, een zogenaamde tetramorf. We zien de engel van Mattheus in het midden, de stier van Lucas aan de ene en de leeuw van Marcus aan de andere kant.

De lessenaar aan de koorzijde wordt gedragen door een sculptuur van de heilige Christoforus, de lessenaar aan de rechterkant door een figuur van Johannes de Doper.

**Guido Bigarelli (werkplaats),
Maria-Boodschap en geboorte van Christus
(detail van de kansel)**

Op dezelfde, bijzonder beeldende en krachtige manier zijn taferelen uit de jeugd van Christus op de overige balustradevelden uitgevoerd.
Vooral indrukwekkend is het reliëf op de balustrade van het middenschip. Onder diepe arcaden zijn hier de 'Maria-Boodschap' en de 'Geboorte van Christus' uitgebeeld. Een zwaar, blokachtig lichaam en een strenge fysionomie kenmerken de figuren, die het hele kader vullen. Hun gebaren en lichaamstaal laten een heldere eenduidigheid zien. Liefdevol wordt er getoond hoe de os en de ezel het kind in de kribbe besnuffelen. Zelfs de scène waarin de maagden het eerste badje voor de pasgeborene klaarmaken, is hier nadrukkelijk op de voorgrond –en niet als bijzaak– weergegeven.
De compositie, de ordening en de frontale afbeelding van de figuren doen denken aan de boekverluchting uit dezelfde tijd.

Pistoia

Pistoia

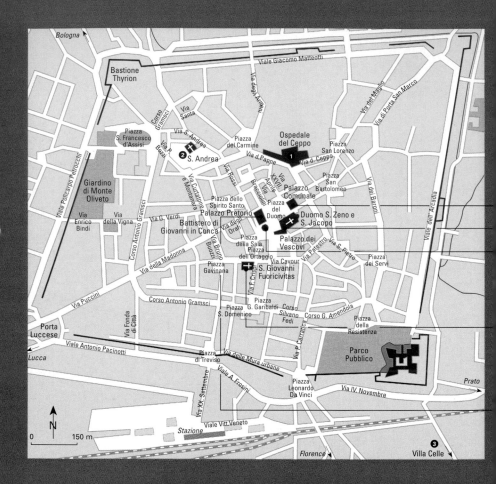

Palazzo Comunale, Piazza del
Duomo 1, blz. 92

Duomo S. Zeno e S. Jacopo, Piazza del
Duomo, blz. 94

Battistero di S. Giovanni in
Conca, Piazza del Duomo,
blz. 101

S. Giovanni
Fuoricivitas, Via
Cavour, blz. 102

Palazzo Pretorio,
Piazzetta Scuole
Normali, blz. 93

Andere bezienswaardigheden:

Pistoia

De provinciehoofdstad Pistoia ligt tussen de uitlopers van de Apennijnen en de zich naar het zuiden uitstrekkende heuvels van Montalbano aan de rivier de Ombrone. In de omgeving zijn sporen van Etruskische bewoning gevonden, maar de nederzetting 'Pistoriae' werd pas in de 2e v.Chr. door de Romeinen als verzorgings- en steunpunt in hun oorlogen met de Liguriërs gesticht. Het regelmatige schaakbordpatroon van een Romeins stratenplan werd later in het wapen van de stad opgenomen. De Longo-

barden maakten van Pistoia een koninklijke stad. Pas in 1115, na de dood van markgravin Mathilde van Canossa, begon een tijd van economische bloei door de handel en de lakenindustrie. De burgers streefden naar zelfstandigheid en schreven in 1177 als eerste stad in Italië een eigen gemeentelijke grondwet uit. Tussen de 12e en de 14e eeuw volgde er een periode van stadsvernieuwing: de wallen werden uitgebreid, de vroegchristelijke parochiekerk werd opgeknapt en er werd een groot aan-

Palazzo Comunale

tal profane en sacrale gebouwen neergezet. In die tijd kwamen veel kunstenaars uit naburige steden, vooral uit Pisa en Florence, naar Pistoia. Tot op heden heeft de stadskern het historische karakter uit de bloeitijd van de onafhankelijke gemeente bewaard. Het traditioneel keizergezinde Pistoia was politiek en economisch ten slotte te zwak om de permanente druk van de steden Lucca en Florence te kunnen weerstaan. De inwoners behielden een zekere autonomie, zodat in de 14e eeuw de derde, voor het grootste deel bewaard gebleven stadsmuur gebouwd kon worden.

Sinds de Romeinen stond Pistoia bekend om zijn me-

Palazzo Pretorio, binnenhof

taalbewerking; het woord 'pistool' zou van Pistoia afgeleid zijn. In de tijd van de Jugendstil beleefden de gerenommeerde ijzergieterijen een nieuwe bloeiperiode. In de loop van de 20e eeuw ontwikkelde de stad zich bovendien tot een van de belangrijkste centra in Italië van boomkwekerijen.

De Piazza del Duomo, tegelijkertijd het wereldlijke en geestelijke centrum van de stad, wordt aan de oostkant afgesloten door het elegante, in 1294 gebouwde en in de 14e eeuw uitgebreide Palazzo Comunale, waarin nu het Museo Civico gehuisvest is. Daar recht tegenover verrijst het in 1337 gebouwde Palazzo Pretorio, het paleis van justitie, waarin nog altijd de *tribunale*, het gerechtshof, is ondergebracht. In de binnenhof, die grotendeels nog in originele staat is, herinneren de rechtertafel, de banken en de bontgekleurde wapens aan de vele *podestà* die hier in het verleden geleefd en rechtgesproken hebben.

Duomo San Zeno e San Jacopo, Campanile en Palazzo dei Vescovi

Markant en statig verrijst de 67 m hoge campanile naast de voorgevel van de dom. In de tijd van de gemeentelijke vrijheid werden de eerste drie verdiepingen als ambtszetel voor de 'capitano del popolo' gebouwd en 'fortezza del campanile' genoemd. Pas rond 1300 volgden de drie, van veraf zichtbare verdiepingen met de gestreepte incrustatie, de dwerggalerijen en de zwaluwstaartvormige kantelen. De toren werd in de 16e eeuw bijgebouwd.

De afsluiting aan de zuidkant van het domplein wordt gevormd door het Palazzo dei Vescovi, het bisschoppelijk paleis. In 1143 had Atto, de bisschop van Pistoia, kostbare relieken van de apostel Jacobus de Oudere uit diens graf in Santiago de Compostella ontvangen. Pistoia werd daarmee een belangrijk station op de route van de Jacobs-pelgrims. Voordat evenwel de relieken een plaatsje in de dom vonden, werd het uit de 10e eeuw stammende bisschoppelijk paleis met de 'cappella di San Jacopo' (nu onderdeel van het dioceesmuseum) uitgebreid. Het gebouw kreeg in de 14e eeuw nog een verdieping. Nu is er vanuit het bisschoppelijk paleis toegang tot een onderaards archeologisch educatief pad, dat via opgravingen uit de vroegchristelijke en Romeinse complexen naar steeds diepere lagen en ten slotte de Etruskische graven voert.

Naast de machtige campanile doet de in tweeën gedeelde voorgevel van de dom buitengewoon sierlijk aan. De bovenverdieping is verdeeld in kleine galerijen en versierd met gestreepte incrustatie. De helder geordende voorzijde vormt een harmonieus geheel met de in 1311 toegevoegde voorhal. Interessant is de combinatie van voorbeelden uit Florence en Pisa. De stroken in het bogenveld worden voortgezet in de decoratie van de bovenste zuilengalerij, die doet denken aan de ordening van de dom van Pisa. Daarentegen verwijzen de rechthoekige velden in de attiek naar Romaanse marmerincrustaties in Florence. In het ritme van halfronde en hoefijzervormige bogen opent de voorhal zich. De hoge, slanke middenboog overkoepelt een tongewelf met geglazuurde cassetten van Andrea della Robbia. Van zijn hand is ook het uit 1505 stammende terracottareliëf van de madonna met kind en twee engelen in het timpaan van het middenportaal. In de lunetten van de booggangen zijn kortgeleden bij restauratiewerkzaamheden in het voorportaal restanten van fresco's blootgelegd.

De topgevel wordt bekroond door twee beelden uit de 18e eeuw: aan de linkerkant San Zeno, bisschop van Verona en stadspatroon van Pistoia tot de aankomst van de relieken van de nieuwe patroon San Jacopo, die rechts te zien is. Hij wordt elk jaar op 25 juli, zijn naamdag, feestelijk versierd en geëerd met riddertoernooi waarbij middeleeuwse kostuums worden gedragen, de 'Giostra dell'Orso'.

Duomo San Zeno e San Jacopo

Andrea del Verrocchio en Lorenzo di Credi, Tronende madonna met heiligen (Madonna di Piazza), blz. 98

Andrea del Verrocchio, cenotaaf van kardinaal Forteguerri. Het grafmonument werd in 1476 aan Andrea del Verrocchio in opdracht gegeven; hij heeft het echter niet voltooid. Deze vorm ontstond in de 18e eeuw

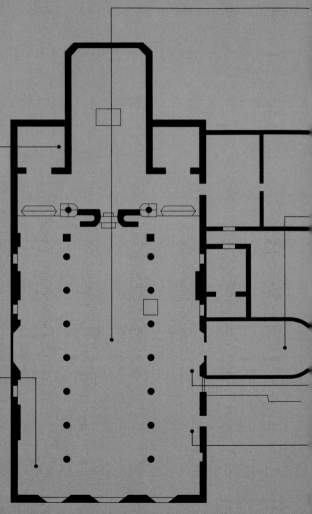

Middenschip, blz. 98

Het zilveren altaar van de
heilige Jacobus, blz. 100

Coppo di Marcovaldo en
zijn zoon Salerno, kruis
op paneel, rond 1275.
Het gesigneerde kruis
toont aan de twee zijden
van het kruis de
volgende scènes:
judaskus, geseling,
kruisafname, Christus
voor Pilatus, graflegging, wederopstanding

Het graf van de
jurist Cino da
Pistoia met de
figuur van de dood,
die tussen beide
kerkheiligen Zeno
en Jacobus zit,
stamt uit ca. 1337

0   10 m

denschip. In het bovenste deel zijn sporen van de oorspronkelijke beschildering te zien.

Direct onder de open dakstoel met originele balken verlichten vensters op de bovenverdieping de indrukwekkende ruimte. De verschillende kapitelen zijn uitzonderlijke voorbeelden van Romaanse bouwkunst.

De overige decoratie is zeer rijk. Bij de rechterwand bevindt zich het 14e-eeuwse graf van jurist en dichter Cino da Pistoia – een vroeg voorbeeld van 'burgerlijke' bijzetting in een kerk. Deze tijdgenoot van Petrarca en Boccaccio gaf, zoals op het grafmonument valt te lezen, kinderen van vooraanstaande families les. Het grote kruis uit 1275 met een minutieuze weergave van de lijdende Christus en zes scènes uit zijn leven zijn van de hand van Coppo di Marcovaldo, een van de eerste Toscaanse schilders die onder zijn eigen naam bekend was.

Andrea del Verrocchio (1436-1488) en
Lorenzo di Credi (1459-1537),
Madonna di Piazza, na 1475
olieverf op paneel, 189 x 191 cm

Interieur

Zeven zuilen en een pilaar leiden in het middenschip naar het koor, dat verborgen achter de imposante triomfboog een barokke glans uitstraalt. Boven gelijkmatige arcaden verrijst de wand van het mid-

In de oorspronkelijk naar het plein voor het gemeentehuis geopende koorkapel, in de linkerzijbeuk, hangt de 'Madonna di Piazza', een hoofdwerk van de late schilderkunst uit het Quattrocento in Florence. Naar aanleiding van de bijzetting van bisschop Donato de'Medici in de kapel werd

aan de Florentijn Andreo del Verrocchio in 1475 de opdracht gegeven de 'Tronende madonna met kind en de heiligen Donatus en Johannes de Doper' te schilderen. Zijn leerling Lorenzo di Credi nam al snel de opdracht over. Het werk stemt overeen met een 'Sacra Conversazione', een afbeelding van de madonna met heiligen.

Zilveren altaar van de H. Jacobus, 1287-1456
zilversmeedkunst, b 346 x h 215 cm

Het zilveren altaar van de heilige Jacobus is een uitmuntend voorbeeld van Toscaanse goudsmeedkunst, waaraan van 1287 tot halverwege de 15e eeuw meerdere gene- raties kunstenaars hebben gewerkt. Het altaar bestaat uit een dorsaal en een mensa, met op het antependium de geschiedenis van Christus. Aan de zijkanten zijn scènes uit het scheppingsverhaal (rechts) en uit het leven van de heilige Jacobus (links) te zien. Het opzetstuk, het dorsaal, is versierd met figuren in nissen die in drie etages boven elkaar geplaatst zijn. De 628 figuren werden gedeeltelijk in de 'verloren-wastechniek' gegoten en gedeeltelijk uit bladzilver gedreven en verguld. De figuren vertonen stijlelementen van de Gotiek tot de vroege Renaissance. Het uitgangspunt was een klein altaarpaneel met een Byzantijns aandoende Maria, omgeven door apostelen, die zich nu rond de van boek en pelgrimsstaf voorziene heilige Jacobus scharen. Vervolgens kwam de bekroning met een aankondigingsscène en de taferelen op het antependium en de mensa. Het beeld van de heilige Gregorius en de in vierpassen neergezette, heftig agerende profeten Jesaja en Jeremia worden aan de jonge Brunelleschi toegeschreven, die een opleiding als goudsmid had gevolgd.

Battistero di San Giovanni in Conca

Tegenover de westgevel van de dom staat het baptisterium dat Cellino di Nese in 1338 naar een ontwerp van Andrea Pisano bouwde: een langgerekte, achthoekige koepelbouw met een bekleding van witte en groene stroken marmer. De met hogels beklede blinde arcaden met drie-pasbogen, tabernakels en pinakels aan de hoekpijlers passen bij het gotische vor-menrepertoire uit die tijd. Een wimberg en een roos-venster met eenvoudig maaswerk vormen de be-kroning van het hoofdpor-taal. Het trappenportaal heeft fijn uitgewerkte kapi-telen en een architraaf voorzien van een reliëf waarop het leven van Johannes de Doper te zien is. In het tympaan daarte-genover staan, voor een achtergrond met ornamen-tale incrustatie, Johannes de Doper, Petrus en Maria met kind. De gotische Maria is een schepping van Tommasso en Nino, de zonen van Andrea Pisano. Direct naast het portaal bevindt zich een kleine,

gotische buitenkansel die voor het preken in de openlucht was bedoeld. Tegenover de vele decoraties buiten werkt de ruimte in de doopkapel verrassend eenvoudig. Zeer overweldigend is de heldere ruimte. Het doopbekken is in meerdere kleuren marmer uitgevoerd. Dit werk is in 1226 gemaakt door beeldhouwer Lanfranco uit Como.

en geven de brede voorgevel, mede door de gelijkmatig verdeelde stroken, een indrukwekkend aanzien. Verdiepte ruitvormen, smalle vensters en vooral de onregelmatigheid van de blinde arcaden zorgen voor afwisseling. Kleine geometrische ornamenten in allerlei variaties sieren de bogen.

Het streng geproportioneerde portaal toont een avondmaalscène op de bovendorpel die een inscriptie uit 1162 draagt: "Gruamons Magister Bonu fec[it]. hoc opus" – "Meester Gruamonte heeft dit werk gemaakt." De discipelen zitten in een strenge ordening rond de tafel. Voor enige levendigheid zorgen alleen de figuren van Johannes de Evangelist, die tegen de schouder van zijn heer leunt, en van Judas, die als boosdoener onder de tafel moet zitten en daarom naar verhouding erg klein is afgebeeld.

San Giovanni Fuorcivitas

De San Giovanni Fuorcivitas bezit een uitzonderlijk rijk vormgegeven voorgevel. Aan de zuidkant, buiten de binnenste muur –vandaar de naam–, kwam in de 8e eeuw een eerste kerk te staan. In de uitgebreide vernieuwings- en uitbreidingsfase van Pistoia moest deze kerk halverwege de 12e eeuw wijken voor Romaanse nieuwbouw. De naar het centrum van de stad gerichte noordwand werd vervolgens de voorgevel.

Hoge, blinde arcaden in de benedenverdieping en twee in hoogte afnemende galerij-

Interieur

Binnen blijkt de San Giovanni een van de zeldzame zaalkerken te zijn. Onder de nog altijd open dakstoel vergaderde de raad der oudsten van Pistoia nog in de 13e eeuw.

Fra Guglielmo (werkzaam 2e helft 13e eeuw), kansel (detail), 1270
marmer

De oudste medewerker van Nicola Pisano, de dominicaner monnik Fra Guglielmo, veranderde de kansel in 1270. Aan de voorkant zijn reliëfs met de voetwassing, de kruisiging en Christus in het voorgeborchte te zien. Ze hebben een nog tamelijk ouderwetse, rechthoekige vorm. Aan de linkerkant zien we de aankondiging, de verzoeking, de geboorte van Christus en de aanbidding van de drie koningen en aan de rechterkant de hemelvaart en Maria met de apostelen, Pinksteren en de dood van Maria. De lessenaar in het midden wordt ondersteund door een stier, een leeuw, een adelaar en een engel, de symbolen van de vier evangelisten.

Van Nicola Pisano (± 1225-na 1278) stamt het wijwatervat. De dragende pijler wordt gevormd door een personificatie van de drie christelijke deugden –geloof, hoop en liefde–, terwijl de vier kardinale deugden –kracht, wijsheid, rechtvaardigheid en matiging– met het waterbekken vergroeid zijn. Het grote veelluik met Maria, kind en heiligen uit het midden van de 14e eeuw is afkomstig van de leerling van Giotto, Taddeo Gaddi (± 1300-1366). Vooral mooi is de groep van de 'Bezoeking' van geglazuurd terracotta. Luca della Robbia (1399/1400-1482) heeft hier het verschil in leeftijd tussen de twee vrouwen op een indringende manier weergegeven.

Bekleed met marmer in diverse kleuren – de Toscaanse incrustatie

Kunnen we ons de kerken in Toscane voorstellen zonder stroken of ornamenten, zonder die prachtige bekleding van marmer binnen en buiten? Nergens anders vinden we een dergelijke hoeveelheid incrustatie. De schoonheid en kostbaarheid van altaren of kapellen is overal in de kerken te vinden tot de buitenkant toe. Exotisch aandoende monsters, Lombardische diermotieven, streng geometrische vormen en

fantasievolle decoraties in marmer domineren de blijvende indruk van de Toscaanse kerken. Daarnaast verbleken de mooie, eenvoudige stenen kerken uit de Middeleeuwen en de prachtige renaissancegebouwen. De incrustatie aan wanden en gevel van de Romaanse kerken die van ruwe stenen of bakstenen zijn gebouwd, bestond uit een laag van een edele steensoort –meestal marmer– die in inlegwerk werd aangebracht – vergelijkbaar met de techniek van houtintarsie. Twee verschillende stijlen kunnen we daarbij onderscheiden: een Florentijnse en een Pisaanse stijl.

Tussen de lichte platen in het baptisterium in Florence en de San Miniato al Monte is donkergroen marmer gelegd. Horizontale stroken, loodrechte lijnen, vensters en bogen bepalen de constructieve motieven van de architectuur en ordenen de muurvlakken, zoals anders de plastische ornamenten, bogen, zuilen, pilaren of kroonlijsten doen.

Dit architectonische gebruik van decoratieve elementen werd vanaf de 11e eeuw verspreid rond Florence. Men treft dit aan aan de Santi Apostoli en de Santo Stefano al Ponte in Florence, maar evengoed aan de Badia in Fiesole of de kapittelkerk Sant'Andrea in Empoli. Deze wederzijdse beïnvloeding van decoratie en architectuur wordt toegeschreven aan de herontdekking van het gebruik van deze bouwvor-

Collegiata Sant'Andrea (voorgevel), Empoli

men in gelijkmatige harmonie in de Oudheid. Daarom wordt er van Protorenaissance gesproken, een stijlfase die aan de eigenlijke Renaissance –waarmee de 'wedergeboorte van de Oudheid' wordt bedoeld– voorafgaat. In de tijd van Dante gold evenwel ook het baptisterium in Florence als 'antiek' bouwwerk en zo is zelfs in de 'klassieke' renaissancekerk Santa Maria delle Carceri in Prato deze vorm van incrustatie terug te vinden.

Daarentegen onderging de Pisaans-Romaanse stijl andere invloeden. Aan de dom in Pisa vallen allereerst patronen van stroken en ruiten en medaillons op die geen verband houden met de architectuur, zoals in Florence. De decoratie overstijgt de bouw-

Detail van de marmeren vloer met Siënese wolvin, Duomo Santa Maria Assunta, Siena

elementen, benadrukt het ritme of ondersteunt de vorm.

De wortels van de incrustatie in Pisa liggen ergens anders. Veel bouwkundige elementen in Pisa –bijvoorbeeld de afwisseling in kleur in de bogen– herinneren aan de Ottomaanse kerken ten noorden van de Alpen. Andere motieven –zoals de medaillons en de patronen boven de blinde arcaden– roepen oriëntaalse voorbeelden voor de geest. In de bouwwerken die volgden in Pisa, net zoals bij de voorgevel van de San Michele in Foro in Lucca, werden Lombar-

dische elementen opgenomen. De decoratieve, aan de architectuur ondergeschikte stijl van de dom in Pisa is meer verspreid dan de strenge Florentijnse Protorenaissance.

De fantastische decoratie in de dom van Siena is waarschijnlijk de laatste nieuwbouw in de stijl van Pisa. Frans-gotische invloeden, bijvoorbeeld bij de Santa Maria della Spina in Pisa, en de eis van de bedelorden eenvoudiger te bouwen, zorgden er uiteindelijk voor dat architecten andere stijlrichtingen insloegen.

Ospedale del Ceppo

Volgens de legende zou een engel een echtpaar uit Pistoia de plek hebben aangewezen voor de bouw van een ziekenhuis; ze vonden er in de winter een bloeiende boomstronk. Inderdaad werd hier een broederschap met een hospitaal gesticht. Vanaf 1287 zijn er aanwijsbaar een ziekenhuis en een herberg voor pelgrims geweest. Het woord *ceppo* is afgeleid van de bloeiende boomstronk, respectievelijk de uitgeholde wortel waarin aalmoezen voor het onderhoud van de inrichting werden verzameld. In het begin van de 16e eeuw nam het Florentijnse ziekenhuis Santa Maria Nuova de leiding over van het Ospedale del Ceppo. Financiële problemen, maar ook de Florentijnse overheersing van Pisa, hadden hiertoe geleid. Onder leiding van de kartuizer monnik Leonardo Bonafede kon ten slotte de uitbreiding van het complex worden voltooid.

Naar aanleiding van Brunelleschi's architectuur voor het Florentijnse weeshuis kreeg het gebouw in Pistoia in 1514 een nieuw voorportaal. Zes halfronde bogen rusten op slanke zuilen. Op de plek van een kroonlijst is een fries van terracotta boven de arcaden geplaatst. Gekleurde medaillons sieren de zwikken tussen de bogen. Het portaal lijkt opener en minder 'geconcentreerd' dan het werk van Brunelleschi; hier zijn duidelijk latere imitaties van grote voorbeelden te bespeuren. Het fries en de tondi met de voorstellingen van Maria, en de wapens van Pistoia, het ziekenhuis en de familie de'Medici, zijn van de hand van Santi Buglioni, een kunstenaar uit de werkplaats van Della Robbia. Het laatste paneel werd gemaakt door een navolger, die duidelijk het geheim van het beroemde glazuur niet meer kende.

Santi Buglioni (1494-1576), Spijziging van de hongerigen (detail), 1522-1576
majolica, totale lengte ca. 500 cm

De zeven werken van barmhartigheid zijn het onderwerp van het fries: het kleden van de naakten, onderdak bieden aan pelgrims, het verzorgen van zieken, de bezoeken aan de gevangenen, het begraven van de doden, het voeden van hongerigen en het geven van water aan dorstigen. De afzonderlijke taferelen zijn zeer levendig en rijk aan vertelkracht weergegeven: kijk alleen maar naar de precieze weergave van de kleding, de pregnante gezichtsuitdrukkingen of de gedetailleerde schildering van aalmoezen en uitrusting. Leonardo Bonafede, de directeur van het ziekenhuis, is te herkennen aan zijn habijt. Hij wordt in het midden als weldoener afgebeeld.

Sant'Andrea

Zoals bijna alle kerken in Pistoia ontstond ook de Sant'Andrea halverwege de 12e eeuw – na een verbouwing van een basiliek die in de 8e eeuw van start ging. In oorkonden wordt de kerk een *pieve suburbana* genoemd, omdat hij buiten de binnenste muren lag die het Longobardisch-Frankische centrum omsloten.

De voorgevel komt overeen met het type uit Pisa uit de 12e eeuw. De bovenste verdieping bleef onvoltooid en de gebruikelijke rij bogen ontbreekt. Op de onderste verdieping is de gevel door middel van vijf zeer steile, onregelmatige blinde bogen geordend. Het patroon van stroken en ruiten en de incrustatie van kleine geometrische figuren zijn decoratie-elementen die op deze manier vaker op de vloer of als achtergrond in reliëfs te vinden zijn. Ze gelden als karakteristiek voor de beeldhouwer Gruamonte, die hier tussen 1160 en 1170 als bouwmeester werkzaam was. Hij voerde de voor Pistoia typerende strenge proporties van voorgevel en middenschip in, die ook binnen in de zuilenbasiliek opvallen.

Het hoofdportaal is met Romaanse figuren gedecoreerd. Tweemaal verschijnen de drie koningen op de architraaf. Aan de linkerkant zijn ze op reis, rechts staan ze voor Maria en het kindje Jezus, in het midden zien we koning Herodes. De plastisch uitgewerkte figuren doen zeer levendig aan. De plooien in de gewaden vormen een schilderachtig spel van licht en schaduw. Toch ligt aan het geheel een strenge ordening ten grondslag, die de individuele en ceremoniële uitdrukking in zich draagt die zo kenmerkend zijn voor het werk van Gruamonte. Hij maakte het reliëf in 1166 samen met zijn broer Adeodato.

De bovendorpel ligt op kapitelen die eveneens met beeldhouwwerk versierd zijn. Een andere kunstenaar, Henricus, heeft aan de linkerkant de 'Aankondiging aan Zacharias' en de 'Verzoeking' weergegeven, en aan de rechterkant de 'Aankondiging aan Anna'. Twee leeuwen –met een mens en een fabeldier tussen hun klauwen– dragen de archivolten en completeren het portaal.

Pescia

San Francesco

Het plaatsje Pescia aan de gelijknamige rivier werd na de volledige verwoesting door de heerser van Lucca in de 14e eeuw herbouwd. Onder de familie de'Medici werd het een stad en een bisschopszetel. Rond 1300 ontstond de eenvoudige San Francesco. De kerk werd gebouwd als een gotische zaalkerk met open dakstoel en drie gewelfde koorkapellen, en gebruikt als graf voor de rijke koopmansfamilies.

Bonaventura Berlinghieri (ca. 1207-1274), paneel van de heilige Franciscus, 1235
tempera op paneel, 160 x 123 cm

Het belangrijkste decorstuk in de kerk is het grote altaarstuk van de schilder Bonaventura Berlinghieri uit Lucca. Het is gesigneerd en gedateerd in 1235 –slechts negen jaar na de dood van de heilige Franciscus–, aldus de inscriptie onder de voeten van de heilige. Het altaarstuk geldt als het oudste bewaard gebleven voorbeeld van dit afbeeldingstype; tot dan toe was de centrale positie slechts voorbehouden aan Maria en kind.

Overmatig groot staat de figuur van de heilige Franciscus op de middenas. Zes scènes uit zijn leven zijn rondom hem gerangschikt. In het midden zien we 'Het gesprek met de vogels' en de 'Genezing van Bartholomeus van Neri'; twee gebeurtenissen die de liefde van de heilige voor mens en natuur thematiseren. De scène van de 'Stigmatisering' als belangrijkste gebeurtenis in zijn leven toont de heilige Franciscus als navolger van Christus.

De kunstenaar schilderde kort na de dood van de monnik en zijn heiligverklaring al een omvangrijk repertoire aan genezende en wonderbaarlijke daden en het is aannemelijk dat de schilder van zijn opdrachtgevers, de franciscaners, aanwijzingen kreeg met betrekking tot de keuze van de weer te geven scènes uit zijn leven.

Collodi

Villa Garzoni

Een paar kilometer ten westen van Pescia ligt het middeleeuwse plaatsje Collodi schilderachtig op een heuvel. Langs het nauwe dal van de rivier en al van ver zichtbaar verrijst de Villa Garzoni aan het eind van het dorp. Villa Garzoni, een hoogbarok paleis bestaande uit vier etages met een belvedèretoren en beelden op het dak, werd gebouwd tussen 1633 en 1652, na de verbouwing van een middeleeuwse burcht van de familie Garzoni. Indrukwekkend is de gelijktijdig aangelegde 'Italiaanse' tuin, die als een theaterdecor op de helling ligt en in de 18e eeuw werd voorzien van terrassen, balustrades, labyrinten, fonteinen, grotten en beelden naar het ontwerp van architect Ottaviano Diodati. De roem van de tuin verspreidde zich over heel Europa en beïnvloedde de ontwerpers van de beroemde tuinen van Versailles, Fontainebleau en Potsdam.

Collodi, Villa Garzoni

monument voor hem opgericht. Bij de ingang bevindt zich een door Emilio Greco ontworpen bronzen beeldengroep die de geschiedenis uitbeeldt van Pinocchio, het kleine houten poppetje dat vanwege een leugentje bestraft werd met een lange neus. Pinocchio staat onder de boom waarvan hij gemaakt is en kijkt de blauwe fee aan. Boven hem zit, op een tak van de eik, de valk die hem van zijn straf bevrijdt. Door het park voert een pad langs de 21 bronzen beelden van de kunstenaar Pietro Consagra, die de belangrijkste gebeurtenissen en de verschillende avonturen uit het leven van de kleine held weergeven. Ten slotte duikt Pinocchio zelf weer op om afscheid van zijn bezoekers te nemen.

Pietro Consagra (geb.1920), Pinocchio neemt afscheid, 1972, brons

Emilio Greco (1913-1995), Pinocchio en de fee, 1956, brons, h 500 cm

Parco di Pinocchio

Carlo Lorenzini (1826-1890), schrijver van de beroemde Pinocchio-verhalen, veranderde zijn naam in Carlo Collodi, naar de geboorteplaats van zijn moeder. In de jaren '50 van de 20e eeuw werd er met de inrichting van het Pinocchio-park een

Villa Celle

In Santomato bij Pistoia valt een van de weinige Toscaanse parels van eigentijdse kunst te ontdekken.

De verzameling van textielhandelaar en ondernemer Giuliano Gori, die zich bezighoudt met de moderne kunst van de 'environment', geldt als een van de mooiste in Europa. Als mecenas vraagt Gori de grote land-art-kunstenaars speciaal voor zijn familiebezit, de Villa Celle, een ontwerp te maken. Wie iets te betekenen heeft onder de 'vrijeruimtekunstenaars', gaat in op Gori's aanbod om bij hem –vaak maandenlang– tegen kost en inwoning en een honorarium in natura te leven en te werken.

In het ongeveer 20 hectare grote park, dat rond 1800 als Engelse landschapstuin met open plekken, meertjes en cascades werd aangelegd, zijn vanaf 1982 op deze manier een totaal kunstwerk en een museum voor moderne kunst ontstaan. De bezoeker treft er een onderaards meditatiepad van Bukichi Inoue aan, ziet voor de waterval de 'Dood van Ephialthes' van Anne en Patrick Poirier en stuit op een uitkijkpost van Ulrich Rückriem en op magische oorden als dat van Olavi Lannu en futuristische werken als het metalen technoarsenaal van Dennis Oppenheim. De bezoeker hoort het geluid van de klankinstallatie van Max Neuhaus of herinnert zich, vanwege het labyrint van Robert Morris, de marmerincrustatie van Toscaanse kerken. Rond een Venustempel, midden in een cirkel van stenen banken, bomen en laag struikgewas, heeft de Amerikaan Joseph Kosuth een twee meter hoge glazen muur gebouwd en zo deze plek verdeeld in een begaanbaar gedeelte en een voor altijd ontoegankelijk gedeelte.

Ook het akkerland in de omgeving is er intussen in opgenomen: midden in de olijvenaanplant staan bronzen oogstmanden van Ian Hamilton Finlay en een grote verzameling holle, bronzen figuren van de Poolse kunstenaar Magdalena Abakanowicz – ter herinnering aan de mensen die duizenden jaren lang dit land bewerkten. 'Site specific works' noemt Gori deze vorm van kunst en hij verwijst daarmee naar vroeger tijden, toen kunstenaars hun werk ter plekke voor villa's en paleizen maakten.

Interieur – Michelangelo Pistoletto (geb. 1933), De staart van de Arte Povera, 1980 installatie

Naast de overgeleverde traditie van de mecenas om kunstwerken in opdracht te geven, koopt Gori ook werken op exposities, in ateliers of in galerieën. Kunst vult de vele kamers in zijn villa en de bijbehorende bedrijfsgebouwen.

Alleen al de schilderijenverzameling aan de muren is de stichting van een museum waard. Maar ook hier laat de heer des huizes –volgens hetzelfde principe als buiten– de kunstenaar zelf een ruimte of gang, passend bij het kunstwerk of de installatie, uitzoeken. Op een zolder heeft de Amerikaan Sol LeWitt de wanden met geometrische tekeningen overladen en in weer een andere ruimte heeft Michelangelo Pistoletto zijn herinnering aan de Arte Povera achtergelaten.

Arte Ambientale – kunst uit de 20e eeuw in Toscane

Daniel Spoerri (geb.1930), Eenhoorns – navel van de wereld, 1991, brons, 280 x 90 x 50 cm,
ø 9,30 m, beeldenpark Seggiano op de Monte Amiata

Een van de wezenlijke eigenschappen van kunst is haar vermogen een wereld naast de werkelijkheid te laten ontstaan. Ook een bepaalde geografische plek kan door kunst een eigen, niet-inwisselbaar karakter krijgen. Juist in Toscane is dit op veel plekken goed te merken. Daarentegen heeft de avant-garde in het begin van de 20e eeuw, in de zoektocht naar een internationale artistieke taal, een naar zichzelf verwijzende kunst zonder plek of aanduiding gepropageerd. Sindsdien is de specifieke bijzonderheid van de artistiek-esthetische invulling van een hele stad of een plek minder geworden. In de moderne kunst was de artistieke aankleding van een ruimte lange tijd gebonden aan functionaliteit en doelgerichtheid en werd ze bepaald door de fundamentele verschillen tussen kunst en ruimte.

Lorenzo Bruni

Pas tegen het eind van de jaren '50 van de 20e eeuw veranderde deze zienswijze. Men ging zich in die tijd bezighouden met de bevrijding van kunst uit musea en galerieën door de veelzijdige zeggingskracht van kunst opnieuw in de werkelijkheid te verankeren en weer zichtbare sporen en niet mis te verstane tekens in de natuur achter te laten.

Pioniers van een dergelijke op de context betrokken kunst waren de vertegenwoordigers van de Amerikaanse Land Art, die hun werken als 'site-specific-work' in de natuur integreerden en zo het karakter van een bepaald landschap benadrukten. Ook Toscane leent zich daar heel goed voor: nergens zijn de zich over eeuwen uitstrekkende, zichtbare menselijke ingrepen in geologische en archeologische lagen zo in respectvolle overeenstemming met de omringende natuur. Bovendien is de verhouding tussen stad en land in vergelijking met vroeger tijden radicaal veranderd: bijna overal ter wereld zijn het sinds de Middeleeuwen de steden die de landelijke gebieden overheersen en die het op een bepaalde manier veredeld hebben. In Toscane is de verhouding omgekeerd. Overeenkomstig onze huidige esthetische ideeën en levensgewoonten verheft het Toscaanse landschap juist de steden. Het is geen toeval dat hier

veel meer beeldenparken zijn dan waar ook in Italië – parken die rechtstreeks herinneren aan de landschappelijke achtergronden op de grote schilderijencycli en waarin de mecenassen uit de Renaissance voortleven. Wie naar de ruimtegebonden kunstwerken in het gebied kijkt, ziet een ontwikkeling van nieuwe artistieke uitdrukkingsvormen, die de plaats van schilder- en beeldhouwkunst innemen en die allemaal onder de noemer van 'installatie' vallen. Overeenkomstig de verandering van het kunstbegrip heeft de fysieke aanwezigheid van het kunstobject zélf de interesse van de installatiekunstenaars, en niet meer de nabootsende-illusionistische functie. Het is nu de kunst die de reële ruimte binnenkomt – niet de werkelijkheid die door de kunst verheven wordt. Deze grensoverschrijdingen van kunst in de ruimte gingen van de schilderkunst uit, die zich met het begrip 'niet-schilderachtig' van haar ketens bevrijdde. De Amerikaanse neodadaïsten en aanhangers van het Franse Nouveau Realisme

Mauro Staccioli, Toren van Luciana '92, 1992, cement en metaal, Torre di Luciana bij San Casciano, Val di Pesa

begonnen rond 1960 in hun werk dagelijkse voorwerpen op te nemen om zo de vluchtigheid van het beeld open te breken. Daniel Spoerri en Niki de Saint Phalle, die bij de vertegenwoordigers van het Nouveau Realisme horen, schiepen in 1996 en in 1998 in Toscane beeldentuinen.

Niki de Saint Phalle (geboren 1930) installeerde, in nauwe samenwerking met haar partner Jean Tinguely (1925-1991), in het bos bij Capalbio sculpturaal-architectonische, beweegbare kunstwerken, die door de glanzende mozaïek-

steentjes in een zee van licht gedompeld lijken te worden.

Daniel Spoerri (geboren 1930) heeft in het park rond zijn oorspronkelijke woonhuis in Seggiano aan de voet van de Monte Amiata, waarin zich nu de Spoerri-stichting bevindt, een beeldenpark aangelegd, waarin hij werk van zijn vele kunstenaarsvrienden en zijn eigen werk heeft samengebracht. De bronzen assemblages van alledaagse voorwerpen getuigen als animistische 'plastische situaties' van de ziel van alle dingen. Ze beschrijven als een initiatierite een weg die de angst verdrijft, die de mens behoedt voor het verlies van zichzelf en die tot het terugvinden van het eigen ik en de natuur moet leiden.

Eind jaren '60 drong de kunst, nadat ze de alledaagse dingen had ingelijfd, met Minimal Art en Land Art verder door in de ruimten die tot dan toe alleen aan de mens en de natuur voorbehouden waren geweest. De belangrijkste voorbeelden van deze verkenning vinden we in het romantische park van het landgoed Celle in de buurt van Pistoia. Hier worden we ons onmiddellijk van de draagwijdte van de eis van deze jaren bewust, die niet alleen de artistieke vernieuwing van een 'plek' inhield –waarin het kunstwerk zich tegenover de dagelijkse realiteit moest handhaven–, maar die tegelijkertijd een nieuwe definitie van de natuur probeerde te vinden.

Het was een tijd van radicale veranderingen. Er werden voorstellingen gevormd van het landschap in de natuur zelf en het beeld van de

Eliseo Mattiacci (geb. 1940), Gecomprimeerd evenwicht, 1994, metaal, San Gimignano

Mario Merz (geb. 1925), zonder titel, 1997-1999, aluminium en neon, San Casciano bij Chianti

natuur werd losgekoppeld van de directe ervaring met de natuur. Beroemde voorbeelden van
de ontwikkeling van een dergelijke, voor een
bepaalde ruimte gemaakte kunst zijn te zien bij
het Museum per l'Arte Contemporenea Luigi
Pecci in Prato, niet ver van Florence. Deze
kunst kenmerkt zich niet door confrontaties
met de ruimte, maar door pogingen een nieuwe
dialoog op gang te brengen: dit gebeurt door
een nieuwe manifestatie en definitie van de
ruimte, zoals in het werk van Anne en Patrick
Poirier en Mario Merz. Ze hebben in hun werk
de mogelijkheid willen doorgronden van een

precieze bepaling van de plek: het echtpaar
(beiden geboren in 1942) slaagde erin een welhaast volkomen harmonische, figuurlijke en
metaforische overeenkomst met de architectuur van de Villa Medici, nu Villa Demidov, te
bereiken.
Een verbinding van materiële tekens met het
Toscaanse landschap schiep Staccioli (geboren in 1937) in Torre di Luciana in de buurt van
San Casciano, Val di Pesa, omgeving Florence.
Staccioli maakt in zijn werk het contrast tussen
heldere basisvormen duidelijk. Hier zijn dat de
maansikkel en de natuurlijke omgeving, die

worden gekenmerkt door een provocerende verstoring van het evenwicht vanwege het gebruik van een voor de moderne beschaving zeer typisch materiaal: beton.

Een volgende stap op weg naar het bewerkstelligen van een nieuwe verhouding tussen kunst en ruimte is de Arte Povera. Deze stroming beperkt zich tot de eenvoudigste basismiddelen om het wezen van de dingen te kunnen doorgronden. Dit was een belangrijke stap op weg naar conceptuele kunst, waarin de aandacht voor het object zich naar het idee verlegde. Als bijzonder opmerkelijk en moedig moeten daarom de bijdragen genoemd worden van die kunstenaars die hun werk niet alleen in de natuur, maar ook met reeds bestaande plekken –een kerk, stadsdeel of landstreek– probeerden te integreren. Dit werd duidelijk tijdens een expositie van het Museo all'aperto (museum in de openlucht), de 'Affinità eletive' (keuzeovereenkomsten) in San Gimignano.

Een van de vijf deelnemende kunstenaars was de Griek Jannis Kounellis (geboren 1936). Hij benadrukte de tijdelijke continuïteit van de plek door de campanile van de San Jacopo en de dimensies van deze toren erbij te betrekken. Hij verwees tegelijkertijd, door een kleine klok met een ijzeren stang te blokkeren, naar de vervreemdende, als het ware abstraherende krachten. Eliseo Mattiacci creëerde een welhaast onmogelijk evenwicht door een dwarsligger op een metalen kogel te leggen. Dit ongelijke stel komt overeen met het contrast tussen middeleeuwse verdedigingswerken en het weidse landschap waar ze op uitkijken, en laat ons deze ongelijkheid ervaren als een fysiek risico.

Eenzelfde nieuwe waardering voor de omgeving door een overeenstemmende vervreemding kenmerkt de initiatieven in Peccioli in de provincie Pisa, waar sinds 1991 internationale kunstenaars als Hidetoshi Nagasawa, Vittorio Messina en Vittorio Corsini voor het maken van duurzame installaties worden uitgenodigd. Ook Fortuyn O'Brien mag zich tot de gasten rekenen. Bij de ingang van een kerk buiten het dorp zette hij 'onbruikbare' banken van steen en cilinders; daarmee schiep hij weliswaar zichtbare, maar geen werkelijke zitplaatsen.

Onder de verschillende activiteiten die worden gekenmerkt door een zekere continuïteit, valt de belangrijke expositie 'Arte all'Arte', die jaarlijks door vijf gemeenten in Chianti (Siena) wordt georganiseerd. Ook hieraan zijn duurzame installaties te danken, zoals het werk van Ilya Kabakov (geboren 1933) in Colle Val d'Elsa en het mooie werk van Mimmo Paladino (geboren 1948) bij de Fonte delle Fate (12e eeuw) in de industriestad Poggibonsi. In het fonteinbekken heeft deze kunstenaar, als in een soort baarmoeder, oorspronkelijke levensvormen –mensen en reptielen– in foetushouding bijeengebracht.

Een ander initiatief is de biennale 'Tuscia Electa', die in verschillende gemeenten tussen Florence en Siena studies van plekken organiseert, waarvan de betekenis zelfs bij de bewoners van het gebied niet meer bekend is. Mario Merz (geboren 1925) maakte hier op de middeleeuwse stadsmuur van San Casciano in Val di Pesa een nog altijd zichtbaar teken van wezenlijke vrijheid: een door een getallenreeks gevolgd hert als symbool van de menselijke wil die de natuur ordent en controleert.

De hier genoemde tendensen van 'studie' van de omgeving hebben dezelfde artistieke manier van uitdrukken: het rekening houden met de regels van de natuur en een voorkeur voor natuurlijke materialen. Daarmee zorgen ze eerder voor een natuurlijk-esthetische dan een experimentele opstelling. Datzelfde geldt voor het initiatief 'Dopo paesaggio' ('volgens het landschap') in Castello di Santa Maria Novella bij Tavernelle. Dit zijn allemaal eigentijdse voorbeelden van de wederzijdse betrekking tussen kunst en landschap in Toscane, die in het verleden voorbeeldige oplossingen voortgebracht hebben en de laatste vijftig jaar niet als last, maar als uitdaging werden opgevat. Bewust werden in deze initiatieven verwijzing, toekomst en discussie toegelaten, mogelijk gemaakt en geëist.

Mimmo Paladino, De slapenden, 25 elementen in brons op ijzeren platen, installatie in het bassin van de Fonte delle Fate (12e eeuw) voor 'Arte all'Arte' 1998, Poggibonsi

Prato

Prato

In 1992 werd Prato, de derde grote stad van Midden-Italië, losgemaakt van de bestuurlijke soevereiniteit van Florence en tot provinciehoofdstad verklaard. Na eeuwen was Prato weer een onafhankelijke stad. De aan de rechteroever van de Bisenzio gelegen plaats heeft noch een Etruskisch noch een Romeins verleden. In de Romeinse tijd was er een economisch centrum op het platteland met de naam 'Pagus Cornius' waaruit in de vroege Middeleeuwen een nederzetting met de naam 'Borgo al Cornio' ontstond, evenwel zonder stadsrechten en daarom ook zonder de mogelijkheid bisschopszetel te worden.

In de Longobardische tijd stond Prato onder de bescherming van graaf Hildebrand. Diens zoon Albert stichtte de machtige familie Alberti, waarvan de leden tot de belangrijkste feodale heersers van Toscane opklommen.

De naam van de nederzetting en het grafelijk geslacht komt van een marktweide die tussen de vesting en de plaats lag en 'il prato' (Lat. pratum, 'weiland') werd genoemd. De gemeentelijke ontwikkeling verliep net als in andere plaatsen in Toscane: Prato werd in 1187 door de keizer als 'vrije gemeente' erkend, tien jaar later verruilde de stad de consul voor de Podestà, die enkele jaren later door de 'Capitano del Popolo' werd afgelost.

Castello dell'Imperatore, Prato

Vanaf 1248 was Prato een keizerlijk steunpunt aan de route naar Apulië. Van deze periode van keizerlijke macht getuigt nog het kasteel met Ghibellijns-getande kantelen, 'Castello dell'Imperatore', dat keizer Frederik II van Hohenstaufen op de fundamenten van de oude grafelijke burcht van de familie Alberti liet bouwen. Het ligt buiten de toenmalige, 12e-eeuwse stadsvesting, maar binnen de nog goed bewaard gebleven latere stadsmuren uit de 14e eeuw. Het is het enige kasteel van de Hohenstaufens in Noord- en Midden-Italië dat naar het voorbeeld van de keizerlijke burcht in Apulië is gebouwd. Na het einde van de heerschappij van de Hohenstaufens braken er interne twisten uit, die door de druk van respectievelijk Welfische en Ghibellijnse steden werden versterkt. De gemeente zocht in 1313 bescherming bij het Franse koningshuis Anjou van Napels, dat echter al in 1351 de 'Signoria' van Prato aan Florence verkocht. Florence had vanaf toen de beschikking over een plaats waarvan de fijnbewerkte stoffen en de uitstekende goudsmeedkunst al sinds de 13e eeuw op alle markten van Europa werden verhandeld en geroemd.

Terwijl de kunst als gevolg van de steun van De'Medici in het Cinquecento bloeide, leed de economie schade, waarvan ze pas in de 19e eeuw weer herstelde. Prato ontwikkelde zich toen tot een welvarende textielstad, het 'Manchester van Italië'.

Prato

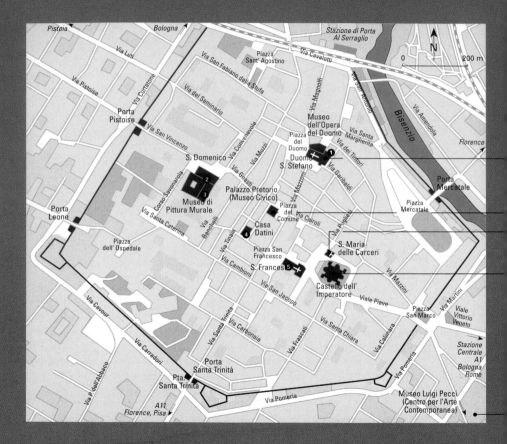

Duomo S. Stefano, Piazza del
Duomo, blz. 128

Palazzo Pretorio (Museo
Civico), Piazza del Comune 1,
blz. 136

Castello dell'Imperatore,
Piazza S. Maria delle
Carceri, blz. 124

S. Maria delle Carceri, Piazza S.
Maria delle Carceri, blz. 142

Andere bezienswaardigheden
(niet in het boek besproken)

1 Museo dell'Opera del Duomo,
   Piazza del Duomo 49

2 S. Domenico,
   Piazza S.Domenico

3 Museo di Pittura Murale, Piazza
   S. Domenico 8

4 Casa Datini, Via Ser Lapo
   Mazzei 33

5 S. Francesco, Piazza S.
   Francesco

Museo Pecci (Centro per l'Arte
Contemporanea), Viale della
Repubblica 277 en 291, blz. 146

Duomo Santo Stefano

Het eerste begin van Prato is het stadsdeel rond de voor het eerst in 998 genoemde parochiekerk Santo Stefano. Deze kerk werd in 1653 tot dom verheven toen Prato een bisschopszetel werd – een privilege dat de stad driehonderd jaar lang met Pistoia moest delen.

In 1211 begon een eeuwenlange bouwtijd: onder de Lombardische bouwmeester Guidetto da Como ontstond het langschip met de blindbogen, geïnspireerd op de dom van Pisa en die van Lucca. Vanaf 1317 werd de bouw naar het oosten uitgebreid en in 1340 werd de op de Gotiek geïnspireerde, zes verdiepingen tellende campanile toegevoegd. Na deze veranderingen paste de westelijke zijde niet meer bij de smaak van de tijd: van 1385 tot 1457 werd de huidige, in drie etages verdeelde, elegante voorgevel ervoor gezet. Traditionele elementen als de groen-witte marmerincrustatie werden vakkundig gecombineerd met moderne, gotische vormen zoals het maaswerk in de topgevel.

Aan de linkerkant leunt een kleine kapel met een stervormig raam tegen de voorgevel aan. Deze kapel ontstond in de periode 1385-1395 als bewaarplaats voor de 'Sacro Cingolo', de heilige gordel van Maria, een van de kostbaarste relikwieën van de Maria-verering die de moeder Gods bij haar hemelvaart aan de apostel Thomas zou hebben overhandigd, die hem vervolgens weer aan een priester

gegeven zou hebben. Volgens de legende heeft een koopman uit Prato, Michele Dagomari, de gordel als bruidsschat bij zijn huwelijk in Jeruzalem met een meisje genaamd Maria gekregen en hem kort voor zijn dood aan de Santo Stefano vermaakt. Tegenwoordig nog wordt dit relikwie op kerkelijke en wereldlijke feestdagen tentoongesteld.

Michelozzo (1396-1472) en Donatello (1386-1466): buitenkansel, 1428-1438
marmer en brons, reliëfvelden, elk 73,5 x 79 cm

De feestelijke uitstraling van de voorgevel van de dom wordt versterkt door de buitenkansel in de rechterhoek. Op deze kansel wordt al vanaf het Duecento de heilige gordel getoond. Ook toen al was er op deze plek een houten balkon.

Van 1428 tot 1438 ontwierpen de Florentijnse beeldhouwers Michelozzo en Donatello hier een meesterwerk. De ronde kansel bestaat uit een baldakijn, dat door een centrale zuil wordt gedragen, en de kansel zelf, die op mooi bewerkte consoles en een bronzen sokkel rust. Deze door de Oudheid geïnspireerde architectuur die in de juiste proporties kansel en baldakijn met het gebouw verbindt, is het werk van Michelozzo. Dontello begon met zijn deel, een fries met dansende putti, waarschijn-

lijk in 1433. Het fries bestaat uit zeven rechthoeken met reliëfs die steeds worden onderbroken door twee pilasters voorzien van cannelures. In de reliëfs zijn op een gouden achtergrond verschillende tafereelen plastisch uitgewerkt.

De ervaringen die de beeldhouwer tijdens zijn reis naar Rome heeft opgedaan, zijn duidelijk te herkennen. Zo doet de vormgeving van de reliëfs aan Romeinse sarcofagen denken en de putti aan personen uit de Oudheid. Met fladderende gewaden, halfnaakt en vol levenslust, dansen en musiceren de stevige amorfiguurtjes ter ere van de maagd Maria. Met hun onstuimige bewegingen lijken ze de omlijsting bijna uit elkaar te laten springen.

Om ze tegen de invloeden van buitenaf te beschermen, zijn inmiddels de originele marmerreliëfs in de dom ondergebracht. De reliëfs zijn tegenwoordig in de dom door kopieën vervangen.

Duomo Santo Stefano

Cappella del Sacro Cingolo (Kapel van de heilige gordel), Giovanni Pisano, Madonna del Sacro Cingolo, rond 1317. De madonna met kind, gekleed in een gewaad met sierlijke plooien, is een van de laatste werken van de beeldhouwer

Cappella del Sacro Cingolo (Kapel van de heilige gordel). Agnolo Gaddi's fresco's over het leven van Maria en de legende over de nog altijd vereerde zogenaamde gordel van Maria, ontstonden in 1392-1395

Interieur, blz. 132

Benedetto da Maiano, Madonna dell'Olivo, rond 1480. De tronende madonna in terracotta met kind maakte de beeldhouwer oorspronkelijk voor zijn privé-verzameling; de stenen tabernakel en het reliëf in marmer worden aan zijn broer toegeschreven

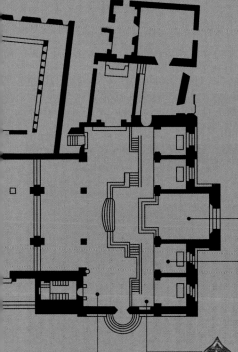

Hoofdkoorkapel, fresco's van Filippo Lippi, blz. 134

Cappella dell'Angelo Custode (Kapel van de beschermengel), fresco's van de zogenaamde Prato-meester, blz. 133

Filippo Lippi, Bewening van de heilige Hieronymus, rond 1450. Het paneel waarop meerdere taferelen zijn afgebeeld, toont episoden uit het leven van de kerkvader (tot 2001 in Museo dell'Opera del Duomo)

0   10 m

Interieur

Ook binnen zijn de verschillende bouwfasen te herkennen: de wijde bogen zijn Lombardisch, de stroken van groen-wit marmer vertonen daarentegen een Pisaans-Romaanse invloed. De oorspronkelijk open dakstoel werd in 1676 voorzien van een koepel. De zuilen van 'verde di Prato', het zwart-groene serpentijn uit het achterland van Prato, zijn indrukwekkend. Het dwarsschip met de gotische ribgewel-

ven is enorm en de kleurige glas-in-loodramen en de vlakke plafonds van de koorkapellen zijn naar het voorbeeld van cisterciënzerkerken gemaakt.

De links naast de ingang gelegen 'Cappella del Sacro Cingolo' werd in 1385 voor het bewaren en de verering van de heilige gordel van de moeder Gods ingericht. De fresco's die Agnolo Gaddi tussen 1392 en 1395 schilderde, verhalen van het leven van Maria en tonen verhalen uit de legende van de gordel.

Op het hoofdaltaar staat het marmeren beeldhouwwerk 'Maria met kind' (1317) van Giovanni Pisano. Het indrukwekkende bronzen hekwerk ontstond in het midden van de 15e eeuw. De kansel in de vorm van een kelk is het werk van twee Florentijnse beeldhouwers uit 1469-1473: Mino da Fiesole ontwierp het reliëf met het 'Gastmaal van Herodes' en de 'Onthoofding van Johannes de Doper'. Van de hand van Antonio Rosellino zijn de 'Hemelvaart van Maria', de 'Steniging van de heilige Stefanus' en de 'Begrafenis' van de kerkpatroon.

Paolo Uccello (ca. 1397-1475), Geboorte van Maria, ca. 1435
fresco

In de rechts naast het hoofdkoor gelegen kapel van de hemelvaart van Maria zijn de wanden geheel met fresco's bedekt. In de jaren '30 van de 15e eeuw schilderde Paolo Uccello hier naast de vier heiligen Paulus, Hieronymus, Franciscus en Dominicus in de ingang van de kapel de deugden 'Geloof', 'Liefde', 'Hoop' en 'Dapperheid' in het gewelf. Hij schilderde het 'Dispuut van de heilige Stefanus', de 'Geboorte van Maria' en de 'Tempelgang van Maria' in de lunetten en de vijftien portretten bracht hij aan in de tondi van de raamfriezen. De andere scènes uit het leven van de heilige Stefanus werden door de kunstschilder Andrea di Giusto rond 1450 voltooid.

De compositie van de 'Geboorte van Maria' is perfect. Met de hem eigen perspectivische opbouw heeft Uccello de personen en architectuurelementen gelijkmatig over de ruimte verdeeld. De individuele afzondering van de figuren wordt karakteristiek uitgebeeld. Opvallend zijn de verhalende details en de krachtige kleuren, die ook heel goed passen bij de geometrische figuren.

Filippo Lippi (ca. 1406-1469)
Gastmaal van Herodes, ca. 1461-1465
fresco

In de kapel van het hoofdkoor schilderde Filippo Lippi tussen 1452 en 1468 met onderbrekingen een van de belangrijkste fresco's van de vroege Renaissance. Van de schilderijen over het leven van Johannes de Doper is 'Gastmaal van Herodes' beslist het fascinerendste.

In een hal, die geschilderd is in een centraalperspectief, zit een groot, feestelijk gezelschap. De architectonische indeling, de brede ruimte en het geschilderde uitzicht op een landschap verwijzen naar banden met de Florentijnse architect Filippo Brunelleschi. De talrijke portretkoppen en de

bijzonder krachtige, op de voorgrond geplaatste man doen denken aan het werk van Piero della Francesca uit Arezzo. Filippo Lippi kwam als achtjarig weesjongetje bij de zusters karmelieten van de Santa Maria del Carmine in Florence, legde de gelofte af en begon, onder de indruk van de fresco's van Masaccio in de daar gelegen Brancacci-kapel, te schilderen.

Filippo Lippi: Dansende Salome
(detail Gastmaal van Herodes)

Karakteristiek en nieuw in de schilderkunst van Filippo Lippi zijn de uitdrukking van de figuren, de vloeiende bewegingen, de fijne lijnvoering in de tekening en de

buitengewoon lichte stoffen. Het mooist is dit aan de dansende Salome te zien: haar gracieus gebogen figuur lijkt over de tegels van de vloer te zweven en haar gewaad dwarrelt alsof het zich onttrokken heeft aan de wetten van de zwaartekracht en onthult, bewust of onbewust erotisch, de vormen van haar lichaam. Haar hoofd is bekoorlijk gebogen.

Een complete generatie kunstenaars werd door deze Salome beïnvloed. Bij Botticelli, de leerling, en Filippino, de zoon van Filippo Lippi, en zelfs nog bij Leonardo da Vinci kwamen daar gracieuze vrouwen en engelen die de boodschap aan Maria verkondigen uit voort.

Filippo Lippi zou met deze Salome zijn geliefde, de non Lucretia Buti, hebben weergegeven. In 1456 ontvoerde hij Lucretia, wier trekken sindsdien ook zijn madonnagezichten bepalen. Cosimo il Vecchio de'Medici verkreeg in 1461 dispensatie van de paus voor het paar, zodat ze konden trouwen.

Palazzo Pretorio – Museo Civico

Het Palazzo Pretorio is ontstaan uit een romantisch huis van baksteen. De oorspronkelijk als woonhuis ontworpen toren werd in 1284 verworven door de 'Capitano del Popolo' en deze richtte er zijn eigen ambtszetel in. Rond het midden van de 14e eeuw moest het paleis mooier en groter worden, daarom werd een uitbreiding van hardsteen rond de oude toren gebouwd.

Interessant genoeg bleven de afzonderlijke bouwvormen naast elkaar zichtbaar. Tot op heden zijn aan het verschil in materiaal de verschillende bouwfasen af te lezen. Zelfs de vormen van de ramen werden niet aangepast. De Romaanse rondboogvensters contrasteren met mooie spitsboogvensters uit de Gotiek.

Sinds 1850 bevindt zich in het paleis de stedelijke kunstverzameling, met vele kunstvoorwerpen en schilderijen uit de 14e tot de 18e eeuw.

In naam van God en van de zaak

Deze woorden schreef Francesco di Marco Datini als motto op de boeken die zijn boekhouding bevatten. Treffender kan het leven van de koopman, wiens meer dan levensgrote standbeeld op de Piazza del Comune in Prato staat, beslist niet worden samengevat. Dankzij meer dan 100.000 brieven –zakelijk en privé van inhoud–, meer dan vijfhonderd rekeningboeken, duizenden verschillende soorten documenten, zoals contracten, wissels en cheques die Datini samen met zijn gehele vermogen aan de stad naliet, weten we nu alles over zijn zaken, zijn sociale betrekkingen met vrienden en familie, zijn kwellende zorgen om zijn goederen, schepen, gezondheid en zijn eigen zielenheil.

Francesco werd geboren in 1335 als onechte zoon van herbergier Marco di Datini uit Prato. Na de dood van zijn ouders in 1348, het jaar van de grote pestepidemie, ging de ondernemende Francesco in de leer in Florence. Vanwege de verhalen van Florentijnse kooplieden over de prachtige carrièrekansen in Avignon vertrok hij met 150 gulden op zak naar de bloeiende handelsstad aan de Rhône – met de droom van rijkdom en een vrij leven en het voornemen koopman te worden.

Zonen van grote handelshuizen werden in de regel eerst in handelshuizen in hun geboortestad, daarna bij Italiaanse filialen en ten slotte

Beeld van Francesco di Marco Datini, Prato

Meester Biadaiolo, In de Or San Michele wordt graan onder de armen verdeeld, 1335-1340, miniatuur, Codex 'Il Biadaiolo', Biblioteca Medicea Laurenziana, Florence

ken en gewoonten namelijk net zo noodzakelijk als politiek inlevingsvermogen en diplomatieke vaardigheid.

Francesco Datini, die niet over dit alles beschikte, kwam waarschijnlijk eerst terecht in het huis en kantoor van een van de Toscaanse koopmannen die zich in groten getale in de overvolle stad tussen de luxueuze pauselijke paleizen en het nauwe arbeiders- en armenkwartier hadden gevestigd.

Een paar jaar later was Datini reeds zelfstandig en verdiende met de handel in wapens zo veel, dat hij zijn broer kon laten overkomen. Met wisselende Toscaanse partners stichtte hij een winstgevend handelsimperium van uitgebreide import- en exportzaken. Hij handelde in zout, wijn, olie, azijn, honing, specerijen, verfstoffen, lederwaren, Frans emailwerk, linnen uit Genua, zijde, taft en kostbare liturgische gewaden uit Lucca, beschilderde bruidskisten en zilverwerk uit Florence en vooral in kleine, opvouwbare altaren voor privé-devotie, die toen in de mode kwamen.

"Ik kon simpelweg zoveel geld verdienen als ik wou", meldde hij later en negeerde voorlopig de aanhoudende smeekbeden van zijn familieleden om terug te keren in Frankrijk, Vlaanderen of Engeland gevormd. Voor het opbouwen en leiden van het familiebezit was het leren van vreemde talen, gebrui-

en een geregeld leven te gaan leiden. Ook na zijn terugkeer in 1382 was de man die volgens de beschrijving van zijn beste vriend Lapo Mazzei "altijd vrouwen had, niets anders dan patrijzen at, kunst en geld als afgoden vereerde en daarbij de Schepper en zichzelf vergat" bijna altijd op zakenreis. In brieven vertelde hij zijn jonge vrouw Margherita nauwkeurig hoe ze zijn lievelingsgerechten moest bereiden: een goede soep met vette kaas, verse paling en andere vis, mals kalfs-, varkens-, geiten- of lamsvlees en wild, grote bonen en kikkererwten met munt, rozemarijn, tijm en majoraan klaargemaakt en verse vijgen, perziken en noten.

Met het stijgen der jaren bekroop hem steeds vaker de vooral onder kooplui verbreide angst niet voldoende voor zijn leven in het hiernamaals te hebben gezorgd.

In Florence kwam in 1252 de gouden florijn in omloop en die werd al snel als Florentijnse gulden het belangrijkste betaalmiddel in de Europese handel. Sinds geld zich als equivalent van tijd had ontwikkeld, bloeide de handel in het verstrekken van rentedragende leningen en werd er met geld gewoekerd. Weliswaar werd dit alles door de Kerk veroordeeld, maar er was geen koopman die zich niet verrijkte met het wisselen van geld en het betalen van de procenten en de rente in termijnen. Om zich van de kwellingen van de hel vrij te kopen, liet Datini, wiens geldwisselkantoor in Avignon tot de eerste had gehoord, zijn hele vermogen –afgezien van het levensonderhoud voor vrouw en dochter– na aan een eigen, niet-kerkelijke stichting. Met zijn kenmerkende individualisme bewees hij al het karakter van de renaissancemens te hebben, zoals ongeveer honderd jaar later Giovanni Rucellai dat belichaamde, die van zichzelf zei: "Ik heb nu vijftig jaar lang niets anders gedaan dan geld verdienen en uitgeven en het is mij duidelijk geworden dat geld uitgeven veel meer genot verschaft dan geld verdienen."

Niccolo di Pietro Gerini, De geschiedenis van de heilige Mattheus (detail), ca. 1395, fresco, S. Francesco, Prato

seleinkleurige gelaat vertoont nog de laatgotische preutsheid die Lippi pas na de ontdekking van zijn liefde voor Lucretia Buti in levendigheid veranderde. Voor de troon knielt de koopman Francesco di Marco Datini uit Prato, die zijn vermogen naliet aan een door hem gestichte sociale organisatie met de naam 'Ceppo'. Hij bezorgt vier 'Buonuomini', honorair helpers, de zegen van de jonge Christus en de voorspraak van de heiligen.

Filippo Lippi, Madonna del Ceppo, 1454
tempera op paneel, 187 x 120 cm

Geflankeerd door de heilige Stefanus en Johannes de Doper troont Maria voor een glanzend gouden achtergrond. Haar por-

Giovanni da Milano (werkzaam ca. 1346-1369), Polyptychon, 1360
tempera op paneel, 166 x 166 cm

Het veelluik van Giovanni da Milano, een schilder uit Como, leidt met intensieve kleuren en een strenge, Noord-Italiaanse vormgeving de schilderkunst van het Trecento in Toscane in. Het in 1360 ontstane werk is onder de centraal geplaatste moeder Gods gesigneerd. Links naast haar staan de heilige Catharina van Alexandrië en Bernard en rechts staan de heiligen Bartholomeus en Barnabas. De predella met taferelen uit het leven van de heiligen is vooral bijzonder door de miniatuurachtige landschapschilderkunst.

Santa Maria delle Carceri

Een afbeelding van Maria in de kerkers die voor de eerste stadsmuur naast het 'Castello dell'Imperatore' lagen, gold sinds de Middeleeuwen als wonderbaarlijk. Ter ere hiervan werd de kerk Santa Maria delle Carceri gebouwd. Giuliano da Sangallo (ca. 1445-1516) bouwde de kerk vanaf 1484 in de ideale vorm van de Renaissance: centraalbouw met vier armen. Uitgaande van Brunelleschi's Pazzi-kapel in Florence ontwikkelde hij de constructie van de kapel tot een symmetrisch geheel: elke arm moest met de helft van het vierkant in het midden overeenkomen.

De decoratieve wit-groene marmerincrustatie aan de buitenkant gaat terug op vroeg-Romaanse bouwwerken in Florence. Door de eenvoudige, streng geometrische vormen is de synthese met de eigenlijke architectuur heel goed gelukt. De klokkentoren stamt uit de 18e eeuw.

Koepel

In de kerk wordt de overeenkomst met de architectuur van Brunelleschi nog duidelijker. Net als Brunelleschi deed in de sacristie van de San Lorenzo brengt Sangallo ook accenten aan in de architectuur door middel van dubbele pilaren die hij in grijs zandsteen, het 'pietra serena', tegen de bepleisterde muren plaatst. Doordat Sangallo deze structurerende elementen versterkt, verhoogt hij de monumentale werking van de ruimte. Pendentieven, de zwikken in het gewelf, leiden in het centrale vierkant via de tongewelven van de kruisarmen naar de bekroonde koepel. De wit-blauwe medaillons met voorstellingen van de evangelisten en het geglazuurde terracotta fries van Andrea della Robbia uit 1492 geven de heldere, duidelijke structuur een kleurig accent.

Antonio da Sangallo, de jongere broer, gebruikte in 1518 deze kerk als voorbeeld bij de bouw van de San Bagio in de buurt van Montepulciano.

Stadsrepubliek en de stedelijke gegoede burgerij

Ruth Strasser

"Viva il popolo!" – in de 13e eeuw had zich in bijna alle Toscaanse steden onder invloed van het sterk groeiende aantal inwoners, de handel met landen dichtbij of veraf en de beginnende werkverdeling en specialisering van ambachten een stedelijke gegoede burgerij gevormd die niet langer een speelbal van keizer en paus wilde zijn. Deze groep van rechters, notarissen,

bankiers en kooplui en handelaren –die ontstond dankzij ondernemingsgeest, talent om handel te drijven, rijkdom en ellebogen– schiep een republikeinse regeringsvorm die *primo popolo* (eerste volk) werd genoemd. De gezamenlijke burgerij werd in *gonfaloni* (buurtschappen) verdeeld – een soort militie voor veiligheid binnen en buiten de stadsmuren, waarin alle mannelijke burgers tussen vijftien en zeventig jaar moesten dienen. Aan het hoofd van deze organisaties stond de *capitano del popolo*. Hij werd vanwege onpartijdigheid en als bescherming tegen corruptie altijd van buitenaf aangetrokken en was voor de handhaving van de constitutie en de nieuwe burgerrechten verantwoordelijk. De *consiglio degli anziani*, de hoogste regeringsvertegenwoordiger, een raad van ouderen, stond hem ter zijde; deze mannen beslisten over ieder voornemen, elke uitgave, ieder militair plan en elk verbond. De hoogste ambtenaar van deze regeringsmacht was de *podestà*, die met de steun van een staf van advocaten en notarissen rechtsprak. Deze ambten werden slecht twee tot zes maanden bekleed, de gekozen ambtenaren mochten nooit hun ambtszetel (stadhuis of gerechtsgebouw) verlaten en de adel was van de verkiezingen uitgesloten. Daarnaast waren er andere raads- en bestuursorganen om de taken van de

Domenico Lenzi, Specchio Umano, miniatuur, Biblioteca Medicea Laurenziana, Florence

nieuw ontstane *civitas* te organiseren, zoals de openbare orde bewaren, belastinggeld innen en toezien op de 21 gilden, waar iedere burger lid van moest zijn om een beroep uit te kunnen oefenen. Tot de zeven *arti maggiori* werden de textielgilden gerekend, zoals de *arti della lana*, de wolfabrikanten, in wiens winkels langs de Arno ontelbare loonarbeiders schapenwol tot de fijnste stof verwerkten. De Florentijnse kroniekschrijver Giovanni Villani schreef in 1338: "Er zijn meer dan tweehonderd werkplaatsen aangesloten bij het wolgilde, die samen 70 tot 80.000 meter stof verwerken ter waarde van 1.200.000 florijnen. Van bovengenoemde arbeid leven meer dan 30.000 mensen." Daarnaast was de bewerking van wol in verschillende processen verdeeld: sorteren, wassen, kaarden, kammen, wikkelen, opwinden, vollen, gladmaken, spannen, rekken, drogen, samenpersen, vouwen en verpakken. Een ander textielgilde was dat van de *calimala*, de grossier die ruwe wol en eenvoudige stoffen uit Engeland en Schotland importeerde, veredelde, verfde en het hoogwaardige eindproduct weer exporteerde. Ook was er het zijdebewerkersgilde en het gilde van de bontwerkers en pelshandelaren. De voormalige, in de stad meestal verarmde, adellijke families die van de rechten van het stedelijk patriciaat waren uitgesloten, zochten nieuwe manieren om aan de winstge-

Ambrogio Lorenzetti, De heilige Nicolaas brengt een kind weer tot leven (detail), ca. 1332, tempera op paneel. Galleria degli Uffizi, Florence

vende economie van de stad deel te kunnen nemen. Vaak keerden ze na een jarenlang verblijf in andere streken onder een nieuwe naam 'ontadeld' terug of ze probeerden zich door een huwelijk van een zoon of dochter met de gegoede burgerij te vermengen.

Uit deze zuiver doelmatige verbindingen ontstonden vaak enorme familieondernemingen, die veel invloed op alle handelsbeurzen van Europa hadden.

Hogere gilden (v.l.n.r.): paardenkopers, zijdebewerkers, stoffenkopers, artsen en apothekers

Lagere gilden (v.l.n.r.): timmerlui en houthakkers, wijnkopers, slotenmakers en herbergiers

Centro per l'Arte Contemporanea Luigi Pecci

Anne Poirier (geb. 1942) en Patrick Poirier (geb. 1942), Exegi monumentum aere perennius, 1988
installatie van metalen elementen van
verschillende grootte, 600 x 1800 cm

Kwalitatief goede kunst uit de 20e eeuw in het stadsbeeld –zoals het monumentale beeld van de Engelse beeldhouwer Henry Moore op de Piazza San Marco– kenmerkt de stad Prato als een hedendaagse, moderne stad. Deze indruk wordt nog versterkt door het aan de rand van de stad gelegen Centro per l'Arte Contemporanea Luigi Pecci, het centrum voor hedendaagse

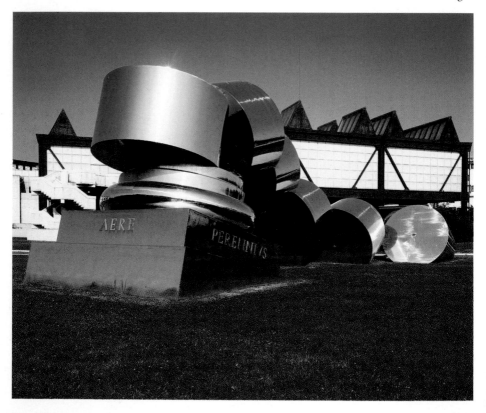

kunst, waarvoor Anne en Patrick Poirier met de omgevallen zuilen van blank metaal een duidelijke markering hebben geplaatst. Het Franse kunstenaarsechtpaar profileert zich als gedachte- en sporenlezer van het verleden en wil met het tentoonstellen van brokstukken, resten en ruïnes de blik en de gedachten scherpen voor de wisselwerking tussen geleefde en vastgelegde geschiedenis, tussen vergeten en herinneren. De stichting die de textielfabrikant Enrico Pecci ter herinnering aan zijn zoon Luigi oprichtte en het engagement van de stad leidden tot een voor Toscaanse begrippen bijzonder museum voor moderne kunst, dat in 1988 in het in verschillende ruimten verdeelde gebouwencomplex van de Florentijnse architect Italo Gamberini werd geopend. Het is een plek van drukbezochte tentoonstellingen van nationale en internationale kunstenaars, hier worden ideeën en concepten over hedendaagse kunst vanaf de jaren '70 in een zeer breed spectrum duidelijk gemaakt. Tegelijkertijd is het een centrum voor informatie en documentatie en de voor iedereen toegankelijke bibliotheek bevat een fantastische collectie tentoonstellingscatalogi en kunstenaarsbiografieën en geeft verdere informatie via een kunstdatabank.

Tentoonstellingsruimte

Na het tienjarig bestaan van het centrum werd het idee van een permanente tentoonstelling realiteit. Sinds juni 1998 vult de eigen collectie in de nieuwbouw van de architecten Bacchi en Sarteanesi de wisselende exposities aan. Tot de eigen collectie horen bijvoorbeeld werken van Enzo Cucchi, Michelangelo Pistoletto, Mauro Staccioli, Alberto Burri, Mario Merz, Sol LeWitt, Julian Schnabel, Panamarenko, Hubert Scheibl, Jannis Kounellis, Anish Kapoor en Julian Opie. Wisselende exposities waren er van onder anderen Barbara Kruger, Tdashi Kawamata, Gilberto Zorio, Alberto Burri, Lucio Fontana, Gerhard Richter, Nobuyoshi Araki, Hannah Starkey en Henry Bond.

Poggio a Caiano

Villa Medicea

Rond 1480 kocht Lorenzo il Magnifico van de Florentijnse familie Rucellai de aan de rivier de Ombrone gelegen villa in Poggio a Caiano. Lorenzo gaf opdracht voor nieuwbouw, waarvoor Giuliano da Sangallo het ontwerp leverde. En zo ontstond de mooiste van alle De'Medici-villa's, die een voorbeeld voor de latere landgoederen en tegelijk de typerende renaissancevilla zou worden. Nu nog vinden we hier een oord van muzen en ontspanning midden in de natuur. Als symmetrisch complex met een eenvoudige voorgevel is de villa boven de door arcaden ondersteunde kelderverdieping omgeven door een breed terras. Hier bevindt zich de ingang waar oorspronkelijk een rechthoekige, sinds de 18e eeuw een gedraaide, vrijstaande trap naar toe leidt. Een op de Oudheid geïnspireerde topgevel met een terracotta fries bekroont de zuilenhal – dit motief treedt hier voor het eerst in de renaissancearchitectuur op.

Villa Medicea, zaal met fresco's van Pontormo

Pontormo (1494-1557) Vertumnus en Pomona (detail), 1519-1521
fresco

De eerste De'Medici-paus, Leo X, liet de grote feestzaal door belangrijke schilders decoreren: Pontormo, Franciabigio, Andrea del Sarto en Alessandro Allori. Indrukwekkend is het lunettenfresco van Pontormo met 'Vertumnus en Pomona', naar de Metamorfosen van Ovidius. In het door Allori bewerkte fresco op de rechterwand speelde del Sarto in op een diplomatiek succes van Lorenzo il Magnifico: door een verdrag met de sultan van Egypte werden de signoria van Florence rijk.

Carmignano

San Michele

In het heuvelland van de Monte Albano ten westen van Florence, niet ver van Vinci, de geboorteplaats van Leonardo da Vinci, ligt Carmignano. Het middeleeuwse kasteel was lange tijd een strategisch belangrijk punt waar Lucca en Florence om streden. Aan het eind van de 13e eeuw stichtten de franciscaners hier een klooster, waarvan de gotische parochiekerk San Michele bewaard is gebleven, terwijl de kruisgang in de Renaissance werd vernieuwd.

Jacopo Pontormo (1494-1557), Bezoeking, ca. 1528-1529
olie op paneel, 202 x 156 cm

Met 'Bezoeking' van Jacopo da Pontormo bezit de San Michele een bijzonder schilderij. De uit het gebied afkomstige schilder schiep rond 1528-1529 de ontmoeting tussen Maria en Elizabet, de moeder van Johannes de Doper – beiden waren in verwachting van hun eerste kind. Hij laat de ontmoeting in een onwerkelijk aandoende omgeving plaatsvinden en geeft het schilderij een visionair karakter door de magische, schreeuwende en verblindende kleuren, de elkaar kruisende gebaren en de indringende blikken. Raadselachtig zijn de twee frontaal als helpsters weergegeven vrouwen op de achtergrond, die de beschouwer aankijken en die naar we kunnen aannemen maagden zijn. Deze benoeming verklaart echter niet hun suggestieve blik – ze lijken eerder een variatie, een ander aspect van Maria en Elizabet, die hier ondanks hun zware lichamen dansend en zwevend op elkaar toe lijken te komen.

Florence en omgeving

Florence

"Dochter en schepping van Rome, die bij haar opkomst voor grote dingen voorbestemd was", zo beschreef de geschiedschrijver Giovanni Villani in 1338 in de *Cronaca* zijn geboortestad Florence. Florence, de 'bloeiende', werd gesticht als Romeinse veteranenkolonie in 59 v.Chr. in het dal van de Arno en groeide in de loop van zijn geschiedenis uit tot bijna alleenheerser van Toscane. Nu nog is het hoofdstad, bestuurscentrum en belangrijke kunstmetropool.

Florence werd onder keizer Augustus (27 v.Chr.-14 n.Chr.) aangelegd en kreeg later een forum met een tempel, drie thermen, een theater en een amfitheater. De stad kwam vanwege zijn gunstige ligging met verbindingswegen naar alle kanten al in de Romeinse tijd tot economische bloei. Daarvan getuigt ook het stadswapen, de bloeiende lelie, die zelfs tegenwoordig nog in het wild te vinden is. Keizer Diocletianus benoemde Florence in het begin van de 4e eeuw n.Chr. tot hoofdstad van de zevende regio, dat wil zeggen van Toscane en Umbrië.

Langs de Via Cassia, die over de Arno van noord naar zuid dwars door Florence loopt, ontstonden door vestiging van Syrische handelaren de eerste kleine christengemeenschappen en kerken. In 393 wijdde

Palazzo Vecchio (detail van de voorgevel met het hoofdportaal), Florence

de bisschop van Milaan en kerkvader Ambrosius de San Lorenzo als eerste bisschopszetel.

Met het ineenstorten van het West-Romeinse rijk en de strijd tussen de Goten en Byzantijnen begon een tijd van vernieling en verval, die voortduurde tot in de vroege Middeleeuwen, omdat zowel de Longobarden als de Frankische markgraven die Toscane bestuurden, Lucca als centrum gebruikten. Pas met de laatste markgravin Mathilde van Canossa, die Florence als regeringszetel had gekozen, begon een nieuwe, culturele bloeitijd. Vanaf het midden van de 11e eeuw was de stad het centrum van de strijd voor kerkelijke vernieuwing en beleefde met gebouwen zoals het baptisterium en de San Miniato al Monte een zogenaamde 'Protorenaissance'. Na de dood van Mathilde in 1115 werd Florence een vrije stad. In de daaropvolgende tweehonderd jaar, waarin het inwonertal snel tot meer dan 100.000 steeg, concentreerden de krachten zich voornamelijk op politieke en economische expansie. De naburige stad Fiesole werd in 1125 vernield, de landadel bestreden, *terre murate* –'verstevigde voorposten'– werden gesticht ... "en zo begon de gemeente Florence uit te dijen, meer door haar kracht dan door haar recht. En zo vergrootte Florence de contado en plaatste alle edellieden onder haar rechtspraak en vernielde hun 'vestingen'" (Giovanni Villani, 1348). Dit

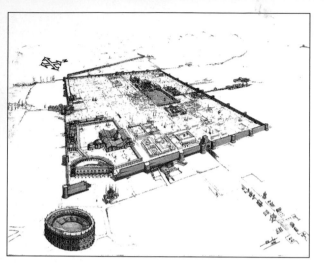

Reconstructie van het Romeinse Florence, tekening uit 1992

Vanaf 1284 werd, na eerdere uitbreidingen, de laatste stadsmuur voltooid die in totaal 8,5 km lang was, 73 torens en vijftien grote poorten had en de stad omsloot tot hij neergehaald werd aan het eind van de 19e eeuw.

Met de belangrijke werken van Giotto en Dante Alighieri brak in de 14e eeuw in artistiek opzicht een nieuw, vruchtbaar tijdperk aan. De vernietigende overstroming van de Arno in 1333, de enorme hongersnood en de regelmatig terugkerende pestepidemieën (onder andere in 1348) maakten van het Trecento echter ook een catastrofaal tijdperk. De groeiende sociale spanningen ontlaadden zich in 1378 in een opstand van de *ciompi*, de wolkammers. Daarop nam een groep van machtige Florentijnse families het heft in handen en vormde de *signoria*. Een jonge, rijk geworden familie ondersteunde de zich verzettende bevolking: de naam van deze familie was De'Medici. Het familiehoofd, Cosimo, werd weliswaar in 1432 door de Signoria verbannen, maar keerde twee jaar later al als *Pater patriae*, vader des vaderlands, vol triomf terug. Dat was de start van de nauwelijks onderbroken, weergaloze politieke carrière van de familie De'Medici, die als mecenassen bijna

streven naar macht over de *contado*, het achterland, eindigde in de daarop volgende periode met de inname van de meeste Toscaanse steden – behalve Lucca.

Het stedelijke leven werd sinds de vroege 13e eeuw bepaald door de strijd tussen de Welfen en de Ghibellijnen die tot toestanden leidde die op een burgeroorlog leken. In 1250 werd de regering van de *primo popolo* gevormd, een regering van handelaren, ambachtslieden en kooplui. Het lijfeigenschap werd afgeschaft, de textielindustrie kwam tot bloei en het tijdperk van euforische en prachtige bouwwerken begon. De dom, het gemeentehuis, het paleis van justitie en allerlei kerken werden gebouwd.

driehonderd jaar de artistieke en intellectuele sfeer in Florence bepaalden.

Onder Cosimo il Vecchio ('de oude'), zijn zoon Piero il Gottoso ('de jichtige') en vooral zijn kleinzoon, Lorenzo il Magnifico ('de geweldige') werd Florence de wieg van de Renaissance, een tijdperk dat van 1420 tot ongeveer 1550 duurde en kunstenaars als Masaccio, Donatello, Brunelleschi, Leonardo da Vinci en Michelangelo voortbracht.

Van 1494 tot zijn terechtstelling in 1498 beïnvloedde de dominicaner monnik Savonarola de politiek met zijn preken over hel en verdoemenis. De familie De' Medici werd voor de tweede keer uit de stad verdreven, de grondwet werd veranderd en een 'grote raad' van 1500 leden werd ingesteld. De familie keerde in 1512 terug en leverde twee pausen: Leo X en zijn neef en opvolger Clemens VII. Na een kort republikeins tussenspel met hulp van keizer en paus kon de heerschappij weer voortgezet worden. In 1531 werden de familieleden hertogen van Toscane, en Cosimo I werd in 1569 tot groothertog benoemd. In 1737, na de dood van Gian Gastone, de laatste De'Medici, ging de titel over naar het huis Habsburg-Lotharingen. Na de aansluiting bij het nieuwe koninkrijk Italië in 1861 werd Florence in de periode van 1865 tot 1871 de hoofdstad van Italië, wat ingrijpende veranderingen in het historische stadscentrum met zich meebracht, bijvoorbeeld de aanleg van de grote ringweg op de plaats van de middeleeuwse stadsmuur, die tegenwoordig het historische centrum omsluit.

Vedute van de stad Florence, ca. 1472, Museo di Firenze com'era, Florence

Florence

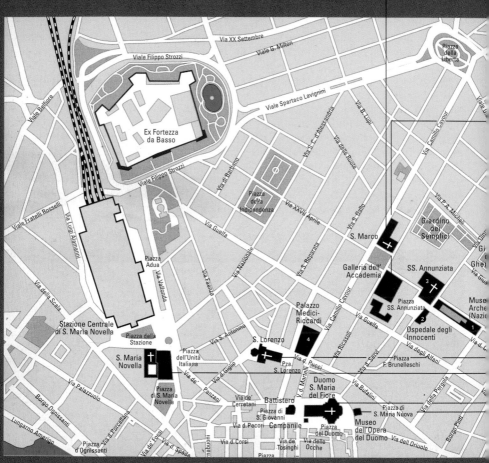

▼ vervolg op blz. 160 ▼

S. Marco, Piazza San Marco, blz. 250

Galleria dell'Accademia, Via Ricasoli 60, blz. 259

S. Lorenzo, Piazza San Lorenzo 9, blz. 240

S. Maria Novella, Piazza di S. Maria Novella, blz. 234

Duomo S. Maria del Fiore, Piazza del Duomo, blz. 169

Battistero en Campanile, Piazza del Duomo, blz. 162, 168

Museo dell'Opera del Duomo, Piazza del Duomo 9, blz. 174

Andere bezienswaardigheden:

1 Museo Archeologico (Nazionale), Via della Colonna 38, blz. 262

2 Ospedale degli Innocenti, Piazza della SS. Annunziata, blz. 262

3 SS. Annunziata, Piazza della SS. Annunziata, blz. 260

4 Palazzo Medici-Riccardi, Via Cavour 1, blz. 248

Florence

S. Maria del Carmine, Piazza del Carmine, blz. 226

S. Spirito, Piazza Santo Spirito 29, blz. 228

Duomo S. Maria del Fiore, Piazza del Duomo, blz. 169

▲ vervolg op blz. 158 ▲

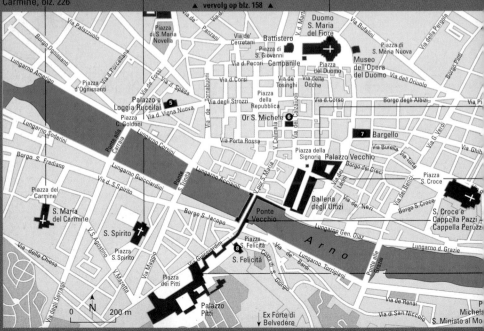

Palazzo Vecchio, Piazza della Signoria, blz. 182

Galleria degli Uffizi, Loggiata degli Uffizi, blz. 184

S. Croce e Cappella Pazzi, Piazza Santa Croce, blz. 200, 208

Ponte Vecchio, blz. 216

Palazzo Pitti, Piazza dei Pitti, blz. 221

Battistero San Giovanni

Het harmonisch geproportioneerde baptisterium is het oudste gebouw op het belangrijkste sacrale plein van Florence. Het ontstond op het uitdijende gebied van een Romeins paleiscomplex. Een eerder gebouw werd voor het eerst in 897 genoemd. Rond 1060 wijdde paus Nicolaas II de eerste steen van de nieuwbouw. In 1228 kon de kerkelijke ruimte gebruikt worden en in 1150 werd de lantaarn erop geplaatst. De achthoekige centraalbouw heeft twee verdiepingen en wordt boven de attiek door een tentdak afgesloten, waaronder ook de koepel zit. De constructie is een geniaal mengsel van de doopkapellen in Ravenna en Rome. De renaissancearchitect Filippo Brunelleschi vond hier belangrijke ideeën voor zijn constructie van de koepel van de doopkapel in Florence. De onbekende bouwmeester had de ordening van pilaren en zuilen op de verdiepingen, de exact halfronde bogen en de ramen in de attiekverdieping van de Oudheid overgenomen. Nieuw is de marmerincrustatie die het aanzicht van de muren bepaalt; het lijkt alsof er een driedimensionaal decor op de wanden is geprojecteerd en door een kleine verplaatsing van de bogen ontstaat de indruk van plastische, blinde arcaden.

Het Romaanse bouwwerk werd tweemaal verbouwd: in 1202 werd de ronde koorkapel vervangen door een hoekige en in 1339 voorzag Arnolfo di Cambio de pilaren op de hoeken van groen-witte marmerstroken, waardoor ze beter bij de dom pasten.
De drie gedeeltelijk vergulde bronzen deuren kunnen in drie windrichtingen geopend worden. De door

Andrea Pisano van 1330 tot 1336 gemaakte, zuidelijke deur is de oudste. Twintig reliëfs tonen voorvallen uit het leven van de stadspatroon, Johannes de Doper.

Lorenzo Ghiberti (1378-1455), noordelijk portaal, 1403-1424
brons (gedeeltelijk verguld),
h 450 cm (met omlijsting),
vierpassen elk 39 x 39 cm

In 1401 had Lorenzo Ghiberti de beroemde wedstrijd om de opdracht voor het maken van bronzen deuren met een proefreliëf gewonnen van onder anderen Brunelleschi en Jacopo della Quercia. Zijn deuren aan de noordzijde tonen in de bovenste vlakken twintig gebeurtenissen uit het leven van Christus en in de benedenvlakken afbeeldingen van de vier evangelisten en de vier kerkvaders. Op het kruispunt tussen de reliëfs plaatste Ghiberti portretkoppen, waaronder een zelfportret. Vooral de lijsten rond de deur hebben mooie naturalistische details, zoals een kikker, een hagedis en een slak.

**Lorenzo Ghiberti,
paradijsdeuren, 1425-1452**
brons (gedeeltelijk verguld),
521 x 321 (geheel), reliëfs elk
80 x 80 cm

Nadat Lorenzo Ghiberti zijn
eerste portaal had voltooid,
kreeg hij de opdracht een
tweede te maken. Dat
tweede portaal maakte hij
tussen 1425 en 1452 met
slechts tien vergulde vierkanten van brons die ver-
halen uit het Oude Testa-
ment, geselecteerd door de
humanist Leonardo Bruni,
tonen.
Deze beroemde jongste
deuren die ten oosten van
de ingang van de dom wer-
den geplaatst, werden later
door Michelangelo vanwe-
ge hun schoonheid met de
deuren van het paradijs
vergeleken – *Porta del Paradiso*. Vermoedelijk hangt
deze benaming ook samen
met de betekenis van het
gebouw, want het portaal
leidt naar de 'reddende
doop'. De deur is tegen-
woordig door een kopie
vervangen; de originele
bronzen platen zijn na de
restauratie in het Museo
dell'Opera del Duomo ten-

toongesteld. De deurlijsten van het paradijsportaal zijn versierd met niet minder dan 48 nisstandbeelden en medaillonkoppen, waaronder sibillen, profeten en andere bijbelse figuren, tussen fijne ranken. In het midden valt het ronde, gladde hoofd van Ghiberti op. Tevreden glimlachend en met opgetrokken wenkbrauwen lijkt de kunstenaar zeer tevreden te zijn over zijn werk. Door de verdeling in tien vlakken had hij voor zijn verhalende afbeeldingen grotere vlakken tot zijn beschikking en dus kon hij meer episoden in een afbeelding plaatsen.

Lorenzo Ghiberti, Genesis
(detail van de paradijsdeuren)

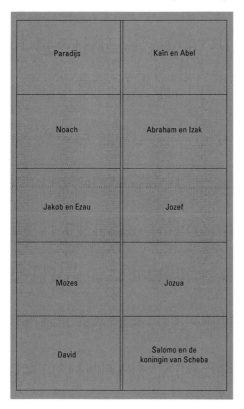

Geïnspireerd door Donatello en Brunelleschi opent Ghiberti het reliëf in de diepte, waarin de voorstellingen zich sfeervol oplossen.
Heel knap gebruikt hij proporties, lineaire plooien en licht en schaduw in de opbouw van vlak- naar hoogreliëf. Er zijn steeds meerdere scènes afgebeeld. Hierboven zien we de schepping van Adam en Eva, de zondeval en de verdrijving uit het paradijs afgebeeld.

setten en groen-witte marmerincrustatie geven de kapel van binnen een kostbare uitstraling. De decoratie bleef echter duidelijk ondergeschikt aan de architectuur.

Het graf van de tegenpaus Johannes XXIII, Baldassare Coscia, past precies tussen twee wandzuilen. Donatello en Michelangelo ontwierpen hier gezamenlijk tussen 1424-1427 het eerste baldakijngraf van de Renaissance.

Interieur

Ook de wanden in het baptisterium zijn in twee verdiepingen verdeeld, hierboven bevindt zich de met een mozaïek gedecoreerde koepel die ondersteund wordt door een lage attiek.

In de benedenverdieping dragen Corinthische zuilen en hoekpilaren stevige balken – de indeling en nissen zijn afgeleid van het Pantheon in Rome. Op de bovenverdieping opent de galerij zich tussen twee pilaren met regelmatige zogenoemde tweelingvensters.

De decoratieve elementen zijn opvallend rijk: vloeren met verschillende patronen in marmer, vergulde antieke kapitelen, schitterende mozaïeken, inlegwerk in cas-

Koepelmozaïek, ca. 1225-1320

Mysterieus fonkelt het licht op de gouden ondergrond van het grote koepelmozaïek. Naar aanleiding van de mozaïeken in de San Marco in Venetië en vermoedelijk in samenwerking met mozaïekwerkers die daar werkzaam geweest zijn, werkte vanaf 1225 een aantal kunstenaars onder leiding van een franciscaner monnik, Fra Jacopo da Torrita, aan de heilsgeschiedenis en het leven van Johannes de Doper.

Centraal thema aan de kant van het koor is het laatste oordeel – Christus met stigmata troont als rechter van het heelal op een regenboog, in de registers naast hem zitten voorsprekers en onder hem klimmen de wederopstandelingen uit hun graven en sarcofagen.

Campanile

In 1334 werd Giotto di Bondone (1267-1337), die reeds beroemd was als schilder, in Florence tot bouwmeester benoemd als opvolger van Arnolfo di Cambio. Zijn volledige aandacht ging uit naar de bouw van de campanile, waaraan hij slechts vier jaar werkte en die uiteindelijk werd voltooid door Andrea Pisano en Francesco Talenti. De 89 m hoge klokkentoren is in een volmaakte harmonie van architectuur, sculptuur en veelkleurige decoratie gebouwd en voorzien van een vooruitspringende topgevel met een balustrade.

Boven de geprofileerde sokkel verheft zich een dubbele verdieping die is onderverdeeld in rechthoekige velden. De hierop aangebrachte reliëfcyclus toont beroepen en bezigheden en is ingedeeld volgens de begrippen 'Necessitas', 'Virtus' en 'Sapientia' (noodzaak, deugd en wijsheid); deze worden aangevuld door de christelijke deugden, sacramenten, vrije kunsten en figuren uit het Oude Testament en de Oudheid.

Het verhaal begint in het westen en loopt rondom de sokkel via het zuiden en oosten naar het noorden. Giotto zelf heeft het programma voor de beelden opgesteld, de reliëfs werden voor het grootste deel door Andrea Pisano, Luca della Robbia en Andrea Orcagna uitgevoerd. Boven de sokkel bevindt zich een beeldencyclus van Andrea Pisano en Donatello – de beelden zijn kopieën; de originele zijn ondergebracht in het Museo dell'Opera del Duomo.

Duomo Santa Maria del Fiore

Naast die van Rome en Milaan is de Santa Maria del Fiore een van de grootste domkerken van het christendom. In 1296 begon Arnolfi di Gambio (rond 1245-1302) met de bouw. Op zijn laatst in 1417 begon Filippo Brunelleschi (1377-1446) met het ontwerp van de koepel. In 1471 werd eindelijk de gouden koepel geplaatst. De voorgevel werd pas in de 19e eeuw van marmer voorzien.

Een blik langs de zuidkant laat de bekleding van de aan de maagd Maria gewijde kerk met wit, groen en roze marmer zien. De heldere indeling en de blindbogen in de koorkapellen zijn geïnspireerd op het baptisterium. De kruisvormige centraalbouw heeft een koor met een enorme koepel, drie apsissen en twee sacristieën die perfect aansluiten bij de achthoekige plattegrond. De kleinere koepels van de koorkapellen en de 'exedra' boven de sacristie vangen de last onder de tamboer op, die tegelijkertijd de zeer extreme hoogte van de koepel van 116 m mogelijk maakt. Acht marmeren ribben lopen van de tamboerhoeken naar de bekroonde lantaarn en worden daar voortgezet in de stutten. De verbinding van constructieve met esthetische elementen lijkt vanzelfsprekend, maar is hier evenwel volkomen nieuw.

Duomo Santa Maria del Fiore

Domenico di Michelino, Dante en de goddelijke komedie. De muurschildering werd in 1465 ter ere van Dantes tweehonderdste geboortedag ontworpen en laat de beroemde dichter zien voor de toren van zijn geboortestad samen met fragmenten uit zijn werk

Paolo Uccello, geschilderd ruiterstandbeeld van sir John Hawkwood, blz. 173

Interieur, blz. 172

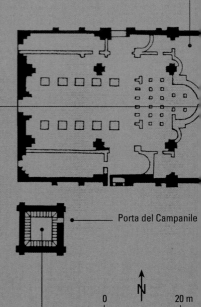

Porta del Campanile

0   20 m

N

Campanile, blz. 168

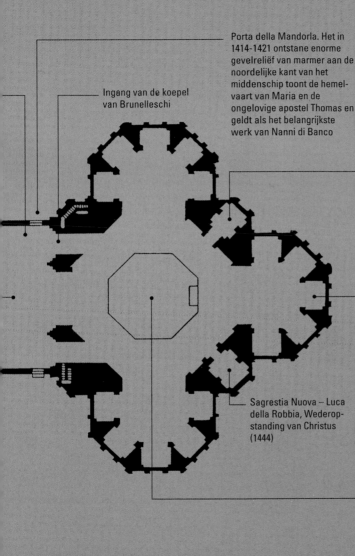

Porta della Mandorla. Het in 1414-1421 ontstane enorme gevelreliëf van marmer aan de noordelijke kant van het middenschip toont de hemelvaart van Maria en de ongelovige apostel Thomas en geldt als het belangrijkste werk van Nanni di Banco

Ingang van de koepel van Brunelleschi

Luca della Robbia, lunetten boven de noordelijke sacristie, 1442-1445. Het reliëf 'Hemelvaart van Christus', dat in bont geglazuurd terracotta uitgevoerd is, toont de wederopstandelingen die een kruisteken maken, omgeven door aanbiddende engelen, terwijl soldaten rond de sarcofaag slapen

Lorenzo Ghiberti, Johannes de Doper, 1413. Het gilde van de rijke kooplieden had dit eerste, meer dan levensgrote beeld dat in Florence te zien was, in opdracht gegeven

Sagrestia Nuova – Luca della Robbia, Wederopstanding van Christus (1444)

Apsis en koepel, blz. 169

171

Interieur

Het middenschip van de dom dat 153 m lang en 38 m breed is en twee zijschepen heeft, wordt bepaald door de originele kleuren en de eenvoudige, strenge vorm. De enorme proporties geven het middenschip met de kruisribgewelven het karakter van een hal. Grote spitsboogarcaden en helder geordende pilaren geven het middenschip een bepaald ritme.

Boven de arcaden verbindt een gang op stevige consoles als een sterk gebint het middenschip met het koorgedeelte, de apsis en de grote koepeloctogoon en zorgt voor een sterk horizontaal accent en voor eenheid. De bijzonder zware muren van de octogoon, die volgens de eerste ontwerpen de dubbele koepel zou moeten dragen, worden gekenmerkt door constructieve elementen.

Veel van de eerdere overvloedige decoratie is inmiddels verloren gegaan, slachtoffer van de talrijke restauraties geworden of in het Museo dell'Opera del Duomo terechtgekomen. De specifieke, voor de Florentijnse bouwkunst zo typerende ruimtewerking bleef echter al die eeuwen bewaard.

De glas-in-loodramen in de koepeltamboer werden gemaakt naar ontwerpkartons van Donatello, Uccello, Ghiberti en Castagno. De door Paolo Uccello in 1443 uitgevoerde wijzerplaat aan de binnenkant tegenover het hoofdportaal bevat –zoals in die tijd gebruikelijk– 24 uren in Romeinse cijfers en slechts één grote wijzer die met de wijzers van de klok mee de uren aangeeft.

Het koepelfresco 'Het laatste oordeel' is in 1572 door Giorgio Vasari ontworpen en uitgevoerd. Na de dood van Vasari in het jaar 1574 werd het door Federico Zuccari (rond 1540-1609), de meester van het Romeinse Maniërisme, en zijn assistenten voltooid.

Paolo Uccello (ca. 1397-1475), ruiterstandbeeld van sir John Hawkwood, 1436
fresco (overgezet),
820 x 515 cm

De uit de buurt van Arezzo afkomstige Paolo Uccello had van het stadsbestuur de opdracht gekregen om een geschilderd ruiterstandbeeld te maken. Het gedenkt een van de bekendste huurlingen uit de 14e eeuw, de Engelsman John Hawkwood, of 'Giovanni Acuto' die voor Florence had gevochten en ereburger van de stad was geworden. Vanwege de veel te hoge kosten kon in plaats van het oorspronkelijke beeld echter slechts de frescoversie uitgevoerd worden.

Met heldere vormen schilderde Uccello in het monochrome 'terra verde' het ruiterstandbeeld, dat zeer plastisch lijkt en door de groene tint aan gepatineerd brons doet denken. De illusie van een op een sokkel staand ruiterstandbeeld is perfect. Terwijl de sokkel, trots gesigneerd met "Pauli Ucielli opus" (werk van Paolo Uccello), vanuit een sterk onderaanzicht is geschilderd, verdwijnt deze perspectief bij de ruiter die we in profiel zien.

Museo dell'Opera del Duomo

Naast het atelier van Donatello, tegenover het koor van de dom ligt de ingang van het onlangs gerestaureerde en nieuw ingerichte Museo dell'Opera del Duomo. In 1390 werd voor het eerst melding gemaakt van een bouwkeet, een 'opera', die door Brunelleschi naar de huidige plek, het vroegere centrum van alle bouwactiviteiten aan de dom, werd verplaatst. Dit reeds lang bestaande kunstdepot werd in 1891 een museum. Het toont uitmuntende werken uit de Middeleeuwen en de Renaissance die door veranderingen in smaak en uit oogpunt van behoud verdreven zijn van hun originele plek in de dom, het baptisterium of aan de campanile. De koortribune was oorspronkelijk boven de deuren van de sacristie in de dom aangebracht. In 1688 werd de tribune na het huwelijk van Ferdinando de'Medici met Violante van Beieren verwijderd.

Luca della Robbio (1399/1400-1482), zangerstribune, 1431-1438
marmer, 328 x 560 cm

De marmeren tribune van Luca della Robbia toont in de vierkante beeldvelden gebeurtenissen die betrekking hebben op Psalm 150: "Alles wat adem heeft, love de Here". Engeltjes dansen, zingen en musiceren met bazuinen, harpen, gitaren, pauken, orgels en bekkens. De vele bewegende figuren zijn artistiek op een kleine ruimte samengevoegd en aangepast aan de architectonische indeling.

**Donatello (1389-1466), zangerstribune,
1433-1438**
marmer, 348 x 570 cm

Het pendant van Donatello toont een fries
met dansende putti achter zuilen die op
hoge consoles geplaatst zijn. In vergelijking met de tribune van Luca Della Robbia
ziet Donatello af van een strenge architectonische omlijsting en legt meer nadruk
op de weergave van de bewegingen, de
levendigheid van de figuren en hun bijna
volledige plasticiteit.
De compositie strekt zich opvallend ge-
waagd over de breedte van de tribune uit

en de reidans van putti achter de met
mozaïek versierde zuilen versterkt de
dieptewerking. Hoewel precies hetzelfde
thema behandeld wordt, bepalen kinder-
lijke uitgelatenheid en een indrukwekkend realisme in de weergave van het
menselijk lichaam de voorstelling.
Bewonderenswaardig zijn ook de ornamenten die de kansel versieren. De met
voluten versierde consoles, acanthusbla-
deren, antieke vazen, schelpenfriezen en
andere klassieke motieven tonen, net als
de reidans van de putti, de grote belangstelling in het Cinquecento voor de kunst
van de Oudheid.

Donatello, Habakuk, 1423-1426
marmer, h 195 cm

Donatello's beeld van de profeet Habakuk, die *zuccone*, 'pompoen' genoemd wordt, houdt de aandacht van de beschouwer gevangen. Het werd samen met een paar andere beelden gemaakt voor de nissen van de campanile. Het lichtgebogen kale hoofd, het uitdrukkingsvolle gezicht –vooral de ogen en de afstaande oren– verlenen de profeet een uitdrukking die Vasari aan een portret deed denken. Spanning en dadendrang bepalen de houding van de man. De toga onderstreept de indruk van een uitgeteerd maar zeer energiek mens. Lichamelijkheid en de gezichtsuitdrukking suggereren een 'charismatische ziener'.

Donatello, heilige Maria Magdalena, ca. 1455
hout (polychroom)
h 188 cm

Het beeld van de heilige Maria Magdalena ontwierp Donatello in 1455 oorspronkelijk voor het baptisterium in Florence.
De vaak als zeer aantrekkelijk afgebeelde Maria Magdalena ziet er in dit schokkende werk van Donatello uitgeteerd uit. De verhalen over het leven van de heilige als boetelinge in een grot in Zuid-Frankrijk schijnt Donatello letterlijker dan zijn voorgangers te hebben genomen. Het ma-

gere lichaam is slechts met haren bekleed, het gezicht lijkt op een doodshoofd en de ogen lijken te breken – vooral de ongelijke plaatsing van de ogen versterkt de intensieve uitstraling. Slechts in de in gebed geheven handen zijn jeugd en enige schoonheid te bespeuren.

kruisafname met de bewening en de piëta. Christus zakt in een gebroken houding in elkaar. Nicodemus houdt het dode lichaam van Christus vast. Maria vangt het op en trekt het naar zich toe. Hun hoofden raken elkaar – in dit beeld is het geloof een meditatie over smart en dood.

Michelangelo Buonarroti (1475-1564), piëta, 1550-1553 marmer, h 226 cm

Met de late piëta van Michelangelo, die van de 18e eeuw tot 1981 in de dom stond, bezit het Museo dell'Opera del Duomo een van de aangrijpendste werken uit de hoge Renaissance. Michelangelo werkte van 1550 tot 1553 aan de marmeren beeldengroep, die oorspronkelijk voor zijn eigen grafmonument bedoeld was. Toen echter de steen brak, mislukte de beeldengroep, waarop Michelangelo hem vernietigde. Tiberio Calcagni, een leerling van Michelangelo, voegde de groep weer samen en voltooide de Maria Magdalena-figuur. Het verschil is duidelijk te zien. Michelangelo's werk verbindt het thema van de

Or San Michele

Op de plaats van een aan Michael *in orto*, een kleine tuin, gewijde kerk uit de 8e eeuw ontstond in 1336 een graanopslagplaats boven een open hal met het daarbij behorende oratorium van de Or San Michele. In 1367-1380 werden de arcaden met filigraan, het typisch Florentijnse maaswerk van de late Gotiek gesloten.

In de 14e eeuw werd het gebouw het centrum van de gilden, waarvan er veertien samen met de bijbehorende rechtbank hun schutspatronen mochten plaatsen in de nissen. De beelden ontstonden in het begin van de 15e eeuw en vormen een stilistisch geheel uit de vroege Renaissance dat zijn weerga niet kent met voortreffelijke werken van Ghiberti, Verrocchio en Donatello, deels op de bovenverdieping.

Interieur

Al in de kleine kerk die voorafging aan de Or San Michele bevond zich op een van de pilaren een schitterend Mariabeeld. Vermoedelijk werd dit bij een brand in het begin van het Trecento vernietigd. In 1347 werd het vervangen door de grote, duidelijk op Giotto geïnspireerde afbeelding van de madonna van Bernardo Daddi (ca. 1290-1348). Zoals de kooplui en handelaren kwamen om te handelen, zo stroomden de gelovigen de uit twee schepen bestaande hal met pilaren binnen voor gebed. Na de grote pest in 1348 brachten de overlevenden zo veel geld bijeen, dat aan Andrea Orcagna (1315/1320-ca. 1368) de opdracht kon worden gegeven er een kostbaar tabernakel voor te ontwerpen. Er ontstond een prachtig ciborium met apostelfiguren, wimbergen en pinakels. Voor de gewone markt bleek dit veel te waardevol. De warenmarkt moest in 1380 verhuizen. De arcaden werden gesloten en zo werd de korenbeurs een kerk.

Nu nog zijn in de pilaren aan de noordwand de openingen voor het storten van het graan te herkennen.

Or San Michele

Donatello, heilige George, kopie (origineel in het Bargello), rond 1416-1417. Dit al in de Renaissance veel geprezen beeld valt op door de levendige weergave van de dappere ridder, terwijl in het sokkelreliëf de strijd tegen de draak in een vlakker reliëf *(rilievo schiacciato)* is afgebeeld

Interieur, blz. 178

Donatello, heilige Marcus (1411-1413). De op een kussen staande evangelist in marmer staat met een lichtgedraaid lichaam

0

Nanni di Banco, Santi Quattro Coronati (de vier gekroonde heiligen), rond 1410-1415. De vier schutspatronen van het gilde van steenhouwers en houtbewerkers staan elegant in een nis, in het sokkelreliëf zijn de beroepen 'metselaar', 'steenhouwer', 'architect' en 'beeldhouwer' afgebeeld

Andrea del Verrocchio, Christus en de ongelovige Thomas, 1467-1483. De beeldhouwer loste vaardig het probleem van twee beelden in een kleine ruimte op; voor de nis was namelijk oorspronkelijk alleen voor Donatello's heilige Lodewijk van Toulouse bedoeld

Tabernakel van Andrea Orcagna (1359) met de Madonna delle Grazie van Bernardo Daddi (1347)

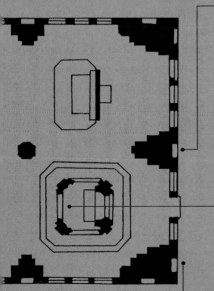

Lorenzo Ghiberti, Johannes de Doper, 1413. Het gilde van de rijke kooplieden had dit eerste, meer dan levensgrote beeld dat in Florence te zien was, in opdracht gegeven

10 m

N

Piazza della Signoria met het Palazzo Vecchio

Naar het ontwerp van Arnolfo di Cambio werd in 1298 begonnen met de bouw van het Palazzo dei Priori als zetel van de magistraat, die later 'Signoria' genoemd werd. Sindsdien is het Palazzo della Signoria het centrum van het politieke leven. Ter gelegenheid van het huwelijk van Francesco de'Medici, zoon van Cosimo I, met Johanna van Oostenrijk werd in 1565 de grote Neptunus-fontein van Bartolommeo Ammanati geplaatst. Het paleis, dat in de tijd van Savonarola vergroot was, diende als residentie van de De'Medici-hertog en werd pas met diens verhuizing naar het Palazzo Pitti het Palazzo Vecchio, het 'oude paleis'. Bossages en gotische spitsboogvensters bepalen de voorgevel en geven deze, met de massieve loopbrug boven het wapenfries, een weerbaar aanzien. Boven het vestingachtige blok staat de slanke toren als teken van wereldlijke macht.

Voor de gevel werden standbeelden opgesteld. Anders dan de ruiter van Cosimo I van Giambologna symboliseren de 'Judith', de leeuw in het stadswapen van Donatello, de beroemde 'David' van Michelangelo en 'Hercules en Cacus' van Baccio Bandinelli (nu grotendeels door kopieën vervangen) de vrijheidswens van de stad.

De Loggia dei Lanzi ontstond in 1374-1381 voor openbare ceremoniën van het stadsbestuur en biedt nu plaats aan voortreffelijke beeldhouwwerken.

Galleria degli Uffizi

In opdracht van Cosimo I ontstond onder leiding van Giorgio Vasari vanaf 1560 een rij gebouwen die dienst moesten doen als kantoren voor het stadsbestuur, het *Uffici*. Deze fraaie gebouwen, die aan de kant van de Arno aan een boulevard doen denken, worden met een elegante zuilenrij afgesloten. De benedenverdieping is –behalve het verbouwde tolhuis– dankzij colonnaden open. Boven een mezzanino met blinde vensters verheffen zich twee bijna even hoge verdiepingen.

De bovenste etage was voor de gestaag groeiende kunstverzameling bedoeld. Door een testament van de familie kwam deze in 1743 in het bezit van de stad. Het Uffizi bezit, behalve klassieke beeldhouwwerken, belangrijke schilderkunstwerken uit de Middeleeuwen tot en met de 18e eeuw, waaronder vooral Italiaanse en Hollandse scholen.

Venus Medicea
marmer, h 153 cm

De basis van de verzameling beeldhouwwerken in het Uffizi bestaat uit klassieke beeldhouwwerken die tijdens opgravingen in Rome werden gevonden en door De' Medici zijn aangekocht; ze werden aanvankelijk in de tuin van de villa Medici in Rome tentoongesteld en daarna naar Florence gebracht. Een beroemd beeld is de Venus Medici, die in 1618 in de villa van de Romeinse keizer Hadrianus werd gevonden. De marmeren figuur toont de zedige Venus (Venus pudica), die op het Griekse origineel van Praxiteles uit het begin van de 4e eeuw v.Chr. teruggaat. Veel kunstenaars uit de Middeleeuwen (Giovanni Pisano) en de Renaissance (Botticelli) werden door deze figuur beïnvloed.

Galleria degli Uffizi

Zaal van de vroege Renaissance, Piero della Francesca, Federico di Montefeltro, blz. 190

Zaal van de Toscaanse schilderkunst uit de 13e eeuw en Giotto. Giotto, Madonna Ognissanti, blz. 188

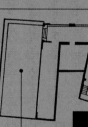

Zaal van Filippo Lippi. Filippo Lippi, Madonna met kind en twee engelen, blz. 191

0 ⚡ 20 m

Zaal van Caravaggio. Car vaggio, Bacchus, blz. 199

Zaal van Botticelli. Sandro Botticelli, Geboorte van Venus, blz. 192

Zaal van Michelangelo en Florentijnse schilderkunst uit de vroege 16e eeuw. Michelangelo, Tondo Doni, blz. 196

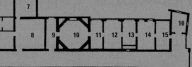

Piazzale degli Uffizi

Zaal van Titiaan. Titiaan, Venus van Urbino, blz. 198

een perspectivische weergave is vooral in de tabernakel te zien, die de aandacht naar de centrale figuur leidt. Geflankeerd door engelen troont de moeder Gods majesteitelijk. Haar lichte onderkleed is, net als het kleed van Christus, veel eenvoudiger dan de stoffen op de werken van de oude meesters. De stevige jonge Christus zit kinderlijk en toch heel ernstig bij zijn moeder op schoot. De combinatie van standbeeldachtige verhevenheid en een levendige natuurlijkheid maakt Giotto's 'Maestà' vernieuwend.

Gentile da Fabriano (ca. 1370-1472), Aanbidding door de koningen, 1423
tempera op paneel, 173 x 220 cm

De uit de Marken afkomstige Gentile da Fabriano schilderde het paneel voor de kapel van zijn opdrachtgever Palla Strozi in de kerk Santa Trinità. Een zeer gedetailleerde weergave van landschap en figuren is kenmerkend voor de stijl van deze kunstenaar. Op een sprookjesachtige manier versiert hij zijn compositie met afzonderlijke details – een dief steelt de sporen van de jonge koning, linksachter wordt een reiziger door een messteek in de hals om het leven gebracht en getemde apen, leeuwen en jachtluipaarden begeleiden de figuren met oriëntaalse gewaden en hoofddeksels. Met het overdadige gebruik van goud en de fijne elegantie van de lijnvoering is het altaarstuk een meesterlijk voorbeeld van internationale Gotiek.

Giotto di Bondone (1267-1337), Madonna Ognissanti, ca. 1310
tempera op paneel, 325 x 204 cm

Giotto's altaarstuk dat rond 1310 voor de Florentijnse kerk Ognissanti geschilderd werd, staat opgesteld in de buurt van de madonna-panelen van de oudere meesters Duccio en Cimabue. Zijn vernieuwende manier van schilderen wordt daardoor heel duidelijk zichtbaar. Giotto geeft de lichamen volume en een bijna aardse zwaarte. De zichtbare belangstelling voor

**Piero della Francesca
(ca. 1415-1492)
Federico di Montefeltro,
ca. 1465 (rechterkant van
een tweeluik)**
tempera op paneel, 47 x 33 cm

Met de portretten van het heersersechtpaar van Urbino bezit het Uffizi misschien wel het mooiste dubbelportret uit de vroege Renaissance. De uit Borgo Sansepolcro stammende Piero della Francesca schilderde rond 1465 Federico da Montefeltro; het pendant van zijn echtgenote Battista Sforza ontstond postuum in 1472. Heel helder en duidelijk zijn de heuvels, rivieren en het akkerland van de landerijen van de hertog weergegeven. Het landschap is in een transparante atmosfeer gedompeld, zoals we het ook nu nog kunnen aanschouwen vanaf de toren van het Palazzo Ducale. De strenge, volgens het klassieke voorbeeld en profil weergegeven gezichten van de hertog en de hertogin zijn in het geval van Federico realistisch en eerlijk geschilderd. Het gezicht is met diepliggende ogen, een aantal wratten, de neus die bij een sportwed- strijd gebroken is en het fijne, krullende haar bijna fotografisch precies weergegeven. De kleur van zijn mantel contrasteert met de omgeving en benadrukt zijn superioriteit.

Filippo Lippi (ca. 1406-1469), Madonna met kind en twee engelen, rond 1460
tempera op paneel, 92 x 63 cm

Het madonna-paneel is een ouder werk en een van de bekendste schilderijen van de karmelieter monnik en schilder Filippo Lippi. Het schilderij straalt zo'n gevoelige en lyrische sfeer uit, dat de beschouwer onwillekeurig in de ban van het werk geraakt. De groep komt op een plastische manier los van de achtergrond en door het raam is een weids landschap met rotsen, velden, een meer en in de verte een stad te zien. Het licht speelt helder rondom de afgebeelde figuren.

De deemoedige madonna met meisjesachtige gelaatstrekken contrasteert in haar vervoering met het kwajongensachtige gedrag van de beide engelen, die proberen het blonde Christuskind, gewikkeld in een heel dunne doek, te dragen en te ondersteunen. Dit ideaal van vrouwelijke schoonheid kenmerkt bijna al het werk van Lippi en werd meer dan eens door zijn begaafdste leerling, Sandro Botticelli, overgenomen.

Volgens de beschrijving van Vasari zou de "altijd van de liefde bezeten" Lippi ook deze madonna de trekken van zijn geliefde, de non Lucrezia Buti uit Prato, hebben gegeven.

**Sandro Botticelli (1445-1510),
Geboorte van Venus, ca. 1485**
tempera op paneel, 172 x 278 cm

Het beroemde schilderij ontstond rond 1485 in opdracht van Lorenzo di Pierfrancesco de'Medici voor de Villa di Castello. De titel is verwarrend, want Botticelli schilderde niet de geboorte, maar de aankomst van Venus. De 'uit schuim geboren', klassieke liefdesgodin werd door de wind aan land geblazen.

Een van de godinnen van de jaargetijden, een met bloemen getooide voorjaarsgodin, snelt naderbij om de naakte schone een gewaad om te slaan.

Botticeli was een van de lievelingsschilders van de verheven Florentijnen; vooral de De'Medici's waardeerden de 'meester van de vloeiende lijnen'. Veel van zijn werk is geïnspireerd op de ideeën van de nieuwe platonische leer en de gesprekskring rond de humanist en filosoof Marsilio Ficino (1433-1499), waar Venus werd gezien als de belichaming van de hemelse liefde.

Voor zijn Venus- en madonna-gezichten had Sandro Botticelli een favoriet model: Simonetta Vespucci, een veelbezongen schoonheid en de geliefde van Giuliano de' Medici.

Hugo van der Goes (ca. 1440-1482), Portinari-
altaar (middenpaneel), ca. 1475
olieverf op paneel, 253 x 304 cm

Toen in 1483 het altaar van de Vlaamse
schilder Hugo van der Goes in Florence
arriveerde, was dat voor de daar wonende
kunstenaars een ware sensatie. Tommaso
Portinari, de directeur van de Medici-bank

in Brugge, had het altaarstuk in opdracht
gegeven en naar Florence laten versche-
pen.
Op de vleugels zijn het stichtersechtpaar
en drie van hun tien kinderen afgebeeld.
Om duidelijk te maken wie hier het
belangrijkst is, heeft de schilder afgezien
van de door onderzoek verkregen regels
voor verhoudingen – de grootte van de

weergegeven personen komt overeen met hun ideële betekenis. De gezichten en stoffen zijn daarentegen zeer naturalistisch weergegeven en de kleinste details in landschap en architectuur zijn met geduld en artistieke overgave afgebeeld. Het werk van Van der Goes zou een belangrijke invloed op de schilderkunst van de late 15e eeuw in Florence uitoefenen.

opgezet. Mogelijkerwijs hebben verschillende leerlingen uit het atelier van Verrocchio zich met de uitvoering beziggehouden, dat is bijvoorbeeld te zien aan de stilistische verschillen van de twee figuren. In de Mariafiguur worden majestueuze en jeugdige zachtheid met elkaar gecombineerd. Ze zit in de hoek van een niet-zichtbaar gebouw voor een lessenaar, versierd

Leonardo da Vinci (1452-1519), Aankondiging, ca. 1473-1475
olieverf op paneel,
98 x 217 cm

De in een breed formaat geschilderde 'Aankondiging' bevindt zich sinds 1867 in het Uffizi.
Vermoedelijk werd het werk in 1470 door Leonardo da Vinci tijdens zijn verblijf in het atelier van Andrea del Verrocchio

met op de Oudheid geïnspireerde elementen. De zegenende engel die we van opzij zien, knielt voor haar op een grasveld met bloemen. Het gewaad van de Mariafiguur is prachtig weergegeven; de dunne, witte stof heeft zachte plooien, de linten fladderen en de warmgekleurde mantel bolt op. Achter een laag muurtje begint een weids, sfeervol landschap dat achter scherp getekende cypressen overgaat in verre rivieren en bergen.

Michelangelo Buonarroti (1475-1564), Heilige familie, (Tondo Doni), ca. 1504
tempera op paneel, ø 120 cm

De zogenaamde 'Tondo Doni' is het enige bewaard gebleven paneelschilderij van Michelangelo.

Naar aanleiding van het huwelijk van Angelo Doni en Magdalena Strozzi in 1504 schilderde de kunstenaar deze zeer plastisch weergegeven 'Heilige familie' in een zeer ongewone ronde compositie. Maria zit met haar benen onder zich getrokken op de grond, leunt achterover tegen de knie van Jozef om de kleine, levendige Christus uit zijn stevige greep te pakken. Achter de balustrade waarop Jozef zit, worden we de kleine Johannes gewaar. Met een bewonderende en tegelijkertijd weemoedige blik lijkt hij klaar te zijn om te gaan. Hij blijft achter in de klassieke wereld van mooie, naakte jongelingen op de achtergrond.

De koele, schitterende kleuren en de in elkaar grijpende, grote gebaren hebben de maniëristen geïnspireerd, maar alleen Michelangelo heeft uit deze elementen dit innige, nauwelijks merkbaar op Christus gerichte tafereel geschapen.

Rafaël (1483-1520), Madonna met de putter, ca. 1507
olie op paneel, 107 x 77 cm

Tegen het eind van Rafaëls tijd in Florence laat deze kunstenaar de invloed van Leonardo en Michelangelo bijzonder duidelijk zien in dit schilderij. Voor de achtergrond van een landschap in gedempte kleuren zit de Madonna met de jonge kinderen Christus en Johannes. Maria is even opgehouden met lezen en

wendt zich met grote zachtmoedigheid naar de kinderen. De idyllische sfeer heeft tegelijkertijd ook iets weemoedigs in zich. De putter in de handen van Johannes is het symbool voor de passie van Jezus.

Titiaan (ca. 1488-1576), Venus van Urbino, 1538
olieverf op doek, 119 x 165 cm

Van de Venetiaanse kunstwerken die in het Uffizi te zien zijn, is Titiaans 'Rustende Venus' terecht het beroemdste. In 1538 ontstond dit meesterwerk, in het midden van de productieve periode van de Venetiaanse kunstenaar. Met warme kleuren –van dieprood tot donkergroen, aangevuld met gebroken wit– schiep Titiaan een unieke sfeer waarin de Venusfiguur zonder pose of gezochte gebaren en met een natuurlijke charme op de voorgrond van een profane, alledaagse omgeving is weergegeven. De zachte contouren en de gouden tint van haar huid geven haar een zinnelijke glans, die in groot contrast staat met Botticelli's 'Venus'.

In dit schitterende werk wordt niet alleen het verschil van vijftig jaar duidelijk, maar ook het verschil tussen Florentijnse en Venetiaanse schilderkunst. Zelfs de beste schilders uit Florence kenden deze warmte en schilderachtige zinnelijkheid niet.

**Caravaggio (1571-1610),
Bacchus, tussen 1589-1596**
olie op doek, 95 x 85 cm

Deze 'Bacchus', geschilderd rond 1593, is het vroegste bekende werk van Michelangelo Merisi da Caravaggio. De schilder werd genoemd naar zijn geboorteplaats Caravaggio in de buurt van Bergamo en was toen ongeveer twintig jaar oud. Dit schilderij toont de basisprincipes van de nieuwe manier van schilderen van deze kunstenaar, van wie gezegd werd dat hij 'de idee van schoonheid ter wille van de werkelijkheid' achter zich heeft gelaten en daarmee een revolutie in de kunst heeft veroorzaakt. Allereerst vallen de stillevenachtig gearrangeerde hoofdbedekking en de tafeldecoratie op: verwelkte herfstbladeren, opengebarsten granaatappels en rottende vruchten – bedoeld als *memento mori* of als een teken van decadentie? De mythische god, die hier een nonchalante jongeling uit Rome lijkt, richt zich wulps op van zijn rustbed. Het schuin binnenvallende licht geeft zijn huid een zachte glans. Met een aanstellerig gebaar houdt hij de volle schaal met wijn vast. Het lijkt alsof hij verkleed is en voor een monochrome achtergrond is gezet om te poseren. Caravaggio laat een ateliersituatie zien; deze 'Bacchus' is een model wiens handen en gezicht gebruind zijn als die van een boer of een arbeider. Onder de witte stof van zijn rustbank zien we de normale, gestreepte matras. Deze 'infiltratie' van klassieke, en later ook christelijke, thema's in de realiteit –zo gebruikte hij altijd een model uit het volk– bracht Caravaggio roem en een enthousiaste internationale aanhang, maar leverde ook verontwaardiging en afkeuring op.

Santa Croce

Er is in Florence, met uitzondering van het raadhuisplein, geen groter middeleeuws plein dan de Piazza Santa Croce. Hier organiseerden de vooraanstaande families, wier paleizen voor een deel nog rond het plein staan, wedstrijden en hier hielden de franciscaners hun heftige preken. Vasari meldt dat de bouwmeester van de dom, Arnolfo di Cambio, op de plaats van een kleine franciscaanse kerk het nieuwe, grotere complex bouwde. De invloed en het aanzien van de franciscaners was op dat moment vooral onder de rijke families zeer groot. Men kon daardoor met de grote financiële bijdragen een zo grote kerk bouwen, dat er wrevel en verzet in de bedelorde ontstond. In 1385 was de kerk af. De marmeren voorgevel, de klokkentoren en het Dante-monument werden echter pas in de 19e eeuw aangebracht.

Interieur

Door haar soberheid en de enorme breedte van 19,5 m van alleen al het middenschip doet de kruisvormige, drieschepige basiliek binnen aan de vroegchristelijke kerken van Rome denken. De grijsbruine steenkleur van de achthoekige pilaren, de spitsbogen van de arcaden en het enorme middenpad vormen het hoogtepunt van de gotische architectuur in Italië.

Fragmenten van fresco's in het middenschip, de beschildering van de hoofdkoorkapel en de kapellen in de dwarsbeuk van Giotto en navolgers getuigen van het grandioze effect van de kerk in het Trecento. In de 15e eeuw werden waardevolle stukken toegevoegd – bijvoorbeeld de kansel van Benedetto da Maiano, een tabernakel op het altaar en een houten crucifix van Donatello en renaissance-

grafmonumenten. De grootste verandering was Vasari's ingreep, want hij liet de koorstoelen voor de monniken zakken tot het niveau van het middenschip en verving de fresco's op de wanden van de zijbeuken door altaren. De Santa Croce is het 'pantheon' van Florence – Galileo Galilei, Macchiavelli, Michelangelo, Leonardo Bruni, Gioacchino Rossini, Lorenzo Ghiberti en nog meer werden hier bijgezet; voor anderen –bijvoorbeeld Dante– werden cenotafen en gedenkplaten opgesteld.

**Donatello (1385-1466),
Aankondiging, ca. 1435**
zandsteen (gedeeltelijk
verguld), 218 x 168 cm

Het aankondigingstabernakel in de rechterzijbeuk van de Santa Croce bevond zich eerst in de kapel van de familie Cavalcanti. Donatello ontwierp in 1435 van *pietra serena*, grijs zandsteen dat hier voor een deel verguld is, deze onvergelijkbare combinatie van klassieke decoratie en bezielde uitdrukking van de figuren.

Boven stevige consoles en onder een uitvoerig geordend plafond flankeren pilaren met maskerkapitelen een nis. In deze nis speelt zich de aankondiging af. Maria, die met haar haardracht en haar bevallige houding op een Griekse godin lijkt, wijkt terug voor de engel Gabriël en wendt zich tegelijkertijd schroomvallig weer naar

hem toe. Door hun blikken zijn de twee figuren met elkaar verbonden. De lichaamshoudingen vinden in de loodrechte en horizontale structuur een evenwicht. Op het plafond dragen putti guirlandes van terracotta.

Met de perspectivische constructie van de dakstoel stuurt Donatello de blik van de toeschouwer. Deze dieptewerking wordt ook in het reliëf gevolgd in de plastische gezichten tot in de vlakke, tere overgangen waarmee de gewaden de vloer beroeren.

Cappella Peruzzi, Giotto di Bondone (1267-1337), Wederopstanding van Drusiana, ca. 1314
fresco, 280 x 450 cm

De tweede kapel rechts van de hoofdkoorkapel werd gesticht door de invloedrijke bankier Arnoldo Peruzzi. Zijn neef Giovanni gaf rond 1314 Giotto opdracht voor de fresco's. Links zien we belangrijke gebeurtenissen uit het leven van de stadspatroon van Florence, Johannes de Doper, en aan de rechterkant die van Johannes de Evangelist – beiden zijn tevens de naamheilige van de opdrachtgever.

Op een fantastische manier bereikt Giotto door de ordening en de houding van de figuren de spanning voor de vonken waarmee Johannes de Evangelist de weldoenster weer tot leven wekt. Tegelijkertijd ontstaat er door de omstanders en architectuur een tot dan toe onbekende nabootsing van de werkelijkheid. Het realistische beeld van de stad Efeze legt de oriëntaalse handel van de familie Peruzzi vast en bevredigt tegelijkertijd de behoefte aan representatie van de familie. De figuren van Giotto hebben veel indruk gemaakt op latere kunstenaars. Masaccio liet zich hier inspireren voor zijn werk in de Brancacci-kapel en van Michelangelo bestaat er een pentekening van een gebogen man naar Giotto's figuren.

Machiavelli – patriot en politicus

Ruth Strasser

Buste van Niccolò Machiavelli, Palazzo Vecchio, Florence

Toen de 27-jarige Niccolò Machiavelli in 1498 door de grote raad tot secretaris van de tweede kanselarij werd benoemd, verkeerde zijn geboortestad Florence in een desolate positie. Sinds vier jaar waren de leden van de familie De'Medici uit de stad verdreven en precies twee maanden ervoor was Savonarola op de brandstapel verbrand. In de stad heersten ruzies tussen de partijen, innerlijke ver-

scheurdheid en onrust. Ook wat betreft de verhoudingen met het buitenland was het slecht gesteld met de stad. De stad was geïsoleerd door een verbond met Frankrijk, wiens overmacht de heerschappij van Savonarola had begunstigd. Machiavelli zag de Franse veldtocht in Italië als het begin van de zelfvernietiging van het hele land. Volgens Machiavelli's overtuiging hadden de verschillende stadstaten en de kleine republieken verzuimd zich aaneen te sluiten. Alleen een verenigd Italië had tegen het vreemde leger stand kunnen houden. De evenwichtige diplomatie, die in de tijd van Lorenzo 'il Magnificio' de'Medici op persoonlijke relaties was gebaseerd, vervulde zijn doel niet meer en bleek ontoereikend tegenover de buitenlandse machten. Militair geweld scheen nu het geschikte politieke instrument.

De Italiaanse manier van oorlogvoeren was volgens Machiavelli niet voldoende aangepast. Hij wilde een burgerleger instellen, omdat naar zijn mening een staat zich alleen met behulp van een staand leger kon verdedigen. Toen hij in 1506 de opdracht kreeg het Florentijnse leger opnieuw op te bouwen, stelde hij daarom in plaats van de gebruikelijke buitenlandse huurlingen een burgermilitie voor. Naast zijn bestuurlijk werk schreef hij theoretische verhandelingen over het militaire apparaat, die hij later in zijn traktaat over de krijgskunst, *Libro dell'arte della guerra*, uitgaf. De burger moest ook soldaat zijn, want alleen de burger, niet de huurling, is een goede soldaat. Daarbij moesten zeer zeker 'goede wapens' en 'goede wetten' ingezet worden.

Wat volgens hem de gebreken van een huurlingenleger waren, heeft hij in zijn *Geschiedenis van Florence* beschreven: de slag van Anghiari van de pauselijke troepen, ondersteund door Florence en huurlingen, tegen het leger van de vorsten van Milaan duurde vier uur. De strijd golfde heen en weer op een brug en werd uiteindelijk gewonnen door het leger van de paus. De vermeend enige dode stierf niet aan verwondingen door een zwaard, maar viel van zijn paard en werd doodgetrapt. De belangrijkste buit bestond uit paarden, vaandels en wagens.

"De strijders waren niet in gevaar, bijna allen waren bereden, gepantserd en hun leven zeker zodra ze zich overgaven", schreef Machiavelli. "Het was niet nodig je leven te geven. Gedurende de strijd werden ze beschermd door hun wapenuitrusting en wanneer ze geen tegenstand meer konden bieden, gaven ze zich over en waren daarmee in veiligheid." Een dergelijke manier van slag leveren was in Machiavelli's tijd beslist geen uitzondering. De middeleeuwse troepen van een leenheer of een burgerleger werden door geworven, betaalde huurlingen vervangen, zoals schilder Paolo Uccello dat op het schilderij 'De slag bij San Romano' heeft weergegeven. Gestreden werd er in de 16e eeuw voor degene die de soldij

Paolo Uccello, De slag bij San Romano, rond 1456, tempera op paneel, 182 x 323 cm, Galleria degli Uffizi, Florence

betaalde, van vaderlandsliefde was geen sprake.

Tot 1512 was Machiavelli in dienst van de stad
Florence. De meeste tijd verbleef hij in Frankrijk
of Duitsland als diplomatiek bemiddelaar van
de paus en de Italiaanse hertogen. Hij
beschreef de politieke verhoudingen en stelde
pragmatische oplossingen voor. Met de terugkeer van De'Medici naar Florence en de val
van de republiek in 1512 kwam aan Machiavelli's politieke carrière aanvankelijk een eind. In
1513 werd hij beschuldigd van samenzwering,
gevangengezet en onder 'huisarrest' verbannen naar zijn landgoed in San Casciano. Daar

ontstonden de grote werken: 'Il Principe', 'Discorsi' en 'Storie Fiorentine'.

De humanisten rond Pico della Mirandola hadden zich al afgevraagd in hoeverre menselijk
handelen en bekwaamheid ('virtù') iets tegen
het lot ('fortuna') konden uitrichten. Deze niet
te beïnvloeden macht scheen zoveel overwicht
te hebben, dat politiek handelen zonder succes
bleef en hoop op verandering slechts een uto-
pie bleek.

Machiavelli was zich bewust van deze crisis en
ontwikkelde, ter onderscheiding van de opvattingen van intellectuele tijdgenoten, de visie
van een verenigd Italië als uitweg voor de toekomst. In een instabiele wereld waar perma-
nent dreiging heerste, kon alleen een machtige
vorst Italië verenigen en de vrede bewaren. In
zijn pragmatisch georiënteerde geschrift
schetst hij de realisatie van een dergelijke
heerschappij – het verschil zit in de verschillende accenten. In *Il Principe* (over de vorsten)
wordt de oplossing bereikt door de buitengewone bevoegdheden, gewetenloosheid en
daadkracht ('virtù') van de heerser; in *Discorsi
sopra la prima deca di Tito Livio* (Verhandelingen over Titus Livius) door een passende
opbouw op het constitutionele vlak.

In *Geschiedenis van Florence*, dat hij in 1520
voor kardinaal Giulio de'Medici, later paus Clemens VII, schreef, vloeien zijn praktische ervaringen samen met zijn manier van geschied-
schrijven, die hij overnam van auteurs uit de
Oudheid. Hij brak met de traditie van zijn Flo-

*Niccolò Machiavelli, Il Principe, frontispice van
de Latijnse vertaling, Basel 1580*

rentijnse voorgangers doordat hij met de ondergang van Rome en de daaropvolgende ongeregeldheden tussen keizer en paus begon en uitging van een Oudromeins stadspatriottisme. In de aanhoudende strijd tussen de partijen zag Machiavelli de hoofdoorzaak van de toenmalige positie van Italië. De val van de regering zag hij als onvermijdelijke consequentie van de historische en politieke ontwikkelingen.

In de *Discorsi* stelde Machiavelli voor, met het oog op het gebruik van elementen uit de Oudheid in de kunst en literatuur van zijn tijd, ook in de politiek terug te grijpen op de Oudheid en hij vergeleek het huidige verval met een als heroïsch beschouwd verleden.

Na zijn verzoening met De'Medici kon Machiavelli zich weer vrij in Florence bewegen en vanaf 1519 stelde hij hun zijn diensten weer ter beschikking. In zijn laatste levensjaren beleefde hij steeds meer genoegen aan zijn literaire werk; zijn novelle *De aartsduivel Belfagor* en zijn komedie *Mandragola* getuigen daarvan. Kort voor zijn dood werd de familie De'Medici opnieuw verdreven. De door hem begeerde benoeming in het bestuur van de heropgerichte republiek kreeg hij niet – hem werd collaboratie met de voormalige machthebbers verweten.

De volgende generatie heeft in een eenzijdige uitleg van zijn geschriften het begrip 'machiavellisme' de betekenis gegeven van gewetenloze machtspolitiek, die het kwaad in naam van de rede ethisch rechtvaardigt. In het Engels is er een naam voor 'Beëlzebul': 'Old Nick' – deze naam is naar men zegt afgeleid van de afkorting van Machiavelli's voornaam en wijst nog op deze algemene bezwaren en op de blijvende miskenning van zijn politieke en staatkundige gaven.

Als een soort compensatie liet een Britse bewonderaar driehonderd jaar na Machiavelli's dood op zijn grafsteen in de Santa Croce de volgende inscriptie aanbrengen: "Tanto nomini nullum par elogium" – 'tegen een zo grote naam weegt geen lof op'.

Niccolò Machiavelli, bladzijde uit het manuscript van 'I Discorsi', 1519, inkt op papier, Biblioteca Nazionale, Florence

Cappella Pazzi

Andrea dei Pazzi gaf Filippo Brunelleschi rond 1430 de opdracht een familiekapel/kapittelzaal ineen te bouwen voor het klooster. Zes Corinthische zuilen dragen de attiekverdieping van een voorportaal met in het midden een triomfboogachtige verhoging. Als voortzetting van dit motief wordt het midden van het tongewelf van het portaal bepaald door een kleine koepel. Een twaalfdelige meloenkoepel in de hoofdruimte verbindt de korte zijbeuk en de overkoepelde, vierkante altaarruimte in het midden. De assen en het centrum vullen elkaar op een tot dan toe onbekende manier aan.

De geometrische helderheid van de ruimte wordt duidelijk in de indeling, de geometrische figuren en de zich herhalende maatvoering. Zo komen twee wanden op de hoeken van de pilaren op zo'n manier samen dat ze niet alleen als dragende delen werken, maar dat ook het evenwicht van de decoratieve elementen optisch opvalt. De grijze steen benadrukt de dragende en belaste delen van de architectuur. De echt schitterend gekleurde terracottareliëfs van Andrea della Robbia verlevendigen de algehele indruk van deze 'steen geworden geometrie'.

Bargello

Het Bargello, waarin het Museo Nazionale
met werken van Ghiberti, Donatello, Verrocchio, Michelangelo en Cellini gehuisvest is, is als bouwwerk een van de belangrijkste bezienswaardigheden van de stad.
In 1250 besloot de Florentijnse *primo popolo*-regering tot de bouw van een eerste
gemeentelijk paleis. Het was aanvankelijk
bedoeld als zetel van de *capitano del popolo*
–het gebouw werd hier ook eerst naar
genoemd– en de Podestà, de opperste be-
stuurder, nam er zijn intrek. Vanaf 1574
werd het oude gemeentelijke paleis zetel
van de chef van de politie, het *bargello*.
Het enorme complex bestaat uit meerdere
'wooneenheden'. Het oudste deel met de
dominerende, 54 m hoge toren die ook
daarvoor al bestond, is te zien aan de zuidkant: gevellijsten en Romaanse tweelingvensters ordenen de verdiepingen. Stevige
paalgaten duiden op een houten galerij die
ooit rondom liep. Drie gotische, van kantelen voorziene vleugels sluiten erbij aan. De
goed geproportioneerde loggia van de binnenplaats werd gebouwd tussen 1280 en
1320, toen het paleis werd vergroot tot een
complex met vier vleugels. Vanaf begin 16e
eeuw tot aan het eind van de 18e eeuw
was deze binnenplaats de plek voor
terechtstellingen. Opvallend zijn de twee
hier tentoongestelde, door Cosimo Cenni
gegoten kanonnen: het ene met het hoofd
van Paulus, het andere met de door Galilei
in 1610 ontdekte manen van Jupiter.

**Michelangelo Buonarroti
(1475-1564), Dronken Bacchus,
1496-1497**
marmer, h 184 cm

De jonge Michelangelo maakte dit beeld –dat zelfs door kenners ooit als een kunstwerk uit de Oudheid werd beschouwd– vermoedelijk tussen 1496 en 1497 in opdracht van Jacopo Galli voor diens Romeinse klassieke tuin.

In het hele Quattrocento is er geen marmeren beeld dat zo'n 'zachte' contour, zo'n bijna fluwelen oppervlak heeft. Michelangelo geeft de god –anders dan in de Oudheid– jong, wankel en dronken weer. De jongeling houdt in de rechterhand een schaal omhoog. Het klassieke motief van de contraposto beheerst Michelangelo meesterlijk. De lichte overdrijving van stand- en speelbeen karakteriseert de benevelde toestand van de jongeling. Het wankelen is evenwel niet tastbaar: door de ronde lichaamsvormen geeft Michelangelo op een fantastische manier evenwicht aan de figuur.

Donatello (1386-1466), David, rond 1440
brons, h 158 cm

De allereerste vrijstaande naaktfiguur na de Oudheid, vermoedelijk bedoeld als figuur voor een fontein, is een van de meesterwerken van Donatello die eruit springen. De volledig ontklede, androgyn aandoende jongen, die zijn bekoorlijke hoofd met krullen, linten en hoed licht buigt, staat op een stillevenachtige lauwerkrans met een voet op het afgehakte hoofd van de reus Goliath. Gedurfd speelt Donatello met de tegenstelling tussen het bebaarde hoofd van de reus en de lieflijke jongen; zo strijkt de veer op de helm van de dode reus langs de binnenkant van het been van de jongen – het contrast van dit spel tussen glad en ruw is vol zinnelijkheid. David is hier niet alleen de held, maar belichaamt ook jeugd en schoonheid die over de ouderdom zegeviert – voor de inwoners van Florence het zinnebeeld van de onafhankelijke republiek.

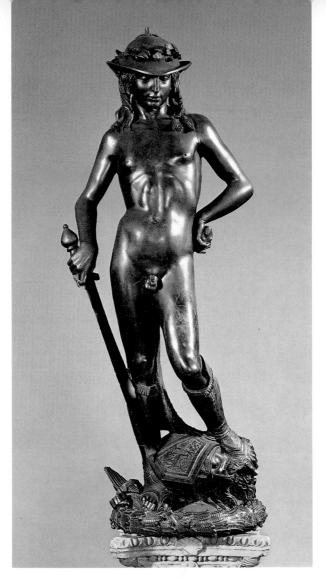

Dante Alighieri en de Italiaanse dichtkunst

Ruth Strasser

Luca Signorelli (1450-1523), portret van Dante Alighieri, 1485-1490, houtskool op papier, 23,7 x 15,5 cm, prentenkabinet, Berlijn

"Nel mezzo del cammin di nostra vita,
Mi ritrovai per una selva oscura,
Chè la diretta via era smarrita."
"Juist in het midden van onze levensreis

bevond ik me in een donker woud,
omdat ik de juiste weg was kwijtgeraakt."
Deze beginregels van de *Goddelijke komedie*, Dantes literaire meesterwerk, zijn niet alleen het begin van een poëtische reis door hel, vagevuur en paradijs, maar bevatten vermoedelijk ook verwijzingen naar een moment uit het leven van de dichter.

Volgens zijn eigen, hoewel in bedekte termen geschreven, aanwijzingen duurt de reis in de *Divina Commedia* van goede vrijdag tot tweede paasdag van het jaar 1300 en eindigt derhalve op een tijdstip dat ongeveer samenvalt met de 35e verjaardag van de dichter. Wat was er in het leven van Dante gebeurd dat Dante hier van zichzelf lijkt te zeggen dat hij van de juiste weg is afgedwaald, waarom spreekt hij over een 'donker woud'?

"Ik ben geboren en opgegroeid aan de Arno in de grote stad" (*Inferno XXIII*, 94). Onder het sterrenbeeld tweelingen, waarschijnlijk eind mei 1265, werd Dante di Alighiero als zoon van een gegoede Florentijnse familie geboren, die aan de kant van de Welfen stond. Zijn ouders heeft Dante nooit genoemd, wel zijn overovergrootvader Cacciaguida, die hij in het paradijs in de hemelsfeer van Mars ontmoet en met wie hij langdurig over zijn voorvaderen spreekt.

Door zijn klassieke opleiding, ook in retoriek en de kunst van het elegante schrijven, gaat Dante zich al snel ook met poëzie bezig houden. Hij bestudeert Vergilius, Ovidius, de gedichten van de Provençaalse troubadours, de Siciliaanse dichters aan het hof van Frederik II van Hohenstaufen en vooral de destijds toonaangevende dichter Guido Cavalcanti.

"Onze dichter was van gemiddelde lengte," meldt Boccaccio, "had een lang gezicht met een adelaarsneus, duidelijke onderkaak, een zo sterk vooruitstekende onderlip dat hij zijn bovenlip vaak eroverheen schoof, tamelijk ronde schouders, eerder grote dan kleine ogen van een bruine kleur, krullend zwart hoofden baardhaar en hij was altijd enigszins melancholiek en tamelijk ernstig."

Een vroege cesuur in zijn jonge leven is de ontmoeting met Beatrice, de dochter van de rijke koopman Folco Portinari. Beiden waren ze nog kinderen, maar Dante idealiseerde Beatrice in een mystiek visioen als belichaming van de hoogste, absolute liefde en noemde haar zijn geestelijke leidster. Na haar vroege dood in 1290 schreef Dante zijn eerste werk, *La Vita Nuova*, waarin in een 'nieuw leven' zijn ziel dankzij de liefde van zijn jeugdvriendin naar hemelse sferen opsteeg. Uit het volgende decennium kennen we slechts een paar schamele feiten, perioden uit een heel gewoon leven: huwelijk met Gemma Donati, drie of vier kinderen (hier spreken de historische bronnen elkaar tegen), inschrijving in het 'hoogste gilde van artsen en apothe-

kers', schulden, lid van de gemeenteraad, een studie filosofie en het schrijven van *Rime*, een verzameling liefdesgedichten en lofzangen op de ideale vrouw, waarin hij het middeleeuwse

Domenico di Michelino, Dante en de Divina Commedia, 1465, Fresko, Duomo S. Maria del Fiore, Florence

minnelied oversteeg en, zoals hij zich later in de 'hellecirkel' uitdrukte, de *Dolce Stil Novo* vond.

Met zijn verkiezing in 1300 tot prior, een van de hoogste bestuurlijke functies, begon zijn actieve deelname aan de politiek. Als Florentijn was hij lid van de Welfische partij, die zich echter op dit tijdstip in twee kampen verdeelde. De gematigde, tot een compromis bereide 'Witten' onder Vieri Cerchi bezaten de meerderheid in het bestuur van de stad en probeerden een oplossing te vinden voor het geschil tussen paus en keizer. Aan de andere kant stonden de door Corso Donati aangevoerde 'Zwarten', gevestigde, conservatieve families die een fundamentalistisch getinte politiek bedreven en probeerden om ten gunste van de paus heel Toscane tot leen van de kerk te maken. Dante vond de vrijheid en onafhankelijkheid van de stadsrepubliek heel belangrijk en sprak zich ook later in zijn politieke verhandeling *De monarchia* uit voor een duidelijke scheiding tussen keizer en paus. Hij nam als 'Witte' in de daaropvolgende twee jaar een extreme anti-pauselijke houding aan, gericht tegen Bonifacius VIII, die we later in de hellecirkel van het inferno terugvinden.

Toen in 1301 de Franse koning, Karel van Valois, in opdracht van de paus Florence bezette en tegelijk

Sandro Botticelli, Dante en Beatrice in de Mercuriushemel (Paradiso VI), illustratie bij Dantes Divina Commedia, 1482-1487, perkament, Kupferstichkabinett, Berlijn

met hem de verbannen 'Zwarten' terugkeerden, kwam het tot het bekende vonnis tegen Dante en zijn partijgenoten: levenslange verbanning en bij terugkeer de dood op de brandstapel – de onbestendige reis die zijn stempel zou drukken op het echte leven van de dichter en politicus begon. Van vorstelijk hof naar vorstelijk hof, naar verschillende steden en gebieden van Midden- en Noord-Italië ging zijn

tocht; overal was hij een graag geziene gast, maar nergens voelde de Florentijnse intellectueel zich werkelijk thuis.

In de eerste jaren van zijn verbanning schreef hij de *Goddelijke komedie*, waarin hij de beschreven gebeurtenissen in de paastijd van 1300 liet plaatsvinden; dit was het eerste christelijke jubeljaar, ingevoerd door Bonifacius VIII, als gelegenheid om officieel kerkelijke aflaten te kunnen verlenen. In het verhaal van zijn *Divina Commedia* wordt Dante door de vriend uit de Oudheid, de Romeinse dichter Vergilius, uit het 'donkere woud' geleid. Het gevonden pad is vermoeiend maar lonend. In concentrische cirkels begint de afdaling in het inferno, door de stad der smarten waarnaar de zielen van de verdoemden zonder hoop op vergeving verbannen zijn en waar ze gestraft worden en pijn lijden, omlaag naar de duivel, wiens wraak zelfs de ergste misdadiger verslindt. Dan leidt de weg omhoog, naar de 'louteringsberg', ook in concentrische cirkels. Voor de zielen in het *purgatorio*, het vagevuur, bestaat nog hoop, want hier hebben ze de mogelijkheid om door boetedoening, lichamelijke straffen en gebed stap voor stap van hun misdaden gezuiverd te worden – afhankelijk van de zwaarte van zeven hoofdzonden: hoogmoed, jaloezie, toorn, traagheid, gierigheid, onmatigheid en wellust. Als de top van de berg is bereikt, is de missie van Vergilius ten einde. Voor hem, als vertegenwoordiger van de heidense Oudheid, is de toegang tot het hemelse paradijs versperd. Dante wordt nu door Beatrice bij de hand genomen. De weg leidt langs de verschillende hemelsferen, waar hij, de sterfelijke mens, geen woorden meer vindt en de liefde die zon en sterren beweegt, erkent: "... l'amor che muove il sole e l'altre stelle", zoals het laatste vers luidt. Met dit werk, dat in terzinen geschreven is en uit meer dan honderd verzen bestaat, heeft Dante niet alleen de geschiedenis en de filosofie van de Oudheid, de basisprincipes van het christendom en de middeleeuwse

Sandro Botticelli, Helletrechter, tekening bij Divina Commedia, *na 1480, Kupferstichkabinett, Berlijn*

levensbeschouwing als in een monumentale film ten tonele gebracht, maar ook voor het eerst de verhouding van het afzonderlijke tot het goddelijke universum en omgekeerd: de betrekking tussen de statische en dynamische orde in de kosmos en de ziel van het individu én zijn biografie op schrift gesteld. "Omdat het verschrikkelijk begint en goed afloopt", noemde hij het werk *Commedia*, maar ook omdat het voor de eerste keer in de Toscaanse volkstaal, het *volgare*, en niet in het Latijn, de taal van de clerus en de ontwikkelden, uitgegeven was. De toevoeging '*Divina*' (goddelijk) werd jaren later door Boccaccio toegevoegd.

Dante stierf in de nacht van 13 op 14 september aan het hof van vorst Guido da Polenta in Ravenna, waar hij de laatste twee jaar van zijn leven als secretaris en leraar in de poëzie en retoriek gewerkt had. Zijn graf bevindt zich in een kleine kapel in de San Francesco in Ravenna. De Florentijnen hebben ter herinnering aan de grote zoon van hun stad een Dante-museum ingericht, een grote Dante-cenotaaf in de Santa Croce laten zetten en verschillende gedenktekens in de stad laten plaatsen, hoewel hij verbannen werd en zijn geboortestad tijdens zijn leven niet meer heeft bezocht.

Ponte Vecchio

Al in de Romeinse tijd lag in het verlengde van de Via Cassia een brug over de Arno. Meerdere houtconstructies werden bij hoogwater door de rivier vernield. In 1345 ontstond de Ponte Vecchio, die van steen gebouwd was. Al in de Middeleeuwen verkreeg de stad een aanzienlijke opbrengst uit het verhuren van de winkels op de brug.

De wens van Cosimo I om een degelijke verbinding tussen het Palazzo Vecchio en de nieuwe residentie, Palazzo Pitti, aan de andere kant van de Arno te hebben, betekende in 1565 een aanzienlijke ingreep in het 'brugleven'. Vasari ontwierp een gang door het Uffizi, langs de rivier en over de brug. De gang loopt boven de huizen en is aan de getraliede vensters te herkennen. Bij decreet mogen sinds 1595 alleen nog de goudsmeden hun waar hier aanbieden.

Santa Felicità

Dit gebouw, dat tot in de 4e eeuw terug-gaat, is waarschijnlijk de oudste kerk van Florence. Het voorportaal werd door Vasari in de verbindingsgang naar de Ponte Vecchio geïntegreerd. Het huidige aanzien is grotendeels het resultaat van verscheidene verbouwingen in de 18e eeuw.

Jacopo Pontormo (1494-1557),
Kruisafname, ca. 1525
olieverf op paneel,
313 x 193 cm

In 1525 kreeg Pontormo de opdracht de Cappella Capponi te decoreren, die door Brunelleschi als centraal-bouw ontworpen was. Naast het opvallende 'aan-kondigingsfresco' schilder-de hij ook het altaarstuk met de kruisafname, dat zich nog altijd op de oor-spronkelijke plek in de kapel bevindt.
De gewaden van de gestal-ten rond het lichaam van Christus zijn in lichte, hel-dere kleuren geschilderd; de figuren vormen door hun verschillende gebaren en de draaiin-gen van de lichamen een hechte groep en vullen bijna het hele beeldvlak. Pontormo zag in dit buitengewone meesterwerk geheel af van landschappelijke of architec-tonische decorstukken.

San Miniato al Monte

Hoog boven de zuidelijke oever van de Arno ligt de San Miniato al Monte. Net als het Baptisterium is het een Romaans bouwwerk uit de Protorenaissance in Florence. Mogelijkerwijs gaat de kerk terug op het oudste heiligdom in de stad. Hier zou in 250 n.Chr. op het graf van de vroegchristelijke martelaar Minias een cultusplaats zijn ontstaan. In de tijd van keizer Karel de Grote werd er al over een kerk gepraat die in 1018 overging in handen van benedictijnen uit Cluny. Op dit tijdstip werd voor het graf van de heilige Minias een crypte gebouwd. Dat was de start van bouwwerkzaamheden waaruit rond 1200 een nieuwe kerk ontstond.

De naar de stad gerichte voorgevel is met groen en wit marmer bekleed. De opbouw wordt binnen herhaald. De benedenverdieping, die rond 1070 werd voltooid, is ingedeeld door middel van halfronde arcaden die steunen op klassieke zuilen. De juiste verhoudingen worden net als in het Baptisterium in Florence verkregen door de incrustatie. Opvallend is bijvoorbeeld de onderste deurlijst die de sokkel van het gebouw vormt.

De middenverdieping is rijker gedecoreerd met een in de 19e eeuw gerestaureerd mozaïek, dat een 'Tronende Christus, Maria en Minias' voorstelt, boven een aediculavenster en sculpturale elementen. De topgevel is voorzien van incrustaties, bekend van de binnenkant. Omdat het gilde van de lakenhandelaren het toezicht over de bouw en het werk financierde, bekroont hun wapendier, een adelaar op een knot wol, de gevel.

Interieur

Ongewoon ritmisch door twee grandioze gewelfbogen leiden de arcaden van het middenschip boven het koor naar de uitgebreide crypte. De kapitelen stammen grotendeels uit de Oudheid. De zuilenschachten werden in de 19e eeuw gedecoreerd met stucwerk dat, net als de decoratie op de wanden van het middenschip, marmer imiteert. In dezelfde tijd werd het Romaanse apsismozaïek sterk gewijzigd. De opvallende marmeren vloer stamt uit de tijd rond 1207.

Michelozzo ontwierp in 1448 het mooie ciborium boven het kruisaltaar. Het belemmert de oorspronkelijke blik op de sarcofaag van de heilige Minias in de crypte.

Spinello Aretino (rond 1350-1410), De heilige Benedictus wekt een onder het puin bedolven medebroeder weer tot leven, ca. 1387
fresco

Spinello Aretino, zoon van een goudsmid uit Arezzo, schilderde in de sacristie van de San Miniato al Monte de frescocyclus over het leven van de heilige Benedictus, die in de 6e eeuw de eerst monnikenorde in de westelijke wereld had gesticht.

Dit fresco van de wederopstanding van een onder puin bedolven medebroeder door de heilige Benedictus toont door de landschapsperspectief, de in die tijd gebruikelijke architectuur- en natuurweergave en de plaatsing van de figuren in de ruimte hoeveel Spinello nog ongeveer vijftig jaar na de dood van Giotto aan zijn voorbeeld verplicht was. Een vergelijkbare overtuigingskracht in de beeldtaal bereikt hij echter niet.

Palazzo Pitti

Het Palazzo Pitti is het grootste gebouw van het stadsdeel Oltrarno aan de Arno. In 1457 begon Luca Fancelli met de bouw ervan voor de rijke koopman Luca Pitti. Hij ontwierp een gebouw met zeven middenassen en drie verdiepingen. Toen groothertog Cosimo I de'Medici het paleis in 1549 voor zijn echtgenote Eleonora di Toledo verwierf, breidde Bartolommeo Ammanati het complex aan de achterkant uit met drie vleugels. In 1620 begonnen de architecten Giulio en Alfonso Parigi met de verlenging van de voorgevel tot het huidige formaat. Eind 18e eeuw werden de twee zijvleugels, de rondo's, toegevoegd. Meer dan driehonderd jaar lang was het Palazzo Pitti de residentie van de groothertogen van Toscane en tot 1946 van de leden van de koninklijke familie van Savoye. Rusticablokken en de bogen rond deuren en ramen bepalen de indeling van het brede gebouw. Op de benedenverdieping rusten de ramen op consoles met leeuwenkoppen en de kroon van de hertog, waardoor ze lijken op aedicula. Op de bovenverdieping lopen de boogramen zonder balustrade naar beneden tot de vloer. Het metselwerk is hier eenvoudig. Interessant is de vormgeving van de binnentuin door Ammanati – Florentijns rustica en klassieke zuilenordening. Onderaan zijn banden van rustica vlak boven de Toscaanse zuilen geplaatst, daarboven is het rustica hoekig en zijn de blokken boven Ionische zuilen verder uit elkaar geplaatst. Op de bovenverdieping vormen ze weer banden boven Corinthische zuilen. Aan de achterkant van het paleis ligt het uitgestrekte complex van de Bobolituinen, enkele van de mooiste tuinen van Italië.

Palazzo Pitti – Galleria Palatina und Appartamenti Reali
(Piano Nobile)

Zaal van Jupiter. Andrea del Sarto's maniëristische olieverfschilderij 'Johannes de Doper' ontstond rond 1523 voor de voorkamer van een Florentijns paleis en laat de heilige als trotse jongeling zien

Zaal van Ilias. Artemisia Gentileschi, een historieschilderes die door de schilderkunst van Caravaggio beïnvloed werd, maakte het schilderij met de bijbelse heldin Judith en haar dienstbode, die het afgehouwen hoofd van Holofernes draagt, ca. 1615-1620

Zaal van Saturnus, Rafaël, Madonna della Seggiola, blz. 225

Giardino di Boboli

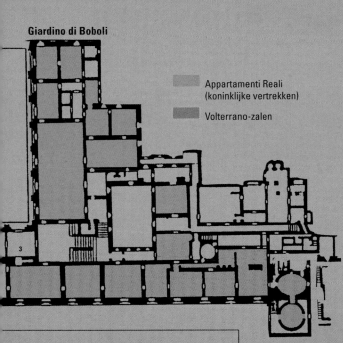

■ Appartamenti Reali
(koninklijke vertrekken)

■ Volterrano-zalen

Andere zalen

1	Zaal van Jupiter (Rafaël, Fra Bartolommeo, del Sarto, Perugino)
2	Zaal van Venus (Rubens, Titiaan)
3	Zaal van de rijknechten, voorkamer
4	Beeldengalerij
5	Castagnoli-zaal
6	Galleria Poccetti (Rubens, Dughet)
7	Zaal van Prometheus (Filippo Lippi, Botticelli)
8	Zaal van Odysseus (Rafaël)
9	Zaal van de opvoeding van Jupiter (Caravaggio, Allori)
10	Zaal van de flora (del Sarto)
11	Zaal van de putti (Rubens)

0   20 m

Zaal van Mars. In 1638, in de Dertigjarige Oorlog, schiep Peter Paul Rubens voor zijn kunstbroeder Justus Sustermans het verweldigende olieverfschilderij 'De gevolgen van de oorlog'.

Zaal van Apollo. Titiaans geweldige, rond 1540-1545 geschilderde portret kreeg de titel 'De man met de zeeblauwe ogen' of 'De Engelsman', omdat de identiteit van de afgebeelde persoon niet bekend is.

223

Galleria Palatina, Sala di Marte

De buitengewone roem van de kunstcollectie in het Palazzo Pitti is voor het grootste deel gebaseerd op de collecties uit de Renaissance en de Barok in de Galleria Palatina, die al in 1828 door Leopold II voor het publiek werd opengesteld. De meesterwerken van Rafaël, Titiaan, Tintoretto, Rubens en anderen bevinden zich in een omgeving die tot op heden het karakter van een koninklijke verzameling bewaard heeft.

De werken zijn naar inhoudelijke en decoratieve inzichten boven elkaar gehangen, meestal passend bij de toenmalige plafondschilderingen. Zo toont het plafond in de Sala di Marte, de zaal van Mars, de allegorie van de oorlog die in 1646 door Pietro da Cortona geschilderd is. Daarmee correspondeert het grote werk van Peter Paul Rubens, de 'Allegorie van de oorlog', waarin Mars zich losmaakt uit de omarming van zijn geliefde Venus om de tweedracht te volgen.

Rafaël (1483-1520), Madonna della Seggiola, ca. 1515
olieverf op paneel, ø 71 cm

De tondo –een van de populairste werken van Rafaël– is beroemd om zijn volle, warme kleuren, zijn cirkelvormige compositie en het alledaagse, volkse karakter van de afbeelding.

Gekleed in een Romeins gewaad zit de moeder Gods op de stoel waarnaar het schilderij genoemd is. Ze buigt zich naar voren en omarmt het mollige kind op haar schoot. Op een heel natuurlijke manier vlijt het kindje Jezus zich tegen zijn moeder aan. Van achteren komt Johannes de Doper naderbij.

Op het ronde beeldvlak vormen de figuren bijna een ronde bol. De heldere ogen van Jezus, die net als zijn moeder het beeld uitkijkt, eisen alle aandacht op. Ongewoon is de indruk van grote vertrouwdheid en menselijke nabijheid.

Rafaël schilderde dit werk rond 1515 in Rome, toen hij daar als architect werkzaam was. Ondanks de gecompliceerde compositie stralen zijn figuren een natuurlijke, waardige schoonheid uit.

Santa Maria del Carmine

De barokkerk Santa Maria del Carmine, met de onvoltooid gebleven voorgevel, ontstond in 1771 na een brand in het vorige gebouw. Van de oorspronkelijke karmelietenkerk bleef naast de sacristie en de Cappella Corsini de beroemde Brancacci-kapel bewaard.

Cappella Brancacci, Masaccio (1401-1428), De cijnspenning, ca. 1427/1428
Masaccio en Filippino Lippi (ca. 1457-1504), Petrus wekt de zoon van de gouverneur van Antiochië tot leven, ca. 1425 en 1485
fresco's, 255 resp. 230 x 598 cm

Francesco Brancacci gaf in 1424 aan Masolino de opdracht om de kapel met gebeurtenissen uit het leven van Petrus te deco-

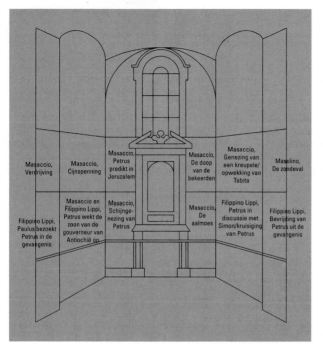

In the diagram (left):

| Masaccio, Verdrijving | Masaccio, Cijnspenning | Masaccio, Petrus predikt in Jeruzalem | | Masaccio, De doop van de bekeerden | Masaccio, Genezing van een kreupele/ opwekking van Tabita | Masolino, De zondeval |
| Filippino Lippi, Paulus bezoekt Petrus in de gevangenis | Masaccio en Filippino Lippi, Petrus wekt de zoon van de gouverneur van Antiochië op | Masaccio, Schijnge- nezing van Petrus | | Masaccio, De aalmoes | Filippino Lippi, Petrus in discussie met Simon/kruisiging van Petrus | Filippino Lippi, Bevrijding van Petrus uit de gevangenis |

reren, die rond 1426 Masaccio als medewerker betrok. Vanwege het plotselinge
vertrek van Masolino naar Rome en de
vroege dood van Masaccio werden de fresco's pas in 1480-1485 door Filippino Lippi
voltooid.

De fresco's van Masaccio vertegenwoordigen een nieuw hoofdstuk in de schilderkunst van het vroege Quattrocento. Hij
verenigde de monumentaliteit van de figuren van Giotto met het zelfbewuste uit
de vroege Renaissance. De bijbelse boodschap werd een dramatische gebeurtenis.

**Masolino (1383-na 1440),
De zondeval (detail), ca. 1427**
fresco, 214 x 89 cm

Masolino's fresco 'De zondeval' laat zich
uitstekend vergelijken met Masaccio's
weergave van 'De verdrijving uit het paradijs' op de tegenoverliggende wand.
Een vergelijking van de werken toont duidelijk dat Masolino –de oudste van de
twee– een niet minder bekoorlijke, maar
wel een traditionelere en meer symbolische beeldtaal hanteerde.

Santo Spirito

In de 13e eeuw vestigden de augustijner kluizenaren zich in Florence en al in 1397 maakten ze een plan voor de nieuwbouw van hun kerk, de Santo Spirito. Ondanks de maatregelen die de monniken namen om het project te financieren, was pas in 1434 het benodigde geld bijeengebracht, met behulp van giften van rijke families. Er werd een bouwcommissie ingesteld, die Filippo Brunelleschi de opdracht gaf een ontwerp te maken. In 1446 was men bijna aan de overwelving toe, maar toen kwam door de dood van de architect de bouw stil te liggen.

Pas in 1482 werd de kerk voltooid – op de voorgevel na, die ondanks de barokke voluten nog altijd een onvoltooid karakter vertoont. De Santo Spirito geldt als het 'zuiverste' gebouw van Brunelleschi; hij hoefde hier geen rekening te houden met

reeds bestaande gebouwen en hij kon zijn ideeën zonder beperkingen uitvoeren.

Interieur

Binnen wordt het architectonische concept duidelijk: grijze banden in de rode tegelvloer komen overeen met de kwadratuur van de plattegrond. Op dit kwadraat zijn de maatverhoudingen in het schip en de viering gebaseerd.

Hierbij komen de halfronde zijkapellen. Door de gelijkmatige rangschikking van

deze geometrische elementen ontstaat er een gerichtheid op het centrum van de kerk, de viering, die door een indrukwekkend geconstrueerde hangkoepel is overwelfd. Op de kruispunten van de kwadraten staan 48 grijze monolietzuilen met Corinthische kapitelen. Doordat ze net als de zijbeuken en -kapellen rond de kruisvormige plattegrond zijn geplaatst, ontstaat er een bepaalde ritmiek. Op deze volstrekt nieuwe manier probeert Brunelleschi zijn ideaal van een centraalbouw te bereiken. In de viering staat het als tempel gebouwde baldakijnaltaar met kostbare versieringen van ingelegde halfedelstenen in de pietra-duratechniek.

De rijke aankleding van de veertig kapellen is bijna in originele staat bewaard gebleven. De talrijke schilderijen zitten nog steeds in hun zware renaissancelijsten, de bijbehorende predella's zijn niet verwijderd en ook de voorzetstukken die bij oude altaarstukken gebruikelijk zijn, de zogenaamde *paliotti*, zijn nog aanwezig.

Meester van de geboorte van Johnson, Madonna del Soccorso, 1475-1485
olieverf op paneel

Het ongewone, in de regio Umbrië bekende thema van de 'Madonna van de bijstand', dat hier door een onbekende, van een noodnaam voorziene kunstenaar is geschilderd, was geliefd in de kringen van augustijner monniken en heeft betrekking op een apocriefe Marialegende.

Maria, duidelijk in een vergrote schaal geschilderd, drijft met een knuppel de duivel uit een kind, dat door zijn opgewonden, om hulp smekende moeder wordt vergezeld. Opvallend is de streng lineaire weergave van de geometrische vloertegels en de alternerende bouwvormen, terwijl Maria en de duivel met rijke details zijn versierd.

Het Toscaanse Futurisme

Ruth Strasser

"... maken we een eind aan het portretschilderen, het schilderen van interieurs, van meren en bergen, ... de marmerprutsers, ... de speculerende architectuur van de bouwondernemers in gewapend beton, de decoratieschilders, ... de keramiekknoeiers, ... de slonzige illustratoren."

Op 11 februari 1910, een jaar na de publicatie van het *Futuristisch manifest* van Filippo Tommaso Marinetti in de Parijse krant *Le Figaro*,

ondertekenden de Milanese kunstenaars Umberto Boccioni en Carlo Carrà, de Romein Giacomo Balla en de Florentijn Gino Severini, het *Manifesto dei pittori futuristi* (Manifest van de futuristische schilders).

Vanaf de eerste dag van de futuristische beweging hadden dichter Marinetti en de Milanese oprichters gehoopt ook de Florentijnse 'beeldenstormers' voor het Futurisme te winnen. Dit lukte, hoewel aanvankelijk anders dan verwacht.

Visitekaartje van het Caffè del Giubbe Rosse

Drie Florentijnse kunstenaars en schrijvers –Ardengo Soffici, Giovanni Papini en Aldo Palazzeschi– hadden in 1913 een tijdschrift met de titel *Lacerba* opgericht, dat weliswaar afschuw bij de bourgeoisie, maar grote waardering bij kunstenaars en intellectuelen in Florence opriep.

Trefpunt van deze jonge rebellen, de zogenaamde 'Lacerbiani' werd vanaf 1913 het Caffè delle Giubbe Rosse in Florence, genoemd naar de rode jasjes van de kelners (nu aan het Piazza della Repubblica, de voormalige Piazza Vittorio Emanuele II). Hier, in de door twee Duitse broers gestichte gelegenheid, zaten vlak bij de ingang meestal Duitse toeristen, in het halfdonker van de erachter gelegen ruimte zochten verliefde paartjes afzondering en helemaal achterin lag de *Boglia*, de hellegrot, waar men ook 's nachts nog naar binnen kon. In

Titelbladzijde van een uitgave van het tijdschrift Lacerba *nr. 2*

deze met rook en luid door elkaar pratende stemmen gevulde derde zaal, de beroemde *Terza Saletta*, hield de Florentijnse avant-garde heftige discussies, waaraan steeds meer jonge kunstenaars deelnamen. "Niet mijn huis, ik heb geen huis, niet de Piazza, die is voor charlatans en andere socialisten, niet het landschap tussen de bloeiende amandel- en perzikbomen, maar mijn hoek in de derde, kleine zaal van Giubbe Rosse, dat is mijn plek", zo beschreef een stamgast het levensgevoel van deze kring van intellectuelen.

Steeds onbeschaamder en provocerender werden de bijdragen die in *Lacerba* tegen de leidende leden van het Futurisme werden gepubliceerd. Soffici ondernam op een dag een tegenaanval en voerde een polemiek in een ander tijdschrift, *La Voce*, tegen Boccioni: zijn schilderijen zijn een mengsel van Belgisch Impressionisme, een soort divisionisme op de manier van Segantini en wat Kubisme uit de tweede hand. Aanvullend bekritiseerde hij de Milanese futuristen vanwege hun banaliteit, ontbrekend vakmanschap en ontoereikende beheersing van schilderkunstige technieken. Daarmee was de maat –begrijpelijk– definitief vol. Boccioni, Marinetti en Carrà ontmoetten elkaar voor een confrontatie in Florence, waarbij het in Caffè delle Giubbe Rosse tot verbale en daadwerkelijke aanvaringen tussen de kunstenaars en schrijvers kwam. Na verdere, op luide toon gevoerde discussies –maar nu zonder handtastelijkheden– werden de Florentijnse oproerkraaiers, de *Vociani* (schreeuwlelijken) in de zogenaamde futuristische gemeenschap opgenomen. Weliswaar onder de voorwaarde dat ze hun kritische standpunt konden behouden en hun eigen artistieke manier van uitdrukken konden bepalen.

Samenkomst van de futuristen in Giubbe Rosse, kerst 1949 (v.l.n.r.): Pierre Santi, Giacomo Natta, Dino Caponi, Leonetto Leoni, Eugenio Montale en Arturo Lorta

Er werden nog meer manifesten uitgegeven, waarin de futuristen het loslaten van tradities, verleden, academisme en navolging eisten en iedere vorm van strijd, risico, techniek, snelheid en oorlog verheerlijkten. Dit alles brachten ze met hun eigen specifieke begrippen, formules en beelden tot uitdrukking, zoals de "agressieve beweging, de koortsige slapeloosheid, de looppas, de salto mortale, de oorvijg en de vuistslag".

In zijn *Futuristisch manifest* uit 1913 roept Gino Severini, een Florentijnse intellectueel en kunstenaar, op tot afschaffing van alle "emotiecentra" die de "stilering van de beweging" tegenspreken, zoals het naakt, het menselijk lichaam, het stilleven en het landschap. Hij

Samenkomst van de futuristen in Giubbe Rosse (v.l.n.r.): Ugo Capoccini, Leonetto Leoni, Mario Luzi, Eugenio Montale, Alessandro Parronchi en Giuseppe Raimondi

voorziet het eind van de schilder- en beeldhouwkunst, die volgens zijn mening "onze scheppende vrijheid beperken en hun noodlot –musea en salons van verzamelaars– in zich dragen". Verder eist hij: "onze artistieke scheppingen moeten daarentegen in de vrije lucht leven en een architectonische samenhang vormen met de wereld rondom, waarvan zij het specifiek-eigene weergeven".

Bij het uitbreken van de Eerste Wereldoorlog kwam het tot een splitsing: aan de ene kant een artistieke beweging die in de eerste plaats nieuwe manieren zocht om bewegingsstadia weer te geven in alle kunstuitingen en aan de andere kant een politiek georiënteerde vleugel, die tot deelname aan de oorlog opriep en met de verheerlijking van 'het streven naar macht' aansluiting zocht bij het opkomende fascisme. De Florentijnse futuristen wezen daarentegen de verheerlijking van de techniek ten koste van esthetische schoonheid en harmonie af –

Gino Severini, Dodendans, Collezione d'Arte Religiosa Moderna, Vaticaan

deze verheerlijking wordt in de beroemd geworden woorden van Marinetti duidelijk: "een racewagen met explosieve uitlaat, een brullende automobiel die knettert als een machinegeweer is mooier dan de Nike van Samotrace". Hun artistieke stijl vermengde zich in de loop der tijd met verschillende andere stromingen.

Palazzo Rucellai

Santa Maria Novella

Leon Battista ontwierp voor de familie Rucellai een van de mooiste profane gebouwen van de stad; dit palazzo werd tussen 1446 en 1461 door Bernardo Rossellino gebouwd. De voorgevel in rustica wordt door grote tweelingvensters en uitstekende kroonlijsten geordend, terwijl de verticale ritmiek gecreëerd wordt door vlakke pilaren die volgens de klassieke canon van Vetruvius naar de Ionische, Dorische en Corinthische zuilenorde ontworpen zijn.

In het westelijke deel van de stad liggen de kerk en het klooster Santa Maria Novella. In 1221 namen dominicaner monniken hier een oratorium uit de 10e eeuw over en in 1246 begonnen ze met de nieuwbouw van het koorgedeelte en het dwarsschip. In 1279 startte de bouw van het middenschip onder leiding van de lekenbroeders Fra Ristoro en Fra Sisto.
De plannen voorzagen in een omvang en monumentaliteit die tot dan in Florence onbekend waren. In 1300 ontstond een pijlerbasiliek met drie schepen, een dwarsbeuk en ondiepe koorkapellen – de campanile werd tussen 1330 en 1350 voltooid. Kort daarna werd het onderste deel van de voorgevel geïncrusteerd. Dit deel heeft hoge blindbogen en grafnissen, de zogenaamde *avelli*, die in de muren van het aangrenzende kerkhof voortgezet worden. Rond 1450 ontwierp Alberti een tempelfront met middenportaal, attiekverdieping en een hoge topgevel. Daarbij ordende hij de benedenverdieping door middel van naar voren springende halfzuilen en stevige balken. Voor de decoratie greep hij verregaand terug op traditionele motieven, zoals de marmeren banden en de vierkante cassetten die bekend zijn van het Baptisterium in Florence. Helemaal nieuw daarentegen zijn de opgaande voluten en de zeilboten op het fries – de laatste als 'kenmerk' van de opdrachtgever Giovanni di Paolo Rucellai.

De lichtheid van de wanden, de harmonische verbinding van pilaren en gewelven en de veelheid en elegantie van de bogen, die ondanks hun verschillende doorsneden een eenheid vormen, verlenen de ruimte een zeker ritme en leiden het oog naar het in de verte glanzende koor.

Vasari liet de oorspronkelijke frescobeschildering van de wanden uit de Trecento wit schilderen. De dominicaner kerk is rijk gedecoreerd met grafzerken die in de vloer of de wanden opgenomen zijn. Renaissancekunstenaars zoals Brunelleschi, Lippi en Ghiberti hebben hier hun persoonlijke getuigenissen achtergelaten.

Masaccio (1401-1428), Drie-eenheid, ca. 1427
fresco, 667 x 317 cm

Interieur

De drieschepige basiliek heeft een dwarsbeuk en vijf kapellen en is gebouwd als een grote ruimte met gotische stijlelementen, zoals de kruisribgewelven, de 'gestreepte' spitsbogen en de bladkapitelen.

Masaccio's fresco hoort tot de belangrijkste werken van de vroege Renaissance. Voor het eerst wordt hier in een schilderij het door Brunelleschi 'uitgevonden' lineaire perspectief gebruikt. De beroemde bouwmeester heeft waarschijnlijk de met hem bevriende schilder in 1427 met de uitvoering geholpen. Het fresco toont een unieke samensmelting van drie kunsten: architectuur, beeldhouwkunst en schilderkunst. Boven een geschilderde grafnis zien we een kapel, waarvoor het stichtersechtpaar Lenzi knielt. In de kapel staan Maria en Johannes ieder aan een kant van het kruis. Boven het hoofd van Christus zweeft de duif van de Heilige Geest. De grote gestalte van God de Vader houdt de gekruisigde van achteren vast. De nauwkeurige constructie van de perspectief door Masaccio geeft het fresco een zeldzaam realistische uitstraling.

Masaccio creëerde op het platte vlak een illusie van een ruimte die daadwerkelijk in de wand geopenend wordt met een nauwkeurigheid die tot in de details doorgevoerd is. Deze nauwkeurigheid illustreert de hypothetische reconstructie van een dwarsdoorsnede (naar Sanpaolesi).

Een nauwkeurige berekening maakte het voor de schilder mogelijk alle personen overeenkomstig hun positie binnen de ruimtelijk geconcipieerde architectuur weer te geven.

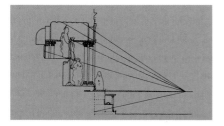

Capella Tornabuoni, Domenico Ghirlandaio (1449-1494), Geboorte van Johannes de Doper, 1485-1490
fresco

Tussen rijk versierde, geschilderde pilaren wordt ons een blik gegund in een Florentijns huis. De kraamvrouw krijgt bezoek van een voorname dame, die wordt begeleid door twee gezelschapsdames. Een dienstbode komt haastig met een fles wijn en een mand met fruit binnen – de stof van haar gewaad bolt koket op.

Het fresco is onderdeel van de wonderbaarlijke cyclus over het leven van Maria en Johannes de Doper, die Domenico Ghirlandaio samen met zijn atelier rond 1486-1490 in opdracht van een welgestelde bankier, Giovanni Tornabuoni, in de hoofdkoorkapel van de Santa Maria Novella schilderde. Het is de specialiteit van de schilder om bijbelse verhalen in het eigentijdse Florence te laten spelen. Met genoegen herkenden de opdrachtgevers zichzelf, hun geliefden, hun echtgenotes en zakenpartners in de schilderijen.

Capella di Filippo Strozzi, Filippino Lippi (ca. 1457-1504), kruisiging van de apostel Filippus en het temmen van een draak door de apostel, na 1487
fresco

In 1486 had de bankier Filippo Strozzi de kapel in de Santa Maria Novella verworven en direct daarna Filippino Lippi opdracht gegeven de wanden van fresco's te voorzien met gebeurtenissen uit het leven van Johannes de Evangelist en de heilige Filippus, de naamheilige van de opdrachtgever.

Filippo Strozzi zelf werd na zijn dood in deze kapel bijgezet. Zijn sarcofaag, die tussen 1491 en 1493 werd gemaakt door Benedetto da Maiano, bevindt zich nog altijd in de achterwand.

De voorstellingen, die zijn uitgevoerd in grootformaat, horen tot de indrukwekkendste kunstwerken van Filippino Lippi; de vele fantasievolle details –die niet zelden klassieke motieven parafraseren– getuigen van zijn buitengewone vindingrijkheid.

San Lorenzo

De drieschepige kerk is ter onderscheiding van de dwarsbeuk op een voetstuk geplaatst. De ruwe voorgevel staat in contrast met de verfijnde ordeningselementen in de zijgevels. In het koor herkennen we verschillende bouwdelen: de loggia, die over de vieringskoepel werd gebouwd, daarachter de enorme koepel van de ervoor gelegen Cappella dei Principi uit de 17e eeuw en de klokkentoren uit de 18e eeuw, die vervolmaakt werd met de goed geproportioneerde koepel met lantaarn.

Al in 393 werd de basiliek gewijd. In 1058 werd met de nieuwbouw begonnen, die tot in de 15e eeuw bijna onveranderd bleef staan. In 1418 waren er plannen voor een grotere kerk. De familie De'Medici hoorde bij de parochie van San Lorenzo. Zij stichtte een sacristie – Filippo Brunelleschi's oude sacristie. Het ontwerp van de architect was zo sensationeel en vernieuwend, dat Giovanni di Bicci de'Medici een bouwplan voor de nieuwbouw van de hele kerk wilde. Een jaar later, in 1421, begon de bouw van de eerste kerk die in Florence volgens het concept van de namiddeleeuwse architectuur werd gebouwd.

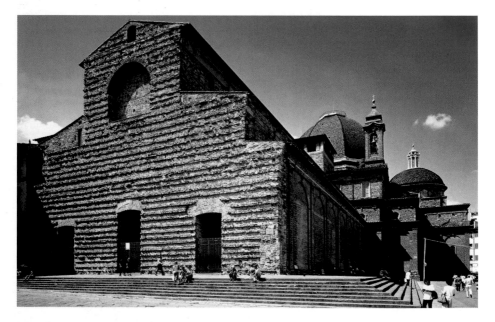

Interieur

Brunelleschi liet hier als jonge architect stijlkenmerken van de Renaissance zien in de systematische indeling en de harmonie van vormen en verhoudingen. Zo komen de halve cirkels van de arcaden in het middenschip evenzeer overeen met de bogen van de zijkapellen, als met het ritme van zuilen en pilaren. Een doorgaand plafond verbindt in het midden- en dwarsschip en de koorkapellen de diverse bouwelementen. De aankleding bevat werken van Donatello, Filippo Lippi, Verrocchio en Desiderio da Settignano.

Rosso Fiorentino (1494-1540),
Het huwelijk van Maria, 1523
fresco

De wandschildering van Rosso Fiorentino getuigt van het Florentijnse maniërisme uit het begin van de 16e eeuw door de geraffineerde kledingmotieven, de wisselende kleuren, de kunstige kapsels, het opvallende handgebaar van de heilige Domenicus en de gebaren van de muzikanten en komedianten op de achtergrond. Maria trouwt hier –in tegenstelling tot de gebruikelijke iconografie– een nog heel jonge en blondgelokte Jozef.

dracht van Cosimo il Vecchio de'Medici.

De architectonische ordening van de pilasters hoeft de afzonderlijke afbeeldingen niet meer te begrenzen – de mooie jongelingen en de klassiek aandoende geleerden en geestelijken lijken commentatoren bij het bijbelse verhaal, dat zich, zonder rekening te houden met omlijstende structuren, onder een fries met dansende putti afspeelt.

Het is omstreden of het bronzen reliëf daadwerkelijk als kansel bedoeld was of als onderdeel van een grafmonument voor Cosimo de'Medici, want de bijna tachtigjarige Donatello kon de kansel niet meer zelf in elkaar zetten.

Sagrestia Vecchia

Donatello (1386-1466), Passiekansel, na 1460
brons, 123 x 292 cm

De kostbaarste stukken van de kerk zijn twee kansels met bronzen reliëfs van Donatello, de ene met het thema van de passie en de andere met het wederopstandingsthema. Ze ontstonden in de laatste levensjaren van de beeldhouwer in op-

Met de oude sacristie kon Brunelleschi zijn nieuwe manier van bouwen in een ander werk verwezenlijken. In opdracht van De'Medici ontstond van 1419 tot 1429 de eerste centraalbouw van de Renaissance. De sacristie is het familiegraf: de sarcofaag van de stichter Giovanni di Bicci de' Medici staat in het midden, het dubbele gedenkteken van twee zonen van Cosimo il Vecchio, Giovanni (gest. 1463) en Piero (gest. 1469), bevindt zich aan de zijmuur. Familiewapens zijn in de zwikken geplaatst. De reliëfs in stucwerk van Donatello tonen de geschiedenis van Johannes de Doper en hebben daarmee betrekking op de stichter. Brunelleschi schiep een vierkante, door een meloenkoepel overwelfde kubus. De wanden deelde hij door een krachtig gebinte, waar de pendentieven die de koepel voorbereiden op aansluiten. De geometrische vormen van vierkant en cirkel vormen de basis van het concept, wat wordt weerspiegeld in de grijze ordeningselementen van de wanden, pilasters, lijsten en bogen. De kleurige decoratie van zijn vriend Donatello moet hij wel tegenstrijdig hebben gevonden. Brunelleschi wilde alleen de koepel van het vierkante koor voorzien van de sterrenconstellatie van 9 juli 1422, de dag waarop de bouw begon. De wanden van de koorkapellen zijn voorzien van ronde nissen.

Sagrestia Nuova/Cappelle Medicee

Precies honderd jaar na de oude sacristie van Brunelleschi ontstond aan de zuidkant de nieuwe sacristie, de zogenaamde Medici-kapel, die bedoeld was als de tegenhanger van Brunelleschi's kapel. In 1521 kreeg Michelangelo van de Medici-paus Leo X de opdracht de grafkapel voor Lorenzo, hertog van Urbino, en diens oom Giuliano, hertog van Nemours, te ontwerpen. Toen Michelangelo in 1534 Florence definitief verliet, was de kapel nog niet voltooid.

De plattegrond, de combinatie van lichte wanden met een donkere ordening en de basisvormen van een halve bol boven een kubus gaan nog terug op Brunelleschi. Michelangelo liet echter de wandindeling los en voegde onder de koepel een tussenverdieping met een horizontale lijst toe. Boven de deuren doorbrak hij de heldere vorm van de puntgevel.

Michelangelo Buonarroti (1475-1564), praalgraf van Giuliano de'Medici, 1526-1531
marmer, Giuliano: hoogte 180 cm, nacht: lengte 200 cm, dag: lengte 211 cm

De grafconstructies aan de wanden bieden plaats aan de zittende figuren van gestorven hertogen, waaraan liggende figuren zijn toegevoegd die vermoedelijk tijden van de dag personifiëren. Mogelijk zijn ze symbool voor de 'alles verterende tijd' – op het graf van Giuliano de'Medici, die in een klassieke houding en in klassieke kledij afgebeeld is, als 'dag' en 'nacht'; bij Lorenzo de'Medici, die tegen de tegenoverliggende wand treurig peinzend in een denkhouding zit, als 'ochtendschemering' en als 'avond'. Zoals vaak bij Michelangelo zijn de figuren niet overal volledig uitgewerkt; ze lijken zich uit het 'bed' van grof steen pas los te maken. De figuur van de Medici-madonna, die nog door Michelangelo gemaakt is, staat op de plek van een ander, nooit uitgevoerd praalgraf voor de broeders die hier bijgezet zijn aan de ingangswand.

Biblioteca Laurenziana

Vestibule

De Biblioteca Laurenziana is een van de belangrijkste gebouwen van Michelangelo waaraan hij vanaf 1524 werkzaam was. De wand van de hoge vestibule, de zogenaamde *ricetto*, wordt bepaald door de afwisseling tussen de naar voren komende wandvlakken en de ingebouwde zuilen – een idee dat de revolutionaire opvatting van Michelangelo duidelijk maakt: dragende elementen als zuilen zijn als decoratieve beelden in de nissen geplaatst. De leeszaal kan via een bijzondere trap bereikt worden. Pas in 1557 leverde Michelangelo het schaalmodel in hout, dat door Ammanati werd verwezenlijkt. In een vloeiende beweging daalt de trap van de hoger gelegen leeszaal af naar het niveau van de begane grond en doet daardoor denken aan een lavastroom, die in de bijna vierkante ruimte stroomt. De trap is de bekroning van de sculpturale opvatting van architectuur, die ook aan de wanden, bijvoorbeeld aan de functieloze voluutconsoles, merkbaar is.

Leeszaal

De Medici-paus Clemens VII had opdracht
gegeven voor de bibliotheek om er de
waardevolle collectie boeken van de familie in onder te kunnen brengen. Alleen al
van Cosimo il Vecchio waren er meer dan
zeshonderd handschriften, die tijdelijk in
Rome verbleven, maar weer terug moesten naar Florence. Ligging en statische
redenen bepalen de ongewone vorm van
de bibliotheek en de wanddikte. Michelangelo maakte van de nood een deugd; de

pilasters aan de zijwanden hebben derhalve niet een decoratieve, maar een dragende functie en vangen de last van de pla-
fondbalken op, die op hun beurt herhaald
worden in het mozaïek van de vloer. Zo
ontstaat een indruk van perspectivische,
zich verkortende, rechthoekige vlakken,
die de dieptewerking van de langwerpige
ruimte benadrukken. De lessenaars gaan
eveneens op ontwerpen van Michelangelo
terug. Het houtsnijwerk van de lessenaars
werd door de destijds uitstekende ateliers
uitgevoerd.

ven de benedenverdieping, die van ruwe rusticablokken voorzien is, twee andere verdiepingen met gladde rusticavierkanten. De voorgevel wordt vooral geordend door de horizontale, robuuste gevellijsten. De afsluiting wordt gevormd door een kroonlijst. De rijen tweelingvensters bepalen het uiterlijk van de bovenverdiepingen. Op de benedenverdieping bevonden zich tot 1517 grote bogen, die toegang gaven tot een loggia voor semi-officiële ceremoniën.

Binnenhof

De vierkante binnenhof is een meesterwerk van Michelozzo. Door de arcaden op de benedenverdieping heeft de tuin een harmonieuze en lichte uitstraling. Halfronde bogen op slanke zuilen met composietkapitelen geven toegang tot de omgang, die aan een kruisgang in een

Palazzo Medici-Riccardi

Het Palazzo Medici-Riccardi is het eerste en daarmee het toonaangevende paleis van de Renaissance. Michelozzo bouwde het tussen 1444 en 1469 voor Cosimo il Vecchio de'Medici, die daarvoor een ontwerp van Brunelleschi had afgewezen. Het uitgevoerde ontwerp vond de opdrachtgever waarschijnlijk bescheidener en passender. Het was de woonplaats van De'Medici tot 1540. In 1659 kocht Francesco Riccardi het paleis en liet de voorkant met zeven assen verlengen. Michelozzo plaatste bo-

klooster en aan Brunelleschi's Ospedale degli Innocenti doet denken. Op de middenverdieping wordt door middel van de tweelingvensters teruggegrepen op de ordening van de voorgevel. Met de loggia, die vroeger open was, behoudt de hof een luchtige afsluiting.

Een feestelijke toets ontstaat door de in het stucwerk aangebrachte graffiti, de tondi in reliëf met de wapens van De'Medici en mythologische taferelen. Van de beelden die hier vroeger stonden, staat alleen de 'Orpheus' van Baccio Bandinelli nog hier.

Cappella dei Magi, Benozzo Gozzoli (1420-1497), Tocht van koning Baltasar, 1459-1461
fresco

Gozzoli's 'Tocht van de drie koningen' –hier koning Baltasar op de oostelijke muur van de kapel– vindt plaats in een paradijselijk, Toscaans landschap met bloemen en dieren. De geïdealiseerde portretten lijken deelnemers aan het concilie van Florence in 1439 voor te stellen, vergezeld door de belangrijkste oudere en jongere leden van de familie en vooraanstaande intellectuelen.

San Marco en Museo di San Marco

Kerk en convent van de dominicaner orde van San Marco grenzen aan het gelijknamige plein. De classicistische stucvoorgevel is opgetrokken in de stijl van de late 18e eeuw. San Marco was altijd nauw verbonden met De'Medici: Cosimo il Vecchio droeg het complex aan de dominicanen van Fiesole over en financierde de renovatie, die tussen 1437-1452 door Michelozzo werd uitgevoerd. De stichtingsprior, de heilige Antoninus, bestreed de mecenas toen die het aanzien van de stad wilde veranderen. Met Savonarola als prior had Lorenzo il Magnifico vanaf 1490 een gezworen vijand in de stad.

Fra Angelico (ca. 1397-1455), Kruisafname, ca. 1430-1440
tempera op hout, 185 x 176 cm

Fra Angelico was broeder in het San Marco. Klooster en kloostermuseum bezitten verschillende voorbeelden van zijn werk. Een van zijn belangrijkste werken is het hoofdaltaarstuk van San Marco, waarvan de predellapanelen verspreid zijn over musea in de hele wereld.

Een ander centraal werk van de kunstenaar, het altaarstuk met de 'Kruisafname', werd door Palla Strozzi voor zijn familiekapel besteld. In het midden van het schilderij wordt het lichaam van Christus van het kruis gehaald. De compositie is vol spanning door de diagonaal van het lichaam en de gespreide armen. Alle gezichten zijn zeer individueel weergegeven, de vleeskleur en de gebaren zijn zeer gevarieerd en het koloriet van de lichte gewaden is erg levendig. Links staat een groep treurende vrouwen, terwijl rechts de martelwerktuigen getoond worden.

Fra Angelico, Aankondiging, ca. 1450
fresco, 230 x 297 cm

De wanden van de cellen rechts en links van de gang in het dormitorium zijn allemaal beschilderd met fresco's van Fra Angelico en zijn medewerkers en atelierassistenten – samen vormen ze een indrukwekkende religieuze cyclus, die enig is in zijn soort. Maria en de engel van de aankondiging ontmoeten elkaar in een loggia, die doet denken aan de kruisgang die Michelozzo voor het klooster ontwierp.

Karakteristiek voor Fra Angelico zijn de bijna lineaire contouren, de zachte kleuren –roze, lichtviolet, lichtblauw– en de miniatuurachtige precisie waarmee natuur en architectuur geschilderd zijn. De figuren tonen een zekere terughoudendheid, die geen heftige bewegingen toelaat. Zo ziet Fra Angelico bij de engel af van het gebruikelijke zegenende gebaar en geeft hem in dezelfde houding weer als de heilige maagd. Op een aangrijpende manier geeft Fra Angelico zo de deemoed weer waarmee ze de voorzienigheid tegemoet treedt.

Dormitorio di San Marco

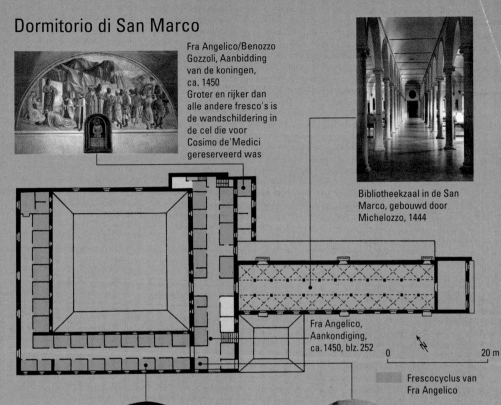

Fra Angelico/Benozzo Gozzoli, Aanbidding van de koningen, ca. 1450
Groter en rijker dan alle andere fresco's is de wandschildering in de cel die voor Cosimo de'Medici gereserveerd was

Bibliotheekzaal in de San Marco, gebouwd door Michelozzo, 1444

Fra Angelico, Aankondiging, ca. 1450, blz. 252

Frescocyclus van Fra Angelico

0   20 m

Fra Angelico, Bespotting van Christus, ca. 1441. In symbolische vormen zijn de pijnigingen van Christus weergegeven; Maria en de heilige Domenicus volharden in stille aandacht

Fra Angelico, Noli mi tangere, ca. 1450. Maria Magdalena ontmoet de herrezen Christus in een gedetailleerd geschilderd landschap op paasmorgen

Het geweten van Florence – Girolamo Savonarola

Ruth Strasser

Florence was in de 15e eeuw bekend vanwege zijn intellectuele en religieuze tolerantie. Er werd waarde gehecht aan een in de gemeenschap gepraktiseerde vroomheid. Zo werd er voor elk denkbaar doel een gelofte afgelegd, werden wasportretten in de kerk opgehangen en enorme bedragen geschonken. Het geliefdst was echter de toetreding tot een van de twee grote broederschappen in Florence: de 'Arciconfraternità della misericordia', die zich bezighield met de verzorging en het begraven van de armen, of de 'Compagnia di Santa Maria del Bigallo', die zich voornamelijk met weeskinderen bezighield. De leden van de broederschappen kwamen uit alle lagen van de bevolking. Vooral rijke textielfabrikanten en bankiers beviel de rol van anonieme barmhartige voor de behoeftigen – als goedmaker voor hun dagelijkse woekerpraktijken. Naast persoonlijk welzijn was het gemeenschappelijk welzijn zeer belangrijk. Niet in de laatste plaats lag het christelijke ideaal van de caritas daaraan ten grondslag. Dit sociale engagement heeft de Florentijnse midden- en bovenlaag behouden, want het is onderdeel van de geliefde *fiorentinità*, het wezen van de Florentijnen. Ze zijn weliswaar nog net als vroeger vermogend, bezitten nog altijd de oude familiepaleizen en misschien ook nog wel een landhuis, maar deze materiële rijkdom wordt verborgen gehouden, alleen de ideale karaktertrekken als terughoudendheid, be-

scheidenheid, spaarzaamheid en caritatieve gezindheid mogen getoond worden.

Savonarola predikte echter het ideaal van armoede en bezitloosheid: "Wanneer de ker-

Fra Bartolommeo, portret van Girolamo Savonarola, ca. 1498, olieverf op paneel, 53 x 47 cm, Museo di San Marco, Florence

ken verwoest worden, wanneer u hoeren, schandknapen en rovers beschermt en daarentegen de goeden vervolgt en het christelijke leven ontwricht, dan is dat geen kerkelijke macht maar een duivelse macht, waaraan we weerstand moeten bieden." Savonarola werd in 1452 geboren en kwam uit een gegoede familie uit Ferrara. Aanvankelijk begon hij een studie medicijnen, die hij echter op de leeftijd van 22 jaar afbrak om zich –heimelijk, zijn ouders wisten van niets– bij de predik- en bedelorde van de dominicanen in Bologna aan te sluiten. Hier schreef Savonarola al verhandelingen over de ondergang van de Kerk en over de geschriften van Aristoteles en Thomas van Aquino. Als begaafd prediker met veel bekeringsdrang bezocht hij tussen 1485 en 1489 talrijke Italiaanse steden, waaronder ook Florence, maar de inwoners van Florence beleefden geen genoegen aan hem. Vanaf 1490 hoorde hij bij het dominicanenklooster van San Marco in Florence en in 1491 werd hij hier tot prior benoemd. Hier gingen zijn preken alleen over de apocalyps en visioenen van een dreigende ondergang van de wereld. Met zijn ideaal van armoede en bezitloosheid, de dreiging van het zedenverval, degeneratie, luxe, verspilling en zucht naar vermaak in de kringen van de officiële Kerk en in Florence oefende Savonarola een grote invloed uit op de bevolking en hij werd door zijn aanhangers als een profeet vereerd.

De retorische aanvallen op Lorenzo de'Medici en diens zoon Pietro en ook tegen de Heilige Stoel en de Kerk namen gestaag in intensiteit en radicaliteit toe. Toen in 1494 de De'Medici's verdreven werden en Karel VIII van Frankrijk in 1494/1495 het koninkrijk Napels veroverde, leken zijn voorspellingen uit te komen en zocht hij contact met Karel VIII van Frankrijk. Savonarola richtte in Florence een soort theocratische democratie op, waarin zijn ideeën werden verwezenlijkt zonder dat hij zich actief met de politiek bemoeide. Hij was de éminence grise op de achtergrond. De morele ijver van zijn volgelingen sloeg al snel om in contro-

De arrestatie van Savonarola, houtgravure uit 1873

le, spionage en verklikken. Toen hij op 18 maart 1498, in zijn laatste preek voor de terechtstelling, het recht op verzet tegen de Kerk opeiste, raakte Savonarola een gevoelige snaar. Een groot deel van de Florentijnse samenleving billijkte het streven van een groep reformistische theologen om door een conciliaire wet en medezeggenschap in de grote, beslissende levensvragen van de Kerk wat tegenwicht te bieden aan het groeiende absolutisme van de Paus. Deze pogingen leden echter schipbreuk en de Paus gold voor velen als de antichrist. In het begin van 1498 had Savonarola zijn *Trattato circa il Reggimento di Firenze* (Verhandeling over de rechtspraak en het bestuur van de stad Florence) uitgegeven. Hierin schetste hij een regeringsvorm die op "gerechtigheid, vrede en vertrouwen van de burgers is gebouwd". Volgens het idee van de dominicaner predikant zouden "de maatschappelijke betrekkingen (…) door wederzijds vertrouwen gevoed worden; de privé-zaken van de burgers en hun intellectuele werkzaamheid (…) moeten volkomen vrij zijn." Naar zijn idee was dit alleen mogelijk wanneer het streven naar algemeen welzijn het uitgangspunt was – de *bene comune*, een ethisch principe dat aan de geschriften van Aristoteles en aan Thomas van Aquino ontleend is. De dominicaner predikant was evenwel radicaal en eiste dat diegenen die zich schuldig maakten aan laster en mateloosheid

verbrand zouden worden, hij wou inperking en controle van de wetenschap en ook afzien van het weergeven van naakte lichamen in de kunst. Hoewel zijn zendingsdrift tegen het eind van zijn werk bijna dictatoriaal was, nam Savonarola de gekruisigde Christus als voorbeeld: "want ik predik niet mezelf, maar Christus (…) daarom moet u zich niet tot mijn lofprijzingen bekeren, maar tot de Zijne (…)".

Toen paus Alexander VI hem het ambt van kerkelijk waardigheidsbekleder aanbood om hem van zijn onverbiddelijk strenge vooroordelen tegen de clerus af te brengen, wees Savonarola dit af: "Ik wil geen kardinaalshoed, en geen grote en geen kleine mijters. Ik wil niets anders dan wat u uw heiligen gaf, namelijk de dood. (...) Een bloedige hoed, die begeer ik." Dit was niet het enige uitdagende gebaar tegen de Kerk. Voor dit incident had Savonarola zelf een brandstapel aangestoken en een symbolische strafactie in scène gezet. Op 7 februari 1497 organiseerde hij op de Piazza della Signoria een 'verbranding van ijdelheden', waar hij voorwerpen liet verbranden die volgens

Penning ter herdenking van de terechtstelling van Savonarola, 1502, brons, Museo Nazionale del Bargello, Florence

hem zinnebeelden van de wereldlijke zonde waren: muziekinstrumenten, schilderijen, sieraden, speelkaarten – met inbegrip van de boeken van Boccaccio en Petrarca vanwege hun 'ontuchtige' inhoud. Na deze actie werd Savoranola geëxcommuniceerd door paus Alexander VI, die hem echter tot een andere, nog spectaculairdere verbranding van ijdelheden in het daaropvolgende jaar 1498 aanzette. Op 23 mei 1498 werd Savonarola na wekenlang onmenselijk gefolterd te zijn als een 'vertegenwoordiger van ketterij, schisma en verderfelijke vernieuwingen' veroordeeld en opgehangen, waarna zijn lijk in het openbaar op de Piazza della Signoria werd verbrand. Uit angst voor relikwieënjagers werd besloten zijn as in de Arno te strooien. De meer dan 100.000 aanhangers die hij ooit als predikant in de dom van Florence om zich heen had verzameld, hadden plaatsgemaakt voor een oppositie binnen de bevolking die zich tegen Savonarola zelf richtte en uiteindelijk tot zijn arrestatie leidde. Toch begon direct na zijn dood de verering van de ascetische predikant – zijn uitleg van de vijftigste psalm, de Miserere, die hij in de kerker met kettingen aan handen en voeten

geschreven had, kreeg een grote verspreiding, onder andere door de gedrukte uitgave van Luther in 1523. Pas in 1558 werd van kerkelijke zijde de overeenkomst van zijn theologische gedachtegoed met de officiële kerkelijke leer erkend en ook de charismatische betekenis van zijn persoon en zijn visionaire gedachten .

'Verwrongen monster' noemde Johann Wolfgang von Goethe hem en historici uit de 19e en 20e eeuw zagen in Girolamo Savonarola, de prior van het klooster van San Marco, een dreigende fanaticus die de prachtige oogst van de Renaissance, het humanisme en de kunsten wilde verbranden en verdelgen. Nu nog zijn de meningen over hem verdeeld – voor velen was hij of een religieus verblinde ijveraar of een lichtend voorbeeld.

Onbekende kunstenaar,
Verbranding van Savonarola
op de Piazza della Signoria,
ca. 1498, tempera op paneel,
Museo di San Marco, Florence

Galleria dell'Accademia

In de zalen van het voormalige ziekenhuis San Matteo bevindt zich de Galleria dell' Accademia. De eerste kunstacademie in navolging van de Lucas-broederschap werd in 1563 gesticht door Cosimo I de' Medici; in 1784 werd de academie door groothertog Pietro Leopoldo I vernieuwd. Leren en kunst verzamelen, academie en galerie moesten een eenheid vormen. De werken van de Florentijnse kunstenaars van de 13e tot de 16e eeuw dienden de leerlingen tot voorbeeld – door nabootsing werden de technieken geleerd. Hier werd in 1873 in de speciaal ontworpen *tribuna* de intussen tot 'icoon' van de beeldhouwkunst geworden 'David' van Michelangelo opgesteld om hem tegen de weersinvloeden te beschermen.

Michelangelo Buonarroti (1475-1564), David, 1501-1504
marmer, h 410 cm

De meer dan vier meter hoge 'David' is het bekendste werk van Michelangelo. Uit een smal, hoog blok marmer, waaraan daarvoor al twee andere beeldhouwers gewerkt hadden, schiep Michelangelo het unieke, kolossale beeld. Een commissie besloot het beeld, dat oorspronkelijk bedoeld was voor de dom, als zinnebeeld van de onafhankelijk stadsrepubliek voor het Palazzo Vecchio te plaatsen. Omdat het origineel tegenwoordig in de Galleria dell'Accademia staat opgesteld, werd er voor het gemeentelijke paleis een nauwkeurige kopie geplaatst. Een andere kopie is onderdeel van het gedenkteken voor Michelangelo op de Piazzale Michelangelo, hoog boven de stad op de zuidelijke oever van de Arno. Michelangelo heeft niet de overwinning van David uitgebeeld, niet het afgehouwen hoofd van de reus, maar de vastberadenheid, de wil en de daadkracht. Het hoofd en de rechterhand, centra van denken en handelen, zijn te groot in verhouding tot het lichaam. Michelangelo blies de proporties op ten gunste van de uitdrukkingskracht.

Michelangelo Buonarroti, Ontwakende slaaf, ca. 1530-1534
marmer, h 267 cm

Ook de veel besproken 'Boboli-slaven' van Michelangelo, genoemd naar hun regelmatige opstelling in de Buontalenti-grot in de Boboli-tuinen, bevinden zich nu in de Galleria dell'Accademia. De 'Atlas' lijkt zich tegen de druk van het zware marmerblok te verzetten, terwijl de 'Ontwakende' zich moeizaam uit het steen lijkt te bevrijden. De figuren ogen nog onvoltooid. Maar juist het onvoltooid zijn, het *nonfinito*, geeft hun de grote zeggingskracht. Met hun gespierde, gigantische lichamen verzetten ze zich tevergeefs. Ze blijven gevangenen van het steen, waaruit alleen hun schepper hen kan bevrijden.

Santissima Annunziata

De kerk Ss. Annunziata, die in 1250 door
de servietenorde werd gesticht, grenst in
het noorden aan een harmonisch, door
een zuilengalerij omgeven parkcomplex.
Het boogmotief werd aan het weeshuis
voortgezet, aan de gebouwen van de broederschap herhaald en aan de kerk met de
hoge zuilenhal-arcadebogen uit de 17e
eeuw gevarieerd. Michelozzo begon in
1444 met de verbouwing van de kerk; ook
de voorhof met arcaden en sierlijke kapitelen is van hem. Beroemd is het 'Atrium'
naar de fresco's van Andrea del Sarto, Rosso Fiorentino en Pontormo.

Andrea del Sarto (1486-1530),
Geboorte van Maria, 1514
fresco, 410 x 345 cm

Andrea del Sarto plaatste de geboorte van
Maria in een rijk gedecoreerd, eigentijds
interieur. Rechts staan hofdames en
dienstmeisjes in volumineuze gewaden
gekleed rond het bed van de heilige Anna,
terwijl links voor de open kachel de ba-
kers met de verzorging van het kind bezig
zijn. De evenwichte compositie, het kleurgebruik, de weergave van de ruimte en de
ordening van de figuren maken duidelijk
waarom de Florentijnen del Sarto 'Andrea
senz'errore' –Andrea de foutloze– noemden.

Ospedale degli Innocenti

Het Ospedale degli Innocenti is een stichting van het welvarende zijdebewerkersgilde.

De terracottareliëfs van Andrea della Robbia verwijzen naar de bestemming van het gebouw, waarvoor Brunelleschi in 1419 de opdracht voor het ontwerp en de uitvoering kreeg. Met de voorhal bepaalde de architect de vormgeving van de Piazza en hij gaf het weeshuis een verheven, klassiek karakter.

Net als bij Romeinse tempels heeft de loggia een open arcadengang. Het weeshuis wordt vaak beschouwd als het eerste gebouw dat in renaissancestijl gebouwd is.

Brunelleschi sluit de zuilengalerij af met pilasters die geen dragende functie hebben. Als dominerende pilasterorde zou ook deze vernieuwing tot standaard van de renaissancearchitectuur worden.

Museo Archeologico

Sinds 1880 resideert het Museo Nazionale Archeologico, een van de belangrijkste archeologische musea van Italië, in het Palazzo della Crocetta, dat in 1620 voor de aartshertogin van Oostenrijk, de echtgenote van Cosimo II, gebouwd werd. De Etruskische afdeling geeft een omvangrijk overzicht van de Etrusken in Italië.

Chimaera van Arezzo, eind 5e eeuw v.Chr.
brons, 78,5 x 129 cm

Bij de bouw van de stadsmuur in 1553 werd in Arezzo de bronzen 'chimaera' (monsterdier) gevonden. Cosimo I de'Medici liet de staart van het dier restaureren en daarna werd de kostbare vondst in het Palazzo Vecchio opgesteld. Een inscriptie in de rechtervoorpoot van het mythische monster maakt duidelijk dat het om een votiefgeschenk gaat. Het fabeldier met de kop van een leeuw, de romp van een geit en de staart van een slang leefde in de Griekse mythologie als vuurspuwend beest aan de westkust van Lycië. Bewonderingswaardig zijn de fijne uitwerking en de kwaliteit van het bronsgieten.

François-vaas, ca. 570-560 v.Chr.
66 x 57 cm, ø 181 cm

In de rijke vazenverzameling is vooral de zogenaamde 'François-vaas' heel bijzonder. Deze werd in 1845 door François, een schilder en kopergraveur, in een Etruskisch graf bij Chiusi gevonden. Een Griekse schilder, Kleitias, en een pottenbakker, Ergotimos, signeerden rond 570-560 v.Chr. de volutenkrater, die vervolgens naar Etrurië geëxporteerd werd. Op het Attische vat voor het mengen van wijn en water zijn op meerdere stroken boven elkaar jacht-, strijd- en offertaferelen uit de Griekse mythologie geschilderd, die ongewoon levendig en indringend zijn weergegeven.

Accademia della Crusca – hoedster van de taal

Ruth Strasser

Onder het motto 'Il più bel fior ne coglie' ('de mooiste bloemen worden geplukt') –naar een vers van Petrarca– werd in Florence in 1583 onder groothertog Francesco I de'Medici de Accademia della Crusca (academie van de zemelen) opgericht met als doel kaf en koren van de Italiaanse taal altijd duidelijk gescheiden te houden. Dit eerbiedwaardige instituut bestaat nog steeds en heeft als nationale academie net als vroeger zijn zetel op de plek van de oorsprong van de Italiaanse taal. Sinds 1974 is de academie ondergebracht in de Medici-villa van Castello, aan de rand van Florence. De taken zijn hetzelfde gebleven: de Toscaanse volkstaal in de zuivere vorm en het volkse idioom te bewaren en te beschermen tegen een te sterke vermenging met vreemde woorden, anglicismen en jargon uit de medische en computerwereld.

Tijdens de Middeleeuwen was in het hele Middellandse-Zeegebied en ook in de Italiaanse gebieden Latijn de schrijftaal. Het klassieke Latijn bevatte al veel Griekse leenwoorden en ook na de ineenstorting van het Romeinse rijk, toen er nauw contact met Byzantium werd onderhouden en veel ontwikkelde mensen met beide talen vertrouwd waren, doken opnieuw Griekse woorden in het Latijn op. Daarnaast bestonden er ontelbaar veel dialecten in de afzonderlijke gebieden van Italië; deze zijn echter niet in schrijftaal overgeleverd.

De eerste getuigenissen van een geschreven omgangstaal, de *placiti cassinesie*, stammen uit de 10e eeuw en bevatten verdragen over landbouwkundig grondbezit. Pas tweehonderd jaar later ontstond aan het hof van keizer Frederik II van Hohenstaufen in Sicilië de eerste dichtschool in de historie van Italië, waar minneliederen in het Zuid-Italiaanse dialect werden uitgegeven. In dezelfde tijd schreef Franciscus van Assisi zijn lofprijzingen en het *Zonnelied* in de Midden-Italiaanse taal van alledag.

Met het ontstaan van de stadsrepublieken en de ontwikkeling van een burgerlijke laag van kooplieden, bankiers en ambachtslieden werden de eenvoudige aantekeningen en kronieken niet langer in het Latijn geschreven, maar in de omgangstaal die iedereen, ook de midden- en onderlaag van de bevolking kon lezen. Literaire status kreeg de omgangstaal echter pas door de *tre corone*, de drie met de dichterskroon, de lauwerkrans, gekroonde poëten: Dante, Petrarca en Boccaccio – alledrie geboren Toscaners. De Toscaanse volkstaal, het *Volgare*, werd een echte nieuwe schrijftaal door de uitgave van Dantes *Divina Commedia* en *La Vita Nuova*, zijn verhandeling over de waarde van het Italiaans als literaire taal in *De vulgari eloquentia* en de verschijning van Petrarca's *Canzoniere* en Boccaccio's *Decamerone*. Door het gebruik ervan in de dichtkunst kreeg deze volkstaal meer waarde.

Daarnaast werden de grove betekenissen van de gesproken taal voor voorwerpen en handelingen in het huiselijke of boerenleven veranderd in fijnere, elegantere begrippen en ongebruikelijke uitdrukkingen in het Latijn kregen een actuele betekenis en toepassing: geleerdheid werd populair, geraffineerdheid eenvoudig, abstract werd zinnelijk en het algemene specifiek – uit het Toscaans was het Italiaans ontstaan.

Met het Rinascimento beleefde het klassieke Latijn in geleerde kringen, waar het altijd lingua franca (omgangstaal) was gebleven, een nieuwe bloei in de literatuur – na meer dan tweehonderd jaar sprak niemand meer als Dante. Een humanist, Benedetto Varchi, hield als voorzitter van de Florentijnse academie een pleidooi voor een nieuw, ook wetenschappelijk bruikbaar Italiaans. Door gebrek aan normalisatie en verplichting kon het echter slechts langzaam het dominante Latijn verdringen. In 1612 gaf de Accademia della Crusca eindelijk het eerste woordenboek in de Italiaanse taal uit, het *Vocabulario*. In Duitsland ontstond een vergelijkbaar werk, het woordenboek van de gebroeders Grimm, in de 19e eeuw.

Toen de taal eenmaal op dit niveau was aangekomen, werd in de 17e en de 18e eeuw het probleem van het

Sala della pale e delle gerle, Accademia della Crusca, Florence

zuiver houden van de taal, de *questione della lingua*, onderwerp van gesprek: enerzijds was het literaire Italiaans door de overname van Franse en Engelse woorden en de invoering van speciale en wetenschappelijke uitdrukkingen veranderd, anderzijds raakte ook het schrijven in dialect en spreektaal in de mode.

De tegenreactie van zelfbenoemde puristen, die de terugkeer van de taal van Dante nastreefden, was onvermijdelijk. Aan het hoofd hiervan stond Alessandro Manzoni (1785-1873), de belangrijkste Italiaanse romanticus, wiens werk ook tegenwoordig nog verplichte literatuur op de Italiaanse scholen is. Manzoni beheerste weliswaar meerdere vreemde talen, maar sprak bij voorkeur in zijn Milanese dialect en herschreef zijn hoofdwerk, de historische roman *I Promessi Sposi* (De verloofden), meerdere keren, totdat de 'in het water van de Arno' van alle Lombardische invloeden gezuiverde vorm in puur Toscaans overbleef.

Fiesole

"Nergens is de natuur zo subtiel en zo elegant, de god die de heuvels van Florence schiep, was een kunstenaar", noteerde Anatole France tijdens zijn verblijf in Fiesole. Talrijke dichters en schilders trokken in de 19e en begin 20e eeuw naar het schilderachtige oord dat nu een voorstad van Florence en doel van uitstapjes is. Fiesole is ouder dan Florence: in de 7e v.Chr. stichtten de Etrusken de stad, die tot de belangrijkste van hun stamland hoorde. Om zich te beschermen tegen de invallen van de Galliërs was Fiesole in de 3e eeuw v.Chr. met de Romeinen verbonden, maar in 90 v.Chr. hoorde het bij de steden die in opstand kwamen tegen Rome. Uit wraak werd Fiesole gebrandschat en tien jaar later onder Sulla tot kolonie gedegradeerd. Antieke vondsten getuigen van een tweede bloei na honderd jaar. De tijd van de volksverhuizingen kende verwoestingen, waarvan de stad zich pas in de 9e en 10e eeuw herstelde. Er ontwikkelde zich hier, in tegenstelling tot de meeste Toscaanse steden, geen ambacht- of handeldrijvende burgerij. Voor Florence was de bevaarbare rivier bovendien een belangrijk voordeel. Zo trad Fiesole economisch gezien in de schaduw van zijn rivaal en werd in 1125 volledig door Florence vernield.
Op de plaats van het antieke forum ligt nu het belangrijkste plein met het stadhuis,

Panorama met de toren van het Palazzo Pretorio

een gebouw uit het Trecento, dat later veranderd is, met een dubbele loggia en wapens van de *podestà*. Ervoor staat een bronzen ruiterstandbeeld, dat de ontmoeting tussen Garibaldi met koning Vittorio Emanuele II in 1860 op de brug van Teano

Etruskische muur

verbeeldt. Ook de in de 19e eeuw vernieuwde Romaanse dom met werken van de renaissancekunstenaar Mino da Fiesole grenst aan de piazza. Op de hoogste plek, waar ooit de Etrusken hun akropolis hadden gevestigd, staan kerk en klooster van San Francesco, met uitzicht over de vlakten en op Florence.

Fiesole

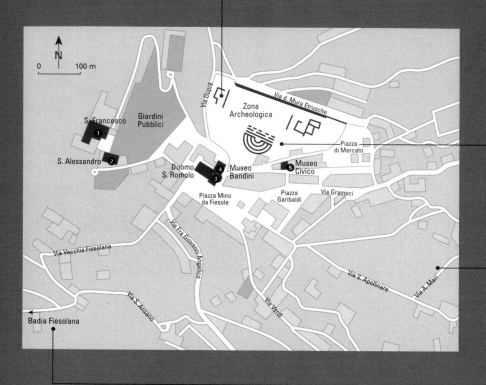

S. Francesco **1**
Giardini Pubblici
S. Alessandro **2**
Duomo S. Romolo **3** **4** Museo Bandini
Museo Civico **5**
Zona Archeologica
Via Dupré
Via d. Mura Etrusche
Piazza di Mercato
Via Gramsci
Piazza Garibaldi
Piazza Mino da Fiesole
Via Fra Giovanni Angelico
Via Vecchia Fiesolana
Via S. Apollinare
Via A. Mari
Via S. Ansano
Via Verdi
Badia Fiesolana

N
0   100 m

Tempio Etrusco,
Via Portigiani 1,
blz. 270

Teatro
Romano,
Via Portigiani 1,
blz. 271

Mura Etrusca,
blz. 267

Badia Fiesolana,
Via Badia Boccettini,
blz. 270

Andere bezienswaardigheden
(niet in het boek besproken):

1   S. Francesco, Via S. Francesco

2   S. Alessandro, Via S. Francesco

3   Duomo S. Romolo, Piazza Mino
    da Fiesole

4   Museo Bandini, Via Duprè 1

5   Museo Civico, Via Portigiani 1

Badia Fiesolana

Halverwege Florence en Fiesole ligt de voormalige benedictijner abdijkerk – de Badia Fiesolana. Cosimo il Vecchio gaf in 1458 opdracht voor de bouw, die Bernardo Rossellino naar een ontwerp van Michelozzo uitvoerde. Binnen ontstond een goed geproportioneerde ruimte, die in wit en grijs is ingedeeld. Een ongewoon complex: dwarsbeuk, koor en middenschip hebben een tongewelf en het middenschip heeft verder diepe zijkapellen. De onvoltooide voorgevel is versierd met een incrustatiefragment van de voorgevel van het vorige bouwwerk uit de 12e eeuw in de stijl van de Toscaanse Protorenaissance.

Zona Archeologica

Tempio Etrusco

In het centrum van Fiesole werden in de 19e eeuw de resten van de klassieke geschiedenis van de stad opgegraven: het oudste deel is de Etruskisch-Romeinse tempel; eigenlijk gaat het om twee boven elkaar gebouwde tempels uit verschillende tijdperken. De kleinere werd al in de tijd van de Etrusken aan het eind van de 4e eeuw v.Chr. voor een gezondheidsgodin, waarschijnlijk Minerva Medica, gebouwd en bestond uit een rechthoekige cella met doorgetrokken zijmuren en twee zuilen. De Romeinen gebruikten in de 1e eeuw n.Chr. de plattegrond en bouwden een podium met zuilen aan de zuidkant.

Teatro Romano

In het begin van de keizertijd in de 1e eeuw v.Chr. werd het Teatro Romano aangelegd, keizer Claudius liet het tussen 41-54 n.Chr. vergroten. De ruimte voor de bijna tweeduizend toeschouwers ligt als een halve cirkel tegen de heuvel. Boven de negentien rijen zitplaatsen zien we de zogenaamde *vomitoria*, de ingangen met de deuren; daaronder zijn de halfronde *orchestra*, delen van het toneel, het *proscenium* en de decorwanden, de *scenae frons* te herkennen. Aan de zijkant bevinden zich de vroegere galerijen, de *versurae*, die naar de ruimte achter het toneel leiden. Eveneens uit de vroege keizertijd stamt het thermencomplex, dat vooral onder keizer Hadrianus in de 2e eeuw n.Chr. grootschalig werd uitgebreid.

Afstand doen van de wereldlijkheid – kloosters in de Toscaanse heuvels

Ruth Strasser

"Chi ti move, o omo, ad abbandonare le proprie tue abitazioni delle città e lasciare li parenti e amici e andare in lochi campestri per monti e valli, se non la naturale bellezza del mondo?" – "Wat beweegt u, mens, ertoe, uw woning in de stad op te geven, familie en vrienden achter te laten en naar de landelijke gebieden, de bergen en valleien te trekken, als het niet om de schoonheid van de natuur is?"

Leonardo da Vinci, *Voorspellingen*

Tegen de achtergrond van geestelijke en religieuze veranderingen vormden zich van de 11e tot de 13e eeuw naast de scholastiek, de nieuwe kerkelijke wetenschap, op monastiek gebied nieuwe bewegingen die het ideaal van de christelijke boodschap en missie door strengere ascese en rondtrekkende predikers wilden verspreiden. Juist jonge intellectuelen uit gerespecteerde, welgestelde en vaak adellijke families gaven –uit een innerlijk drang of naar aanleiding van een goddelijk visioen– beroep, rijkdom, familie- en vriendenkring en de culturele genoegens van de stad op en trokken zich terug in de eenzaamheid van de natuur, om in navolging van de anachoreten, de kluizenaren, in bezinning en deemoed het leven van een monnik te leiden.

Op afgelegen plaatsen stichtten ze kluizenaarsverblijven met strenge regels: eenvoudige kost

Het kloostercomplex Vallombrosa met zijn twee torens

en kleding, harde hand- en landarbeid, strenge vastenperioden, nachtwaken en stil gebed. Het zuidoostelijk van Florence gelegen Casentin bood voor deze levensstijl de beste voorwaarden; alleen via de slecht begaanbare Passo della Consuma te bereiken, aan drie kanten door hoge bergen van de Apennijnen omgeven, met veel bos, groene heuvels en heldere beekjes – zo roemde Dante het gebied, dat voor een groot deel onveranderd is gebleven.

In het noorden ligt op een hoogte van 1014 m de abdij en het kluizenaarsverblijf Camaldoli, omringd door honderden jaren oude bomen, naast een bron van een van de grootste kloostercomplexen van Italië. Het werd gesticht in 1012 door de later heilig verklaarde Romuald als moederklooster van de camaldulenser orde, die een strenge naleving van de benedictijnse regels voorstond. Romuald (rond 952-1027) was aanvankelijk monnik in Sant'Apollinaire in Classe bij Ravenna, leefde als kluizenaar bij Venetië en in de Pyreneeën, maar koos toen Casentin, waar zich ook al andere kluizenaren gevestigd hadden, als de geschiktste plek voor zijn hervormingsgemeenschap. Het klooster, in het begin alleen een kluizenaarsverblijf en een hospitium, bezat een uitzonderlijke aantrekkingskracht en werd na erkenning van de orde uitgebreid met een convent, dat van tijd tot tijd meer dan honderd mon-

Ghirlandaio, De stigmatisatie van de H. Franciscus bij La Verna (detail), 1483/1485, fresco, Cappella Sassetti, S. Trinità, Florence

niken herbergde. In de Renaissance diende het als plek van samenkomst voor de neoplatonische academie van Lorenzo de'Medici, ook wel 'il Magnifico' genoemd (1449-1492). Leon Battista Alberti, Marsilio Ficino en andere humanisten bespraken hier de filosofische problemen van hun tijd, die door Cristoforo Landino in 1480 als 'Disputationes Camaldulenses' werden uitgegeven. Het complex omvat het klooster met de cellen voor de monniken, een apotheek, een kerk, een herberg en het oude hospitium voor pelgrims.

Aan de westkant van de bergen, op een open plek in het bos bij Pratomagno, trok Giovanni Gualberto, telg uit de vooraanstaande Florentijnse familie Visdomini, zich in 1028 met drie andere kluizenaren terug. Nadat hij door een plotselinge ingeving ervan af had gezien wraak te nemen voor zijn vermoorde broer, boog in een visioen het kruis van de Florentijnse kerk San Miniato al Monte zich naar hem toe.

Uit het oorspronkelijke kluizenaarsverblijf met kapellen, waarin de vier kluizenaren zeven jaar woonden, ontwikkelde zich in de loop der tijd de later machtige abdij Vallombrosa, waarvan de orde, de zelfstandige benedictijner congregatie van Vallombrosa, in 1055 door de Paus werd erkend en die na de dood van Giovanni Gualberto (1073) en zijn vroege heiligverklaring (1093) zeer snel groeide. Het uitgestrekte complex met rondom een grote muur en twee torens doet denken aan een kasteel, maar het kreeg pas in de 17e eeuw onder twee Florentijnse architecten, Alfonso Parigi en Gherardo Silvani, het huidige aanzien. In de buurt van het klooster herinnert het *paradisino*, het kleine paradijs, aan het oorspronkelijke kluizenaarsverblijf van de heilige.

Een heel stuk verder, weer in het oostelijke deel van de Casentin en al dicht bij de grens met Umbrië, ligt op een steile helling op 1128 m hoogte het klooster La Verna, dat nauw met de naam van Franciscus van Assisi verbonden is.

Kruisgang van het klooster Camaldoli

Omgeven door honderd jaar oude beuken- en esdoornbossen ontstond het klooster op de plek waar de heilige –net als ieder jaar– zich in de zomer van 1224 in de vastentijd had teruggetrokken. Hij had de kalkrotsen met het erbij horende bos al tien jaar daarvoor van Orlando Cattani di Chiusi, de graaf van Casentin, gekregen en er een kluizenaarsverblijf gebouwd. In een visioen op de dag van de oprichting van het kruis, waarin aan hem een stralende, gekruisigde serafijn met zes vleugels verscheen, ervoer Franciscus van Assisi de stigmatisatie, zijn lichaam vertoonde de wondtekens van Christus. Aan dit wonder herinnert de door graaf Simone da Battifolle gestichte Chiesa delle Stimmate (kerk van de stigmata), die –net als zoveel andere kloostergebouwen– van geglazuurde terracotta's uit de Florentijnse werkplaats van de broers Andrea en Luca della Robbia is voorzien. Vanaf een van de kleine terrassen kunnen we de steile rotsen zien, waaraan Franciscus zich –volgens de legende– vastklampte toen de duivel probeerde hem in de diepte te smijten.

Antonio Terreni, Gezicht op het klooster S. Miniato al Monte in Florence, 2e helft van de 18e eeuw, ets, Museo Firenze com'era, Florence

Arezzo

Arezzo

De Etrusken stichtten in de 7e eeuw v.Chr. 'Arretium' op een heuvel boven de Arno. Metaalbewerking maakte de nieuwe vestiging vanaf de 5e eeuw een belangrijke stad in het Etruskische verbond van twaalf steden. Getuigenis van dit tijdperk is de beroemde bronzen *chimaera*, die in het archeologische museum in Florence tentoongesteld is. Na de nederlaag tegen Rome aan het eind van de 3e eeuw v.Chr. moest Arezzo uitrusting en werktuigen voor de oorlog tegen de Carthagers leveren – een ander bewijs voor de kwaliteit van de metaalindustrie in Arezzo. De stellingname tegen Sulla in de Romeinse burgeroorlog leidde tot een voorlopige ondergang, waarvan de stad zich pas in de tijd van Augustus door de industriële keramiekproductie herstelde. In talrijke werkplaatsen werd de 'Aretijnse reliëfkeramiek', die in heel Europa gewaardeerd werd, geproduceerd. De keramiek werd vervaardigd uit fijne klei en voorzien van een rood glazuur, vaak gedecoreerd met voorstellingen in fijn reliëf.

Nadat Arezzo bijna volledig verwoest werd tijdens de volksverhuizingen kreeg het pas in de 12e en 13e eeuw de grootte en structuur, die nu in de kern van de oude stad bewaard zijn gebleven – de kerken van de

Piero della Francesca: De vondst en het onderzoek van het ware kruis, (detail), 1454-1458, fresco, 356 x 747 cm, San Francesco, Arezzo

bedelorden en de later opgerichte universiteit voor rechten en retoriek vormden eigen centra van literaire en kunstzinnige activiteiten. Ondanks de nederlaag tegen Florence in 1289 bleef Arezzo een belangrijk cultureel centrum. Het is nu beroemd om zijn goudsmeden.

De stad was de geboorteplaats van veel beroemde humanisten: Francesco Petrarca en Leonardo Bruni, de latere Florentijnse staatskanselier (1369-1444). Ook schilder, architect en schrijver Giorgio Vasari en dichter Pietro Aretino (1492-1556) zijn hier geboren. Michelangelo Buonarroti aanschouwde het levenslicht in het kleine plaatsje Caprese, waar zijn vader later burgemeester werd. Aan een monnik uit Arezzo, Guido Monaco, hebben we het notenschrift te danken.

Vaas uit Arezzo, begin 1e eeuw n.Chr., terra sigillata, Museo Archeologico, Arezzo

Arezzo

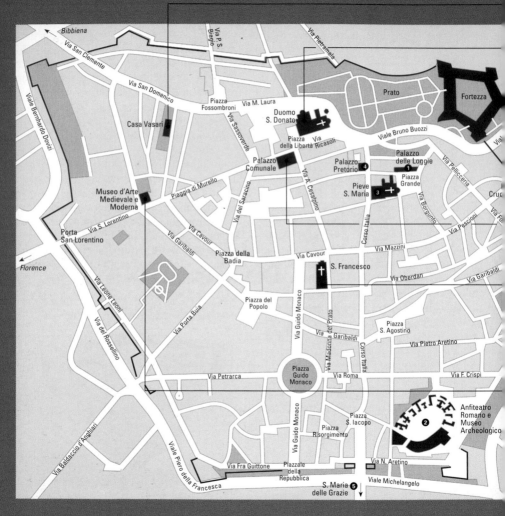

250 m

Duomo S. Donato,
Piazza del Duomo,
blz. 294

Casa Vasari, Via XX
Settembre 55, Blz. 302

Palazzo Comunale,
Piazza della
Libertà 1, blz. 294

S. Francesco,
Via Cavour,
blz. 282

Museo d'Arte
Medievale e
Moderna, Via San
Lorentino 8, blz. 302

Andere bezienswaardigheden:

1 Piazza Grande/Palazzo delle
Logge, Piazza Grande/Via
Giorgio Vasari; blz. 292, 293

2 Anfiteatro Romano e Museo
Archeologico, Via F. Crispi en Via
Margaritone 10, blz. 304

3 Pieve S. Maria, Corso Italia,
blz. 286

4 Palazzo Pretorio, Via Pileati,
blz. 282

5 S. Maria delle Grazie, in het zuiden, aan de rand van de stad,
blz. 305

San Francesco

De franciscanen begonnen in 1290 in het zuiden aan de rand van de oude stad met de bouw van de San Francesco, waarvan het ontwerp teruggaat op dat van de minorietenbroeder Giovanni da Pistoia. Tussen 1290 en 1377 ontstond een gebouw met een middenschip en een rechte koorafsluiting die naar het voorbeeld van Assisi een onderkerk kreeg. De zijkapellen aan de noordkant zijn een toevoeging uit de 15e eeuw. De horizontale bakstenen waren bedoeld voor de bevestiging van een nooit aangebrachte marmerafdekking.

Palazzo Pretorio

Het Palazzo Pretorio werd in de 14e eeuw uit verschillende oudere huizen samengesteld en tenslotte in de Renaissance definitief veranderd. Sinds 1404 was hier de zetel van het opperste gerecht gevestigd. Onder een ver uitstekende dakconstructie bevindt zich de voorgevel, die in drie verdiepingen verdeeld is, waarin sinds 1434 talrijke wapens van stadsbestuurders zijn opgenomen. Boven een zijportaal aan de linkerkant is een reliëf met een ruiterfiguur uit de 13e eeuw aangebracht. Binnen bevinden zich beeldhouwwerken uit de Middeleeuwen en de Renaissance en de stedelijke bibliotheek, die in haar museale afdeling waardevolle incunabelen, handschriften en belangrijke geschriften over de geschiedenis van Arezzo herbergt.

Interieur

Als belangrijkste werk in de kerk geldt de beroemde frescocyclus de 'Legende van het ware kruis', die Pietro della Francesca (ca. 1415-1492) schilderde op de wanden van het priesterkoor. De fresco's ontstonden tussen 1452 en 1464 en tonen de legende rond de vondst van het ware kruis naar de *legenda aurea* van Jacobus de Voragine, een van de belangrijkste legendenverzamelingen uit de Middeleeuwen. In de kerk van de franciscanen waren afbeeldingen die herinnerden aan de 'Gelijkenis met Christus' van de heilige Franciscus zeer geliefd. In enorme composities verwerkte Piero della Francesca zijn epische interpretatie met verwijzingen naar de politiek: in 1439 werd het concilie tussen kerken uit het oosten en uit het westen verplaatst naar Florence. Voor de weergave van keizer Constantijn nam Piero della Francesca de gelaatstrekken van de Byzantijnse keizer over.

1 Terugkeer van het kruis	9 Nederlaag en
2 Profeet	onthoofding van
3 Profeet	Chosroe
4 Dood van Adam	10 Verkondiging
5 Vondst en onderzoek	11 Droom van Constantijn
van het ware kruis	12 Overwinning van
6 Foltering van de jood	Constantijn op
7 Oprichting van het kruis	Maxentius
8 Salomo en de koningin	
van Scheba	

**Piero della Francesca (ca. 1415-1492),
De droom van Constantijn, 1457-1458**
fresco, 329 x 190 cm

De vernieuwing in de schilderkunst wordt
vooral duidelijk in het fresco van Piero:
'Droom van Constantijn'. Voor de slag

tegen Maxentius verschijnt er een engel
met het kruis aan de slapende keizer: "In
dit teken zult u overwinnen!" In een
droom ervaart keizer Constantijn de boodschap, die de beschouwer als het ware als
natuurschouwspel waarneemt. Zeer suggestief gebruikt Piero het maanlicht in dit

eerste 'nachtstuk' van de Renaissance: het vale, maar krachtige licht legt de nadruk op de keizerlijke tent in de grijze massa van het kampement. Binnen hangt er, net als buiten, een geheimzinnig, schemerig licht. De thesaurier lijkt nog bleker en de wapenuitrustingen van de wachten stralen in een onwerkelijke glans. Met licht alleen verheft Piero de beeldhouwachtige lichamelijkheid tot een andere sfeer.

Piero della Francesca: De vondst en het onderzoek van het ware kruis, 1454-1458
fresco, 356 x 747 cm

In deze dubbele voorstelling zien we aan de linkerkant Helena, de moeder van Constantijn, bij de vondst van het kruis van Jezus en de twee moordenaars in een geploegd veld voor de muur van de stad Jeruzalem. Rechts heeft de keizerin zich met haar gevolg aan de voet van een Minervatempel rond de baar van een dode verzameld, die door de aanraking van het ware kruis weer tot leven wordt gewekt. Piero toont ons hier op een virtuoze manier een van zijn mooiste composities. In een halve cirkel staan de hofdames rond Helena. De jongeling is sterk verkort weergegeven in zijn poging het kruis te zien. De tempel vertoont de stijl van de Renaissance, de omgeving wordt bepaald door het gezicht op de stad en de landelijke omgeving van Arezzo. De plechtigheid van de gebaren komt in het zachte licht en de consequent doordachte structuur van de ruimte het best tot uitdrukking. De gelaatsuitdrukking van de keizerin is gevoelig weergegeven – gespannen door de concentratie tijdens het zoeken, verheugd en met stralende ogen bij het herkennen van het ware kruis.

Pieve di Santa Maria

Deze aan de maagd Maria gewijde parochiekerk is een van de mooiste Romaanse gebouwen in Toscane. Moeilijk terrein en de geweldige afmetingen van de kerk, die meer dan 50 m lang is, zorgden voor vertragingen in de bouw, die tot in de 12e eeuw duurde. Aan het eind van de eeuw was de westgevel voltooid, maar die werd direct weer veranderd, want Lucca had intussen met zijn decoratieve voorgevel voor nieuwe maatstaven gezorgd. Daarom werd in Arezzo een tweede voorgevel van zandsteen ervoor gezet. Boven blinde arcaden in de benedenverdieping verheffen zich drie zuilengalerijen. De voorgevel krijgt een rijke uitstraling door de volheid van de zuilen –waarvan het aantal zich per verdieping van 12 naar 24 tot 32 uitbreidt– en ook door de rijkdom en de veelheid van de zuilenornamentiek en kapiteelvormen. Anders dan bij de kerken in Lucca ontbreekt hier een afsluitende topgevel. Daardoor wordt duidelijk dat deze gevel als sierelement bedoeld is. Vooral mooi uitgewerkt is de decoratie van het portaal: in het midden zien we een 'Hemelvaart van Maria' en in de bogen afbeeldingen van de maanden van het jaar, rechts een 'Doop van Christus' en links wijnranken en druiven. De campanile met de aanschouwelijke bijnaam 'Toren van de honderd gaten' –in werkelijkheid zijn er slechts tachtig vensteropeningen– werd in 1330 voltooid.

Interieur

Ook binnen in de kerk is de onregelmatige plattegrond te herkennen, vermoedelijk heeft dit te maken met het oneffen terrein.

De indeling van de basiliek is helder en de drie schepen zijn voorzien van een open dakconstructie. De opvallend hoge zuilen van het middenschip en de wijde, iets spits toelopende scheibogen, de grote triomfbogen en ook de als overwelving bedoelde viering geven een indruk van gotische wijdte. De dwerggalerij in het koor herhaalt het motief van de zuilen aan de buitenkant. Boven achttien dubbele ramen en één gevelvenster valt het licht in het middenschip. Aan de binnenkant van de voorgevel bevinden zich twee reliëfs met de 'Geboorte van Christus' en de 'Aanbidding van de koningen'.

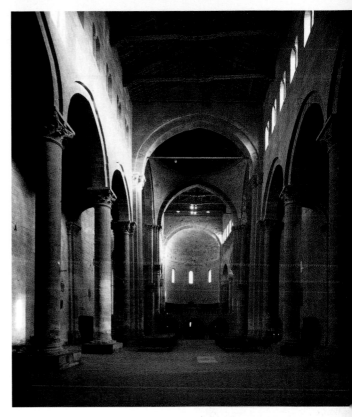

De eerste grote restauratie vond plaats onder Vasari, die de hoofdkoorkapel, de Vasarikapel, in een familiegraf liet veranderen. Daartoe veranderde hij de binnenkant volkomen. De galerij werd verwijderd, een baldakijnachtig altaar geplaatst, de wanden gewit, de bogen werden met dakpannen bedekt en de vensters vergroot. Later werd het gebeente van Vasari naar de Badia overgebracht. Bij een andere restauratie in de 19e eeuw is getracht de vroegere toestand te herstellen en werd de crypte vernieuwd die onder het verhoogde priesterkoor ligt, waar een reliekbuste van de heilige Donatus wordt bewaard.

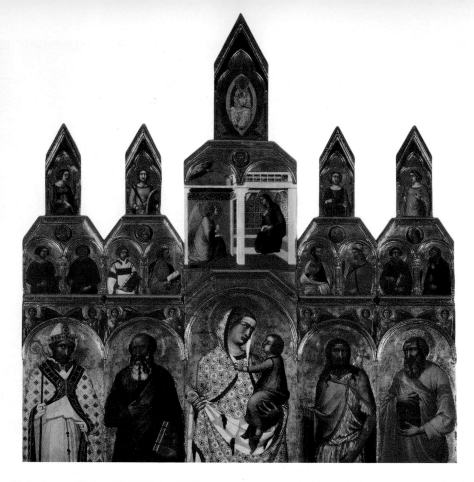

Pietro Lorenzetti (ca. 1280/1290-ca. 1345)
veelluik, ca. 1320
tempera op paneel, 298 x 309 cm

Het belangrijkste kunstwerk in de 'Pieve'
is het Maria-altaar, dat de bisschop van

Arezzo, Guido Tarlati, in 1319 in opdracht
gaf aan Pietro Lorenzetti. Mogelijk gaat het
hier om het vroegst bewaard gebleven
werk van de meester, die als hoofdvertegenwoordiger van de Siënese school van
het Trecento geldt; slechts een paar jaar

later schilderde hij de beroemde fresco's in de benedenkerk van Assisi. In het middelpunt van het vijfvleugelige altaar staat de madonna, die door heiligen is omringd: op de goudgrond glinstert het witte brokaat dat is versierd met patronen met een feestelijke glans. De heldere plooivorming komt overeen met de strenge schoonheid van het gelaat van Maria, die zich liefdevol naar haar zoon wendt. De blik tussen moeder en zoon maakt hun intensieve relatie duidelijk en de intimiteit hiervan wordt nog versterkt door de greep waarmee Jezus het gewaad van zijn moeder vasthoudt. Links ervan zijn de heilige Donatus en Johannes de Evangelist en rechts Mattheus en Johannes de Doper weergegeven, de laatste wijst met zijn duim naar Christus. De dramatische uitdrukking van de gebeitelde figuren van Giovanni Pisano heeft Pietro op een indrukwekkende manier in schilderkunst vertaald. Boven de Moeder Gods is een verkondigingstafereel toegevoegd: de engel en de Maagd bevinden zich in verschillende ruimten met elk een andere dieptewerking. De lichtstraal van de boodschap verbindt beide ruimten.

Reliekbuste van de heilige Donatus, 1346
zilver (verguld)

In de crypte onder het priesterkoor bevindt zich een kostbaar bewerkte reliekbuste van de heilige Donatus, die als bisschop van Arezzo de marteldood stierf. Twee goudsmeden uit Arezzo genaamd Pietro en Paolo maakten dit waardevolle portret van de jeugdige bisschop in verguld zilver, bezet met edelstenen.

Poeta laureatus en gevierd humanist –
Francesco Petrarca

Francesco Petrarca, die in 1302 in Arezzo geboren werd, bracht alleen zijn eerste levensjaren door in Toscane. Na zes jaar brak hij zijn studie rechten in Bologna af en hij ontving de kerkelijke wijding in 1326 in Avignon, waar zijn familie sinds 1311 woonachtig was. Na een periode van onzekerheid koos hij voor een gedisciplineerd leven als humanistisch geleerde. Al snel kreeg hij de steun van de invloedrijke familie Colonna, die hem tot huiskapelaan en vast tafelgenoot benoemde. Door deze relatie kreeg hij tijdens zijn reizen naar de Nederlanden, Duitsland en Italië toegang tot belangrijke privé-bibliotheken.

Tijdens zijn leven gaf Petrarca de voorkeur aan Latijn boven Italiaans, maar hij schreef zijn beroemdste werken, de liefdes- en leergedichten *Canzoniere* en *Trionfi*, in het Toscaans. Daarbij verfijnde hij zijn moedertaal door middel van Latijn en legde samen met Dante en Boccaccio de basis voor een Italiaanse nationale taal. In zijn taalkundige en historische aantekeningen zijn talrijke persoonlijke reisindrukken te lezen – van mooie meisjes in Keulen tot opwindende bibliotheekbezoeken. Vergelijkbaar met de ontwikkelingen in de schilderkunst, waar korte tijd later de dominantie van de goudgrond werd doorbroken, staat Petrarca

met zijn zienswijze in een zekere 'perspectivische' verhouding tot de wereld – als onderwerp van individuele observatie en waarneming. Volkomen nieuw zijn zijn beschrijvingen van natuurervaringen, van het beklimmen van de Mont Ventoux of van de stilte in de Vaucluse – zo waren tot dan toe noch de natuur noch gevoelens verwoord.

Ook de dichtkunst van Petrarca wordt gekenmerkt door een eveneens daarvoor onbekende

Petrarca, Canzoniere sonet nr.264, 1414, verlucht handschrift, Bayerische Staatsbibliothek, cod. it. 81, vol. 195r, München

nadruk op subjectieve ervaring. Dit aspect duidt op moderne en romantische conflicten en maakt Petrarca tot de eerste modern voelende mens maakt. In zijn beroemde gedichtenbundel *Canzoniere*, het dagboek van zijn liefde voor Laura, wijst hij in psychologische beschouwingen op de ontoereikendheid van de mens, op de tweespalt tussen ziel, oneindigheid en eenzaamheid en de samenhang tussen persoonlijke vrijheid en toenemende vereenzaming. De historische identiteit van de geliefden is evenwel omstreden en daarom is het te begrijpen dat zijn vriend Giacomo Colonna al over de taalkundige parallel tussen Laura en de dichterlauwer 'Lauro' struikelde.

Petrarca in de studeerkamer, gekleurde tekening uit De viris illustribus, *eind 14e eeuw, Padua, Hessische Landes- und Hochschulbibliothek, hfd. 101, vol. 1v, Darmstadt*

Piazza Grande

Aan de voet van de Medici-vesting ligt de trapezevormige Piazza Grande. De Piazza is al eeuwen het middelpunt van het dagelijks leven. Nu vinden hier de traditionele ruiterspelen –de *Giostra del Saracino* uit het eind van de 16e eeuw– en de beroemde antiekmarkt plaats. Het plein kreeg zijn aanzien grotendeels in de 13e en 14e eeuw. Houten balkons ordenen, net als in de tijd van ontstaan, de smalle woonhuizen uit de Middeleeuwen. Ook torens en donjons uit de 13e eeuw zijn behouden gebleven; aan de oostkant van het Palazzo Làpoli en in het zuiden het donjon van de familie Còfani.

De laatromaanse apsis van de Pieve Santa Maria, die in de 12e eeuw gebouwd is, domineert de westkant van de Piazza Grande. De grote blinde arcaden en galerijen werden in 1862 vernieuwd, maar komen overeen met de vormen van de westgevel, die in de 13e eeuw voltooid werd en waar de Romaanse campanile boven uitsteekt.

Naast de kerk neemt de trap van het barokke Palazzo del Tribunale –het Paleis van Justitie– de ronde vorm van het koor over en zorgt voor aansluiting bij het niveau van het plein. Bij dit paleis met vijf assen uit de late 18e eeuw sluit het veel smallere Palazzo della Fraternità dei Laici aan. In de voorgevel zijn gotische bouwvormen vermengd met renaissance-elementen. Florentijnse architecten begonnen in 1375-1377 met de bouw voor de charitatieve lekenbroederschap Santa Maria della Misericordia. In 1434 voegde Bernardo Rossellino (1409-1464) op de tweede verdieping de twee aedicula voor de stadspatronen aan weerszijden van de mantelmadonna toe. Terwijl dubbele pilasters en vazenbalusters typische vormen uit de vroege Renaissance zijn, horen de Venetiaanse, opengebroken bogen en het madonnareliëf nog thuis in de Gotiek. Sinds 1460 vult de overstekende arcadenloggia de bovenverdieping van de voorgevel aan, die in 1552 met de enigszins te grote klokkentoren iets verhoogd werd.

Palazzo delle Logge

Aan de noordkant werd naar een ontwerp van Giorgio Vasari het Palazzo delle Logge tussen 1573-1595 voor 'gemeenschappelijk nut' van zijn geboortestad gebouwd. Opvallend aan dit architectonisch late werk van Vasari zijn de verhoudingen. Net als bij het Uffizi doet het gebouw, door het ontbreken van decoratieve elementen, monumentaal aan. Onder de zuilengalerij bevinden zich winkels en bedrijven met een doorgang in het midden en stenen banken aan de zijkant. Op het plein ervoor herinnert de reconstructie van een schandpaal, *Petrone* genaamd, eraan dat hier vroeger misdadigers aan de schandpaal werden geketend.

Palazzo Comunale

Het paleis met zwaluwstaartvormige Ghibellijnse kantelen werd in 1333 in opdracht van de gemeenteraad gebouwd. Uit die tijd stamt ook de toren met een uurwerk uit 1468. Via een binnentuin die door een zuilenrij omzoomd wordt en een renaissancetrap komen we in de raadzaal met fresco's op de eerste verdieping.

Duomo San Donato

In 1277 werd met de bouw van de basiliek begonnen. Het ontbreken van marmerincrustatie en de eenvoud van het complex zonder dwarsbeuk tonen duidelijk de beslissende invloed van de bedelordenarchitectuur.

De kathedraal ontstond in meerdere fasen. Weliswaar was Arezzo al vanaf de late 3e eeuw een bisschopszetel, maar de dom en het bisschoppelijk paleis bevonden zich buiten de stad. Sinds de 12e eeuw probeerde de gemeenteraad de feodale heren en de bisschop binnen de muren gevestigd te krijgen om ze beter te kunnen controleren. Als alternatieve oplossing trokken bisschop en clerus in de 'Pieve'. Tenslotte kon met financiële hulp van paus Gregorius X met de bouw van de nieuwe dom begonnen worden. De nog bestaande, oude dom werd in 1561 door groothertog Cosimo I, tegen de wil van de bevolking, geslecht.

De bouw van de twee westelijke traveeën werd over tweehonderd jaar gespreid. De westelijke gevel in de stijl van de Toscaanse Neogotiek stamt uit 1914 en het opzetstuk van de campanile uit de 19e eeuw werd in 1937 aangebracht.

Duomo San Donato

Andrea della Robbia, Drie-
eenheid met de heiligen Donato
en Bernardo, 1485 1486. De drie-
eenheid wordt vereerd door een
schare engelen en twee
knielende heiligen, terwijl in de
predella Maria met kind door
monniken wordt aanbeden

Guillaume de
Marcillat, gebrand-
schilderd raam
(andere ramen van
Marcillat bevinden
zich in de rechter-
wand van het
middenschip en in
de linkerkoor-
kapel), blz. 301

Zijportaal,
blz. 298

0   20 m

Agostino di Giovanni/Agnolo
di Ventura, grafteken voor
Guido Tarlati, blz. 299

Pierro della Francesca,
heilige Maria Magdalena,
blz. 300

Hoofdaltaar met het grafteken van
de heilige Donatus, tweede helft
14e eeuw. De reliëfs van het rijk
versierde, gemeenschappelijke
werk van kunstenaars uit Florence
en Arezzo laten het leven van de
heilige en gebeurtenissen uit het
leven van Maria zien.

Zijportaal van de dom

Voor de zuidelijke ingang staan twee zuilenstompen van rode porfier uit een Romeins thermencomplex. Naar de middeleeuwse bouwtraditie herinneren ze aan de zuilen Jachin en Boa van de ingestorte tempel van Salomo in Jeruzalem en aan de kracht en bestendigheid van god.

De rijke vormgeving van het portaal van zandsteen uit 1380 wordt verlevendigd door de rijkdom aan gewaden en reliëfs.

Terwijl in de pilasters klassieke elementen verwerkt zijn, is de terracottagroep in het timpaan een voorbeeld van de zogenaamde 'zachte stijl' van de Gotiek rond 1400. In een typerend, plooiend gewaad houdt Maria met gebogen hoofd Christus op de arm, ze wordt omringd door twee bisschoppen: Gregorius X, die de bouw van de dom initieerde en zaligverklaard is, en Donatus, heilige en kerkpatroon. De figuren worden aan Nicolò di Luca Spinelli uit Arezzo toegeschreven.

Agostino di Giovanni (1310-ca. 1347) en Agnolo di Ventura, grafteken voor Guido Tarlati, ca. 1330
marmer

Een van de interessantste beeldhouwwerken in de dom is het grafteken voor Guido Tarlati, dat kort na zijn dood in 1328 werd gemaakt. In de traditie van de Siënese Gotiek ontwierpen Agostino di Giovanni en Agnolo di Ventura het monumentale wandgraf in marmer. Onder de sarcofaag met de figuur van de overledene staat op zestien beeldvlakken –vergelijkbaar met een geschilderd altaarstuk uit het Trecento– het leven van de bisschop.

Tarlati werd in 1312 tot bisschop benoemd en door de burgerij in 1321 tot *signore* gekozen. Onder zijn regentschap behield de stad zijn vrijheid, veroverde talrijke adellijke burchten en beleefde een korte economische bloei. Er zijn krijgshaftige afbeeldingen uit het leven van de succesvolle aanvoerder van de Ghibellijnen en keizerlijk vicaris. Tussen de reliëfs staan bisschopsfiguren die altijd, met kleine variaties, Tarlati voorstellen – het grafteken is als een monument voor een heerser. Zo hebben de tijdgenoten het ook gezien: toen de familie Tarlati in 1341 de macht verloor, werden de hoofden van de beelden afgeslagen; pas aan het eind van de 18e eeuw werden ze door stucwerk vervangen.

De reliëfs tonen gedetailleerd de fasen in het leven van de bisschop. Net als in de schilderkunst uit die periode staan de figuren op een smal beeldvlak voor een landschap.

Piero della Francesca (ca. 1415-1492), heilige Maria Magdalena, ca. 1468
fresco, 190 x 180 cm

Parallel aan het werken aan de fresco's van de legende van het ware kruis in de San Francesco schiep Piero della Francesca rond 1459 de wandschildering van de heilige Maria Magdalena voor het linkerzijschip in de dom. De monumentale figuur, die aan de beelden van Donatella doet denken, onder de indrukwekkende, eenvoudige arcadeboog is bijzonder aantrekkelijk en wordt tot de mooiste vrouwenfiguren van de schilder gerekend.

De plasticiteit en de helderheid van haar uitstraling, die vooral van het strenge, licht blozende gezicht uitgaat, geven de heilige een grootse uitstraling. De gestalte wordt door gelijkmatig, natuurlijk licht omgeven, dat zich verzamelt in de prachtig glanzende zalfpot die ze in haar hand houdt. De grote kleurvlakken –het groen van het gewaad, het rood van de mantel en het wit van de voering– onderstrepen in hun overzichtelijkheid de standbeeldachtige indruk die de figuur maakt. Behalve aan de bewust gebruikte kleuren besteedde Piero ook veel aandacht aan de details, bijvoorbeeld de haren die op de schouder van de heilige liggen. Het is typerend voor Piero della Francesca om de natuurlijke verschijning –lichamelijkheid, perspectief en licht– een dergelijke monumentaliteit te verlenen en tot een bijna mythisch punt –hier door middel van de kristallen zalfpot die oplicht in de weerspiegeling– te verhogen.

Guillaume de Marcillat (1467-1529), gebrandschilderd raam, De roeping van apostel Mattheus, 1520
glasschildering

De cyclus van de gebrandschilderde ramen is een belangrijk voorbeeld van Italiaanse glasschilderkunst uit de Renaissance. De cyclus is te danken aan een glazenier uit de Berry in Frankrijk: Guillaume de Marcillat, de eerste leraar van Giorgio Vasari. Marcillat was bekend geworden door zijn werk voor de pausen Julius II en Leo X in het Vaticaan. Van hem zijn onder andere de fresco's in de gewelven van de eerste drie traveeën in het middenschip.

In de ramen van het zuidelijke rechterzijschip heeft Marcillat gebeurtenissen uit het Evangelie weergegeven. Het eerste raam toont de 'Roeping van Levi tot de apostel Mattheus'. Dan volgen 'Doop van Christus', dat op een schilderij van Piero della Francesca geïnspireerd is, 'Verdrijving van de handelaars uit de tempel', 'Echtbreekster', 'Verrijzenis van Lazarus' en het 'Wonder van Pinksteren' op de voorgevel.

De veelheid van de gebruikte kleuren, hun harmonische verdeling en de heldere, ruimtelijke vormgeving van de architectuur op de achtergrond zijn uniek. De glasblazerijen van de Franse Gotiek hadden een hoog niveau van meesterschap bereikt in het maken van voorstellingen uit gekleurd glas met behulp van vensterlood. Marcillat verbindt deze kunst met de Italiaanse renaissancekunst en bereikt een perfect evenwicht tussen figuren, ruimte en architectuur.

Casa Vasari

Casa Vasari, dat nu als museum en archief dienst doet, is een van de interessantste kunstenaarshuizen van het Maniërisme in Italië. Giorgio Vasari kocht in 1540 het paleis met twee verdiepingen, dat toen nog in aanbouw was, en greep als architect in de bouwplannen in. Als schilder decoreerde hij zelf de belangrijkste ruimten en maakte er door diverse technieken, het gedifferentieerde kleurgebruik en de architectonische geleding een opmerkelijk, illusionistisch geheel van. In de haardkamer schilderde Vasari de levensweg van de kunstenaar, door deugden geleid en onder invloed van de sterren. Klassieke goden staan als planeten de kunst ter zijde. Vrede en welstand zijn voor de uitvoering van de artistieke ideeën en uitvindingen van groot belang, daarom strijdt de 'Deugd' met de grillige 'Fortuna' en stort haar in de diepte.

Museo d'Arte Medievale e Moderne

Luca Signorelli (ca. 1450-1523), madonna met kind en heiligen, ca. 1520
tempera op paneel,
342 x 233 cm

In het elegante, in 1445 gebouwde Palazzo Bruni-

Ciocchi werd in 1958 een museum ingericht, waarin een goed overzicht wordt gegeven van de kunst in Arezzo van de 13e tot de 16e eeuw.

Het altaarpaneel 'Madonna met kind en heiligen' werd rond 1520 geschilderd door Luca Signorelli, die in Cortona geboren is, voor de bijna zeventigjarige broederschap van de heilige Hieronymus in Arezzo – zijn laatst bekende werk. De madonna troont boven de engelen en wordt vergezeld door de stadsheiligen Donatus en Stefanus. Aan hun voeten zit koning David. De heiligen Hieronymus en Nicolaas, die de stichter bij de Moeder Gods aanbevelen, staan naast hem. Boven het tafereel zweeft God de Vader in een krans van engelen. Deze eenvoudige compositie is een voorbeeld van het afbeeldingstype van de *sacra conversazione*, dat in de Renaissance in Italië veel voorkwam. Vaak ging het meer om een aandachtige bijeenkomst, dan om een gesprek (*conversazione*). Complementaire contrasten brengen de decoratieve gewaden tot leven. Giorgio Vasari eindigt zijn hoofdstuk over Signorelli zo: "(…) om te eindigen bij de meester die in het doorgronden van de tekenkunst, namelijk in de weergave van naakte figuren en in de gratie van het verzinnen en indelen van gebeurtenissen, voor de meerderheid van de kunstenaars de weg naar de grootste volmaaktheid geëffend heeft."

Anfiteatro Romano

De belangrijkste getuigenis van de Romeinse tijd in Arezzo zijn de ruïnes van het amfitheater, dat vermoedelijk in de tijd van Hadrianus, begin 2e eeuw v.Chr., op een ellipsvormige plattegrond werd gebouwd. Het enorme complex bood met een lengte van 121 m plaats aan 10.000 personen en was daarmee het grootste theater in Etrurië.

Vanaf de Middeleeuwen tot in de 18e eeuw werd het klassieke marmer voor andere gebouwen gebruikt –zoals de stadsmuur uit de 14e eeuw– totdat Bernardo Tolomei, de stichter van de benedictijner congregatie der Olivetanen, de ruïne in 1363 kocht. Eind 15e eeuw richtten de monniken in een deel van de klassieke tribuneconstructie een klooster in.

Museo Archeologico Mecenato

In 1936 betrok het archeologische museum de ruimten van het benedictijner klooster. Het museum werd genoemd naar de onderzoeker van de klassieke dichters Horatius en Vergilius, Gaius Cilnius Maecenas. Maecenas was een telg uit een Etruskische adellijke familie uit Arezzo. Arezzo heeft aan de vriend en minister van keizer Augustus zijn economische ontwikkeling in de Oudheid te danken.

Voortbouwend op privé-collecties toont het museum vondsten uit de Prehistorie en de Etruskische en Romeinse tijd uit Arezzo en omgeving. Naast enige getuigenissen van de brons-, goud- en glasproductie zijn vooral de Aretijnse vazen een bezienswaardigheid, aarden potten uit het

Santa Maria delle Grazie

In de 15e eeuw werd de Santa Maria delle Grazie als laatgotische zaalkerk gebouwd. De kerk werd buiten de stadsmuren gebouwd op de plek van een aan Apollo gewijd heiligdom, dat vermoedelijk al sinds de Etruskische tijd vereerd werd. De heilige Bernardus van Siena liet de bron, die ook na de kerstening druk bezocht werd, beschermen en gaf Parri di Spinello in 1430 opdracht een 'mantelmadonna' (Ital. *madonna delle grazie*) voor de nieuwgebouwde kerk te schilderen. De ervoor gelegen arcadehal met twee schepen werd eind 15e eeuw toegevoegd. Benedetto da Maiano bouwde de kerk in harmonieuze proporties. Het gehele complex en de decoratieve elementen horen stilistisch tot de vroege Renaissance.

Augustijnse Classicisme van het begin van de 1e eeuw n.Chr., die vanwege hun kleur ook 'koraalvazen' worden genoemd en vaak een werkplaatsstempel dragen.

San Sepolcro

De Porta Fiorentina komt uit in de hoofdstraat van de kleine, dicht bij de grens met
Umbrië gelegen stad Sansepolcro. Deze
straat is de oudste en ook de enige straat
met bochten; alle andere zijn recht.
Volgens de legende dankt de stad zijn
naam 'Sansepolcro' ('heilig graf') aan de
pelgrims die in de 10e eeuw heilige aarde
van het graf van Christus meebrachten. Ze
stichtten in 934 een oratorium voor de
relikwie. Kamaldulenzer monniken ver-
zorgden de heilige plaats, die als de kern
van de plaats geldt. In 1024 werd er een
abdij in Borgo San Sepolcro –zoals de
toenmalige naam luidde– gesticht.
Vanaf 1300 stond de intussen vrije stad
onder verschillende stadsheren totdat de
stad in 1451 door paus Eugenius IV voor
25.000 gouden florijnen aan Florence
werd verkocht. De Florentijnse lelie aan de
Porta Fiorentina getuigt van deze eigen-
domswisseling. De familie De'Medici liet
een vesting bouwen en onder haar heerschappij beleefde de geboortestad van
Piero della Francesca een bescheiden economische bloei. Toen Piero in 1492 in
Sansepolcro werd bijgezet, had het oord
dat door hem als 'gehucht vol modder en
leem' betiteld was, zich tot een aanzienlijk
stadje ontwikkeld.

Porta Fiorentina

Duomo San Giovanni Evangelista

Deze aan Johannes de Evangelist gewijde
abdijkerk, die door de kamaldulensers in
de 11e eeuw werd gesticht, werd tot dom
verheven toen paus Leo X in 1513 Sansepolcro tot bisschopszetel benoemde. Het in
1002 ontstane gebouw werd tussen 1300
en 1350 vernieuwd en onderging vanaf de
late 16e tot het midden van de 19e eeuw
allerlei veranderingen. Tussen 1936 en
1945 werd geprobeerd de kerk van binnen

in de oude staat terug te brengen. De Romaanse structuur is op zijn vroegst nog terug te vinden op de benedenverdieping van de campanile en aan de voorgevel, die door de driedeling overeenkomt met de plattegrond van de basiliek. De middenas wordt beheerst door een mooi, later toegevoegd roosvenster.

Volto Santo, 9e/10e eeuw en ca. 1200
hout, 290 x 271 cm

In de linkerzijkapel bevindt zich de kostbaarste schat van de dom: een meer dan levensgrote crucifix van notenhout, vergelijkbaar met de 'Volto Santo' in Lucca en van hetzelfde streng symmetrische type met een christus in een lang gewaad met lange mouwen en een touw rond zijn middel geknoopt. Net als in Lucca wordt deze crucifix als een wonder vereerd en als 'niet door mensenhanden gemaakt' beschouwd.

De datering van het beeldhouwwerk is omstreden. Veel onderzoekers zijn er van overtuigd dat het werk uit de 10e of misschien zelfs de 9e eeuw stamt, waardoor dit kruis veel ouder zou zijn dan het kruis in Lucca. Een omvangrijke restauratie in 1989 heeft een oude verflaag blootgelegd, die op doek en gips was aangebracht en uit de tijd rond 1200 stamt.

Palazzo Comunale – Museo Civico

Het raadhuis is in het Trecento ontstaan en in de vroege 16e eeuw sterk veranderd. Het huisvest de belangrijkste attractie van Sansepolcro, het Museo Civico. In de collectie zijn werken van de 14e eeuw tot de 16e eeuw te zien: schilderijen van Luca Signorelli en Santi di Tito, die hier in 1536 geboren werd, of terracottareliëfs uit de werkplaats van Della Robbia. Beroemd zijn onder andere de werken van Piero della Francesca, wiens prachtige woonhuis vlakbij ligt. Naast de 'Verrijzenis' moet het veelluik, dat Piero tussen 1445 en 1462 schilderde voor de broederschap Santa

Maria della Misericordia, genoemd worden. De 'Mantelmadonna' die de kunstenaar schilderde, is een indrukwekkende Maria-afbeelding.

Piero della Francesca (ca. 1415-1492), Verrijzenis, ca. 1458
fresco, 225 x 260 cm

De 'Verrijzenis van Christus' schilderde Piero rond 1458 voor de raadszaal van het Palazzo Comunale. De kunstenaar interpreteert hier het thema op zeer persoonlijke wijze: Christus zweeft niet uit het graf omhoog, maar staat zelfbewust en als een standbeeld in het midden van het beeld. Uit de sarcofaag komend, heeft hij een voet op de rand gezet en houdt als wereldheerser een overwinningsvaandel in zijn hand. De natuur op de achtergrond is in twee helften verdeeld: kale bomen aan de ene kant en een groen, vruchtbaar landschap aan de andere kant; dit staat voor de overwinning op de dood. De soldaten voor de sarcofaag worden door de kracht van de verrijzenis verblind, ze bedekken hun ogen, ze worden ondersteboven gesmeten of ze slapen de slaap der ongelovigen. Piero geeft de mensen in zorgvuldig op elkaar afgestemde kleuren en in een natuurlijke perspectief weer. De Christusfiguur daarentegen is aan deze 'natuurlijkheid' ontrukt – hij beheerst de middenas. Grootte en frontaliteit geven hem een majestueuze waardigheid. Het lichte, vale kleurgebruik zorgt ervoor dat hij bovenmenselijk en niet van deze wereld lijkt.

Monterchi

Voor de intussen vernieuwde kapel op het kerkhof van het kleine plaatsje Monterchi schilderde Piero della Francesca een wereldberoemd madonnafresco dat de zwangere Maria voorstelt. Mogelijkerwijs was de begrafenis van zijn moeder op dit kerkhof in 1459 de aanleiding voor de zogenaamde 'Madonna del Parto'. In 1992 is het fresco op linnen overgezet en in de tot museum verbouwde school in het centrum van de plaats te zien. Of het daar blijft of, als vroeger, weer in de kerk bijstand gaat bieden aan zwangere vrouwen, is nog onzeker.

**Piero della Francesca (ca. 1415-1492),
Madonna del Parto, ca. 1455**
fresco, 260 x 203 cm

Door twee engelen wordt de met brokaat bestikte tent, waarvan de binnenkant met hermelijn is afgezet, als een baldakijn geopenend. De voorname pracht lijkt ongepast voor de ernstige, landelijke schoonheid, die met een standbeeldachtige gelatenheid in het midden staat. Ze heeft de ene hand op haar heup en de andere in een voelend gebaar op haar hoogzwangere buik gelegd, die het middelpunt van het

Cimitero

beeld is; haar gewaad vertoont daar een smalle opening. Het is duidelijk dat de kostbaarheden en de enscenering alleen bedoeld zijn voor de verwachte zoon van God. De heel natuurlijk aandoende Maria wordt door de beeldcompositie en het kleurgebruik de bron van de goddelijke bestemming, waarnaar ook de volkomen symmetrie en de in complementaire kleuren geschilderde engelen verwijzen.

De raadselachtige Etrusken

Ruth Strasser

"En nu moeten we ons een volk voorstellen dat de liefde 'flucuthukh' noemt. We hebben slechts vermoedens. Maar het is in ieder geval opwindend om erover te filosoferen.'

Aldous Huxley, *Contrapunt van het leven*.

Met deze literaire fantasie staat Huxley niet alleen: geen ander Europees volk heeft zoveel aanleiding tot speculaties, vermoedens en legendevorming gegeven, werd door zoveel dreigende geheimen omgeven en was zo raadselachtig als het volk van de Etrusken. Griekse schrijvers als Hesiodus (rond 700 v.Chr.) en Herodotus (rond 490 v.Chr.-425/420 v.Chr.) maakten al melding van geïmmigreerde koningszonen als legendarische stamvaders van deze 'Tyrrhenoi', zoals ze door de Grieken werden genoemd. Later werden ze door Romeinse historici verklaard en in de eigen vooroudergalerij opgenomen. Na de herontdekking van de Etruskische kunst in de 18e eeuw ontstond een heel leger van zweverige hobby-Etruskologen, die een veelheid aan theorieën over de herkomst en het ontstaan van dit volk opstelden – en terloops de graven leegroofden. Maar alleen de systematische opgravingen van gebruiks- en cultusvoorwerpen uit de monumentale grafcomplexen van de Etruskische necropolissen kunnen opheldering geven over dit uitgestorven volk en zijn verschillende vormen van nederzettingen, de politieke en sociale ordening, de economische samenhang en de religie, kunst en cultuur. Deze vondsten zijn als stukjes van een enorme puzzel, die door de telkens nieuwe hypothesen steeds weer anders gelegd moet worden.

Het land

Het kerngebied van de klassieke Etrusken kwam in de 8e eeuw v.Chr. grotendeels overeen met het huidige Toscane, een gebied dat in het zuiden door de Tiber en in het noorden door de Arno, in het oosten door de Apennijnen en in het westen door de Tyrrheense zee wordt begrensd. Vanaf de 7e eeuw v.Chr. kwamen de Etrusken over de Apennijnen tot de Po-vlakte in het noorden en tot in Campanië in het zuiden.

De oorsprong

Van de 10e tot de 8e eeuw v.Chr. heerste in het vestigingsgebied van de latere Etrusken de 'Villanova'-cultuur (genoemd naar de plaats Villanova bij Bologna), een overwegend op akkerbouw en veeteelt gerichte groep uit de vroege IJstijd, die in houten en lemen hutten, verenigd in dorpsgemeenschappen, op geïsoleerde, hooggelegen plaatsen in de bergen en op plateaus leefden, die makkelijk te beveiligen waren. In dezelfde tijd hadden zeevaarders uit het Egeïsch gebied zich op Aithalia, het 'met roet zwart gemaakte' eiland dat nu Elba heet, gevestigd. Ze waren op de rijke voorraad ijzererts afgekomen, dat ze wonnen en naar het vasteland vervoerden, waar ze ook de koper- ijzer-, ver- miljoen- en aluminiumvoorraden ontdekten. Een andere factor van de vorming van de Etrusken waren de Griekse kolonisten, die zich in 770 v.Chr. vanuit Euböa in Campa- nië vestigden en handelssteun- punten op Ischia en in Cuma stichtten. Door vermenging van deze groepen ontstond het volk dat zichzelf 'Rasna' of 'Rasenna' noemde, door de Grieken 'Tyrrhe- noi' en door de Romeinen 'Et- ruschi' of 'Tuschi' werd genoemd.

De nederzettingen van de Etrusken in de Oudheid

De staatkundige en maatschappelijke orde

De oorspronkelijk zelfvoorzienen- de en herverdelingseconomie, waarin de goederen in een soort premonetaire ruil eerst centraal verzameld en aansluitend naar behoefte werden verdeeld, diffe- rentieerde zich door de toenemen- de handel. Er ontstond een krach- tige koopmansstand en ook een welgestelde laag van grondbezitters, waaruit later de toon- aangevende Etruskische adel ontstond. Vanaf de 7e eeuw v.Chr. kregen de verspreid liggende nederzettingen het aanzien van een werkelijke stad. In navolging van het toenmalige Grieken- land was Etrurië in twaalf onafhankelijke stad- staten, de twaalfstedenbond (dodekapolis), verdeeld; elke stadstaat werd geleid door een soort priester-koning, de zogenaamde Lukumo- nen, en een uit de patriciërsfamilies gekozen magistraat. Deze steden waren in een los mili- tair verbond verenigd en ontmoetten elkaar tij- dens een jaarlijkse bijeenkomst in het voorjaar bij het Voltumna-heiligdom in Volsinii (Bolsena), waar cultische spelen werden gehouden. Later werd de priester-koning door een jaarlijks gekozen ambtenaar vervangen.

De handel

In het begin ruilden de Etrusken in eigen land hun mijnbouwproducten tegen luxe goederen via buitenlandse, vooral Fenicische kooplieden. Vervolgens, vanaf de late 7e eeuw v.Chr., breidde de handel zich over het hele Middellandse-Zeegebied uit. Etruskische schepen brachten ijzer, ertsderivaten, aluin, kwik, maar ook wijn en olie in amfora's en in bronzen en aardewerkvaten op de meest afgelegen plaatsen en ruilden dit alles voor goud, zilver, barnsteen en ivoor. Pas met de opkomst van de Romeinse provincies in Afrika, Spanje en Gallië werd de verspreiding van de geliefde Etruskische producten afgeremd en hun afzetgebied beperkt tot hun eigen omgeving.

Gesproken en geschreven taal

Met de maatschappelijke veranderingen in de 7e eeuw v.Chr. begonnen de Etrusken schrifttekens te gebruiken. Van de Euboïsche kolonisten in Zuid-Italië namen ze in licht gewijzigde vorm het Griekse alfabet over; eerst werd het alleen als rationeel werktuig gebruikt door de kooplieden, maar met het ontstaan van de stedelijke gemeenschappen werd het schrift ook voor andere mensen toegankelijk. Er werd van alles opgeschreven: openbare gebeurtenissen, gerechtelijke overeenkomsten, lijsten met namen van ambtenaren voor administratieve doeleinden enzovoort. Het schrift is leesbaar; moeilijker is het echter om de gesproken taal te begrijpen. Etruskisch hoort niet tot de Indo-Europese talen en blijkt tot op heden niet verwant met enige, ons bekende taal. Mogelijkerwijs is het –volgens de huidige wetenschap– overblijfsel van een oudere, verloren gegane oertaal uit het Middellandse-Zeegebied. De eenzijdige overlevering bemoeilijkt het begrijpen van de taal, want het onderzoek kan zich alleen richten op de ongeveer 10.000 bewaard gebleven graf-, votief- en persoonlijke inscripties. Bij het onderzoek wordt nu meer waarde aan een analyse van de karakteristieke logica gehecht, omdat de registratie van grammatica-

Cista Ficoroni uit Praeneste, ca. 300 v.Chr., brons, h 53 cm, Museo di Villa Giulia, Rome

le en syntactische functies verhelderender blijkt te zijn dan de uitzichtloze etymologische taalvergelijking.

Metaalverwerking en smeedkunst

Reeds in de 8e en 7e eeuw v.Chr. waren er in Etrurië belangrijke centra van metaalverwerking, Vetulonia, Vulci, Tarquinia en Cerveteri, waar metalen vaten uit koud gehamerd en langs de naden vastgeklonken koper werden gemaakt. Toen de Etruskische goudsmeden in de 6e eeuw v.Chr. konden beschikken over door ruilhandel verkregen en in Etrurië zelf gewonnen goud en zilver en er uit Fenicië en Griekenland nieuwe technieken als filigraan en granuleren en ook verbeterde lasmethoden ingevoerd werden, bereikten ze een artistiek-technisch niveau dat later nooit weer bereikt zou worden. In Etruskische grafcomplexen zijn munten en sieraden gevonden die zijn gegranuleerd met gouden korreltjes van 0,07 mm. In het Museo Etrusco Gregoriano in het Vaticaan bevindt zich de grote fibula uit Cerveteri, waarop 120.000 gouden korreltjes op de gouden ondergrond zijn bevestigd, die slechts puntsgewijs met elkaar verbonden zijn. Parallel ontstonden ook nieuwe giettechnieken, zodat ook monumentale standbeelden zoals de 'Chimaera' uit Arezzo of de 'Redenaar' uit Florence gemaakt konden worden.

De rol van de vrouw

Opvallend in de grafinscripties is het gebruik van de naam en familienaam van de vrouw. Niet alleen in de dood, maar ook tijdens haar

Grote fibula uit Cerveteri, 7e eeuw v.Chr., goud, h 32 cm, Museo Gregoriano Etrusco, Vaticaan

leven speelde de Etruskische een belangrijke rol. Ze was niet 'zedig, thuiszittend en wolspinnend', zoals de Romeinse vrouw, maar nam aan alle activiteiten van de mannen deel: aan sportwedstrijden, toernooien, concert en dans, jachtpartijen en spelen. Ontzet en afwijzend beschrijven Griekse en Romeinse schrijvers de vele vrijheden van de Etruskische vrouw – dat ze ter linkerzijde van de man op de *cline*, de eetbank, liggend zelfs, deelnam aan het bij de Etrusken zo geliefde gastmaal en 'daarbij met andere, vreemde mannen koketteerde, veel dronk en mooi om te zien was.'

Cortona

De geboortestad van schilders Luca Signorelli (rond 1450-1523), Pietro da Cortona (rond 1596-1669) en Gino Severini (1883-1966), een wegbereider van het Italiaanse Futurisme, ligt op de grens met Umbrië, hoog in de bergen met uitzicht op het Chiana-dal, het Meer van Trasimeno en de Monte Amiata. Cortona was de Etruskische stad Curtun. De oude, 2600 m lange stadsmuur uit de 4e eeuw v.Chr. is gedeeltelijk aan de noordkant bewaard gebleven. Gebouwen van donker zandsteen vormen het steil oprijzende, door de Middeleeuwen en de Renaissance bepaalde stadsbeeld. Aan het eind van de 8e eeuw v.Chr. vestigden de Etrusken zich in de bergen die het Chiana- en Tiberdal scheiden – grafvondsten in het archeologisch museum en in de tumulusgraven (*meloni*) in de omgeving getuigen van deze tijd. Net als andere steden in Etrurië sloot Cortona aan het eind van de 4e eeuw v.Chr. een verbond met Rome en werd een Romeinse kolonie. In de 5e eeuw n.Chr. vernielden de Goten de stad. De eerstvolgende berichten in oorkonden vinden we pas weer in de 11e eeuw. Cortona was als vrije gemeente in een strijd met Perugia en de bisschoppen van Arezzo verwikkeld. In 1325 werd de stad een bisschopszetel. In hetzelfde jaar greep de familie Casali de macht en behield deze tot 1409, toen Cor-

Uitzicht over de stad

Uitzicht op de historische binnenstad

tona aan de koning van Napels werd verkocht. Slechts twee jaar later werd de stad opnieuw tegen een hoge som aan Florence overgedaan. In 1538 tenslotte werd Cortona bij het hertogdom Toscane ingelijfd. De De'Medici's toonden hun heerschappij met de bouw van een enorme vesting op de heuvel van de klassieke akropolis.

Cortona

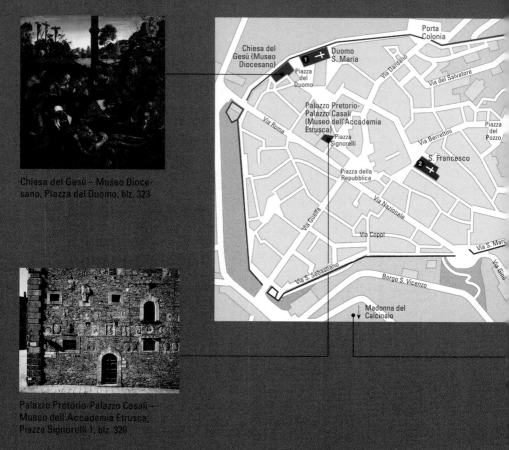

Chiesa del Gesù – Museo Diocesano, Piazza del Duomo, blz. 323

Palazzo Pretorio-Palazzo Casali – Museo dell'Accademia Etrusca, Piazza Signorelli 1, blz. 320

Map labels:

Porta Colonia

Chiesa del Gesù (Museo Diocesano)

Piazza del Duomo

Duomo S. Maria

Via Dardano

Via del Salvatore

Palazzo Pretorio-Palazzo Casali (Museo dell'Accademia Etrusca)

Via Roma

Piazza Signorelli

Piazza del Pozzo

Via Berrettini

S. Francesco

Piazza della Repubblica

Via Guelfa

Via Nazionale

Via Coppi

Via S. Marc

Via Ghib

Via S. Sebastiano

Borgo S. Vicenzo

Madonna del Calcinaio

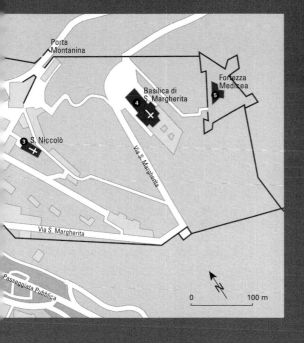

Porta
Montanina

Basilica di
S. Margherita

4

Fortezza
Medicea

5

3 S. Niccolò

Via S. Margherita

Via S. Margherita

Passeggiata Pubblica

0   100 m

N

Madonna del Calcinaio, blz. 325

Andere bezienswaardigheden
(niet in het boek besproken):

1 Duomo S. Maria, Piazza del Duomo

2 S. Francesco, Via Berretini

3 S. Niccolò, Via S. Niccolò

4 Basilica di S. Margherita, Piazza
   S. Margherita

5 Fortezza Medicea

parcheggio P→

Palazzo Pretorio/Palazzo Casali/Museo dell'Accademia Etrusca

Aan de Piazza Signorelli liet de familie Casali in de 13e eeuw haar residentie bouwen. Later werd dit gebouw het Palazzo Pretorio en de zetel van de Florentijnse stadhouder – de wapens sieren nog altijd het metselwerk. Tot het begin van de 16e eeuw had Luca Signorelli hier zijn schil-

derswerkplaats en 250 jaar later werd het de zetel van de gerenommeerde 'Accademia Etrusca' met leden als Montesquieu en Voltaire. Het museum toont belangrijke vondsten uit de Romeinse en Etruskische tijd.

Etruskische kroonluchter, 5e eeuw v.Chr.
brons, ø 60 cm

Pronkstuk van het museum is de bronzen kroonluchter uit de tweede helft van de 5e eeuw v.Chr. met een diameter van 58 cm

Acheloüs, de Griekse riviergod, zweven tussen de schalen en sluiten op die manier de buitenste cirkel.

Etruskische urn, 2e eeuw v.Chr.
albast, h 46 cm

De dekselfiguur van de albasten urn toont de dode –helaas is het hoofd niet bewaard gebleven– in een typische, halfopgerichte houding op een *cline*, het gebruikelijke ligbed voor het nuttigen van een feestmaal, met *patera* en krans. Het reliëftafereel herinnert aan de Etruskische slag tegen de Kelten.

en een gewicht van bijna 60 kg. Om de conisch toelopende kroonluchter zit een grote schaal, die door middel van buizen met zestien kleine schalen is verbonden. In de kroonluchter werd olijfolie gedaan, die in de middelste schaal werd gegoten en vanwaaruit de andere schalen dan weer van olie werden voorzien. Opvallend is de concentrisch geordende versiering aan de onderkant van de in één stuk gegoten luchter: in het ingedeukte midden wordt het hoofd van een Gorgoon omgeven door slangen, leeuwen, chimaera's en andere dieren. De sluiting wordt gevormd door acht dolfijnen. De welving wordt bezet door acht naakte silenen, die afwisselend op een syrinx of een fluit blazen en door sirenen in fijngeplooide gewaden worden begeleid. De gevleugelde fabelwezens en de silenen hebben in de Etruskische grafkunst vaak de taak voor de doden te musiceren tijdens de reis.

Boven de koppen van de fabeldieren staan vuurschalen op consoles die met palmetten versierd zijn. Bebaarde koppen van

Chiesa del Gesù / Museo Diocesano

In het voormalige Chiesa del Gesù, tegenover de dom van Cortona gelegen, is het Museo Diocesano ingericht. Hier bevinden zich –behalve de 'Bewening van Christus' van Luca Signorelli– nog andere belangrijke werken van schilders uit Cortona, onder wie Pietro Lorenzetti en Fra Angelico.

Luca Signorelli (ca. 1450-1523), Bewening van Christus, 1502
tempera op paneel, 270 x 240 cm

Giorgio Vasari schreef in zijn kunstenaarslevensbeschrijving dat de oudste zoon en medewerker van Signorelli in de zomer van het jaar 1502 aan de pest was gestorven, kort nadat zijn andere zoon bij twisten om het leven was gekomen. Ondanks het grote verdriet over deze ongekend grote rampspoed zou de toen 52-jarige Luca hebben bevolen het lijk te ontkleden. Vervolgens schilderde hij –volgens Vasari– "heel kalm en zonder een traan te laten zijn beeltenis, om dankzij het werk van zijn handen te allen tijde te kunnen kijken naar dat wat de natuur hem geschonken en het vijandige noodlot hem ontnomen had".

Het lichaam van de dode Christus is zo realistisch weergegeven, dat het nauwelijks te overtreffen is. De rond het lijk gegroepeerde personen en hun psychologische stemming zijn met veel invoelingsvermogen gekarakteriseerd. De emoties zijn wisselend: droefenis en vertwijfeling, angstige ontsteltenis en vertwijfelde verwondering. Het altaarstuk, dat voor de Santa Maria in Cortona is geschilderd, is voorzien van verhalende details, taferelen van de kruisiging en de verrijzenis en een mooi pittoresk landschap met een meer op de achtergrond.

Fra Angelico (ca. 1397-1455), Verkondiging, ca. 1432-1433
tempera in goud op paneel, 154 x 194 cm
(afbeelding op de volgende bladzijde)

In een open loggia ontmoet de engel Maria. Breekbaar en met toegewijde blik ontvangt de Maagd de boodschap van het goudglanzende, hemelse wezen. De dialoog tussen beiden verschijnt in gouden letters. Interessant is dat het antwoord van Maria op de kop staat om zo de leesrichting aan te duiden.

Het bloeiende 'paradijstuintje' dat de renaissanceloggia omgeeft en de perspectivisch weergegeven architectuur leiden de blik van de aanschouwer naar de achtergrond. Daar is voor de donkere, nachtelijke hemel de 'Verdrijving uit het paradijs' te zien. Fra Angelico verbeeldt zo de inhoudelijke relatie tussen beide gebeurtenissen: niet eerder dan de geboorte en de offerdood van Christus is er verlossing van de zonde mogelijk.

Op de predella staan de belangrijkste fasen uit het leven van Maria: 'Geboorte', 'Huwelijk', 'Bezoeking', 'Aanbidding van de koningen', 'Aanbieding in de tempel' en de 'Dood van Maria'. In het laatste werk verschijnt Maria aan de heilige Dominicus.

De miniatuurachtige voorstellingen maken ook hier het meesterschap van Fra Angelico duidelijk: elegant bewegende figuren verlevendigen het in de diepte verdwijnende landschap en de fragiele, in perspectief geschilderde architectuur.

Madonna del Calcinaio

De belangrijkste kerk van Cortona ontstond buiten de stad aan een rivier waar de schoenmakers hun leer looiden. In het voorjaar van 1484 vonden ze aan de buitenkant van een gemetselde bak van een leerlooier waar kalk in aangemaakt werd (*calcinaio*) een Mariabeeld dat wonderen verrichtte. De kerk dankt zijn naam aan dit beeld, dat nu in de tabernakel boven het hoofdaltaar is geplaatst. Door persoonlijke bemoeienis van schilder Luca Signorelli kreeg diens vriend, Francesco di Giorgio Martini, een architect uit Siena, in 1502 de opdracht voor het ontwerp van de verbouwing. Het complex werd tussen 1485 en 1490 gesticht. Later volgden de koepel (1509) en de voltooiing van het hoofdportaal (1543).

De eenschepige koepelbouw met de vorm van een Latijns kruis verbindt de centraalbouw uit de Renaissance met een basiliekachtig langschip. De harmonische proporties en de terughoudende vormen, waarbij van aanvullende decoratie geheel werd afgezien, zijn wonderschoon. Vlakke pilasters en kroonlijsten ordenen het gebouw aan de buitenkant. Ronde vensters in de voorgevel en vensters in de vorm van een aedicula zorgen voor een levendig accent. Het gebouw van baksteen wordt bekroond door de octogonale koepel boven een opvallend hoge tamboer.

Ook binnen wordt de ruimte geordend door architectonische elementen. Licht gestucte muren contrasteren met de grijze steen van de pilasters, kroonlijsten en topgevel. De verbinding van de vierkante ruimte met de ronding van het tongewelf krijgt op deze manier veel nadruk. Opvallend is de uit gemetselde bogen bestaande dakconstructie. Met zijn heldere, bouwkundige structuur sluit de kerk aan bij de sacrale gebouwen van Brunelleschi en wordt zo een van de voorbeelden voor de door Antonio da Sangallo ontworpen kerk San Biagio in Montepulciano.

Siena

Siena

Op drie heuvels –vandaar de verdeling in *terzi*, drie stadsdelen– ligt het uit baksteen opgetrokken Siena. Als een pijl priemt de toren van het gemeentehuis omhoog tussen de heuvels, met hun wirwar van oranje huizen en steil oplopende straatjes. In contrast daarmee staat de zwart-witgestreepte dom van marmer breed en majestueus op de hoogste heuvel.

Over het ontstaan van de stad doen meerdere verhalen de ronde. Zo zou de naam zijn afgeleid van een Etruskische patriciërsfamilie met de naam 'Seina'. Volgens een andere overlevering zouden Senius en Aschius gevlucht zijn voor hun oom Romulus, omdat hij hun vader Remus zou hebben vermoord. De een reed met een witte, de ander met een zwarte paardendeken; daaruit ontstond het zwart-witte wapen van Siena, de 'Balzana'. De tweeling zou zich op twee heuvels hebben gevestigd en uit de naam van de oudste, Senius, ontstond 'Siena'. Ze hadden ook hun moeder en pleegmoeder van hun voorvaders, de Romeinse wolvin, meegenomen, en maakten haar tot symbool van hun nederzetting. Op veel plaatsen in de stad zien we dan ook 'la lupa', de wolvin, als dier in het stadswapen.

Zeker is dat de heuvels al in de Etruskische en Romeinse tijd bewoond waren. Sinds 313 bevond zich hier een bisschopszetel,

Gezicht op de stad met de dom

maar het gotische stadsbeeld kwam pas in de late Middeleeuwen. 'Figlia della strada' (dochter van de straat) werd Siena genoemd en aan de noordelijke stadspoort, de Porta Camollia, staat: "Cor magis tibi Sena pandit" – "Verder (dan deze poort) opent Siena voor u haar hart." Beide verwijzen naar de geografische positie aan de middeleeuwse Via Francigena, die door de stad liep en waarlangs het levendige handelsverkeer tussen Noord-Europa en de Oriënt de stad rijkdom bracht.

De stad breidde zich uit en werd met de verkiezing van een consul vanaf het midden van de 12e eeuw een 'vrije gemeente'. Het financiële monopolie lag in handen van enkele invloedrijke Siënese families die het bankwezen stichtten en in de daaropvolgende periode filialen in het buitenland openden. Vanwege deze macht en de privileges van de Hohenstaufen-keizer

Guido da Siena, Madonna met kind, 1262, olie op hout, 142 x 100 cm, Pinacoteca Nazionale

groeide de rivaliteit met Florence, waarbij ook de leiding over het omliggende land een strijdpunt was. Aan beide kanten werden talrijke vestingen aangelegd. Na de dood van keizer Frederik II kwam het op 4 september 1260 op de heuvel Montaperti ten oosten van Siena tot de beroemde slag. Hoewel het leger van de Florentijnse Welfen veel groter was, wonnen de Siënese Ghibellijnen, met steun van de keizergezinde steden Pisa en Cortona en Duitse ruiters die door de zoon van Frederik II, koning Manfred, gestuurd waren. Deze overwinning werd een legende: kort voor het begin van de slag zou de Siënese burgemeester Bonaguida de bevolking hebben opgeroepen een processie te houden ter ere van de moeder Gods en haar, voor haar standbeeld op het hoofdaltaar in de dom, met een symbolisch gebaar de sleutels van de stad toevertrouwd hebben. Na de overwinning dankten de Siënesen de maagd Maria, verhieven haar tot stadspatrones en verklaarden de stad tot een 'civitas virginis', een onder de bescherming van de moeder Gods staande gemeente. Sinds 1262 branden de Siënesen daarom dag en nacht kaarsen in de votiefkapel van de moeder Gods in de dom. Deze bijzondere Maria-ver-

ering verklaart waarom er zoveel Maria-afbeeldingen in de Siënese schilderkunst zijn en vormt de oorsprong van de 'Palio'. Het doel van deze ruiterwedstrijd, die tweemaal per jaar wordt gehouden, is het verkrijgen van de *palio*, de vlag met een afbeelding van Maria.

Halverwege de 14e eeuw kwam de leidende koopmanslaag aan de macht. Er volgden meerdere machtswisselingen, totdat in 1555, na een verwoestende belegering, de resterende 8000 inwoners van Siena zich overgaven aan Cosimo I de'Medici en de met hem verbonden troepen van Philips II. De stad werd daarmee onderdeel van het groothertogdom Toscane.

Giovanni di Turino, 'Wolvin', 1429, brons (verguld), Palazzo Pubblico, Siena

Catharina van Siena:
mystica – politica – heilige

Slechts de dood van haar tweelingzusje tijdens hun geboorte in 1347 duidde erop dat Catharina, 24e kind van de Siënese verfmeester Jacopo Benincasa en zijn vrouw Lapa, heel bijzonder zou worden. De moeder, een levendige, strenge vrouw, heeft alleen dit ene meisje borstvoeding gegeven en had daarom een speciale band met haar, vertellen de kroniekschrijvers. Tijdens de pestepidemie in 1348 stierven de oudere zuster Niccolucia en haar man. Hun elfjarige zoon Tommaso della Fonta werd na de dood van zijn ouders in huize Benincasa opgenomen. Catharina's 'grote broer' trad nauwelijks tien jaar later toe tot de dominicaner orde en werd haar eerste biechtvader.

Het meisje werd door haar ouders rechtlijnig en vroom opgevoed; ze groeide op net als andere kinderen van haar tijd. Toen Catharina tien jaar oud was, begonnen de moeder en de oudste zuster haar, zoals gebruikelijk, op het huwelijk voor te bereiden. Ze moest zich mooi maken, het haar bleken en aan het maatschappelijke leven deelnemen.

Maar al een paar jaar eerder –ze was juist zeven geworden– had ze op een andere manier van zich doen spreken. Een visioen waarin Christus boven de San Domenico aan haar verscheen, deed Catharina als vastgenageld stil-

Ercole Ferrata, Heilige Catharina, ca. 1660, marmer, dom, Cappella Chigi, Siena

staan. Vanaf dat moment, in een nog kinderlijk besef van een roeping, zou haar houding zich gewijzigd hebben. Het meisje nam zich plechtig voor haar maagdelijkheid te bewaren, zocht de eenzaamheid van stille plekjes, wilde de stad voor een leven in de woestijn verlaten en trok steeds weer de aandacht met haar gedrag. Ondanks alle vermaningen en stevige represailles toonde Catharina een consequente houding van stil gebed, meditatie en openbare belijdenis. Ze knipte haar haar af en uiteindelijk gaven haar ouders aan haar tce. In 1362 trad Catharina toe tot de naar de ordemantel 'Mantellatinen' genoemde congregatie van de dominicaner orde. Deze groep zusters bestond uit gehuwde en ongehuwde vrouwen die als leken thuis leefden en werkzaam waren in de zielzorg en ziekenverpleging.

De vijftienjarige richtte een nu nog bestaande cel in haar ouderlijk huis in die ze alleen voor het bijwonen van diensten en gebeden verliet. Ze leefde ascetisch, kastijdde haar lichaam en at, dronk en sliep bijna niet meer. Terugkerende visioenen noopten haar ten slotte toch 'de wereld in te gaan'. Ze begon armen en melaatsen te verplegen en wijdde zich steeds meer aan het preken.

Het charismatische meisje trok de mensen in Siena aan. Weldra vormde zich een *famiglia*, een geestelijke familie van volksvrouwen en -meisjes, maar ook jonge adellijke meisjes sloten zich bij haar aan. In 1370, 23 jaar oud, deed Catharina de beslissende stap en trad definitief toe tot de dominicaner orde.

De verwondering over het werk van deze vrouw uit Siena was groot, maar riep ook argwaan en afgunst op. In 1374 verdedigde ze zich

Domenico Beccafumi, Het mystieke huwelijk van de heilige Catharina (detail), ca. 1528, olieverf op paneel, 345,5 x 255,5 cm, Collezione Chigi Saracini, Siena

voor het kapittel van de orde in Florence. Toen haar naam tot over de grenzen van de stad bekend werd, werd ze gesprekspartner van geestelijken, raadgeefster van de paus, voorspreekster en maanster.

Zelf was ze het schrijven nauwelijks machtig, en daarom dicteerde ze haar brieven en preken aan geestelijken, die haar tegelijkertijd bijstonden tijdens gesprekken met de paus, omdat hij het Toscaans niet verstond en Catharina geen woord Latijn sprak.

Steeds meer stegen haar werkzaamheden uit boven zielzorg, bekering en preken en bemoeide ze zich met politieke kwesties. Ze kwam erom bekend te staan dat ze in geloofskwesties een juist oordeel kon vellen. Deze reputatie breidde zich buiten haar geboortestreek uit; ze was het religieuze geweten van haar tijd geworden. Daarbij stonden Catharina drie doelen voor ogen: de terugkeer van de paus van Avignon naar Rome, het begin van een kruistocht en de reformatie van de kerk. Deze doelen waren voor haar met elkaar verbonden. Alleen door de herinname van de heilige stoel in Rome, de herovering van de christelijke plaatsen in het heilige land en de vernieuwing van de kerkelijke structuren kon Italië vrede gebracht worden.

In 380 overgeleverde brieven wendt de *popolana*, het 'kind van het volk', zich tot vrienden, gelijken en de machtigen der wereld. Ze spreekt hen vrijmoedig toe, alsof ze hen persoonlijk kent.

In 1376 luidt haar boodschap aan paus Gregorius XI in een brief die ze naar Avignon stuurde: "Ach, wat moeten we ons schamen wanneer degene die een voorbeeld van vrijwillige armoede moet zijn en die de goederen van de kerk onder de armen moet verdelen, zich omringt met kostbaarheden en zwelgt in pracht en ijdelheid." Ook de andere voorwaarden voor vrede noemt ze: "Uw terugkeer en de ontplooiing van het vaandel van de kruistocht. Luister niet naar de duivelse raadgevers die het heilige en goede werk willen verhinderen. Vrees niet, maar wees moedig!"

Net zo openhartig uitte Catharina haar kritiek op staatszaken. Aan de ijdele koningin Johanna van Napels schreef ze: "Het kwade, dat in uzelf zit, zult u op uw onderdanen overbrengen. (...) Wanneer u nu niet bereid bent u om uw eigen heil te bekommeren, bekommer u dan in elk geval om het heil van degenen die aan u zijn toevertrouwd." Catharina nam de christelijke overtuiging serieus dat ook de wereldlijke bestuurders, aan wie het ambt door god gegeven was, verantwoording hadden af te leggen. Zo schreef ze aan koning Karel V van Frankrijk: "Hebt u er nooit aan gedacht hoeveel kwaad u doet door niet al het goede te doen wat in uw vermogen ligt?"

Catharina liet zich leiden door de stelregel: wie zichzelf niet kan beheersen, kan niet over een ander heersen. Ze was overtuigd van de kracht van de liefde. Toen ze 33 jaar oud in Rome stierf, was de paus weliswaar weer in Italië, maar leefden Kerk en land in onvrede. Als raadgeefster, zielzorgster en bemiddelaarster had ze de mensen onvermoeibaar wakker trachten te schudden. Haar tijdgenoten konden zich niet aan het onvoorwaardelijke van haar boodschap onttrekken. Catharina werd begraven in de Santa Maria sopra Minerva in Rome, in 1461 door paus Pius II heilig verklaard, in 1866 tot schutspatrones van Rome en in 1939 tot patrones van Italië benoemd. In 1970 werd ze door paus Paulus VI tot 'Doctor ecclesiae' verheven.

Sodoma, Onmacht van de heilige Catharina (detail), 1526, fresco, Cappella di Santa Caterina, S. Domenico, Siena

Fonte Branda

De vijf belangrijkste putten van de stad zijn als vestingen gebouwd: het kostbare vocht moest in het waterarme Siena beschermd worden. De onder een steile rots liggende Fonte Branda is een van de oudste en mooiste stedelijke putten. Al in 1100 werd hier water gehaald, maar pas halverwege de 13e eeuw kreeg de put het huidige, op de gotische vormen van het gemeentehuis geïnspireerde aanzien. Drie grote spitsboogarcaden openen de van kantelen voorziene bakstenen gevel. In het gebied rond de put woonden vroeger de ververs, leerlooiers en wolhekelaars van de stad.

San Domenico

Boven de Fonte Branda verrijst het imponerende bakstenen gebouw van de San Domenico, dat architectonisch heel bekwaam aan het verschil in hoogte van het rotsplateau werd aangepast. Vooral opvallend is de hoge koorkapel. Toen halverwege de 13e eeuw de bedelorden zich op de hellingen rond het stadscentrum vestigden, werd met de bouw van een eenvoudige zaalkerk begonnen. De San Domenico kreeg zijn huidige afmetingen begin 14e eeuw. Enorme steunconstructies bleken nodig te zijn voor de nieuwbouw met het grote middenschip; zo ontstond een uitgestrekte, van gewelven voorziene onderkerk. Het geheel kreeg, overeenkomstig de cistercienzer bouwtraditie, een rechte koorafsluiting en werd slechts spaarzaam gedecoreerd. Ondanks de grote eenvoud in materiaal en uiterlijk is de kerk indrukwekkend door zijn grootte.

Interieur

Het schip is overdekt met een open dakstoel en naar het oosten door een ver uitstekende dwarsbeuk en een vierkant hoofdkoor met telkens drie zijkapellen afgesloten. De gekleurde glas-in-loodvensters zijn schenkingen uit de 20e eeuw. In de rechterkoorkapel bevinden zich veel graven en gedenkstenen van

Duitse studenten, die tijdens de pestepidemieën in de 16e en 17e eeuw in Siena studeerden en hier gestorven zijn. Aan de wanden van het middenschip, net als aan de koorkapellen, hangen belangrijke schilderijen die door Siënese schilders als Matteo di Giovanni, de Siënese architect van de dom Francesco di Giorgio Martini (1429-1501) en door Rutilio Manetti tussen de 15e en de 17e eeuw werden geschilderd.

De kerk is nauw verbonden met het leven van de heilige Catharina. In de Cappella delle Volte, die rechts van de ingang ligt en van kruisribgewelven is voorzien, is aan de voorzijde de oudste en enige tijdens het leven van de heilige gemaakte afbeelding. Het fresco van 1370-1380 dat haar als 'mantellatin' in de kleding van de dominicanen en met een lelie weergeeft, is geschilderd door een vriend van Catharina, Andrea Vanni (rond 1322-1413).

Siena

Fonte Branda, Via di
Fontebranda,
blz. 352

S. Domenico, Piazza
S.Domenico, blz. 336

Fonte Gaia, Piazza del Campo,
blz. 352

Piazza del Campo, Piazza del
Campo, blz. 346

Duomo S. Maria Assunta,
Piazza del Duomo, blz. 364

Battistero, Piazza San
Giovanni, blz. 376

Ospedale S. Maria della Scala,
Piazza del Duomo blz. 363

BE̅ ̃I ·SC̅A·TVI·NICOLAI·SVSCIPE·CVRAM·OKTERINA

Cappella di Santa Caterina

Sodoma (1477-1549), Extase van de heilige Catharina (detail), 1526
fresco

In het midden van de kerk bevindt zich rechts de kapel van de heilige Catharina, die tussen 1460 en 1488 aan de voorkant van de oude sacristie werd ingericht om plaats te bieden aan de relikwie van de heilige die door haar vertrouweling en biechtvader Raimondo di Capua in 1383 heimelijk van Rome naar Siena was gebracht. In een renaissancetabernakel van verguld marmer is een moderne reliekhouder met het hoofd van de heilige opgeborgen.

De wanden van de kapel zijn met scènes uit het leven van de heilige Catharina gedecoreerd en vormen een hoofdwerk van Sodoma. Op de achterwand bevinden zich de schilderingen de 'Extase' en de 'Onmacht', op de linkerwand zien we hoe Catharina de terdoodveroordeelde Niccolò di Tuldo bij de uitvoering van de straf troost schenkt. De rechterwand toont de genezing van een bezetene door het ingrijpen van Catharina, in 1593 geschilderd door Francesco Vanni. Ook van Sodoma zijn de heiligen Lucas en Hiëronymus in de ingangsboog van de kapel. De harmonieuze en genuanceerde compositie van de 'Extase van de heilige Catharina' bekoort door de pathetische houding en de zinnelijke trekken van de afgebeelde heilige. De

bevallige en tegelijkertijd krachtige vrouwen lijken geheel ontspannen.

Op de achtergrond vermengen invloeden van Leonardo, in het in *sfumato* vervagende landschap, zich met Romeinse architectuurvoorbeelden in de stijl van Bramante.

Palazzo Salimbeni

Het drie verdiepingen hoge paleis is een typisch voorbeeld van Siënese paleisarchitectuur in het Trecento en toont een gesloten, weerbaar karakter. Op de begane grond bevindt zich een gotische poort onder een zogenaamde 'Siënese boog'. Daarnaast ordenen –net als op de bovenverdieping– eenvoudige rondboogvensters de voorgevel. Alleen de *piano nobile* is versierd met tweelingvensters, voorzien van maaswerk. Het paleis is sinds 1472 de zetel van de oudste bank van Europa, de Monte dei Paschi di Siena, voortgekomen uit een openbare kredietvereniging.

Palazzo Tolomei

Het slanke, goed geproportioneerde Palazzo Tolomei werd in 1205 gebouwd door de voorouders van Bernardo Tolomei, die in 1319 de olivetanenorde stichtte. Al in de tweede helft van de 13e eeuw werd het paleis vernieuwd.

De benedenverdieping met de grote poort in het midden doet weerbaar aan. Van de oorspronkelijke overkapping getuigen nog de bewaard gebleven consoles boven de later toegevoegde zijportalen. Daarboven rijzen de met vijf assen symmetrisch aangelegde middenverdieping en de lage bovenverdieping op. Opvallend zijn de mooie, regelmatige tweelingvensters met het fijngelede maaswerk.

Loggia della Mercanzia

Boven aan de Piazza del Campo kruisten in de Middeleeuwen twee wegen elkaar: de van de noordelijke poort (de Porta Camollia) komende weg Via Francigena, die naar de zuidelijke poort (de Porta Romana) liep, en een andere, naar de domheuvel in het westen leidende hoofdstraat. Op deze plaats, Croce del Travaglio, waar de kruisingslijnen een Y vormen en waar vroeger het gerecht van de kooplieden lag, liet de gemeenteraad de Loggia della Mercanzia bouwen. De bouw van de open gildehal startte in 1417 en werd in 1444 voltooid – de bovenverdieping werd in de 17e eeuw toegevoegd. Op de drempel van de Gotiek naar de Renaissance namen de architecten de Loggia dei Lanzi in Florence tot voorbeeld. De 15e eeuwse heiligenbeelden uit de werkplaats van de Siënese schilders en beeldhouwers Vecchietta en Antonio Federighi, bedoeld voor ondiepe nissen, bezetten, net als bij het gemeentehuis, de pijlers. De heiligen Petrus en Paulus, Victor en Ansanus zijn stadspatronen. Ze horen bij een allegorisch programma van de 'Goede regering'. Met een gebed 'in het voorbijgaan' hoopte men op hun bijstand bij de afwikkeling van handelsondernemingen. Antieke helden van Antonio Federighi op de banken van marmer, elegant stucwerk en in fresco uitgevoerde kardinale deugden in het gewelf completeren de decoratie, die bedoeld is als een voortdurende waarschuwing.

Piazza del Campo

'Il Campo', zoals hij kortweg door de Siënesen wordt genoemd, is een van de indrukwekkendste middeleeuwse pleinen van Italië. Het in de ovale vorm van een antiek theater en in de kom van een dal aangelegde plein, dat door verlenging via het marktplein achter het stadhuis doorliep naar het open veld en eenvoudigweg 'Campo' (*campo* betekent 'veld') werd genoemd, verbindt sinds de 13e eeuw de heuvels van Siena met elkaar.

In 1347 kreeg de piazza zijn karakteristieke plaveisel. Het warme rood van de bakstenen contrasteert met de lichte stroken travertijn die het plein vanaf de laagste plek bij het Palazzo Pubblico straalvormig in negen segmenten verdelen, ter herinnering aan de regering van de Siënese gilden, die van 1287 tot 1355 stabiliteit bracht. De zetel van de 'Regering van negen' werd zo symbolisch met het plein en de stad verbonden. Sinds 1297 hebben rigoureuze bouwplannen voor een uniform aanzien van het plein gezorgd, waar later niet altijd rekening mee werd gehouden. Langs elf straten en stegen kon de bevolking het plein opstromen wanneer de grote klok van de Mangia-toren luidde om de verordeningen van de regering aan te horen of, zoals in 1260, de overwinning op Florence te vieren. Hier preekte in de 15e eeuw de heilige Bernardus tegen de burgeroorlog en hier keren jaarlijks met de traditionele Palio de Middeleeuwen terug.

Van wedrennen, gemaskerde optochten, pracht en praal – Palio en andere feesten

Twee keer per jaar steken vrouwen, mannen en kinderen uit alle lagen van de bevolking ter ere van de Palio, het beroemdste traditionele feest van Toscane, zich in de kostuums met de emblemen van hun *contrada* ('stadswijk'). De toeschouwers worden verdeeld in vreemden en *contradiale*. Kleine keramiektegeltjes met de wapens en kleuren van de contrada zijn in de straten en aan de huizen te zien en maken de bezoeker duidelijk in welke wijk hij zich bevindt. De huidige zeventien contrada hebben zich in de loop der eeuwen uit middeleeuwse verdedigings- en leefgemeenschappen rond woontorens en paleizen ontwikkeld.

Ook na het eind van de vrije republiek vervulden de contrada een belangrijke functie. De

Feestelijk gedekte tafels staan klaar aan de vooravond van de Palio

bewoners wisten zich van oudsher verbonden door een bijzonder saamhorigheids- en gemeenschapsgevoel. Hun vertegenwoordigers kwamen met wetsvoorstellen, benoemden de gildevoorzitters, lieten straten aanleggen en organiseerden het leven in de wijk. Nu nog heeft elke contrada zijn eigen kerk, een buurthuis, een klein museum en een eigen put, waarin pasgeborenen worden gedoopt.

Tweejaarlijks worden in elke contrada in totaal veertig honoraire vertegenwoordigers gekozen, die worden voorgezeten door een *capitano* of een *priore*. De huidige werkzaamheden liggen op sociaal gebied, op het gebied van jeugdwerk en ouderenzorg of in de organisatie van stadsfeesten. Het belangrijkste is echter het voorbereiden en organiseren van de Palio, de historische paardenrennen die twee keer per jaar op Maria-feestdagen worden gehouden: op 2 juli ter ere van de Madonna di Provenzano en op 16 augustus ter ere van Maria-Hemelvaart. Op deze dagen wordt op de Piazza del Campo het spel ernst. Alleen de overwinning telt; er is geen tweede plaats. De wedstrijdregels zijn zo bijzonder omdat het lot beschikt over de deelname van

Wapens met de bijbehorende dieren van de verschillende contrada's van Siena

een contrada, maar ook over de ter beschikking staande paarden. Slechts tien contrada nemen deel aan elke ren: de zeven die bij de laatste keer niet mee mochten doen en drie die door het lot worden bepaald.

Twee straatscènes van de Palio in Siena

Drie dagen voor de rennen worden de paarden door de fokkers op het plein voorgeleid en na een oefenwedstrijd onder de contrada verloot. Elke contrada brengt dan snel het gewonnen paard naar de eigen tijdelijke stal, de *casa del cavallo*. Liefdevol worden de dieren door bontgeklede *barbareschi* bewaakt, stalmeesters die speciale bezweringsformules mompelen om zo het onheil van de hoofdrolspelers van de Palio af te wenden. Na deze drie dagen van oefeningen en voorbereidingen organiseert elke contrada een overvloedig diner voor alle bewoners van de wijk. De spanning stijgt, de meestal van buiten de contrada komende jockey, de *fantino*,

wordt aangesteld en de *capitano* verduidelijkt de strategie die de zege moet brengen.

Op de morgen van de wedstrijd begeleidt elke contrada zijn paard naar het eigen oratorium. In een kort gebed vraagt de pastoor de zegen voor ruiter en paard. Tot in de late namiddag vult de piazza zich met mensen die voor een deel op de zeer dure loggiaplaatsen op de grote gebeurtenis wachten. De wedstrijd zelf begint pas vroeg in de avond. De officiële vertegenwoordigers van de verschillende contrada's gaan van tevoren naar de Piazza del Campo om daar de optocht van de vaandeldragers en de aankomst van de ossenkar met de *palio* bij te wonen, de zijden banier die de eigenlijke, traditionele trofee van deze gebeurtenis is.

Wanneer in een opgewonden stemming de wedstrijd begint, worden in nauwelijks meer dan honderd seconden slechts drie ronden afgelegd, waarbij het hinderen van de tegenstander op welke manier dan ook geoorloofd is. Wordt een van de jockey's uit het zadel geworpen, dan kan het paard ook alleen de overwinning behalen. De scherpe bocht voorbij de San Martino vormt het grootste gevaar en hoewel alles met matrassen is afgeschermd, staan er hulpverleners paraat. Het komt voor dat een paard hier zwaargewond raakt en het genadeschot krijgt.

"Alle 50.000 toeschouwers schreeuwen de naam van haar of zijn contrada – als een lange smeulende lont die dagenlang knisperend over de renbaan kruipt tot de aansluitende drie minuten durende explosie", zo beschrijft het Italiaanse schrijversduo Fruttero & Lucentini in hun roman *De palio van de rode ruiter* het uitzinnige, korte moment van de eigenlijke wedstrijd.

Francesco Nenci: de Piazza del Campo met de optocht van de contrade,
Collezione Monte dei Paschi, Siena

Fonte Gaia

Sinds 1342 staat op de hoogste plek van de Piazza del Campo een openbare fontein, de Fonte Gaia (letterlijk vertaald 'vrolijke fontein' of 'fontein van de vreugde'). De fontein werd in 1414 ingewijd en werd enthousiast ontvangen door de inwoners. Door een leiding van meer dan 30 km werd het water naar het centrum van de stad gebracht.

In 1409 ontwierp Jacopo della Quercia een rijk met beeldhouwwerk versierd bekken, waarvan de originele reliëfs nu in het Palazzo Pubblico te zien zijn. Op de symbolische afbeeldingen zijn Maria en kind de centrale figuren, met rondom hen de christelijke en wereldlijke deugden, scènes uit het scheppingsverhaal en de legendarische ontstaansgeschiedenis van Siena.

Palazzo Pubblico, Torre del Mangia

"Als een omarming van het plein geschapen", zo beschrijven de inwoners van Siena hun stadhuis. In 1287 besloot de gemeenteraad van Siena op de diepstgelegen plek van 'Il Campo' een duurzame zetel te bouwen. Tien jaar later begon men met het aanvankelijk als een middelgrote toren geplande gebouw. De voorgevel werd in 1310 uitgebreid met de zijvleugels, die in de 17e eeuw met een verdieping werden verhoogd. In 1325 werd de imposante toren toegevoegd.

Het naar het plein gerichte, enigszins concave gebouw werd de maatstaf voor de Siënese Gotiek. Boven een benedenverdieping van travertijnblokken verheffen zich fijngelede verdiepingen van baksteen, waarvan de rode stenen in het wisselende daglicht steeds een andere plastische werking krijgen. Het spel van licht en schaduw is vooral indrukwekkend door de voor de profane architectuur van Siena zo kenmerkende venster- en boogvormen. De benedenverdieping vertoont een rij Siënese bogen – een geblindeerde spitsboog spant zich hier om een vlakke segmentboog. Op de bovenverdiepingen geven tweelingvensters met dunne zuilen het gemeentehuis elegantie. Levendig versterkt het zwart-witte wapen van de stad –de 'Balzana'– onder elke boog de licht-donkerwerking. Sinds 1425 herinnert een grote bronzen schijf met een christusmonogram aan de heilige Bernardus. Het wapen van huize de'Medici documenteert de Florentijnse heerschappij over Siena.

Bij het Palazzo Pubblico hoort ook de in 1325 gebouwde klokkentoren. In de eerste steen is met Griekse, Latijnse en Hebreeuwse letters de hoop opgetekend dat hij "noch door bliksem, noch door donder" mag instorten. Sinds 1400 heet de toren Torre del Mangia, naar de klokkenluider die vanwege zijn luiheid 'Mangiaguadagni' werd genoemd. Het eerste mechanische uurwerk uit 1360 werd in de volgende eeuwen vernieuwd en verbeterd. De smalle toren van baksteen imponeert door de regelmatig geplaatste luchtbogen en de totale hoogte van 102 m. Zelfs vanuit zijn laaggelegen standplaats steekt hij boven de stad uit. Met zijn witte spits lijkt de toren in vergelijking met het Florentijnse voorbeeld naast het Palazzo Vecchio lichter en eleganter.

De Siënese schilder Lippo Memmi ontwierp in 1341 het houten model voor de bekroning van travertijn. In 1344 konden het naar voren stekende platvorm en de van kantelen voorziene smalle klokkenstoel worden voltooid. Het ijzeren geraamte voor de aan Maria Assunta gewijde klok –in de volksmond 'Sunto'– bekroont pas sinds de 17e eeuw de toren.

Cappella di Piazza

Vier jaar na de vernietigende pest van 1348 stichtten de overgebleven Siënesen als dank voor hun redding de Cappella di Piazza aan de voet van de Torre del Mangia. Dit votiefgebouw was voor de bevolking zó belangrijk dat er al in 1352 een uitzondering op de bestaande bouwvoorschriften werd gemaakt en de kapel als enige uit de gesloten bebouwing rond het plein naar voren mocht steken.

De officiële kapel met gotische gewelven verheft zich boven de bijna vierkante plattegrond en de gebedsruimte is afgeschermd met rijkversierde marmeren nissen. De heiligenfiguren in de nissen stammen uit het late Trecento; de renaissancebekleding en het relatief eenvoudige dak zijn tussen 1463 en 1468 aangebracht.

Museo Civico

In de enige pronkkamer van het stadsbestuur is nu het Museo Civico ondergebracht. In de kaartenzaal, de Sala del Mappamondo, verzamelde zich vroeger het stadsbestuur voor het bespreken van belangrijke beslissingen.

Simone Martini (ca. 1284-1344),
Maestà, ca. 1315
fresco, 763 x 970 cm

Met het geven van de opdracht voor een groot madonnafresco zette de 'Raad van negen' in 1312 een bijzondere traditie van Maria-verering voort, want sinds de over-winning in de slag bij Montaperti in 1260 was Maria de belangrijkste schutspatrones van de stad. Simone Martini voerde het werk *al fresco* uit en probeerde met glanzende temperaverf, rijke bladgoudversie-ring, het gebruik van edelstenen, glas en echt perkament de kostbaarheid van zijn werk te verhogen.

Simone Martini schilderde een doorlopende beeldruimte waarin de madonna met kind onder een breed baldakijn troont. In totaal 32 personen, engelen en heiligen –onder wie de stadspatronen Ansanus, Savinus, Crescentius en Victor– vormen de hemelse hofhouding.

In de verschillende medaillons zien we afbeeldingen van Christus, de profeten en de evangelisten en onder, in het midden, symboliseert een tweekoppige figuur de oude en de nieuwe wet. Hier wordt er al door een inscriptie waarschuwend op gewezen dat Maria alleen "trouwe en eerlijke mensen ondersteunt, niet de machtigen die de zwakken lastigvallen en die het land bedriegen".

De hele voorstelling, die tot een van de belangrijkste kunstwerken van het Trecento wordt gerekend, toont het bijzondere gevoel van de kunstenaar voor een bevallige, elegante lijnvoering die voortkomt uit de gotische kunst, en ook zijn speciale voorliefde voor waardevolle stoffen en materialen.

Simone Martini, Guidoriccio da Fogliano, 1328
fresco, 340 x 967 cm

Het fresco aan de wand tegenover de 'Maestà' dateert van 1328. Hoewel het bewijs ervoor ontbreekt, wordt het aan Simone Martini toegeschreven. In datzelfde jaar onderwierp de roemruchte veldheer van Siena, Guidoriccio, de belegerde steden Montemassi en Sassoforte, waarin opstandige Ghibellijnen zich verschanst hadden. In een weids, verlaten landschap rijdt de indrukwekkende gestalte van ridder Guidoriccio da Fogliano onder een nachtblauwe hemel tussen de belegerde burcht en het met zwart-witte vlaggen getooide tentenkamp van de Siënesen. Hij draagt een cape van goudbrokaat en daarop zijn wapen, dat op het dekkleed van het paard terugkomt. De golvende lijn van de donkere ruiten wordt herhaald in de bochten van de weg die naar de vesting van Sassoforte leidt, in de palissaden die de burcht omzomen en in de heuvels op de achtergrond.

Ambrogio Lorenzetti (ca. 1293-ca. 1348),
Allegorie van de goede en de slechte regering
(details), 1338-1339
fresco, 296 x 1398 cm (in totaal)

In de Sala della Pace, de
vergaderzaal van de rege-
ring, ontstond met de
allegorie 'De goede en de
slechte regering en de
gevolgen ervan voor de
gemeenschap' een van
de omvangrijkste en be-
langrijkste profane fres-
co's van de Middeleeu-
wen. In opdracht van de
'Raad van negen' ont-
wierp de Siënese schilder
Ambrogio Lorenzetti een
symbolische weergave
van het juiste politieke

bestuur, gebaseerd op het principe van
Aristoteles van gerechtigheid en algemeen
welzijn, wat zowel in overdrachtelijke als
in concrete zin in dit werk duidelijk wordt
gemaakt.

Aan de noordelijke wand is de 'goede regering' weergegeven. Links zit de personificatie van de 'gerechtigheid' met de weegschaal. Daarboven zweeft de personificatie van de 'wijsheid' en aan haar voeten verbindt de 'eendracht' twee vanaf de weegschaal naar beneden hangende linten tot één en geeft deze door aan 24 burgers. Het aantal burgers heeft betrekking op de vroegere regering waaraan voor het eerst ook het volk deelnam.

Het lint leidt deze personen naar de gestalte van een oudere, bebaarde man, gekleed in een gewaad in de kleuren van het stadswapen die de *buon governo* (de 'goede regering') personifieert en voorzien is van de letters CSCV die voor 'Comune Senarum Civitas Virginis' (gemeente Siena, stad van de maagd) staan. Zijn troon wordt omringd door de wereldlijke deugden waaraan *magnanimitas* ('edelmoedigheid') en –als heel mooie, witgeklede gestalte– 'vrede' met een olijftak zijn toegevoegd. Boven deze deugden zweven de christelijke deugden 'geloof', 'hoop' en 'liefde'. Aan zijn voeten zoogt de Siënese wolvin de tweeling Aschius en Senius. In dienst van de gerechtigheid waken ridders in een harnas en soldaten over een groep geketende misdadigers.

De allegorie van de 'slechte regering' daarentegen illustreert de ernstige gevolgen van ontbrekende orde: wreedheid, afgunst, hebzucht en ijdelheid, die de duivelse tiran begeleiden die op de westelijke wand van de Sala della Pace troont. De gerechtigheid ligt geketend aan zijn voeten, roofovervallen en verkrachting zijn aan de orde van de dag en het is er altijd winter.

**Ambrogio Lorenzetti, Het gevolg van de goede
regering in de stad en op het platteland,
1338-1339**
fresco

Aan de oostelijke wand zijn de gevolgen
van de 'goede regering' in stad en land af
te lezen: de linkerkant toont een gezicht
op het Siena van de 14e eeuw als voorbeeld van een bloeiende stad. We zien
paleizen met kantelen –de rechte boven-
kant van de kantelen wijst op de Welfische regering van die tijd–, talrijke torens,
op de benedenverdiepingen van de huizen
loggia's met winkels, topgevels van de kerken en kleurig beschilderde voorgevels en
terrassen. De levendige bedrijvigheid van
de bewoners –kooplieden in hun winkels,
handelaren met nieuwe voorraden voor
de magazijnen, op de daken vlijtige metse-

laars en een groep bevallige meisjes die
een reidans uitvoeren– symboliseert de
behaaglijke welstand en het welbevinden
van de burgers. Door de van toren en uitbouw voorziene poort drijft een schaap-
herder zijn dieren. Een onbekommerd
jachtgezelschap is zojuist uitgereden, de
plattelandsbevolking komt met zwaarbela-
den ezels naar de stad om er hun producten te verkopen, een boer drijft een var-
kentje voor zich uit, weer anderen zijn op
het land aan het werk. In een weids heuvellandschap zijn goed verzorgde velden
te herkennen, ordelijk aangelegde wijnvelden, olijf- en fruitboomgaarden, boer-
derijtjes en statige burchten in de omme-
landen of in bossen en kale hellingen in de
verte. Vanuit de hoogte waakt *securitas*,
zekerheid, gewapend met een galg, op de
juiste afloop van de dingen.

Palazzo Sansedoni

In het noordoosten grenst het grote Palazzo Sansedoni aan de Campo. Agostino di Giovanni, die ook deel had aan de bouw van de toren van het gemeentehuis, voegde in 1339 de drie gebouwen uit de vroege 13e eeuw samen tot een paleis van baksteen. Ondanks de uitbreiding met dertien vensterassen en vier verdiepingen ontstond er een elegant complex.

Overeenkomstig de bouwverordeningen komen materiaal en ordeningselementen overeen met het gemeentehuis. Triforiumvensters hebben sierlijke zuilen van licht travertijn en getande kantelen boven een rondboogfries bekronen de voorgevel.

Palazzo Chigi-Saracini

De golvende voorgevel van het Palazzo Chigi-Saracini volgt de straat, die de Campo en het domplein met elkaar verbindt. Een blikvanger is de kleur: in het onderste gebied werd licht travertijn gebruikt, in het bovenste gedeelte rode baksteen. Elegante, spitsboogtriforiumvensters en een getande kroonlijst zorgen ervoor dat het geheel geen monumentale en strenge indruk maakt.

Een standbeeld ter herinnering aan paus Julius III, de zoon van Cristoforo Saracini, staat in de doorgang naar de achtertuin. In de tuin, die eveneens door een getande muur wordt omsloten, staan een waterput en een decoratief beschilderde zuilenhal.

Concertzaal

Dit paleis werd in de 14e eeuw gebouwd. Het is nu de zetel van de Accademia Musicale Chigiana, een muziekacademie waar jonge musici van alle nationaliteiten onder leiding van beroemde *maestri* zomercursussen kunnen volgen. Binnen bevinden zich een in de stijl van de 18e eeuw gedecoreerde concertzaal en een waardevolle kunstverzameling.

Ospedale Santa Maria della Scala

Domenico di Bartolo (ca. 1400-voor 1445), Behandeling en verzorging van de zieken (met detail), 1440-1441
fresco

Volgens de legende zou een schoenmaker met de naam Sorore in de 9e eeuw hier een herberg voor pelgrims hebben gevestigd, waar ze zich ook medisch konden laten behandelen. Door talrijke schenkingen groeide de stichting uit tot een welvarend instituut dat tegelijk ziekenhuis, herberg, armen- en weeshuis was en dat grote landgoederen rondom Siena had. De naam is afgeleid van de ertegenover liggende trap naar de dom. Tot voor kort waren hier nog afdelingen van het ziekenhuis in ondergebracht; nu dient het gebouw hoofdzakelijk als museum.

De grote ruimte van de Sala del Pellegrinaio is niet alleen een belangrijk voorbeeld van 14e-eeuwse ziekenhuisarchitectuur, maar herbergt ook een goed bewaard gebleven frescocyclus, waarin schilders uit Siena gebeurtenissen uit het dagelijks leven van deze liefdadigheidsinstelling hebben geschilderd. Domenico di Bartolo maakte bijvoorbeeld deze afbeelding, waarop de behandeling en verzorging van de zieken te zien is. Ze bevinden zich in een ruime zaal, die door een kunstig bewerkt hek van de volgende zaal is afgescheiden. Onder de waakzame blik van de in het zwart geklede rector maakt de vooraanstaande chirurg Tura Bandini geknield de gapende wonden van een jonge pelgrim schoon. Rechts neemt een monnik een stervende de biecht af en hij verleent hem het sacrament.

Duomo Santa Maria Assunta

Op de hoogste plek in Siena verrijst deze indrukwekkende, aan de Maria-Hemelvaart gewijde dom. De huidige kerk met zijn groen-witgestreepte incrustatie en zeer rijkversierde voorgevel is het resultaat van meer dan een eeuw bouwgeschiedenis. Op eertijds twaalf treden die de twaalf apostelen symboliseerden, strekte het complex zich van noordwest tot zuidoost uit op een kruisvormige plattegrond met een koepel en een vlakke koorafsluiting.

Halverwege de 12e eeuw maakte de toenmalige regering van de stad de eerste plannen voor stadsuitbreiding. Een grotere kerk moest het bestaande gebouw vervangen. De rond 1210 begonnen bouw van de laatromaanse basiliek was al vergevorderd –de muren, pijlers en zijschepen met kruisgewelven waren al klaar– toen in 1258 de cisterciënzers van San Galgano de leiding van de bouw overnamen en koepel en koor voltooiden. In 1284 begon de nieuwe domarchitect Giovanni Pisano met de vormgeving van de voorgevel.

Met twee grote veranderingen in 1316 en 1369 kreeg de kathedraal zijn huidige afmetingen. Aanvankelijk werd het koor naar het oosten toe verlengd. Hiervoor was de bouw van een onderkerk, het baptisterium, vereist. De dwarsbeuk werd eveneens verlengd en verbreed. Ten slotte volgde een verhoging van het middenschip, die nog goed zichtbaar is aan het verloop in de incrustatie.

De voorgevel van de dom is de eerste in Italië met een pompeuze gotische vormentaal, naar het voorbeeld van Franse kathedralen. Verschillende kleuren marmer –wit uit Carrara, groen uit Prato en roze uit Siena– versterken de rijke vormgeving door architectuurplastiek.

Giovanni Pisano begon in 1284 met de brede en zeer hoge westgevel met drie portalen. Hij ontwierp de decoratie voor de zuilen, de wimbergen en de pinakels aan de zijkant. Levendige, ook over een grote afstand met elkaar verband houdende figuren –nu kopieën– maken de Franse invloed duidelijk, die de Pisaanse kunstenaar en zijn werkers mee naar Siena brachten. Tot het programma van het beeldhouwwerk in het portaal horen de 'Hemelvaart' en de 'Verheerlijking van Maria'. Profeten, filosofen en patriarchen verwijzen naar het Oude Testament als prefiguratie van de gestalten van het Nieuwe Testament.

In 1296 verliet Giovanni Pisano de stad vanwege meningsverschillen met de regering. Pas bijna honderd jaar later, in 1376, voltooide Giovanni di Cecco –naar het voorbeeld van de door de Siënese architect Lorenzo Maitani ontworpen gevel van de dom in Orvieto– het bovenste deel met drie topgevels en het roosvenster boven het middenportaal. Het venster wordt omlijst door kleine tabernakels: 35 bustes van profeten en patriarchen zijn gegroepeerd rond Maria en het kind. De drie grote mozaïeken aan de voorkant werden in de 19e eeuw door Venetiaanse kunstenaars geschonken.

Duomo Santa Maria Assunta

Piccolomini-altaar, Michelangelo Buonarroti, heilige Paulus

Voorgevel, blz. 364

Interieur, blz. 368

Cappella Chigi (Cappella della Madonna del Voto), Gian Lorenzo Bernini, heilige Catharina, blz. 332

Libreria Piccolomini, blz. 374

Donatello, Johannes de Doper, blz. 372

Nicola Pisano, marmeren kansel, blz. 370

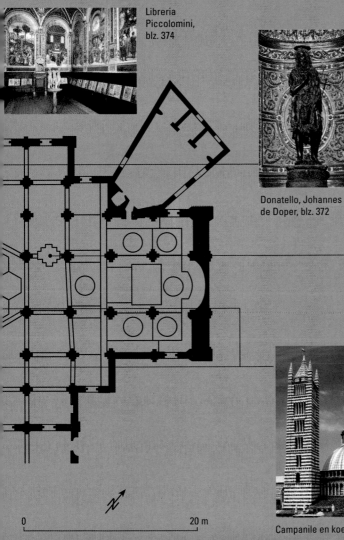

Campanile en koepel, blz. 368

0   20 m

Campanile met koepel

De hoge, in de hoek tussen middenschip en dwarsbeuk oprijzende campanile domineert de oostkant van de dom. De onderverdiepingen zijn op zo'n manier in de wandgeleding opgenomen dat de toren –met het naar boven toe toenemende aantal vensters– geen 'vrijstaande' toren in de eigenlijke betekenis van het woord meer is. Rond 1300 kreeg de toren met de regelmatige stroken zijn huidige aanzien.

Op een zeshoekige plattegrond en voorzien van een tamboer staat de in 1254 voltooide vieringkoepel. Honderd jaar later werd het middenschip verhoogd; alleen de grote koepel steekt nog boven het dak van de kerk uit. De tamboer verdween in het binnenste van de kerk. De incrustatie aan de wand achter de sierlijke zuilen van de dwerggalerij is duidelijk te herkennen.

Interieur

Overweldigend is de aanblik in de dom. Talloze decoraties wisselen elkaar af en dompelen de ruimte onder in een geheimzinnig spel van licht en schaduw.

De dominantie van de zwart-witte stroken marmer herinnert aan het wapen van de stad Siena. Hoge rondbogen, gedragen door slanke bundelpijlers, verdelen het middenschip in drie ruimten. De arcadereeks gaat terug op de laatromaanse bouwfase. Sinds de verhoging van het middenschip in het Trecento eindigen de gewelven in een iets naar voren stekende kroonlijst, die als een rondlopend fries koor, midden- en zijschip met elkaar verbindt. Beneden zijn 172 bustes van terracotta van verschillende pausen toegevoegd. Iets later zijn de grote vergulde figuren van de stadspatronen in de rijkversierde vieringkoepel ontstaan.

Ongewoon is de kostbare marmeren vloer die in intarsie werd gelegd. Dit gebeurde vanaf 1369 en duurde voort tot in de 15e eeuw. De 56 velden met filosofen, sibillen, deugden, allegorieën en bijbelse scènes geven een omvattend beeld van de geschiedenis vanaf de Oudheid via het christendom tot de stichting van Siena.

Nicola Pisano (ca. 1220-voor 1284), marmeren kansel, 1265-1268
marmer, h 460 cm

De marmeren kansel van Nicola Pisano behoort tot de belangrijkste kunstwerken in de dom van Siena. Afgezien van de verloren gegane oorspronkelijke kleur is de preekstoel in zeer goede staat – ondanks

een verplaatsing en het later toevoegen van trap en sokkel. In de verdragen waarin melding wordt gemaakt van het verlenen van de opdracht, worden ook de medewerkers genoemd: Giovanni, de minderjarige zoon van Nicola, en Arnolfo di Cambio.

In de opbouw volgt Nicola zijn eerste kansel in het baptisterium van Pisa: negen zuilen van graniet, porfier en groen marmer dragen hier de achthoekige kansel. De buitenste zuilen staan in een cirkel afwisselend op een simpel basement of worden door leeuwen en leeuwinnen gedragen. De middelste zuil staat op een sokkel met de figuren van de 'zeven vrije kunsten' en de filosofie. Deugden en profeten verschijnen boven de kapitelen op de hoekvelden van de driepasbogen. De reliëfs van de balustrade, die met een geantiquiseerde kroonlijst uitgerust is, laten taferelen zien uit het Nieuwe Testament. Ze worden omlijst door zeven allegorische hoekfiguren. Het theologische programma van de oude kansel in Pisa, een afbeelding van de christelijke leer van de weg tot heil en verlossing, is hier opnieuw gebruikt.

Nicola Pisano, Aanbidding van de koningen
(detail van de marmeren kansel)

Virtuoos zijn de gedetailleerde scènes in het marmer gebeiteld. Een bijna onoverzichtelijk aantal figuren vult de reliëfs. Ze staan, in hun rijkgeplooide gewaden, opgesteld van de gladde achtergrond tot de plastische koppen in de voorste zone mid-denonder en zijn bepalend voor een gecompliceerd spel van licht en schaduw. Links wordt de tocht van de drie heilige koningen afgebeeld; rechts –met grote gevoeligheid en anekdotische vertelkunst– de eigenlijke handeling: de oudste koning knielt voor de jonge Christus en kust zachtjes zijn kindervoetje. Nooit eerder werd dit tafereel met een dergelijke onbe-vangen intimiteit weergegeven. Hiermee zet Pisano de gebeurtenissen in de christe-lijke heilsgeschiedenis niet langer slechts neer als de veraanschouwelijking van een trancendente inhoud, maar bijna als echte historische gebeurtenissen. De uitdruk-kingskracht van de figuren van Nicola Pisano lijkt immens groot; hun natuurge-trouwheid is vermoedelijk te danken aan zijn studie van de Franse kathedraalgotiek.

Donatello (1386-1466), Johannes de Doper, 1457
brons, h 185 cm

Het bronzen standbeeld van Johannes de Doper maakte Donatello in 1457 op 71-jarige leeftijd. Het behoort tot zijn late, grote werken en getuigt van eenzelfde dramatische uitdrukkingskracht als de heilige Maria Magdalena in het bouwmuseum van de dom in Florence. Wellicht heeft de kunstenaar de fijn uitgewerkte rafels van de cape van geitenvel die de heilige draagt, en zijn op hennep lijkende haren, van tevoren in een wasmodel verwerkt.

Michelangelo Buonarroti (1475-1564), heilige Petrus, 1503-1504
marmer, h 124 cm

Rond 1500 kreeg de jonge Michelangelo de opdracht om vijftien standbeelden te vervaardigen voor de nissen van het Piccolominialtaar. Slechts de twee heiligen Petrus en Paulus werden door de kunstenaar eigenhandig gemaakt,

Gian Lorenzo Bernini (1598-1680), heilige Maria Magdalena, 1662-1663
marmer, h 180 cm

Naast plannen voor de uitbreiding van de Cappella Chigi leverde Bernini voor de nissen ook de heiligen Hiëronymus en Maria Magdalena, die in gelukzalige extase een visioen lijkt te gehoorzamen.

voordat hij Siena verliet. De overige heiligen zijn vermoedelijk naar zijn ontwerpen gemaakt. De heilige Paulus lijkt terughoudend en nadenkend. De expansionistische kracht die Michelangelo zijn latere figuren verleent, lijkt nog in de steen besloten te liggen. In de dynamisch geheven handen, de gespannen, volumineuze plooien en de minieme beweging van de figuur is echter de voor Michelangelo's beelden kenmerkende nadruk op lichamelijkheid al voelbaar.

Libreria Piccolomini

De opdracht voor de bouw van de bibliotheek voor paus Pius II werd gegeven door
zijn neef, kardinaal Todeschini Piccolomini
in 1459. Het antieke beeld van de drie gra-
tiën zou aan de klassieke vorming van de
paus herinneren, die in 1405 als Enea Silvio Piccolomini werd geboren. Zijn kostbare boeken moesten hier bewaard worden.
Het met grotesken en deugden beschilderde spiegelplafond toont onder andere het
wapen van de Piccolomini: een kruis van
halve manen.

**Pinturicchio (ca. 1452-1513),
De ontmoeting van Frederik III
en Eleonora van Aragon,
1502-1509**
fresco

Deze frescocyclus van de
als decoratieschilder zeer
gewaardeerde Pinturicchio
toont tien fasen uit het
leven van de paus. In de
ontmoeting van de twee
hoofdpersonen zijn talrijke
portretten van leden van
de keizerlijke en pauselijke
families, van kardinalen en
vrienden, en zelfs van de
tolk van de keizer ver-
werkt. De ceremonie is
naar het voorbeeld van het
'Huwelijk van Maria' ge-
componeerd. Zo wordt Pius
II, die hier nog als aartsbisschop van Siena het paar
verenigt, te groot weergegeven, in een rang die hem
volgens de iconografische
traditie toekomt.

Battistero di San Giovanni

Dom en baptisterium zijn via een, achter het zijportaal van het domplein beginnende, steile trap van marmer met elkaar verbonden. Na de eerste treden geeft een gemetseld kruis de plek aan waar de heilige Catharina –door de duivel geduwd– gevallen moet zijn. Het baptisterium

ondersteunt als onderkerk de ruimte onder de twee laatste traveeën van het verlengde koor. Met dit moderne idee verzette in het begin van het Trecento het stadsbestuur zich tegen de bouwcommissie. De wens een representatieve dom te bezitten, kon zo zonder een veel kostbardere complete nieuwbouw worden bereikt. De nieuwe doopkapel werd hierdoor weliswaar onderdeel van de dom, maar zorgde vanwege zijn positie ook voor een directe verbinding via de Via dei Pellegrini met het raadhuisplein. Kerkelijk en wereldlijk centrum kwamen daardoor nader tot elkaar.

Als ondersteuning voor de koorapsis ontstond het baptisterium tussen 1316 en 1325 onder leiding van Camaino di Crescentino. De helder geordende marmeren voorgevel werd pas in 1382 aangebracht en werd nooit voltooid. Opvallend sierlijke wimbergen, hogels, nissen en elegante pijlers geven de laatgotische voorgevel een kostbaar karakter. Drie harmonisch geproportioneerde portalen –het middelste wordt benadrukt door een rijkversierde topgevel– leiden de mensen de kerk binnen.

Opvallend is de voorrang die de decoratie krijgt boven architectonische ordening in de onderste zone, terwijl in de bovenverdieping de versiering afneemt en de gesloten wandvlakken meer benadrukt worden. Slechts drie hoge smalle tweelingvensters, waarvan het middelste in de 16e eeuw werd dichtgemaakt, zwakken het strenge karakter enigszins af.

Interieur met doopvont

Stevige wand- en bundelpijlers dragen het ruime kruisribgewelf van het rechthoekige, in drie schepen verdeelde interieur. Naar het westen opent zich de apsis, die op een polygonale plattegrond is gebouwd. Kostbaar marmer en de 15e-eeuwse fresco's van plafond, apsis en lunetten verlenen de ruimte een feestelijke uitstraling. In de gewelven en gordelbogen van de oostelijke travee werden door Vecchietta (ca. 1412-1480) apostelen, profeten en sibillen weergegeven: in de rechterlunet de scène 'Christus in het huis van de Farizeeën'; in de linkerlunet 'Het wonder van de heilige Antonius', door schilders uit de omgeving van Vecchietta; en in de apsis zijn 'Scènes uit het leven van Jezus' te bewonderen.

In het midden staat een bijzonder mooie doopvont. De marmerarchitectuur ervan varieert in de schaal, pijler en tabernakel op de zeshoekige plattegrond. Talrijke figuren van marmer en brons verlevendigen de fontein; kleine putti musiceren; reliëfs vertellen over Johannes de Doper. Jacopo della Quercia kreeg in 1414 de eerste opdracht voor het ontwerp van de doopvont. Er werden andere kunstenaars aangetrokken voor de bronswerken. In de eerste plaats Ghiberti, vervolgens vader en zoon Turino –twee kunstenaars uit Siena– en ten slotte Donatello. Tot 1429 ontstond zo een indrukwekkend gemeenschappelijk kunstwerk van Florentijnse en Siënese kunstenaars.

**Jacopo della Quercia (ca. 1374-1438),
Verkondiging aan Zacharias, 1428-1429**
brons (verguld), 60 x 60 cm

**Lorenzo Ghiberti (1378-1455),
Doop van Christus, 1427**
brons (verguld), 60 x 60 cm

In de onderste zone van de doopvont tonen zes vergulde bronzen reliëfs scènes uit het leven van Johannes de Doper. In de 'Verkondiging aan Zacharias' van Jacopo della Quercia is de tempelarchitectuur schuin in het beeldvlak gezet, waardoor er –ondanks het platte vlak– toch een grote dieptewerking ontstaan is.

Onder massieve arcadebogen ontmoeten de heroïsche figuur Zacharias en de engel elkaar. Karakteristiek voor de kunstenaar zijn de zwaar aandoende vormen – een massieve architectuur en krachtige figuren met hoekige gezichten en klassiek gebogen neuzen.

De Florentijn Lorenzo Ghiberti ontwierp twee reliëfs voor de doopvont: 'De gevangenname van Johannes de Doper' en 'De doop van Christus'. Beide markeren een belangrijke stap in de artistieke ontwikkeling van de beeldhouwer en tonen de stilistische verandering van Ghiberti. Hij combineert figuren die op de reliëfgrond

Verkondiging aan Zacharias	Geboorte van Johannes de Doper
Jacopo della Quercia, 1428–1429	**Giovanni di Turino,** 1427

Donatello (1389-1466), Gastmaal van Herodes, 1427

brons (verguld), 60 x 60 cm

Het ontroerendste reliëf aan de doopvont is van Donatello – het is doordrongen van een enorme dramatiek en bezit tevens een geweldige dieptewerking. De Florentijnse kunstenaar plaatst de architectuur parallel aan de beeldrand in een centraalperspectief. Zo suggereert hij ruimtelijkheid met de vloertegels. Hij laat het monsterachtige van de gebeurtenis onder de bogen van de achter elkaar geplaatste ruimten naklinken –hier spelen de muzikanten voor de dans van Salome– en helemaal achterin draagt een beulsknecht het hoofd van Johannes de Doper.

Omringd door nieuwsgierige, elegante jongeren danst Salome, terwijl de spanning stijgt. Een geknielde geüniformeerde man overhandigt Herodes het afgrijselijke bord. Met de beweging van de beulsknecht wordt de indruk van vrijstaande plastische figuren gewekt. In het nauw gebracht, wijkt de koning terug. Onder de aanwezigen heerst ontzetting over de wreedheid en willekeur van Salome en haar bereidwillige vader.

zijn neergezet, met de *rilievo schiacciato*, een door Donatello ontwikkeld proces dat de overgang van hoogreliëf naar een zo vlak mogelijke modellering mogelijk maakt. Dit 'afgevlakte reliëf' gebruikt Ghiberti voor het eerst in de 'Doop van Christus', het centrale thema van de doopvont. De voorste figuren worden steeds minder plastisch. In deze techniek schept Ghiberti een schilderachtige compositie, waarvan alleen de elegante golving van de lijnen nog naar de Gotiek verwijst.

Preek van Johannes de Doper	Doop van Christus	Gevangenneming van Johannes de Doper	Gastmaal van Herodes
Giovanni di Turino, 1427	**Lorenzo Ghiberti, 1427**	**Lorenzo Ghiberti, 1427**	**Donatello, 1427**

Duomo Nuovo

Alleen een gigantische torso is van het ambitieuze project van de 'nieuwe dom' overgebleven. In 1399 besloot de gemeente van Siena haar concurrenten Florence en Pisa te overvleugelen met de bouw van een nieuwe dom. Het al bestaande godshuis moest daartoe worden uitgebreid met een dwarsbeuk, waar aan de westkant het middenschip, bestaande uit drie schepen en vier traveeën, moest aansluiten. De leiding over dit werk kreeg de Siënese beeldhouwer, goudsmid en architect Pietro di

Lando, die daarvoor uit Napels werd gehaald, waar hij in dienst was van Robert d'Anjou.

De nieuwbouw vorderde snel: fundamenten, muren en marmerdecoratie volgden elkaar in hoog tempo op. In het pestjaar 1348 trad er een bouwstop in. Daarna werden opvallende gebreken aan de fundamenten en niet te repareren scheuren in het metselwerk duidelijk. De fouten die ontstaan waren door het snelle bouwen, waren niet meer te repareren. Daarom zette men het project volledig stop en moesten de met instorting bedreigde delen verwijderd worden. Volgens Jakob Burckhardt zou deze dom "het veruit mooiste gotische gebouw van Italië en een wereldwonder" geworden zijn.

Van het gebouw bleven een deel van de muur van het middenschip, het rechterzijschip en de hoge muur van de voorgevel, de zogenoemde 'facciatone', staan. Hoewel we ons nu maar moeilijk een voorstelling kunnen maken van de uiteindelijke indruk die het gebouw zou maken, krijgen we hierdoor wel een idee van de 'schilderachtige' conceptie van de architectuur in Siena in die tijd. Dat is ook het geval bij de hoog oprijzende binnengevel met zijn langgerekte dubbelvenster (in plaats van een roosvenster). Arcaden en halfzuilen laten de opbouw, kapitelen en decoratiestroken van de geplande versieringsvormen zien. Hierdoor lijken wand en ruimte bijna verfvlakken en de ordenende elementen omtrekken en lijnen, overeenkomstig de vormgeving van een schilderij.

Museo dell'Opera Metropolitana

Achter de geplande nieuwe dom, dat wil zeggen achter de dichtgemetselde arcaden van de eerste drie traveeën van het reeds gebouwde noordelijke zijschip, bevindt zich sinds 1870 het Museo dell'Opera Metropolitana. Vroeger bevond zich op deze plek de werkplaats van de marmersteen-houwers, waar bijvoorbeeld de Fonte Gaia van Jacopo della Quercia ontstond. Nu wordt hier de originele domaankleding bewaard, die moest wijken vanwege milieuverontreiniging. Het museum herbergt niet alleen schilderijen en beeldhouwwerken, maar ook goudsmeedwerk, boekverluchtingen en liturgische gewaden. De benedenverdieping bestaat uit een grote, door zeven rondbogen geordende ruimte met marmerwerken en sculpturen.

Giovanni Pisano (ca. 1250-ca. 1319),
Mirjam, zuster van Mozes, 1284-1296
marmer

Giovanni Pisano beitelde, tijdens het begeleiden van de bouw, een figurencyclus
voor de voorgevel van de dom. De cyclus
bevat tien levensgrote standbeelden –profeten, sibillen, antieke filosofen– die, ter
conservering, van hun oorspronkelijke
plek zijn verwijderd en door kopieën zijn
vervangen.

Op zeer specifieke wijze zette Giovanni de
prikkels die hij in de kunst van Noord-Italië had ervaren, om in een eigen expressieve stijl. Hij nam de golvende gewaden
en de draaiing van de figuren naar eigen
inzicht over en gaf ze een brede basis. Vandaaruit ontwikkelt de afzonderlijke figuur
zich in heldere vormen tot een smal bovenlichaam met een buitengewoon individueel gezicht.

Vooral bij Mirjam, de zuster van Mozes,
wordt duidelijk hoezeer Giovanni Pisano
zijn vormentaal in fysionomie en lichaamshouding omzet. Haar lichaam is
bijna spiraalvormig gedraaid en ze is gekleed in een rijkgeplooid gewaad. In haar
betekenis van waarzegster van het jodendom is ze weergegeven met een nadenkend gezicht en haar mond is lichtjes geopend. Ze luistert naar Simeon, die zich
naar haar toe heeft gewend. Met deze
weergave wekt de beeldhouwer over een
grote ruimtelijke afstand de indruk van
onderlinge verbondenheid tussen deze
twee figuren.

Duccio di Buoninsegna (ca. 1255-1319), Maestà, 1309-1311
tempera en olieverf op paneel, 211 x 426 cm

"O heilige moeder Gods, wees een bron van vrede voor Siena, schenk Duccio het leven omdat hij u zo geschilderd heeft", luidt de inscriptie in het werk waarvoor Duccio di Buoninsegna op 9 oktober 1308 het contract ondertekende. Op 9 juli 1311 werd de Maestà onder klokgelui in een feestelijke processie door de straten van Siena naar de dom gedragen. Als hoofdaltaarstuk heeft het daar tweehonderd jaar lang gehangen en verving het het voormalige votiefwerk, waarmee de burgers van Siena zich voor de slag bij Montaperti onder de bescherming van Maria stelden. Door de grootte van het schilderij en de weergave van de stadsheiligen geeft Duc-

cio uitdrukking aan de toegenomen lokale Maria-verering. Het altaarstuk is, zoals gebruikelijk, aan beide zijden beschilderd. Inmiddels zijn de panelen uit elkaar gehaald en in het dommuseum te bezichtigen.

Aan de voorkant zitten Maria en het knaapje Jezus op een brede, versierde marmeren troon, omgeven door een schare engelen en heiligen. Op de voorgrond staan de stadspatronen geknield afgebeeld. Grootte en kleurgebruik onderscheiden Maria van haar begeleiders. Ze buigt haar hoofd enigszins naar de –stevige– knaap.

Duccio overwon de strenge Byzantijnse traditie van de madonnaweergave. De zachtheid van zijn stoffen, de fijne, decoratieve lijnvoering en de natuurlijk aandoende gezichten werden de maatstaf voor de volgende schilders.

Duccio di Buoninsegna, Doornkroning, 1308-1311

tempera en olieverf op paneel, 50 x 53,5 cm

Op 53 afzonderlijk opgehangen panelen van de predella, de bekroning en de ach-

terkant van de Maestà worden het leven van Christus en episoden uit de laatste jaren van het leven van Maria verteld. Duccio verbond hiervoor de inspiratie die hij uit miniaturen van geïllumineerde handschriften en mozaïeken haalde en uit

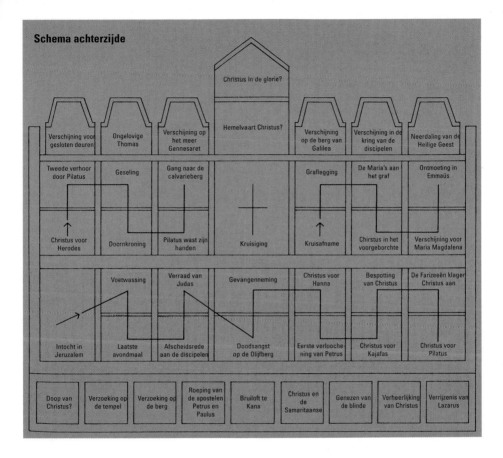

Schema achterzijde

			Christus in de glorie?			
Verschijning voor gesloten deuren	Ongelovige Thomas	Verschijning op het meer Gennesaret	Hemelvaart Christus?	Verschijning op de berg van Galilea	Verschijning in de kring van de discipelen	Neerdaling van de Heilige Geest
Tweede verhoor door Pilatus	Geseling	Gang naar de calvarieberg		Graflegging	De Maria's aan het graf	Ontmoeting in Emmaüs
Christus voor Herodes	Doornkroning	Pilatus wast zijn handen	Kruisiging	Kruisafname	Chirstus in het voorgeborchte	Verschijning voor Maria Magdalena
	Voetwassing	Verraad van Judas	Gevangenneming	Christus voor Hanna	Bespotting van Christus	De Farizeeën klagen Christus aan
Intocht in Jeruzalem	Laatste avondmaal	Afscheidsrede aan de discipelen	Doodsangst op de Olijfberg	Eerste verloochening van Petrus	Christus voor Kajafas	Christus voor Pilatus
Doop van Christus?	Verzoeking op de tempel	Verzoeking op de berg	Roeping van de apostelen Petrus en Paulus	Bruiloft te Kana	Christus en de Samaritaanse	Genezen van de blinde	Verheerlijking van Christus	Verrijzenis van Lazarus

email- en ivoorwerk, met een indringende schildering van menselijke emoties in de afgebeelde historische situaties. Elke scène is minutieus en met een liefdevol oog voor detail weergegeven. In de 'Doornkroning' wordt Christus omringd door honende beulsknechten. Zijn deemoedige blik doet bijna onverschillig aan. Hij is gekleed in een mantel van brokaat. De knechten zetten hem in aanwezigheid van Pontius Pilatus de doornkroon op en geven hem een rietstengel als scepter.

Palazzo Buonsignori – Pinacoteca Nazionale

Het van kantelen voorziene Palazzo Buonsignori is een elegant, met triforiumvensters versierd, laatgotisch paleis. In het gebouw is nu de nationale pinacotheek van Siena gevestigd, met bijna duizend werken een van de belangrijkste verzamelingen van Siënese paneelschilderkunst.

Guido da Siena (werkzaam ca. 1262-1270), madonna met kind en vier heiligen, 1270
tempera op paneel, 96 x 186 cm

Uit de kringen rond de eerste bij naam bekende Siënese schilder Guido da Siena stamt het altaarpaneel 'Maria met het kind en vier heiligen'. Omdat de namen van andere kunstenaars ontbreken, is het paneel aan de kringen rond Guido toegeschreven.

Het werk is gedateerd in 1270. Het is een getuigenis van de rijpe Byzantijnse stijl die zich in de tweede helft van de 13e eeuw in Toscane verbreidde en door Giorgio Vasari als 'Maniera greca' –Griekse schilderstijl– werd aangeduid. Het paneel is onvolledig: oorspronkelijk ging het om zes heiligen. In het gemeentehuis bevindt zich een 'Madonna in Maestà' die door Guido da Siena is gesigneerd en die stilistische overeenkomsten vertoont.

De schilder bezat een brede artistieke vorming. Zijn werken zijn beïnvloed door tijdgenoten als de Florentijnse Coppo di Marcovaldo en de beeldhouwer Nicola Pisano.

Ambrogio Lorenzetti (ca. 1293-1348), madonna met kind en heiligen, 1319-1348
tempera op paneel, 87 x 41 cm (linkerpaneel); 100,5 x 55,5 cm (middenpaneel); 87 x 41,5 cm (rechterpaneel)

De door het kind ontrolde schriftrol met de woorden uit het Lucas-evangelie 'Beati pauperes' –'Zalig zijn de armen, want aan hen behoort het hemelse rijk'– verwijst naar de mogelijke herkomst van de drie tot een drieluik gereconstrueerde panelen: de voormalige Chiesa degli Umiliati, de kerk van de vernederden. Ambrogio Lorenzetti geeft hier de verhouding tussen moeder en kind zeer innig weer. Het kindje Jezus vlijt zich liefdevol tegen het gezicht van zijn moeder en slaat zijn arm om haar hals. Maria beantwoordt het gebaar en kijkt het kind met een zachte blik aan. Aan dit intieme tafereel nemen rechts de heilige Dorothea en links de heilige Maria Magdalena, de zuster van Martha, deel. De laatste draagt de lijdende Christus op haar hart en houdt de zalfpot vast die ze later naar het lege graf zal brengen. De heilige Dorothea toont het kind rozen als teken van het martelaarschap.

Sodoma (1477-1549), Geboorte van Christus met een engel en de kleine Johannes, ca. 1503
tempera op paneel, ø 111 cm

Toen Sodoma in 1500 op persoonlijke aanbeveling naar Siena kwam, had hij een vorming van vele jaren als schilder in zijn geboorteplaats Vercelli en in Milaan achter de rug. Hij bracht uit Lombardije het fris-se, gedetailleerde naturalisme mee, maar liet zich ook inspireren door Pinturicchio en Raffaël.

Meesterlijk beheerst Sodoma het door Leonardo ingevoerde *chiaroscuro*, het spel met licht en donker. Deze invloeden zijn ook merkbaar in de geboortescène, waarin vooral de bekoorlijkheid van de gezichten betovert.

Franceso di Giorgio Martini (1439-1501), Kroning van Maria, ca. 1472
tempera op paneel, 227 x 200 cm

In Siena kwam architect Francesco di Giorgio het dichtst bij het vormingsideaal van de Renaissance, de *uomo universale*. Hij wijdde zich niet alleen aan de bouwkunst, maar ook aan de schilder- en beeldhouwkunst. Hij onderscheidde zich verder als ingenieur en schrijver van theoretische verhandelingen. Zijn belangstelling voor de Oudheid vond vooral haar weerslag in zijn schilderijen. Daarin probeerde hij de wat minder realistische Siënese schilderkunst te overwinnen. Het grote altaarstuk met de 'Kroning van Maria' ontstond rond 1472 en is een indrukwekkend feest van kleuren. Deze originele weergave doet denken aan een toneel: Christus en de maagd bevinden zich, omgeven door serafijnen, op een balkon van donkere wolken dat door engelen wordt gedragen. Op een omringend vlak staan profeten; daaronder bevinden zich aan beide kanten heiligen, die over vier treden verdeeld zijn. In de bovenste zone opent de hemel zich in een halfronde opening. In een dubbele luchtwerveling verschijnt God de Vader. Zijn gestalte is van onder naar boven, van voeten tot hoofd, verkort weergegeven. Zijn handen zijn dramatisch tegen de storm gericht, zijn gewaad wappert en zijn haren zijn door de wind losgeraakt.

Monte Oliveto Maggiore

De abdij van Monte Oliveto Maggiore ligt in een schraal landschap met vulkaanachtige kegels van grijze tot lichtgele heuvels van tufsteen en steile breuken. De straten lopen er dood op eindeloos lijkende, smalle bergkammen en slechts een eenzame cipres en enkele verlaten hoeven met schaapskooien herinneren aan de aanwezigheid van mensen wier sporen teruggaan tot het Paleoliticum.

In deze woestenij, de zogenaamde 'crete' (kleiaarde), trok in 1313 de later zaligverklaarde rechtsgeleerde Bernardo Tolomei zich op veertigjarige leeftijd terug met zijn vrienden Ambrogio Piccolomini en Patrizio Patrizi. Ze hadden afscheid genomen van hun in welstand levende families om hier in alle mogelijke eenzaamheid te leven volgens de regels van de heilige Benedictus. In 1319 werden de vrienden als zogenaamde benedictijnen erkend. Het klooster 'Monte Oliveto' werd gesticht en in 1344 werd de congregatie door paus Clemens VI bevestigd.

Tussen 1387 tot 1526 ontstond er een groot klooster in rood baksteen. Al van verre zijn de barokke kerk en de laatgotische campanile tussen de cipressen te herkennen. Rond drie kruisgangen groeperen zich de refter, de bibliotheek, een apotheek, de kapittelzaal en de woon- en werkruimten.

Gezicht op het klooster Monte Oliveto Maggiore

Koorgestoelte (detail), 1503-1505
houtintarsie

De in 1772 in barokke stijl verbouwde kloosterkerk heeft een plattegrond in de vorm van een Latijns kruis. De muren van het middenschip bieden plaats aan prachtige handgesneden en met inlegwerk versierde koorbanken, gemaakt door de olivetaner monnik Giovanni da Verona. De 48 zitplaatsen zijn boven en onder met kleine arabesken versierd. Ze zijn gedecoreerd met intarsia en laten een reeks landschappen, veduta's, muziekinstrumenten, muziekbladen, vogels en wetenschappelijke apparatuur zien die enig is in zijn soort.

Bijzonder fraai is ook de in het midden opgestelde lessenaar van de hand van de olivetanenmonnik Fra Raffaele da Brescia, die onder een in perspectief weergegeven zuilenhal een bijna levensgrote kat in intarsie heeft afgebeeld.

**Sodoma (1477-1549),
samenvoeging van de
gebroken graantrog,
vanaf 1505**
fresco

In de laatgotische, van kruisribgewelven voorziene kruisgang uit de 15e eeuw zijn in 36 rondbogige afbeeldingen de belangrijkste episoden uit het leven van de heilige Benedictus van Nursia weergegeven, zoals paus Gregorius de Grote ze in het tweede boek van zijn 'Vite' vertelt. De cyclus moest een blijvend voorbeeld zijn voor de in het klooster levende monniken. Tussen 1495 en 1498 maakte Luca Signorelli de eerste fresco's; tussen 1504 en 1508 voltooide Sodoma met 27 andere

voorstellingen het verhaal, dat zich achter illusionistische arcaden afspeelt.

De scène van de samenvoeging van de gebroken graantrog toont twee elkaar opvolgende gebeurtenissen: links zien we de huilende baker van Benedictus, Cirilla, die hem als een moeder liefhad en hem overal volgde. Bij de voorbereidingen van het broodbakken was de houten trog uit haar handen geglipt en gebroken. Dankzij het gebed van Benedictus zouden de scherven van de trog zich voor hem weer hebben samengevoegd. Naast de versierde pijler bewondert een groep mensen, onder wie de vrouw en dochter van de schilder, de trog, die intussen aan het acanthuskapiteel van een kerkgevel hangt.

De ridderlijke gestalte, die in een rijkversierde mantel gekleed gaat, is een zelfportret van Sodoma. Aan zijn voeten schilderde hij dassen, zijn lievelingsdieren. Bekwaam verbond hij pittoreske scènes met een streng perspectivische architectuur en een licht landschap in de verte.

Pienza

Pienza, panorama

Corsignano ligt op een heuvel boven het Orcia-dal. De stad dankt zijn naam aan Enea Silvio Piccolomini, die in 1405 in een voorname, maar verarmde familie geboren werd. Hij werd later paus Pius II; *pienza* betekent veelbelovend 'stad van Pius'. Na een lange, humanistische studie verwierf Aeneas, zoals hij zichzelf met een verwijzing naar de mythische stamvader der Romeinen noemde, bekendheid als succesvol diplomaat en politicus, maar ook als auteur van talrijke reisbeschrijvingen en liefdesgeschiedenissen. In 1458 werd hij, na korte tijd aartsbisschop van Siena geweest te zijn, gekozen tot paus. Als paus werd hij geleid door twee gedachten: het ten val brengen van het Osmaanse rijk en de vestiging van zijn persoonlijke faam.

Om voor "een blijvend teken van zijn herkomst" te zorgen, zoals Pius II zelf in zijn *Commentarii* schreef, gaf hij de Florentijnse architect Bernardo Rossellino opdracht de plaats Corsignano om te bouwen tot een 'Piusstad' door er een groep monumentale gebouwen neer te zetten die een persoonlijk gedenkteken vormden. Onder de indruk van het traktaat over architectuur van Leon Battista Alberti, greep Pius II zelf in bij het lastige ontwerp. De plaats was bewoond en dus was een volledige nieuwbouw onmogelijk. Daarbij kwamen economische en topografische beperkingen. Met de dood van de paus in 1464 was het project tot mislukken gedoemd.

Als kern van de 'ideale stad' ontwierp Bernardo Rossellino het centrale plein, de Piazza Pio II, met een trapezevormige plattegrond en een bestrating die hij in rechthoeken verdeelde. Er ontstond op deze manier de indruk van een toneel, omringd door belangrijke gebouwen. Het bisschoppelijk paleis vormt hier de oostflank; het gemeentehuis staat hier in het noorden haaks op.

Voor de bouw van het Palazzo Vescovile wist Pius II de belangstelling te wekken van kardinaal Rodrigo de Borgia, de latere paus Alexander VI, die hier zijn familiepaleis vestigde. Bij de bouw van de toren van het Palazzo Comunale

Palazzo Comunale en Palazzo Vescovile

hield Bernardo Rossellino zich aan het Florentijnse voorbeeld. Hij gaf de naar het centrale plein gerichte voorgevel een gesloten karakter. Op de benedenverdieping bevindt zich een hoge loggia met drie arcaden op Ionische zuilen. Sgraffitoschilderingen stellen in de bovenverdieping stenen en plastische versieringen voor. Hier zorgen hoge vensters voor de belichting van de raadzaal. Dezelfde venstervorm gebruikte de architect ook bij het pauselijke familiepaleis. Dit complex, dat op een gezamenlijk plan was gebaseerd, betekende de grootste stedenbouwkundige vernieuwing sinds de Oudheid.

Pienza

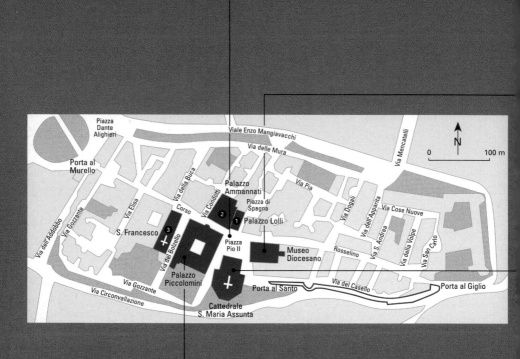

Piazza Dante Alighieri

Porta al Murello

Viale Enzo Mangiavacchi

Via delle Mura

Via Mencatelli

0   100 m

N

Via dell'Addobbo

Via Gozzante

Via Elsa

Via della Buca

Corso

Via Condotti

Palazzo Ammannati

Via Pia

Via Dogali

Via dell'Apparita

Via Cose Nuove

Piazza di Spagna

2 **1** Palazzo Lolli

S. Francesco

3

Piazza Pio II

Museo Diocesano

Rosselino

Via S. Andrea

Via della Volpe

Via San Carlo

Via dei Bolzello

Via Gozzante

Palazzo Piccolomini

Via Circonvallazione

Porta al Santo

Via del Casello

Porta al Giglio

Cattedrale S. Maria Assunta

Palazzo Comunale en Palazzo Vescovile, Corso Rossellino, blz. 395

Museo Diocesano, Corso Rossellino 30, blz. 400

Cattedrale S. Maria Assunta, Piazza Pio II, blz. 398

Palazzo Piccolomini, Piazza Pio II, blz. 398

Andere bezienswaardigheden
(niet in het boek besproken):

1 S. Francesco, Corso Rossellino

2 Palazzo Lolli, Piazza Pio II

3 Palazzo Ammannati, Corso Rossellino

Palazzo Piccolomini en Cattedrale Santa Maria Assunta

Door de arcaden van het Palazzo Comunale kijken we op het Piccolomini-paleis en de kathedraal. Voor de vormgeving van de voorgevel van het vierkante, drie verdiepingen hoge pauselijke paleis kopieerde Rossellino verregaand het Palazzo Rucellai in Florence, dat hij in 1451 naar een ont- werp van Alberti had voltooid. Daarmee beantwoordde de architect volledig aan de ideeën van de bouwheer, paus Pius II.

De eigenzinnige voorgevel van de dom onderscheidt zich door het lichte travertijn van de andere gebouwen. Pijlers, zuilen en bogen ordenen de voorgevel met een top- gevel met het wapen van de paus. Origi- neel zijn de blinde arcaden boven beide verdiepingen. De eronder geplaatste zuilen met Ionische kapitelen grijpen terug op elementen van Alberti, de door Pius zo bewonderde architect.

Interieur, gezicht op de straalkapellen

Het lichte interieur verrast door het samengaan van verschillende stijlen. Enea Silvio Piccolomini bezat een grote kennis van de noordelijke architectuur en was onder de indruk van de ruimte in gotische kathedralen. De mensen moesten zich "niet door een huis van steen, maar van glas" –aldus Piccolomini zelf– omsloten voelen. Dus bouwde Rossellino voor hem geen basilica, maar een hallenkerk met drie schepen, waarvan de dwarsbeuk zich voortzet in straalkapellen. Toch ontstond er een heldere renaissanceruimte. Ribgewelven en vensters voorzien van maaswerk en bundelpijlers –overgeleverde vormen uit de Gotiek– blijven daarom eerder decoratief. Alleen de hoge dwarsbalk boven de kapitelen werkt als een constructieve verbinding tussen beide stijlrichtingen. Terwijl de beeldhouwwerken uit de werkplaats van Rossellino getuigen van de Renaissance, zijn de retabels voorbeelden van de gotische Siënese schilderkunst uit de 15e eeuw.

Museo Diocesano

Segna di Bonaventura (werkzaam 1298-voor 1331), kruis, 1315-1320
tempera op paneel, 221 x 160,5 cm

In het dioceesmuseum naast de dom zijn waardevolle onderdelen van kerkinventarissen tentoongesteld, die veiligheidshalve nu in het museum worden bewaard. Zo komt uit de San Francesco het indrukwekkende kruis van Segna di Bonaventura, die rond het fin de siècle van de 13e eeuw leefde. Hij was een neef van de beroemde Duccio di Buoninsegna en signeerde slechts vier werken met 'Segna me fecit'. Het met tempera beschilderde kruis toont de gestorven Christus. Het lijden en de pijn van de gekruisigde worden versterkt door de aan de uiteinden van het kruis aangebrachte halffiguren van een treurende Maria en Johannes de Doper. De voorstelling kenmerkt zich door een icoonachtige plechtigheid, fijne en heldere contouren en sterke licht-donkereffecten.

Brussels handwerk, geloofsartikelen en mis van de heilige Gregorius, 1495-1515
wol en zijde, 421 x 390 cm

Van uitstekende kwaliteit zijn de drie wandkleden die aan het eind van de 15e eeuw in een Vlaams atelier gemaakt werden en die via leden van de familie Piccolomini in Pienza terechtkwamen. Op dit wandkleed is de mis van Gregorius te zien. Gregorius de Grote, die de mis celebreert, ziet in een visioen de man van smarten die de kelk met zijn bloed vult. Bovendien zijn er acht van de in totaal twaalf geloofsartikelen van het credo, de geloofsbelijdenis van de christelijke kerk, in verwerkt. Er zijn vertegenwoordigers van de katholieke kerk in te herkennen, de gemeenschap van heiligen, de vergeving van de zonden, de verrijzenis van het vlees, het eeuwige leven en helemaal bovenin de heilige drievuldigheid.

Montepulciano

Montepulciano ligt op een heuvel van tufsteen, de Monte Poliziano, tussen het
Chiana- en Orcia-dal. De legendarische
stichting van de Etruskische koning Porsenna onderwierp zich in 1391 vrijwillig
aan Florence. In het *centro storico* krijgen
we van de geboorteplaats van de humanistische dichter Angelo Ambrogini, die zich
–naar zijn geboorteplaats– 'Poliziano'
noemde, een andere indruk dan van andere middeleeuws aandoende plaatsen in
Toscane: bouwwerken van de vroege Renaissance tot de Barok bepalen het beeld
van het volledig ommuurde stadje.

Hier hadden langer dan elders grote adellijke families, die het door de handel tot
aanzienlijke rijkdom hadden gebracht, het
voor het zeggen. Ze lieten hun middeleeuwse familiepaleizen door beroemde
architecten in de moderne stijl van die tijd
veranderen of verbouwen. Naar deze
'voorname' families is ook de bekende
wijn van Montepulciano, de 'vino nobile',
vernoemd.

Palazzo Comunale

Het politieke en religieuze centrum van de stad wordt al eeuwenlang gevormd door de ruime Piazza Grande. Dit op een heuvel aangelegde plein, waarop in de Middeleeuwen het gemeentehuis en de parochiekerk stonden, werd begin 16e eeuw uitgebreid door de welvarende patriciërsfamilies met de bouw van hun statige woonpaleizen, nadat ze hun handelscentra verlegd hadden naar de Piazza delle Erbe.

Het streng aandoende blok van het drie verdiepingen tellende gemeentehuis verheft zich aan de westkant van het plein. Voor de verbouwing van het middeleeuwse gebouw was de favoriete architect van Cosimo il Vecchio de' Medici, de Florentijn Michelozzo, verantwoordelijk. Hij had zich laten inspireren door het gemeentehuis van Florence. De geblindeerde voorgevel toont renaissance-elementen, zoals de evenwichtige verdeling van de vensters, de accentuering van de afzonderlijke verdiepingen door kroonlijsten en de symmetrisch geplaatste toren, die een schitterend

uitzicht biedt. Er zijn echter ook laatgotische invloeden zichtbaar: het gebruik van de vierkante zandstenen blokken in de benedenverdieping bijvoorbeeld, en de boven sterk uitstekende, van kantelen voorziene omloop. Opmerkelijk is de mooi vormgegeven binnentuin met loggia's die boven elkaar op zuilen rusten.

Montepulciano

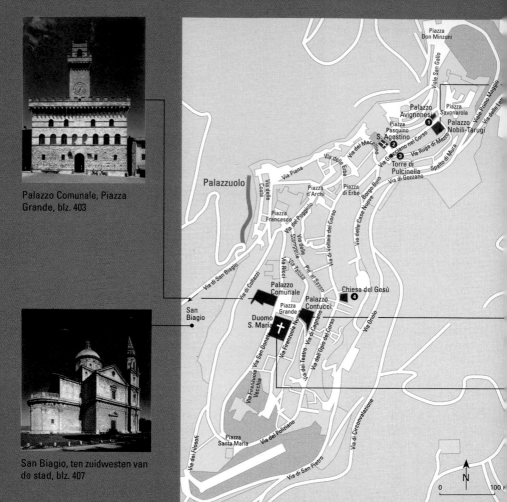

Palazzo Comunale, Piazza
Grande, blz. 403

San Biagio, ten zuidwesten van
de stad, blz. 407

Palazzo
Avignonesi
Piazza
Savonarola
Palazzo
Nobili-Tarugi
Piazza
Pasquino
S. Agostino
Piazza
Don Minzoni
Viale San Gallo
Piazza
Viale Primo Maggio
Via delle Len
Via Graccano nel Corso
Via Ruga di Marzo
Spalto di Muro
Torre di
Pulcinella
Via di Gozzano
Via del Macello
Via delle Erbe
Palazzuolo
Via Piana
Via delle
Costa
Piazza
d'Archi
Piazza
di Erbe
Borgo Buio
Via delle Case Nuove
Via di Voltaia nel Corso
Piazza
Francesco
Via del Poggiolo
Via delle
Stampette
Pré di Sasso
Via Talosa
Via Ricci
Via di San Biagio
Via di Collazzi
Palazzo
Comunale
Chiesa del Gesù
Piazza
Grande
Palazzo
Contucci
Via Oriolo
San
Biagio
Duomo
S. Maria
Via del Teatro
Via di Cagnano
Via dell'Opio del Corso
Via di Circonvalazione
Via San Donato
Via Firenzuola Nuova
Via Firenzuola
Vecchia
Via de' Filosofi
Piazza
Santa Maria
Via del Poliziano
Via di San Pietro

N

0   100 r

404   Montepulciano

Palazzo Nobili-Tarugi, Piazza
Grande, blz. 407

Palazzo Contucci, Piazza Grande,
blz. 407

Duomo S. Maria, Piazza Grande,
blz. 406

Andere bezienswaardigheden
(niet in het boek besproken):

1 Palazzo Avignonesi,
   Via Roma 37

2 S. Agostino, Via Roma

3 Torre di Pulcinella, Piazza
   Michelozzo

4 Chiesa del Gesù, Via Cavour

Duomo Santa Maria

Op de plek van de parochiekerk uit de 12e eeuw, die al in 714 als doopkapel in oorkonden wordt genoemd, werd tussen 1592 en 1630 het enorme nieuwe domcomplex gebouwd. Nadat Montepulciano in 1561 tot bisschopszetel was benoemd, kreeg Ippolito Scalza de opdracht voor het project. De onvoltooid gebleven voorgevel –oorspronkelijk was een bekleding van marmer gepland– verheft zich op een brede onderbouw met treden en heeft drie portalen en drie vensters. De campanile is van het vorige gebouw.

Het interieur met een plattegrond in de vorm van een Latijns kruis heeft een middenschip met twee zijschepen en een vieringkoepel. Direct bij de ingang bevindt zich een hoofdwerk van Michelozzo, het grafmonument voor Bartolomeo Aragazzi, schrijver en secretaris onder paus Martinus V. Het uit verschillende delen bestaande monument werd in de 17e eeuw gedemonteerd. Pas in 1815 werden er zeven onderdelen teruggevonden en verspreid over de dom opgesteld. Het gaat hierbij om de liggende figuur van de gestorvene, omgeven door putti en guirlandes, personificaties van de deugden, een zegenende Christus en twee basisreliëfs met familiescènes. Het drieluik op het hoofdaltaar met de hemelvaart van Maria is van Taddeo di Bartolo.

Palazzo Nobili-Tarugi

De ordening van het drie-, respectievelijk vijfassige front van het tegenover de dom liggende paleis, dat halverwege de 16e eeuw door de Romeinse architect Giacomo Barozzi, bijgenaamd Vignola, werd gebouwd, verbindt de nadrukkelijk horizontale indeling van de verdiepingen van de Renaissance met een barokke kolossale orde. De benedenverdieping met haar open arcaden en de piano nobile worden hier met elkaar in overeenstemming gebracht: op hoge sokkels staan halfzuilen in de Ionische orde, die tot de mooie balustrade van de bovenverdieping reiken.

Palazzo Contucci

Aan de oostkant van de Piazza Grande liet kardinaal Giovanni Maria del Monte, de latere paus Julius III, door architect Antonio da Sangallo de Oudere een paleis bouwen. De symmetrische voorgevel toont de heldere ordening en vormentaal van de Renaissance. Boven het massieve voetstuk van de benedenverdieping met inrijpoort bevinden zich stevige balken, waarop de vensters van de bovenverdieping steunen, de piano nobile, met driehoekige topgevels en Ionische zuilen boven volutenconsoles. De mezzanine met de barokke vensters die zich door zijn rode baksteen onderscheidt van de voorgevel in travertijn werd pas in 1690 toegevoegd door de familie Contucci.

San Biagio

In de heuvels ten zuiden van Montepulciano licht in goudgeel travertijn de bedevaartskerk San Biagio al van verre op. Beïnvloed door de plannen van Bramante voor de Romeinse Sint Pieter en naar het voorbeeld van Giuliano da Sangallo's Santa Maria delle Carceri in Prato ontwierp de architect een indrukwekkende centraalbouw op een plattegrond in de vorm van een Grieks kruis. Antonio da Sangallo de Oudere leverde de plannen voor de kerk, die tussen 1518 en 1540 in heldere, grote vormen verrees. Afwijkend van het schema van een centraalbouw werd de apsis op het zuiden neergezet. De apsis dient –van buiten onzichtbaar– als sacristie. Bovendien werden twee torens aan de noordkant gepland, waarvan één in 1564 werd uitgevoerd. Als in een leerboek toont de opbouw de canonische volgorde van Dorische, Ionische en Korinthische verdiepingen.

Interieur

Het interieur is een regelmatig geproportioneerde, plastisch sterk ontwikkelde ruimte: het overkoepelde vieringkwadraat bepaalt de grootte van de van tongewelven voorziene kruisarmen. Vooral indrukwekkend is de ordening door krachtige architectonische vormen in licht travertijn. Pijlers, zuilen en nissen vormen een doeltreffend wandreliëf en beheersen het interieur. Cassetten in de gordelbogen en zware, geantiquiseerde trigliefen bepalen de architectonische structuur.

Ook binnen wordt duidelijk dat Sangallo het geheel heeft opgebouwd uit geometrische vormen: kwadraten, cilinders en halve bollen. Bij deze heldere structuur valt de latere, vermoedelijk door de gebroeders Zuccari ontworpen decoratie van het priesterkoor enigszins uit de toon.

De glans van het oude Rome – de thermen van Toscane

Ruth Strasser

Passare le acque – 'door het water lopen': in deze woorden komt tot uitdrukking wat het voor een Italiaan betekent om een kuur in een bronnenbad te nemen. Hij doet dit niet alleen om te herstellen van een ziekte, maar ook om ziekte te voorkomen, als plezierige afleiding en om op weldadige wijze te ontsnappen aan het leven van alledag. Toscane heeft wel meer dan veertig kuuroorden.

Het grootste en beroemdste kuuroord van Toscane, Montecatini Terme, dankt zijn ontstaan aan Leopold van Habsburg-Lotharingen, een zoon van Maria Theresia, die aan het eind van de 18e eeuw groothertog van Toscane was. De heetwaterbronnen waren al sinds de Romeinse tijd bekend. Ze konden echter vanwege de ongunstige ligging aan de rand van een met malaria besmet moerasgebied pas laat door de groothertog in gebruik worden genomen. In de Oudheid werd in geschriften melding gemaakt van alle moeite die men moest doen om een bad te nemen. Men hulde zich van top tot teen in een zak en bedekte het hoofd met een doek om zo de steken van de malariamug te ontlopen.

Na het gereedkomen van de eerste drie grote kuurcomplexen, 'Tettuccio', 'Regina' en 'Leopoldine', raakte het oord spoedig in Europa bekend. Het werd het trefpunt van de mondaine wereld en zijn gekroonde hoofden. Er ontstonden nieuwe kuuroorden en in de jaren '20 van de 20e eeuw werden de complexen in de stijl van de Jugendstil uitgebreid of verbouwd.

In die tijd werden er, net als nu, driewekelijkse drinkkuren gedaan. 's Morgens wordt er op een lege maag een tot twee liter van het zwavel- en magnesiumhoudende water gedronken: dit stimuleert de stofwisseling en helpt tegen maag-darmproblemen en ziekten aan blaas, nieren, lever en gal. Inmiddels heeft Montecatini de internationale behandelstandaard overgenomen. Er zijn allerlei speciale behandelingen, zoals massages,

Cascaden met water dat bijna 38 °C is, beneden bij het kuuroord Saturnia

Warme bronnen van het kuuroord Montecatini

fangopakkingen, medicinale bewegingsbaden en balneotherapieën.

Montecatini oefent sinds jaar en dag een grote aantrekkingskracht uit op de groten en machtigen uit de politiek, de wetenschap, de theater- en filmwereld. Het boek met internationale gasten is intussen bijna vijfhonderd bladzijden dik. De beroemdste bezoekers waren Giacomo Puccini, die hier de tweede en derde akte van 'La Bohème' componeerde, en de ijverige kuurgast Giuseppe Verdi, die er meer dan twintig jaar stamgast was. In het oude hotel 'Locanda

Maggiore' schreef hij de muziek voor de laatste akte van 'Othello'.

Direct in de buurt en enigszins in de schaduw van Montecatini ligt de vulkanische grot van Monsummano. Het gaat hierbij om een in 1849 tijdens werkzaamheden in een steengroeve ontdekte druipsteengrot. Voor de kuur ontdoet men zich van al zijn kleren en daalt af, slechts gehuld in een tuniek. Bij temperaturen tussen 27 °C en 32 °C loopt men eerst door de zogenaamde hal, aansluitend door de naar Dante genoemde grotten 'paradijs', 'vagevuur' en

Menuno di Filippuccio (werkzaam 1288-1324), Middeleeuws
badplezier (detail), ca. 1303-1317, fresco, Camera del Podestà,
Palazzo del Popolo, San Gimignano

Terme. Het hete, zwavelhoudende water is daar 41 °C en wordt gebruikt bij de behandeling van spijsverteringsstoornissen. Vanuit het mooie, hooggelegen 'Kafè' genoten in het begin van de 19e eeuw de Engelse romanticus Lord Byron en zijn jonge vriend Shelley naast literaire bezigheden van de zonsondergangen boven de zee.

Ten zuiden van Pisa ligt, in een lieflijk heuvelgebied, het kuuroord Casciana Terme. Reeds in de 11e eeuw zou de markgravin Mathilde van Canossa in het warme water van dit kuuroord tegen reuma en artritis zijn behandeld.

'hel', tot men in de diepte bij het 'limbo' genoemde meer aankomt. De dampen die hier opstijgen, moeten ongeveer een uur worden ingeademd: een prima kuur ter behandeling van chronische ziekten aan de luchtwegen.

Slechts een paar kilometer ten noorden van Lucca en omgeven door wilde kastanjebossen ligt Bagni di Lucca. Dit oord werd door de Franse dichter Michel de Montaigne rond 1580 als volgt beschreven: "Het bad is overkoepeld met een gewelf en is tamelijk donker. Een afvoerinstallatie is ook voorhanden, een zogenaamde doccia; deze bestaat uit buizen waar de mensen onder gaan staan en waaruit onophoudelijk heet water over de verschillende lichaamsdelen, vooral over het hoofd, stroomt, wat de betreffende plek behoorlijk bewerkt."

Op de uitlopers van de bergen rond Pisa ligt, te midden van olijfboomgaarden, San Giuliano

Het grootste kuuroord in Zuid-Toscane is Chianciano Terme, dat gespecialiseerd is in het voorkomen van leverkwalen. Chianciano Terme is vergelijkbaar met Montecatini als het gaat om de kwaliteit van de behandelingen en de capaciteit van de hotelaccommodatie. Door de ligging in het midden van Italië, niet ver van de Autostrada del Sole, is het een ideale plek voor congressen en er wordt dan ook van politieke partijen tot welvaartsorganisaties regelmatig gebruik van gemaakt.

Aantrekkelijker echter dan de hotelbedrijvigheid die bij het kuren hoort, zijn de ontelbare bronnen en natuurlijke baden in het gebied, zoals het buiten het kuuroord Saturnia gelegen Cascate del Molino, met cascaden die een temperatuur hebben van 38 °C en waarin men gratis een huidreinigend en bloedsomloopbevorderend bad kan nemen.

Ook in Bagni di Petriolo, ten zuiden van Siena, kan de kuurgast de officiële kuurdrukte ontlopen: hij kan gewoon onder een waterval gaan staan, die met 41 °C uit de rotsen komt, of in een warme poel midden in de rivier de Farma gaan liggen.

Nog heter is het water van Bagno Vignoni, dat uit een diepte van 1080 m met 52 °C uit de grond opborrelt. De

Warme bronnen van Bagno Vignoni

plaats die indrukwekkend boven het Orcia-dal ligt, was al in de Romeinse tijd bekend om zijn geneeskrachtige bronnen. Een Romeinse inscriptie in een stuk travertijn in het linkerdeel van het warme bronnencomplex herinnert aan Lucius Trebonius, die op deze plek een aan de nimfen gewijd tempeltje liet bouwen. In de Middeleeuwen werd het bad bekend door de regelmatige bezoeken van Catharina van Siena en haar moeder Lapa. De moeder, die bezorgd was om het welzijn van haar dochter, hoopte haar door de beschaafde afleiding in het kuuroord af te brengen van haar kerkelijke loopbaan. Later hebben Lorenzo de'Medici en renaissancepaus Pius II –beiden leden aan jicht– van de geneeskrachtige werking van het water weten te profiteren. Het bad heeft ook slechtere tijden gekend. Zo noemde Montaigne het aan het eind van de 16e eeuw een "luizennest". Het bijzondere is ook nu nog de ligging van het grote warme bronnenbad in het midden van de plaats,

waardoor het lijkt alsof het centrum van Bagno Vignoni overstroomd wordt door water.

Het complex wordt omringd door een kleine, aan Catharina gewijde loggia en door restaurants. Het centrum en de borrelende, dampende bronnen in een met gelig water gevuld bekken hebben de Russische regisseur Andrej Tarkowski geïnspireerd deze plek als decor voor zijn film *Nostalgia* te kiezen.

Wie de grote verkeerswegen links laat liggen en door het uitgebreide bosgebied van Zuid-Toscane zwerft, ontdekt zelf dat warme plassen, hete bronnen en borrelende modderpoelen vrij veel voorkomen. Niet alleen de huidige inwoners van Toscane, maar ook hun voorouders, de Etrusken en de Romeinen, kenden de waarde van het warme water dat het lichaam ontslakt, het organisme nieuwe energie geeft en de geest verlevendigt – *passare le acque* wordt hier dan ook opgevat als 'door het water gelouterd'.

Chiusi

De geschiedenis van het bergstadje Chiusi gaat terug tot 1000 v.Chr., toen prehistorische kolonisten van de zogenaamde Proto-villanova-cultuur de nabijgelegen Monte Cetona verlieten en zich hier vestigden. De voornaamste bloeiperiode beleefde het stadje Chiusi echter onder de Etrusken tussen de 7e en 5e eeuw v.Chr. Door de voordelige ligging van de Etruskische 'Clevsin' boven het Chiana-dal en de goede verbindingswegen –ook via de in die tijd bevaarbare Chiana– kon het uitgroeien tot een belangrijk lid van de Etruskische stedenbond. De legendarische koning Porsenna uit Chiusi zou als bondgenoot van Tarquinius Superbus zelfs Rome veroverd hebben. De stad was toen omgeven door een omvangrijke stadsmuur van grote vierkante stenen. Talrijke Etruskische begraafplaatsen zijn in de omgeving te vinden.

In de 4e eeuw v.Chr. kwam Chiusi op vreedzame wijze onder Romeinse heerschappij. Als legioenplaats kreeg de stad in 269 v.Chr. de nu nog zichtbare structuur. Chiusi verloor echter wel zijn vroegere betekenis. In de Middeleeuwen werd Chiusi een belangrijk Longobardisch hertogdom. De betekenis van de stad nam af toen in de 16e eeuw als gevolg van het steeds moerassiger worden van de omgeving het risico van malaria steeds groter werd.

Museo Nazionale Etrusco

Het Museo Nazionale Etrusco werd in 1870 gesticht en is in een elegant, classicistisch paleis met een geantiquiseerde zuilengevel gevestigd. Het gaat hier om een van de belangrijkste archeologische musea van Toscane, met een interessante verzameling Etruskische, maar ook Griekse en Romeinse kunstvoorwerpen, die uit opgravingen in de omgeving van Chiusi en privé-schenkingen afkomstig zijn.

De Etrusken hebben hun doden bijna zonder uitzondering verbrand en de urnen in schachtgraven bijgezet. Pas sinds de 3e eeuw v.Chr. werd er gebruikgemaakt van sarcofagen en gedeeltelijk beschilderde grafkamers. Het museum bezit daarom vooral allerlei soorten urnen. Zeer bijzonder zijn de urnen waaraan met draad expressieve bronzen maskers zijn bevestigd. Vanaf het midden van de 7e eeuw v.Chr. werd ook de urnenvorm canope gebruikt. Dit type urn moest, met een deksel in de vorm van een menselijk hoofd en door toevoeging van handen, armen en zelfs borsten, op een menselijke figuur lijken. Het ging hierbij niet om portretten, maar om gedetailleerde voorwerpen met een individueel karakter. Aan het eind van de 6e eeuw v.Chr. konden urnen ook stenen figuren zijn met een afneembaar hoofd en een uitgeholde borstkas waarin de as van de dode bewaard kon worden. Sinds de 3e eeuw v.Chr. –waarschijnlijk onder invloed van Volterra– duiken er urnkisten met een liggende figuur op. Ook bijzonder zijn de urnkisten die van het lokale kalkzandsteen, het zogenaamde *pietra fetida* (stinksteen), zijn gemaakt. De kisten zijn met fijne reliëfs versierd.

Het museum bezit bovendien een rijke verzameling vazen die de verschillende stijlontwikkelingen van antieke keramiek goed documenteert; verder ook bronzen gereedschappen, gouden sieraden, gegraveerde spiegels en voorwerpen van ivoor.

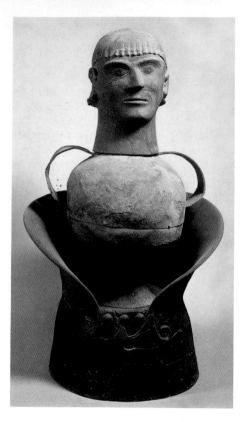

Etruskische canope, 6e eeuw v.Chr.
terracotta, impasto, brons, h 61 cm

Bij de Egyptenaren was de canope een grafvaas die het geboetseerde hoofd van de gestorvene als deksel had en waarin de ingewanden, die bij het mummificeren uit het lichaam werden verwijderd, bewaard konden worden. Lever, longen, maag en organen van het onderlichaam werden van elkaar gescheiden en in vier aardewerken kruiken bewaard.

Bij de Etruskische canopen uit Chiusi daarentegen gaat het om een urn met een deksel in de vorm van een menselijk hoofd of een urn in de vorm van een menselijke gestalte. Ze werden als teken van verering vaak op een bronzen of aardewerken troon gezet en in een grotere grafvaas ingegraven. Ze laten in gelaatstrekken, kapsels en houding zeer nadrukkelijke karakteriseringen zien. Deze vazen zijn absoluut niet vergelijkbaar met de latere portretkunst van de Romeinen: ze verwijzen naar de pogingen een algemenere fysionomische uitdrukking te verkrijgen en misschien zelfs naar pogingen psychologische kenmerken in de menselijke trekken weer te geven.

Van de hier afgebeelde canope bestaat het hoofd uit terracotta, de troon uit brons en de ashouder uit *impasto*, dat wil zeggen uit grove, nauwelijks geglazuurde klei. Beide oren van de vaas zijn behouden gebleven en doen aan armen denken. De afgebeelde persoon heeft een smal gezicht, sterk benadrukte wenkbrauwen, een grote maar rechte neus en samengeknepen, dunne lippen. De haren zijn als een krans in streng gescheiden lokken rond het gezicht gelegd en vallen achter de oren tot in de nek. De opvallend ernstige gezichtsuitdrukking getuigt van grote vastberadenheid, trotse zelfverzekerdheid en een duidelijke wil.

Etruskische cippus, 6e/5e eeuw v.Chr.
zandsteen, h 55 cm

Een fraai voorbeeld van de kunstproductie in Chiusi is dit reliëf op een *cippus* van zandsteen, een decoratief gebeeldhouwde grafsteen. Het reliëf toont een rituele begrafenisstoet; muziek en dans moesten de tocht naar het hiernamaals begeleiden. De *cippi* werden vaak voor de grafkamer opgesteld. Op de vierkante sokkel stonden in de regel beelden: portretten of symbolen van de gestorvene.

In de voor die tijd in Chiusi typische kunst van het vlakreliëf zijn de figuren levendig en in een ritmische beweging weergegeven. Vooral de zwevende passen, de vreugdevolle blikken van de fluitspelers en de toegewijde gelaatsuitdrukking van de danseres maken veel indruk.

Etrurië was vooral bekend vanwege zijn *auleti* – een soort fluitspelers. De *aulos* is een blaasinstrument met een rietje dat is samengesteld uit een of twee cilindervormige schalmeien. Beginnende auleti gebruikten vaak jarenlang een speciale ademtechniek, waarmee ze grote hoeveelheden lucht in hun longen konden opslaan die vervolgens beetje bij beetje in het instrument werden geblazen.

San Quirico d'Orcia

De parochiekerk San Quirico werd reeds onder de Longobardische koning Luitprand in 712 vermeld. De kerk was onderdeel van een vroegmiddeleeuws burchtcomplex dat later als zetel van een vicaris van het huis Hohenstaufen diende. Het complex vormde de verdediging van het onder het beheer van deze familie vallende gebied tegen Rome. Daarnaast ontstond buiten de muren een nederzetting. Na de overgave van de burcht aan de Siënesen voegden ze de kernen samen en bouwden een grotere stadsmuur. De nieuw ontstane plaats werd daarop een belangrijk handels-, congres- en herbergcentrum, dat door de Via Francigena met alle belangrijke steden was verbonden. Onder paus Pius II werd de stad in 1462 ten slotte bij het bisdom Pisa ingelijfd. De Romaanse zaalkerk uit de late 12e eeuw, die al rond 1300 gewelfde dwarsbeuken en gotische apsiden kreeg, werd in 1648 collegiale kerk.

Collegiata di Santa Maria Assunta

Een brede, vrijstaande trap leidt naar het mooie westportaal. Onder een rond venster wordt dit portaal door blinde bogen omlijst. Vergelijkbaar met de portalen in Emilia-Romagna rust de uitbouw op gedraaide zuilen, die door liggende leeuwen worden gedragen. Slanke wandzuilen en veelvoudig geschakeerde archivolten centreren het complex.

Twee sirenen –symbolen van de verleiding– en wild vechtende, draakachtige dieren verlenen de bovendorpel een krachtig accent dat de fijne, vroegromaanse zittende figuur van een tronende madonna bijna doet verbleken. Boven de laatste zuil aan de rechterkant is een menselijk hoofd tussen palmetten en daarboven staan twee pauwen – sinds de Oudheid symbolen van de zon.

Het portaal aan de zuidkant herhaalt de opbouw van het vroegere westportaal. Aan de vormgeving is echter duidelijk te zien dat dit portaal later is ontstaan. Waarschijnlijk heeft de werkplaats van Giovanni Pisano zijn medewerking aan de bouw verleend.

Direct naast het dubbele venster valt een kleine, zeer interessante dragende figuur op, die in elkaar wordt gedrukt door de zware last. Lachen en huilen liggen in de uitdrukking van het gezicht dicht bij elkaar. De campanile ten slotte is een latere uitbreiding uit 1800.

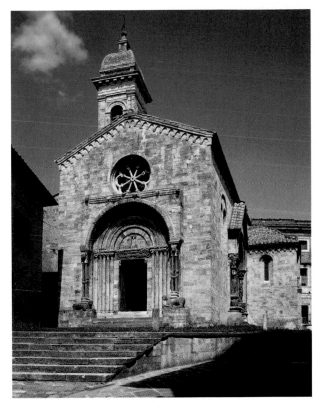

Montalcino

Dit door de Etrusken gestichte bergstadje beschermde sinds de Oudheid de rivierdalen van de Ombrone en de Asso. In 814 droeg Lodewijk de Vrome de plaats aan het klooster Sant'Antimo over. Na de slag bij Montaperti kwam de sinds de 12e eeuw 'vrije gemeente' in 1260 in het bezit van Siena.

Met de in 1361 gebouwde vesting beschermden de Siënesen hun territorium tegen het zuiden. In deze 'Rocca' trokken zich enkele honderden vluchtelingen terug toen Siena zich in 1555 overgaf aan Cosimo I de'Medici. Onder de uit Florence verbannen Pietro Strozzi riepen ze de 'Tweede Republiek van Siena' uit, die enige jaren bestaan heeft. Reeds in 1559 brak de weerstand echter en op de bastions werd ten slotte het De'Medici-wapen aangebracht.

Montalcino is vooral bekend om zijn heerlijke wijnen. Sinds de 19e eeuw wordt hier de beroemde brunello, een kwaliteitswijn met de hoogste onderscheiding, geproduceerd.

Abbazia di Sant'Antimo

Sant'Antimo is een unieke benedictijnen-abdij in Toscane. In de Middeleeuwen was de abdij belangrijk en welvarend. De abdij is oorspronkelijk waarschijnlijk rond 800 gesticht door Karel de Grote. Het verdwijnen van de keizerlijke macht leidde aan het eind van de 13e eeuw tot het verval van de abdij, die in 1462 werd opgeheven. De hoge, goedgeproportioneerde basiliek werd rond 1118 naar Frans voorbeeld uit regelmatig gehakt hardsteen opgetrokken, zoals blijkt uit de voor Italië ongebruikelijke kooromgang met straalkapellen. Deze kooromgang was geïnspireerd op het benedictijnenklooster Cluny in Bourgondië, waarvan de bouw in 1088 van start was gegaan. Daarentegen getuigen de geïsoleerde klokkentoren en een minimaal gebruik van ordeningselementen van een Italiaanse bouwtraditie. Enkel de kleine, vermoedelijk Karolingisch-Ottoonse kapel met een apsis aan de zuidkant van het koor, die om onbekende redenen bij de nieuwbouw van de 12e eeuw behouden bleef, bestaat uit grover metselwerk.

Interieur

In het 13e eeuwse portaal is een architraaf verwerkt waarin de naam van de bouwmeester, de monnik Azzo uit Porcari, ingekrast is. Op het eerste gezicht maken van de eenvoudige, gesloten architectuur van de zuilenbasiliek alleen de kapitelen, die met beeldhouwwerk versierd zijn, indruk. Onder een open dakstoel verrijzen de wanden van het middenschip. Ze worden door tweelingvensters onderbroken, waarachter galerijen te zien zijn. In de smalle zijbeuken, die voorzien zijn van een kruisribgewelf, en in de kooromgang, waar het licht door het venster van de altaarruimte naar binnen valt, zijn Franse elementen herkenbaar. Net als aan de buitenkant van de abdij worden ze verbonden door Lombardische elementen. Voorbeelden hiervan zijn het afzien van een dwarsbeuk en de geslotenheid van de wandvlakken.

Kapitelen in het middenschip

Het fraaie beeldhouwwerk aan de kapitelen is eveneens het originele resultaat van een combinatie van Lombardische en Franse invloeden. Als materiaal werd onyxachtig albast gebruikt – een materiaal dat ter plekke werd aangetroffen.

Tussen de talrijke dierenkoppen en plantenkapitelen met pompeuze decoratie valt het Daniel-kapiteel op. Dit wordt toegeschreven aan de meester van Cabestany, een kunstenaar die in heel Europa werkte en het levendige beeldhouwwerk van het Zuid-Franse klooster Moissac voortzette. Zijn stijl kenmerkt zich door opvallend sterke voorstellingen. Onvergetelijk zijn vooral zijn gezichten: een kort voorhoofd, sterk benadrukte wenkbrauwen, schuinse blik, een spitse neus, een wijkende kin en flaporen. Hier is het verhaal van Daniel uit het Oude Testament afgebeeld.

Chiusdino

Chiesetta sul Monte Siepi

Uit het nabijgelegen Chiusdino trok in 1180 de adellijke ridder Galgano Guidotti zich in eenzaamheid terug op de Monte Siepi. Bij gebrek aan een kruis stak hij zijn zwaard als religieus voorwerp in de rotsen. Na zijn dood in 1181 ontstond er een lokale beweging van mensen die hem vereerden. Reeds in 1184 werd er begonnen met de bouw van een kapel op het graf van de kluizenaar. Naar het voorbeeld van antieke mausolea en de grafkerk in Jeruzalem ontstond een kapel als een Romaanse rotonde, de enige in Toscane. Tussen de 14e en de 18 eeuw werden de campanile, de noordelijke kapel, de lantaarn, het voorportaal en de pastorie aan het bouwwerk toegevoegd.

Al aan de buitenkant valt de afwisseling van stroken licht travertijn en donker baksteen op. Deze goedkopere variant van marmerincrustatie zien we vaak in landelijke gebieden van Toscane. Heel interessant is de afwisseling in kleur in de gemetselde koepel die aan Etruskische 'Tholos'-grafcomplexen doet denken.

Gezicht op de buitenkant van de grafkapel

Rechts: blik in de koepel
Onder: het zwaard van de heilige Galgano

Abbazia di San Galgano

Van de monumentale kerk van de vroegere cisterciënzer abdij San Galgano, in de buurt van het graf van de heilige kluizenaar, is alleen nog een ruïne over. In 1224 begonnen de monniken met hun enige nieuwbouw in Toscane –gewoonlijk namen ze bestaande complexen over– naar het voorbeeld van de moederkerk van Camari in Latium. Op bevel van Siena ontwikkelde de abdij zich tot een cultureel centrum. Met de plundering door de soldaten van John Hawkwood in 1364 begon het verval. Toen halverwege de 16e eeuw de loden daken werden verkocht, leefden er nog slechts zes monniken.

Eind 18e eeuw stortten de campanile en de gewelven in. Ondanks het ruïneachtige uiterlijk is de vorm van de drieschepige kerk –het middenschip met de dwarsbeuken en een plat, afgesloten koor in het typische bouwschema van de cisterciënzenorde– nog steeds herkenbaar. Nieuw is het zijschip. Ook in Midden-Italië enig in zijn soort is de ordening in het interieur met stijlen en schalken.

De enige gebeeldhouwde elementen van het gebouw treft men aan bij de ongeveer honderd kapitelen. De cisterciënzers volgden daarmee de voorschriften van Bernard van Clairveaux, die gebeeldhouwde decoratie slechts af vond leiden.

Interieur

Terwijl voor dragende en ordenende delen en de kapitelen travertijn werd gebruikt, bestaan de wanden en gewelven uit baksteen. Zo ontstond er een werking die overeenkomt met het kleurenspel van de incrustatie. Deze bouwwijze vond echter geen navolging in Toscane.

Opmerkelijk was bovendien het licht in het interieur. Tot aan beide traveeën aan de westkant van het middenschip zijn de wanden in vier verdiepingen met een extra vensterzone geordend. Aanvullend licht viel door een rond raam in de hoofdkoorkapel.

Monteriggioni

"Zo drong ik het dichte woud binnen; maar naarmate ik steeds dichter bij de afgrond kwam, bemerkte ik mijn vergissing en werd mijn angst steeds groter. En zoals in Monteriggioni de torens zich boven de ronde stadsmuur verheffen, zo torenden hier de vreselijke giganten als halve lichamen boven de cirkel van bronnen uit en van tijd tot tijd dreunt het, als Zeus vanboven hen dreigt." (Dante, *Goddelijke komedie, Hel XXXI*).

Vanaf de aan de Via Francigena gelegen heuvel viel het omstreden grensgebied tussen Florence en Siena goed te controleren. Daarom lieten de Siënesen in 1203 deze plek met een ronde muur verstevigen. Na hun overwinning bij Montaperti in 1260 breidden ze de vesting uit tot een rechthoek met een omvang van 570 m en versterkten het geheel met veertien wachttorens.

Met indrukwekkende woorden vergelijkt Dante in zijn *Goddelijke komedie* (begin 14e eeuw) de unieke ronde muur van Monteriggioni met de reuzen die de diepste afgrond in de hel omzomen. De plek is betoverend vanwege zijn tot nu toe bewaard gebleven muur en doet denken aan afbeeldingen van vestingen op vroege voorbeelden van Europese landschapsschilderkunst.

Gezicht op de ronde stadsmuur in avondlicht

Rivaliteit in steen – familietorens

Ruth Strasser

Wie vandaag de dag het stadje San Gimignano nadert, ziet al van verre het kenmerk van deze 'stad van de mooie torens': een dozijn hoge wachters en enkele 'stompen', die slechts nog een vage indruk geven van het prachtige beeld dat de 72 machtige torens ooit opleverden. De middeleeuwse reiziger die zich te voet of te paard op de handels- en pelgrimswegen begaf, zag een heel woud van torens voor zich, die de heuveltoppen bedekte en het bestaan van dorpen aangaf. Vanuit de verte dienden de torens als oriëntatiepunten. Ook de grote nederzettingen op de vlakten boden een aanblik van machtige torenwouden. Tussen de 150 en 250 stenen reuzen verhieven zich in steden als Pisa, Lucca, Pistoia en Florence.

In de 12e eeuw had de adel bij de verhuizing van het platteland naar de stad de wachttorens van de burchten meegenomen. Op een vierkante plattegrond werden van blokken steen of baksteen meerdere verdiepingen boven elkaar gebouwd, die vaak uit maar één ruimte bestonden. De benedenverdieping had een versterkte toegangspoort en enkele vensteropeningen, in de regel slechts schietgaten. Om van de ene kamer in de andere te komen, werden touwladders gebruikt die door openingen in het dak weer naar binnen werden getrokken.

Volgens de toenmalige stedelijke verordeningen moest erop worden toegezien dat de voorraden en de oudere personen van een huishouding altijd op de bovenste verdieping lagen. Comfortabel was deze manier van wonen niet, maar wel veilig. In geval van een belegering kon het blok gebarricadeerd worden. Daarom werd deze manier van bouwen ook in de 13e en 14e eeuw instandgehouden, toen in Toscane niet alleen strijdlustige ontmoetingen tus-

Ambrogio Lorenzetti (?), Stad aan zee, ca. 1340, tempera op paneel, 22 x 33 cm, Pinacoteca Nazionale, Siena

sen Welfen en Ghibellijnen, maar ook tussen bisschop en gilderegering aan de orde van de dag waren. Ook in die tijd werden naast de toren al deftige huizen gebouwd. Soms gingen families op in een clan en dan werden vaak meerdere gebouwen en torens bij elkaar gezet, zodat er een soort vesting ontstond. Bij gevaar trokken de mensen zich dan in de torens terug, waar zich op de tweede of derde verdieping houten verbindingsbruggen naar de buurgebouwen bevonden, zodat niemand aan het gevaar op straat werd blootgesteld. Nu nog zijn de smalle openingen boven de consoles te herkennen, waarin houten balkons konden worden gezet: vanaf die hoogte kon men aanvallen afweren of, bij een overwinning, aan het feestgedruis deelnemen.

Niet alleen vanwege ruimtegebrek werd er steeds hoger gebouwd –wel zo'n 60 tot 70 m hoog–, maar ook om het prestige: hoe hoger de toren, hoe machtiger de familie was. Had de partij van de Welfen een overwinning te melden, dan werden de torens van alle Welfische families van nog een verdieping voorzien en die van de Ghibellijnen geslecht. Wanneer het tij keerde, werden de rollen omgedraaid. Deze rivaliteit in torens werd pas minder toen de gekozen gilderegeringen ontstonden en de eerste gemeentehuizen werden gebouwd.

Het symbool van de nieuwe democratische regering was de toren van het gemeentehuis. Hierdoor werden overal strenge wetten uitgevaardigd waarin de hoogte van de torens werd vastgelegd. In Florence bijvoorbeeld mocht een familietoren niet hoger zijn dan 30 m.

Toen aan het eind van de 14e eeuw bijna alle stadsrepublieken onder controle van Florence

Familietorens in San Gimignano

waren gekomen, werd er begonnen met het verbreden van de straten en het bouwen van mooie, ruime paleizen voor de veeleisende burgers. De hoge wachters werden afgebroken en hun stenen als bouwmateriaal gebruikt, of ze werden als stompen in nieuwe paleizen opgenomen.

De weinige, nog bestaande torens zijn nu beschermde monumenten.

San Gimignano

Veertien van de ooit 72 torens geven San Gimignano zijn opvallende silhouet. Op de al sinds de Etrusken bewoonde heuvelrug ontwikkelde zich een pelgrims- en handelscentrum dat vanaf 929 onder het gezag van de bisschop van Volterra stond. Aan het eind van de 12e eeuw bevrijdde de stad zich van zijn feodale heren met de verkiezing van een consul. De lakenproductie en het verbouwen van saffraan –die als verfstof voor zijde zeer gewild was– leidden tot welvaart, waardoor in de loop van de 13e eeuw een nieuwe stadsmuur gebouwd kon worden.

Noch de *podestà*, noch de 'grote raad' waartoe ongeveer een kwart van de bevolking behoorde, konden de verbitterde strijd tussen de rijke families stoppen. Welfenleider Ardinghelli en de aanvoerder van de Ghibellijnen, Salvucci, bouwden steeds hogere torens. Dit deden ze voor hun imago, maar ook om vanuit de torens te kunnen aanvallen en verdedigen. Ze lieten het complex van de ander bij een overwinning slopen.

Gezicht op de stad met de van verre zichtbare familietorens

Toen in 1348 de helft van de bevolking ten prooi was gevallen aan de pest, stelde de stad zich onder de bescherming van Florence en werd de oude stad behouden.

De driehoekige Piazza Cisterna is altijd de belangrijkste plek geweest. Het stadje op de heuvel werd vanaf dit plein door de in 1346 gebouwde waterputten van water werd voorzien. Middeleeuwse stadspaleizen omzomen de Piazza, die voor een deel nog het plaveisel uit de 14e eeuw heeft. De woningen uit de 12e eeuw werden door geldgebrek nooit vergroot.

Piazza della Cisterna met de tweelingtorens van de Ardhinghelli en de Torre Grossa

San Gimignano

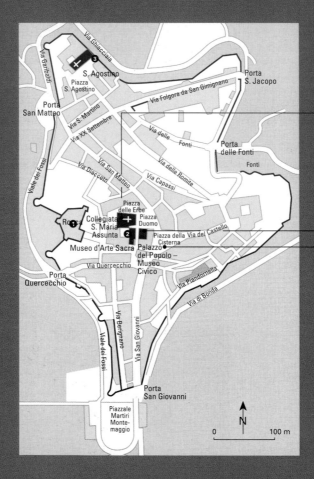

Via Ghiacciaia

Via Barbaldi

S. Agostino ③

Piazza
S. Agostino

Porta
San Matteo

Via Folgora da San Gimignano

Porta
S. Jacopo

Via S. Martino

Via XX Settembre

Via delle   Fonti

Porta
delle Fonti

Via San Matteo

Via Diacceto

Via delle Romite

Via Capassi

Fonti

Viale dei Fossi

Piazza
delle Erbe

Rocca ①

Collegiata
S. Maria
Assunta

Piazza
Duomo

Piazza della Via del Castello

Museo d'Arte Sacra

② Piazza della
Cisterna

Palazzo
del Popolo –
Museo
Civico

Via Quercecchio

Porta
Quercecchio

Via Piandornella

Via di Bonda

Via Berignano

Via San Giovanni

Viale dei Fossi

Porta
San Giovanni

Piazzale
Martiri
Monte-
maggio

N

0   100 m

Collegiata S. Maria Assunta, Piazza
Duomo, blz. 438

Palazzo del Popolo – Museo
Civico, Piazza Duomo,
blz. 436,437

Piazza Cisterna, blz. 433

Andere bezienswaardigheden
(deels niet hier besproken):

1 Rocca

2 Museo d'Arte Sacra (Museo
Etrusco), Piazza Pecori, 1

3 S. Agostino, Piazza S. Agostino,
blz. 442

San Gimignano **435**

Palazzo del Popolo

Palazzo del Podestà, het huis van de commandant van de stad, en het Palazzo del Popolo staan aan de tegenwoordige Piazza del Duomo, die direct bij de Piazza Cisterna aansluit. Het Palazzo del Popolo werd al in 1288 voor de 'grote raad', waar 1200 burgers lid van waren, een gemeentehuis. Rond 1300 kreeg het palazzo met de 54 m hoge Torre Grossa de hoogste toren van de stad. Er werd een wet uitgevaardigd waarin werd gesteld dat geen enkele privétoren mocht uitsteken boven deze toren of de 52 m hoge toren Torre Rognosa, die met zijn klokkenstoel uit het Palazzo del Podestà lijkt te komen. De voorgevel is naar het domplein gericht. De gevel heeft drie verdiepingen en rondboogvensters – op de benedenverdieping onder 'Siënese bogen'.

Beroemd werd het balkon waarop Dante op 8 mei 1300 met een handige retoriek de bevolking wist te overtuigen van de juistheid van zijn plan een Welfische liga te vormen. In de binnentuin van het gemeentehuis herkennen we in de overdekte hal de plek waar in de Middeleeuwen recht werd gesproken: de drie wanden zijn beschilderd met allegorieën van de rechtspraak. De middelste toont, aan de zijde van de opperste vrouwelijke rechter Maria, de voormalige bisschop van Modena, de heilige Gemignanus. Hij

zou de inwoners in de 4e eeuw gered hebben van een aanval van Hunnen of Goten. Naar hem is de plaats genoemd. In zijn hand houdt hij een schaalmodel van de stad.

Museo Civico

In het Palazzo del Popolo bevindt zich het Museo Civico, waartoe ook de in de 14e eeuw van fresco's voorziene ruimten behoren, dus ook de 'Camera del Podestà', de burgemeesterskamer. Hier zijn bewust enkele pikante scènes geschilderd.

Memmo di Filippuccio (werkzaam 1288-1324), scène uit het dagelijkse leven, ca. 1320
fresco

De fresco's van Memmo di Filippuccio hebben een verrassend profane inhoud, waaronder een badscène (blz. 412). Hier laat hij een man en een vrouw zien bij het slapengaan. We kijken in een kleine alkoof waarvan het gordijn door een dienstmaagd open wordt gehouden. Het echtelijke bed vult de gehele ruimte en de vrouw slaapt al. De kunstenaar geeft de gestalte van de vrouw, die daar ligt met gesloten ogen en onbedekte borsten, aan de nieuwsgierige toeschouwer prijs.

Collegiata Santa Maria Assunta

Aan de Piazza Duomo in San Gimignano is, naast het gemeentehuis en het paleis van de stadscommandant, deze kapittelkerk het derde belangrijke gebouw: wereldlijke en geestelijke centra van de Middeleeuwen lagen derhalve dicht bij elkaar. San Gimignano is nooit een bisschopszetel geweest, maar had wel privileges. Zo mocht de proost tienden innen.

Sinds 1362 leidt een grote, vrijstaande trap naar de twee portalen van de in 1148 door paus Eugenius II gewijde kerk. Aan de onversierde, onvoltooid gebleven oostgevel is duidelijk verschil in metselwerk te herkennen, omdat de wanden van de zuilenbasiliek in 1340 ten behoeve van een gotisch ribgewelf verhoogd werden. In 1456 breidde Giuliano da Maiano de kerk uit met zijkapellen en een dwarsbeuk.

Middenschip

Het middenschip laat ondanks latere veranderingen de Romaanse structuur zien. Vooral de evenwichtige zuilenreeks met gelijkmatige arcaden getuigt nog van de ooit van een vlak plafond voorziene basi-

liek. Ook de mooie, eenvoudige kubuska-
pitelen met gestileerd bladwerk bleven bij
de verbouwing onaangetast.

Beroemd is de kerk vanwege zijn fresco's.
In het linkerzijschip schilderde Bartolo di
Fredi in 1367 scènes uit het Oude Testament. Tussen 1333-1341 ontstond ertegenover, waarschijnlijk van de hand van
de broers Federico en Lippo Memmi
–medewerkers van Simone Martini– een
cyclus met scènes uit het Nieuwe Testament. Aan de binnenkant van de gevel
bevindt zich de 'Marteling van de heilige
Sebastiaan' van Benozzo Gozzoli uit 1465
en daartegenover het in 1393 gemaakte
'Laatste oordeel' van Taddeo di Bartolo.

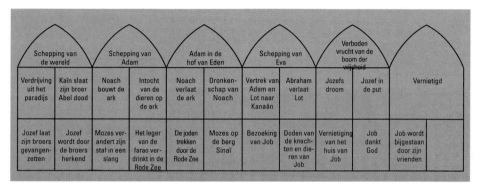

Frescoschema van het Oude Testament op de linkerwand van het middenschip

Frescoschema van het Nieuwe Testament op de rechterwand van het middenschip

Bartolo di Fredi (ca. 1330-1410),
De verleiding van Job, 1367
fresco

Domenico Ghirlandaio (1449-1494), Begrafenis
van de heilige Fina, 1473-1475
fresco

De Siënese schilder Bartolo di Fredi schildert met levendige frisheid taferelen uit het Oude Testament. Fantasievol verrijkt hij de bijbelse scènes met details. Op het onderstaande werk zien we Job, die een speciale voorliefde voor muzikanten had, omgeven door meerdere muzikanten, met zijn vrouw aan een koninklijk feestmaal zitten.

In de in 1468 toegevoegde Cappella di Santa Fina heeft de Florentijnse kunstenaar Domenico Ghirlandaio de geschiedenis van de lokale heilige Fina in een reeks afbeeldingen weergegeven. Toen hij tussen 1473 en 1475 de wanden van de *cappella* van fresco's voorzag, bewerkte Benedetto da Maiano gelijktijdig de sarcofaag van de in 1253 gestorven heilige met een beitel.

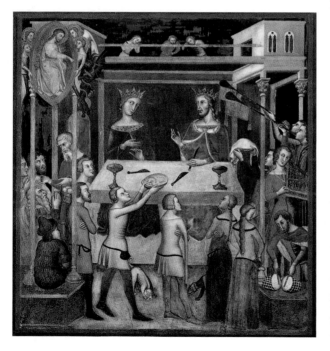

In deze 'strijd' tussen de kunsten vond Ghirlandaio, na zijn beginperiode in Florence, een eigen stijl, die hem veel succes zou bezorgen: fantasievolle architectuur, ruimten vol licht, uitzicht op een landschap, stillevenachtige enscenering en portretten van tijdgenoten zijn geplaatst tussen de heilige gebeurtenissen.

De jeugdige gestorvene is voor een kostbare altaarnis opgebaard. De boerendochter stierf op vijftienjarige leeftijd, uitgeteerd en ziek door strenge ascese. Met de meestal viooltjes genoemde 'Fiori di Santa Fina', die eigenlijk violieren zijn, herdenkt de stad deze heilige jaarlijks op

12 maart. Rond de dode en haar met een kleed versierde sarcofaag staan talrijke misdienaren en burgers, terwijl de bisschop de plechtigheid celebreert. Op dit tijdstip moeten in San Gimignano alle klokken geluid hebben. Op de achtergrond zien we een engel die de klok op de hoogste toren luidt.

Sant'Agostino

In het noorden van San Gimignano, dicht bij de Porta San Matteo, werd tussen 1280 en 1298 de kerk van de augustijner kanunniken gebouwd in de typische stijl van deze bedelorde. De zaalkerk, met duidelijk zichtbare balken en rechte, gesloten kapellen, heeft een weinig opvallende dwarsbeuk.

Benozzo Gozzoli (ca. 1420-1497), de school van Thagaste, 1464-1465
fresco

In het koor geeft Benozzo Gozzoli in achttien afbeeldingen (vier daarvan in de lunetten met, in de bijhorende gewelven, de vier evangelisten), die omlijst worden door een geantiquiseerd kader, het leven van de heilige Augustinus weer. Hij doet dit naar voorbeeld van de autobiografische *Confessiones* en de *Legenda Aurea*, een in de Middeleeuwen wijdverspreide verzameling legenden over het leven van heiligen. Augustinus werd op 13 november 354 in de Noord-Afrikaanse stad Thagaste (nu Souk-Ahras/Algerije) als zoon van een heidens grondbezitter, de ambtenaar Patricius, en de christelijke Monica geboren. Al als klein jongetje werd Augustinus naar school gebracht; een school waar ook christelijke leraren aan verbonden waren. Omdat hij, zoals hij later zelf toegeeft, niet graag naar school ging, moesten zijn ouders hem daar vaak naartoe brengen.

Gozzoli schildert, met een zichtbaar plezier in het vertellen en met krachtige bonte kleuren en een architectuur in een virtuoze perspectief, in het linkerbeeldvlak het schoolgaan van de heilige. Verre van zorgeloos laten vader en moeder hun zoontje achter bij de spraakkunstleraar. In een simultaan tafereel rechts staat de kleine Augustinus met een lei in zijn handen naast zijn leraar, die een kleine zondaar straft. De scènes zijn met elkaar verbonden door een uniforme omlijsting met ook echte bouwwerken.

In de afgebeelde personen zijn ook belangrijke vertegenwoordigers van het wereldlijke en religieuze leven herkenbaar. Rechts, aan de rand, in 'Het vertrek naar Milaan' heeft de schilder zichzelf afgebeeld.

De andere scènes tonen fasen uit het leven van de belangrijke theoloog: de universiteit van Carthago, de reis naar Rome, de studie in Rome, de reis naar Milaan, de ontmoeting met de heilige Ambrosius, doop van Augustinus, bezoek aan het klooster van Monte Pisano, de zegening van de gelovigen van Hippo, Augustinus' visioen van de heilige Hiëronimus en ten slotte de dood van de heilige. Op weg naar Monte Pisano ontmoet Augustinus Christus als jongen die hem meedeelt dat de menselijke geest te beperkt is om de drie-eenheid te kunnen begrijpen, zoals het ook onmogelijk is de zee met een lepel leeg te scheppen. Hieraan dankt Augustinus zijn attribuut: hij wordt vaak afgebeeld als de jongen met de lepel.

De novellen van de tien dagen – Bocaccio en de 'Decamerone'

Het –tegenwoordig– beroemdste boek van de vroege Italiaanse literatuur is de *Decamerone* van Giovanni Boccaccio. Het is populairder dan Dante Aligieri's *Divina Commedia* of Francesco Petrarca's sonnetten, staat dichter bij het volk en is actueler.

In de *Decamerone* gaat het om zeven vrouwen en drie mannen die in 1348 vanwege de pest vanuit Florence naar een landgoed zijn gevlucht. Ze leven tien dagen in quarantaine, die ze doorbrengen met eten, dansen en verhalen vertellen. Deze raamvertelling stelt Boccaccio in staat honderd zeer verschillende novellen samen te voegen. Het zijn fabels, parabels, anekdoten en wonderlijke levensgeschiedenissen. Ze zijn bekend door mondelinge overlevering van het volk en het hof en uit oriëntaalse en Franse manuscripten. De traditionele verhalen werden in het Toscaans opnieuw verteld.

Boccaccio varieert de toon afhankelijk van het temperament van de jonge mensen: soms ruw, soms schalks, soms galant. De realistische schildering van de pest in Florence en het vernietigende gevolg voor de gemeenschap doet het karakter van de protagonisten stralen en overtuigend moralistisch lijken. Zo kan hij over erotische avonturen, vrouwelijke list, priesterlijke schijnheiligheid en de mannelijke kleingeestigheid vertellen.

Boccaccio schrijft in het voorwoord: "In deze verhalen zult u kennismaken met vrolijke en

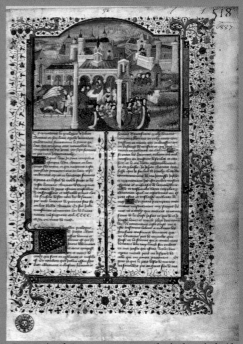

Boccaccio, Il Decamerone, *verlucht handschrift, perkament, Bibliothèque Nationale, Parijs*

droevige liefdesgeschiedenissen en andere avontuurlijke gebeurtenissen, die (...) de lezer door de vrolijke dingen die aan de orde komen, veel plezier, maar ook goede raad, zullen verschaffen en waarvan u kunt leren wat u moet vermijden en waarnaar u moet streven." Boccaccio verwijst verder naar het stichtelijke karakter en tegelijkertijd naar de onderhoudende waarde van zijn werk: "Volgens mij verdrijven dergelijke verhalen een slecht humeur."

De tussen 1349 en 1351 geschreven honderd verhalen zijn een levendig verslag zonder vooroordelen van het dagelijkse leven in Toscane, dat overigens duidelijk trekken van de vroege Renaissance in zich draagt. In de nieuwe vertelvorm, de novelle –meestal een kort stuk proza dat over een ongewone, 'nieuwe' ('novella') gebeurtenis gaat en dat in een van de vele varianten van de volkstaal is geschreven–, behoort de *Decamerone* tot de belangrijkste meesterwerken van de wereldliteratuur.

Giovanni Boccaccio kwam in juni 1313 als buitenechtelijk kind van een koopman ter wereld. Hij bracht vele jaren van opleiding en studie door in de kring van schrijvers aan het hof van Napels. De met Petrarca bevriende dichter kreeg later een leerstoel voor Grieks in Florence en stierf op 21 december 1375 in Certaldo, waar hij ook begraven ligt.

In een toespeling op zijn naam, die we met 'lastertong' kunnen vertalen, liet hij een vriendelijke versie na die intussen een geliefd Toscaans spreekwoord is geworden: "Bocca baciata non perde ventura, anzi rinnova comè fa la luna" – "Een gekuste mond boet niet in, maar vernieuwt zich steeds, net als de maan" (*Decamerone*, 17e novelle).

Villa Palmieri, gezicht op de tuin met citrusstruiken, San Domenico di Fiesole

Grosseto en provincie

Grosseto

Restanten van de oude Siënese stadsmuur uit het midden van de 14e eeuw zijn bewaard gebleven in delen van de vesting en in de zuidelijke stadspoort Porta Vecchia, die tot het midden van de 18e eeuw de enige toegang tot de stad was. Toen Grosseto met de val van Siena in 1554 onder Florentijnse heerschappij kwam, liet Cosimo I de'Medici door Baldassare Lanci een nieuwe, zeshoekige stadsmuur bouwen met bolwerken op de hoeken en een vesting. Rond de muur lag een gracht, zodat goederen en bouwmaterialen per schip aangevoerd konden worden. Sinds de 19e eeuw is het complex voor publiek toegankelijk en op de stadsmuur kan men wandelen. De Etrusken veranderden het moeras in het mondingsgebied van de Ombrone al in vruchtbaar land. Vanaf de 3e eeuw v.Chr. werden de door hen gestichte steden van Populonia tot Roselle verheven tot Romeinse steden en later tot bisschopszetels. De ondergang van Rome en de invallen van de Saracenen lieten het gebied volledig ontvolkt achter. De nederzettingen werden drassig, het land lag braak en er heersten malaria en epidemieën. Wie kon, vluchtte voor de *mal aria*, de slechte lucht, naar hoger gelegen stadjes. Pas in de periode van de 9e tot de 13e eeuw, onder de familie Aldobrandeschi werd Grosseto een belangrijk verkeersknooppunt aan de Via Aurelia van Rome naar Pisa. De stad lag aan zee –pas door de latere opho-

Le Mura – deel van de stadsmuur uit de Renaissance

Piazza Dante met het Palazzo della Provincia

ging van de Ombrone-delta kwam Grosseto landinwaarts te liggen– en beschikte over bodemschatten. Beide wekten haat en nijd. In 1336 viel de stad in handen van Siena en meer dan tweehonderd jaar later in die van het groothertogdom Toscane.

In de 19e eeuw werd begonnen met het systematisch droogleggen van de moerassen in de strijd tegen malaria. Vanaf 1830 werd er in de stad gebouwd en gerestaureerd. Naar het voorbeeld van het gemeentehuis van Siena –met Siënese bogen, tweelingvensters en kantelen– ontstond het nieuwgotische paleis van het provinciale bestuur, Palazzo della Provincia, op de resten van het middeleeuwse Palazzo Pubblico, het gemeentehuis. Van dit gemeentehuis zijn de wapens van de verschillende stadsbestuurders afkomstig, die nu op de voorgevel van het nieuwe gebouw zijn aangebracht.

Het monument op de Piazza Dante herdenkt de laatste groothertog van Toscane, Leopold II van Habsburg-Lotharingen (1747-1792), aan wie de stad de eerste maatregelen tegen malaria dankt. Vanwege de kleur van zijn haar werd hij 'Canapone' (sijsje) genoemd.

Grosseto

Via Oberdan

Siena

Piazza Tripoli

Baluardo Garibaldi

Porta Nuova

Piazza Popolo

Baluardo della Rimembranza

Viale Manetti

S. Pietro

Via Monte Bello

Via da Grosseto

Via Aurelio Saffi

Corso Carducci

Piazza Baccarini

Piazza dell' Indipendenza

S. Francesco

Via Ginori

Via Filippo Corridoni

Viale Lorenzo Porciatti

Via Tripoli

Baluardo del Molino a Vento

Via Goldoni

Museo Archeologico e d'Arte della Maremma

Le Mura
Baluardo della Fortezza

Via Garibaldi

Via Manin

Via d'Azeglio

Piazza Duomo

Via Zuavi

Piazza R. Pacciardi

Via Amiata

Via Gramsci

Via Mazzini

Duomo S. Lorenzo

Piazza Dante Alighieri

Via Aldobran-deschi

Via dell' Unione

Viale Vittorio Fossombroni

Viale Ximenes

Via Ricasoli

Via G. Galilei

Via S. Martino

Via Aurelio Saffi

Baluardo del Maiano

Viale V. Alfieri

Piazza Mercato

Baluardo della Cavallerizza

Porta vecchia

Viale Vittorio Fossombroni

Via Cesare Battisti

0   100 m

N

Piazza de Maria

S. Francesco, Piazza dell'Indipendenza 2, blz. 456

Museo Archeologico e d'Arte della Maremma, Piazza Baccarini 3, blz. 454

Le Mura, stadsmuur, blz. 448

Duomo S. Lorenzo, Piazza Duomo, blz. 452

Andere bezienswaardigheden
(niet in het boek besproken):

1   Porta vecchia, Piazza de Maria

2   S. Pietro, Vicolo del Duomo 3

Duomo San Lorenzo

Nadat als gevolg van het pauselijk besluit in 1138 de bisschopszetel van Roselle naar de stad Grosseto werd verplaatst, ontstonden er plannen voor de bouw van een dom die de oude parochiekerk moest vervangen. De bouw ervan begon in 1294, zoals in een inscriptie in de gevel van de dom is te lezen; hier wordt ook Sozzo di Rustichino als architect genoemd. Het werk kwam evenwel acht jaar later tot stilstand. Onder leiding van de Siënese dombouwmeester werd het werk in 1338 voortgezet en tenslotte in het midden van de 14e eeuw voltooid. Het huidige uiterlijk is echter het resultaat van ingrijpende veranderingen. Na de verbouwingen die al in de 16e eeuw hadden plaatsgevonden, volgde een complete restauratie tussen 1840 en 1845 in een historiserende, neoromaanse stijl. Aan de voorgevel werd de oorspronkelijke marmerbekleding weer aangebracht: smalle stroken rood marmer die worden afgewisseld met brede stroken wit marmer. Waarschijnlijk werd daarbij de oude indeling gehandhaafd. Een verticale dwerggalerij deelt de gevel in een benedenverdieping met drie porta-

len en een topgevel met een groot roosvenster. Op de kroonlijst, die onder het
timpaan doorloopt, staan voor de steunpilaren de symbolen van de vier evangelisten – de enige versiering die overgebleven
is van de middeleeuwse
voorgevel.

Zuidportaal

Omdat de zuidkant van de
dom naar het Piazza Dante
is gericht, is deze kant tot
een tweede voorgevel ver-
heven. Deze is slechts in
geringe mate veranderd
door de restauraties in de
19e eeuw. Afgezien van de
decoratie boven het zijportaal bevindt deze gevel zich
nog bijna geheel in originele staat.
Reliëfbanden met bloemen
en figuurtjes als versiering
omlijsten de ingang van
het zuidportaal. De afwisseling van de rode en witte
kleur is erg aantrekkelijk.
Opvallend mooi bewerkt is
de bovendorpel; ranken
omgeven hier de halffigu-
ren van Christus en de vier
evangelisten. De maagd en
het kind in het timpaan en
de heiligenfiguren aan de
zijkant onder tabernakels

met hoge steunpilaren zijn neogotische
toevoegingen van Cesare Maccari uit 1897.
Ook het interieur met een altaarstuk van
de Siënees Matteo di Giovanni uit 1474 is
in de 19e eeuw gerestaureerd.

Museo Archeologico e d'Arte della Maremma

Het in het voormalige Palazzo del Tribunale ondergebrachte Museo Archeologico e d'Arte della Maremma is een van de belangrijkste archeologische musea van Toscane. De verzameling omvat vondsten uit de prehistorische, Etruskische en Romeinse tijd. Het zwaartepunt vormen de opgravingen uit de Etruskische stad Roselle, waarvan de structuur en de nederzettingsvorm aan de hand van modellen, plannen en vondsten, ook uit de Romeinse tijd en de tijd na de Oudheid,

getoond worden. Met de vondsten van de Villanova-cultuur uit de 10e tot de 8e eeuw v.Chr. die in Vetulonia zijn opgegraven, voorwerpen uit de 7e tot de 6e eeuw v.Chr. uit Talamone en schatten uit Sovana en Pitigliano toont het museum het hele spectrum en de hoogtepunten van de Etruskische cultuur in de Maremma.

De hier tentoongestelde stenen werktuigen geven ons een overzicht van de ontwikkeling van de steenbewerking van het Paleolithicum tot het Neolithicum en ook van de metaalbewerking tijdens de koper-, brons- en ijzertijd. Er zijn getuigenissen uit alle tijdperken van de prehistorie: niet alleen grote vuistbijlen, gelijkmatig bewerkte pijlpunten en schrapers, maar ook werktuigen van metaallegeringen. Een groot deel van de verzameling wordt ingenomen door de keramiekproductie. Te bezichtigen zijn vazen uit de archaïsche tijd in de geometrische stijl, van de eerste voorbeelden van Bucchero-glazuur tot de zwart- en roodfigurige vaasschilderkunst uit de archaïsche periode en de Oudheid. Vooral interessant zijn de vondsten uit het Augustijnse heiligdom van Roselle met fragmenten van achttien meer dan levensgrote standbeelden, die verschillende familieleden van keizer Claudius voorstellen. Het archeologische gedeelte wordt aangevuld door een verzameling christelijke kunst met paneelschilderingen, majolica en munten van de Middeleeuwen tot de Renaissance.

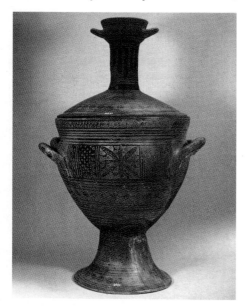

Etruskisch mengvat met voet en deksel, rond 730-710 v.Chr., keramiek, h 49,5 cm

Sassetta (ca. 1392-1450), Madonna delle Ciliege, ca. 1450

olieverf op paneel, 91 x 65 cm

Van Sassetta, eigenlijk Stefano di Giovanni, is het mooie paneel 'Madonna met kind', dat in de volksmond de 'Kersenmadonna' wordt genoemd, afkomstig. Met zijn ongewone composities heeft de originele, vooral door Gentile da Fabriano beïnvloede kunstenaar aanzienlijke invloed op de Siënese schilderkunst in de eerste helft van de 15e eeuw uitgeoefend. Zijn zeer fijne manier van schilderen en de duidelijk ritmische lijnvoering laten zien dat hij nog geïnspireerd werd door de late Gotiek, maar tegelijkertijd is de ruimtelijke weergave diepgaander geworden en worden nieuwe inzichten over perspectief van de Florentijnse Renaissance geïntroduceerd.

Maria en kind zijn met voorname, smalle gelaatstrekken afgebeeld. De draaiing van hun beider lichaamshoudingen zijn harmonieus op elkaar afgestemd. Bovendien is een nieuwe toon van een bijna intellectueel Naturalisme waarneembaar. Bijna dromerig houdt de kleine Christus met zijn rechterhand de fijnbestikte zoom van zijn moeders mantel vast, terwijl hij met de linker het steeltje van een kers vasthoudt, die hij al in zijn mond heeft. Maria heeft meer kersen in haar hand, die slechts aan de steeltjes te herkennen zijn, en steunt met haar andere hand haar zoon in de rug.

De kunstenaar Sassetta stierf op 1 april 1450 aan een longontsteking, die hij blijkbaar met het werken aan een fresco boven de Siënese stadspoort Porta Romana had opgelopen.

Duccio di Buoninsegna (ca. 1255-ca. 1319), kruis, 1280-1283
tempera op paneel, 286 x 192 cm

In tegenstelling tot altaarstukken in middeleeuwse kerken, die met veel decoratie en gebruik van bladgoud de indruk van goudsmeedwerk of email opriepen, groeide onder invloed van het ascetische principe van de bedelorde vanaf het midden van de 13e eeuw de behoefte aan eenvoudigere crucifix- en maestavoorstellingen. De kerkganger moest zich op de passie van Christus kunnen concentreren zonder door allerlei versierend bijwerk afgeleid te worden; zoals het in vers I; 1 van de Klaagliederen van Jeremia wordt gezegd: "O allen die hier voorbij komen, sta stil en zie of er een smart erger is dan de mijne!" Het kruis in de San Francesco wordt aan de jonge Duccio di Buoninsegna toegeschreven, toen deze nog onder invloed van zijn leermeester Cimabue stond. De indruk die het bleke gezicht en het magere lichaam maken, wordt nog versterkt door donkere schaduwen, het gewicht van het gebogen hoofd trekt de spieren samen en de transparante lendendoek onthult een levendige, realistische anatomie.

San Francesco

In 1220 namen de franciscanen een al bestaand kerkgebouw van de benedictijner monniken over, die zich vanwege malariagevaar uit Grosseto hadden teruggetrokken, en verbouwden het in de stijl van hun orde.

In juli 1289 kon het eenvoudige bakstenen gebouw met acht spitsboogvensters ingewijd worden. Het interieur van de eenschepige zaalkerk is ruim met open dakstoel. Het belangrijkste kunstwerk in deze kerk is het grote kruis boven het hoofdaltaar dat dateert van het eind van de 13e eeuw.

Roselle

Klassieke fundamenten

Aan de monding van de Ombrone, waar nu de vlakte van Grosseto zich uitstrekt, lag in de Oudheid een open zee-inham. Op deze strategisch gunstige plek ontstond in de 9e eeuw v.Chr. op een heuvel in het zuidoosten de haven- en handelsstad Rusellae, die in de Etruskische twaalfstedenbond een belangrijke rol speelde. Pas na hevige tegenstand boog de stad in 294 v.Chr. voor de Romeinse overmacht. De bij de verovering verwoeste stad werd door de Romeinen weer opgebouwd, maar door het steeds drassiger-worden van de omgeving en de aanvallen van de Saracenen in de Middeleeuwen zette het verval in.

Door opgravingen kunnen we ons nu een voorstelling maken van de Etruskische en Romeinse nederzetting: een meer dan 3 km lange muur omsloot het terrein. De openbare gebouwen lagen in het dal aan het Romeinse forum. De ruitvormig gemetselde, decoratieve muur van het gerechtsgebouw is nog te herkennen. Ook andere gebouwen met gecompliceerde plattegronden werden opgegraven; onder Romeinse ruïnes kwamen Etruskische huizen van leem tevoorschijn.

Religie en dodencultus van de Etrusken

Ruth Strasser

Omdat de Heilige Schrift van de Etrusken, de zogenaamde *Disciplina Etrusca*, verloren is gegaan, kennen we hun leer en rituelen slechts uit beschrijvingen van Romeinse auteurs, zoals Cicero, Seneca en Livius. Volgens de *Disciplina* was het hemelgewelf verdeeld in zestien gebieden: de oostelijke werden door goden bewoond die de mensen welgezind waren, de westelijke door afgunstige goden. Oorspronkelijk was Vertumnus, een vegetatie- en oorlogsgod, maar tevens een huiveringwekkend monster, de hoogste god van de Etrusken. Onder Griekse invloed werd de eigen godenwereld aan de religie van de Hellenen aangepast: de oppergod en dus de tegenhanger van de Griekse Zeus, was Tina, die met grensstenen het land van de Etrusken had afgebakend en ook hun levensduur tot tien *saecula* (leeftijd) had beperkt. De Etruskische Juni, Uni genaamd, stond haar terzijde als pendant van de Griekse Hera. De overige goden werden samengesteld uit rechtstreeks overgenomen Griekse voor-

Vetulonia, ingang van de 'Tomba del Diavolino', 2e helft 7e eeuw v.Chr.

Populonia, tumulus-graf

beelden en lagere goden zoals de Fenicische afgoden en plaatselijke vruchtbaarheidsgodinnen. De verdeling van het firmament volgens de vier windstreken werd *templum* genoemd en was het voorbeeld voor iedere aardse, ruimtelijke indeling – dus voor de regelmatig aangelegde plattegronden, maar ook voor de offerschouw waarin aan de hand van de zestien verschillende secties van de schapenlever de wil van de goden werd onderzocht. Sjamanen of waarzeggers vormden een afzonderlijke, hoogstaande laag en namen ook bij de Romeinen nog als zogenaamde *augures* (auguren) tot in de late Oudheid een hoge en belangrijke positie in.

De graven van de oude Etrusken werden van gereedschap en voedsel voorzien en getuigen van hun duidelijke ideeën over het hiernamaals. Voor de Etrusken betekende de dood een reis naar de onderwereld, naar een ander leven waarin men te paard of in een huifkar

arriveerde. Het graf belichaamde daarbij de nieuwe woonplek en getuigde van de zorg voor de dode, die moest worden voorzien van de noodzakelijke goederen om goed voor de reis toegerust te zijn.

De verscheidenheid van de graftypen, de sarcofaag- en urnvormen, de schilderachtige en plastische grafaankledingen en de eenvoudige tot waardevolle grafgiften verschaffen ons derhalve niet alleen inzicht in de religieuze voorstellingen van de Etrusken, maar ook in hun dagelijks leven.

Het pozzo-graf

In de 9e en 8e eeuw v.Chr. werden de doden meestal verbrand. Hun as werd samen met grafgiften in ronde urnen van donkere klei bijgezet. De urnen hadden een menselijke vorm: een buikig lichaam, oren als armstompjes en een deksel in de vorm van een omgekeerde schotel als 'kop'. Deze uit twee delen samengestelde ashouder werd vaak nog in een grotere aardewerken houder (*ziro*) geplaatst en gezet in een kleine, met stenen of platen bepleisterde, 3 tot 5 m diepe groeve (*pozzo*), die dan met een dekplaat werd afgesloten. Ter zijde van de nederzettingen, later meestal buiten de cyclopische stadsmuren, ontstonden zo de uitgestrekte necropolissen. In Chiusi werden canopen gemaakt: urnen met een bijzondere vorm. Het deksel lijkt op een menselijk hoofd met de trekken van de dode en de canope zelf lijkt op een menselijk lichaam met aangeplakte armen, handen en eventueel borsten. Deze canopen werden op tronen geplaatst en in aardewerken vaten ingegraven.

Het fossa-graf

Naast het cremeren kwam in de 8e eeuw v.Chr. het begraven in rechthoekige grafkamers (*fossa*) in opkomst. De grafkamers werden in de bodem gegraven en vaak met stenen platen belegd. Ze waren 2 tot 3 m lang. Oorspronkelijk werden er rond deze graven stenen gelegd als begrenzing van het gebied van de dode.

De tumulus

Met de opbloei van de Etruskische kustplaatsen, de invoer van oriëntaalse kostbaarheden en een nieuw levensgevoel veranderde de manier van begraven. Op de plek van het afzonderlijke urnengraf kwamen familiegraven, die grotere gebouwen vereisten. De complexen moesten monumentaal worden en eeuwig standhouden; daarom werd er vanuit het relatief eenvoudige fossa-graf nu een echte grafarchitectuur ontwikkeld. Bij de bouw van de dodenkamers werden gewelven gebouwd met daarboven, op een behouwen of gemetselde natuurstenen sokkel, de *tumulus*, een grafheuvel met een doorsnee van vaak wel 50 m. Een rechte gang die in de heuvel voer, de *dromos*, maakte het mogelijk om door een deur, die van reusachtige stenen werd gemaakt, het graf binnen te gaan. Langs kleinere kamers of nissen kwam men via een tweede, trapezevormige deur in het eigenlijke koepelgraf, waar een enkele grote zuil stond, die tot het hoogste punt oprees. Deze zuil symboliseert het eeuwige midden van het universum.

Populonia, kamergraf

Het kamergraf

De in Midden-Etrurië gebruikelijke kamergraven werden voor een deel horizontaal in tufsteen gehouwen en voor een deel gemetseld of ondergronds aangelegd (*ipogeo*). In deze in tufsteen uitgehakte kamers werden architectuurelementen van huizen en tempels geïmiteerd. Zo hadden de kamers zadeldaken met nokbalken of gewelven zoals de tumuli en later ook portalen met zuilen, die in de vorm van aedicula-graven steeds kostbaardere grafgevels met nissen, zuilen, pilasters en friezen lieten zien. De doden werden in urnen of sarcofagen op banken of in nissen opgebaard. Aan de wanden

bevonden zich nissen voor de grafgiften. Canopen werden nu zelfs op fijnbewerkte bronzen tronen gezet.

De grafplastiek

Voor het grafcomplex werd vaak een *cippus*, een kubistisch of cilindrisch grafmonument van steen dat werd versierd met reliëfs, geplaatst. Ook stonden er uit steen gehakte figuren als grafwachters. Langs de gangen stonden rijen bustes op sokkels. Welk doel een standbeeld had, is niet altijd eenduidig te verklaren. In Vetulonia stonden meer dan levensgrote vrouwen- en mannenfiguren van *pietra fetida* (een soort kalksteen) naast de bedden van de doden; in Chiusi werden vrouwelijke figuren van aardewerk rondom het grote hoofd op de canope geplaatst. Dozijnen bronzen votiefbeelden en -beeldjes, krijgers en vrouwen stonden op planken in de grafkamers en zijn bewaard gebleven.

Skyphos met oren, 7e eeuw v.Chr., goud, h 7,9 cm, Museo di Villa Giulia, Rome

De grafgiften

De overleden mannen werden met hun wapens, zwaarden en lansen begraven en verder kregen ze scheermessen, gereedschap en paardentuig mee. Vrouwen daarentegen kregen keukengerei en spintollen, maar vooral gouden en zilveren sieraden voor het leven na de dood mee: ringen, armbanden, oorringen, fraai bewerkte ceintuurs, fibula om omslagdoeken vast te maken, bladgoud en versierde spiegels.

De urnen en sarcofagen

Als materiaal voor urnen en sarcofagen werd aanvankelijk poreus tufsteen, daarna terracotta en later in toenemende mate albast gebruikt. De houders voor de as van de gestorvene waren eerst nog in de vorm van huizen met zadel- of schilddak of als schrijn vormgegeven, maar werden al snel met bloem- en bladmotieven versierd of van afbeeldingen in de vorm van figuren als dolfijnen, struisvogels of zeedieren, Medusahoofden en amazones voorzien. Later werden onderwerpen uit de Griekse mythologie erg geliefd.

Heel verhelderend zijn de 'Etruskische' taferelen; ze tonen het afscheid van de dode van zijn familie door de *dextrarum iunctio*, de verbinding van de (rechter)handen als symbool van de gevoelens die de dood overstijgen – liefde, vriendschap en verbondenheid tussen man en vrouw, vrienden, familie, levenden en doden. Tijdens de reis te paard werd de in een cape gehulde dode door zijn dienaar begeleid, die een tas met proviand op de rug droeg. Al snel verschenen dan ook de demonen, de mannelijke Charun met een grote hamer –die eruitzag als een monster met een baard, spitse oren en een kromme neus– en de vrouwelijke Lasa met de fakkel, om in het donker de weg te kunnen wijzen.

Op het deksel van de sarcofaag worden de gestorvenen op de kline, de eetbank, liggend weergegeven. Het gaat hierbij niet om portretten, maar om seriematige producten, die naar de wens van de dode en afhankelijk van zijn beurs meer of minder luxueus worden vormgegeven. Vrouwen op deze portretten dragen meestal een ceintuur en houden een granaatappel, een ei, een waaier of een spiegel in de hand – deze attributen zijn als symbolen van vruchtbaarheid en schoonheid te duiden. De mannen worden afgebeeld met een schrijftafel als teken van vorming en een arbeidzaam leven of ze houden met middel- en ringvinger een offerschaal vast. De andere vingers zijn gespreid; vermoedelijk moest met dit gebaar het kwaad afgeweerd en de onderwereldgeesten tegengehouden worden.

Reconstructie van de 'Tomba Inghirami', Museo Archeologico, Florence

'Tomba del Barone', 6e eeuw v.Chr., fresco, Tarquinia

Massa Marittima

De stad die vroeger het belangrijkst van de Maremma was, ligt op een heuvel die al in de Prehistorie bewoond was. Etrusken en Romeinen wonnen hier de schatten van de *colline metallifere*, de metaalhoudende heuvel, zoals koper, tin, lood, ijzer en zilver. De geschiedenis van de middeleeuwse stad begon in 835, toen Griekse zeerovers de bisschopsstad Populonia verwoesttten. De toenmalige bisschop vluchtte landinwaarts naar de heuvel van Massa. De bisschoppen, die de burcht van Monte Regio als residentie hadden, werden in de loop van de volgende eeuwen steeds rijker en machtiger, vooral door de belasting op de gewonnen metalen. In 1228 kwamen ook hier de burgers in verzet en Massa werd een 'vrije gemeente'. Daarmee begon de uitbreiding van de bovenstad, de *Città Nuova*, waar de gebouwen uit de 14e tot de 18e eeuw het aanzien bepalen. Omdat vanwege de malaria veel mensen de moerassige nederzettingen in de Maremma verlieten, werd de stad rond 1300 met bijna 10.000 inwoners, die nu vooral van de mijnbouw leefden, een belangrijk centrum. In 1310 vaardigde Massa Metallorum, zoals de stad ook genoemd werd, de eerste mijnbouwwet van Italië uit. Vanwege deze rijkdom moest de stad zich tegen grotere buren verdedigen, maar in 1365 kwam hij onder de heerschappij van de re-

Uitzicht vanaf de vesting

publiek Siena – de Siënese wolf en het wapen van Siena aan het Palazzo Pretorio getuigen van deze machtswisseling. Toen Siena bij het hertogdom Toscane werd ingelijfd, kwam ook Massa Marittima binnen het bereik van de De'Medici's. De malaria had zich intussen ook hier verspreid, zodat er eind 16e eeuw nog slechts vijfhonderd inwoners over waren en de stad opgegeven moest worden. Het stadsbeeld en de bouwwerken uit deze tijd zijn bijna alle bewaard gebleven.

Stadsgezicht met de dom

Massa Marittima

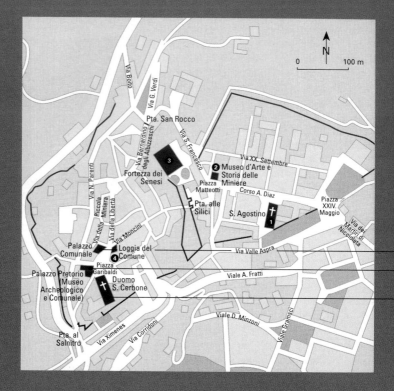

Palazzo Comunale, Piazza Garibaldi, blz. 474

Palazzo Pretorio-Museo Archeologico e Comunale, Via Todini 1, blz. 472

Duomo S. Cerbone, Piazza Garibaldi, blz. 468

Andere bezienswaardigheden
(niet in het boek besproken):

1 S. Agostino, Piazza Socci

2 Museo d'Arte e Storia delle Miniere, Via Corridoni

3 Fortezza dei Senesi, Piazza Matteotti

4 Loggia del Comune, Piazza Garibaldi

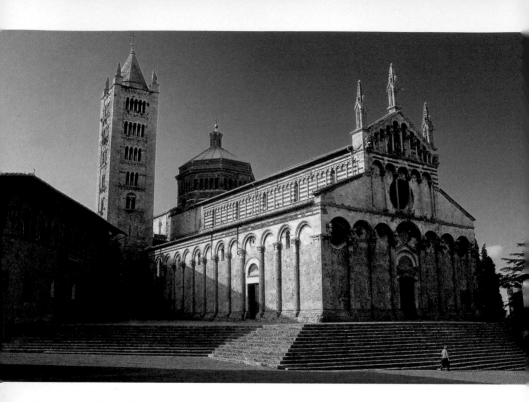

Duomo San Cerbone

Het centrum van de stad is het plein Piazza Garibaldi, dat een onregelmatige plattegrond heeft. De piazza wordt beheerst door de dom. Deze torent op een trapezevormige basis met treden boven het plein uit. De tegenwoordige dom is tussen 1228 en 1304 in twee fasen ontstaan. De kerk, bestaande uit drie schepen, kreeg pas een overwelving in de Barok. Kerk en koepeloctogoon zijn in de Pisaans-Romaanse stijl gebouwd, toch werden er maar een paar onderdelen in de karakteristieke marmerincrustatie uitgevoerd. De warme, gouden glans van de glad bewerkte travertijn domineert het gebouw.

Hoge, rondlopende blinde arcaden ordenen de buitenkant van het gebouw. De toegevoegde ruitvormen versterken de invloed van de Pisaanse bouwornamentiek. Aan de voorgevel benadrukken ronde ramen en een verhoogde middenboog het gelijkmatige ritme van de bogen. Het verticale ontwerp van de topgevel verwijst naar een voltooiing van de voorgevel rond 1300. De slanke zuilen rusten op de bovenverdieping op griffioenen, dieren en mensen die getuigen van de nabijheid van de werkplaats van Giovanni Pisano. De hele voorgevel heeft prachtige ornamenten. Op de bovendorpel van het hoofdportaal zijn in laatromaanse reliëfs vijf levensfasen van Cerbonius, een heilige bisschop, zeer aanschouwelijk weergegeven. De blinde bogen in het onderste deel van de voorgevel tonen zorgvuldig bewerkte Corinthische kapitelen. Klassieke vormen worden met middeleeuws plezier –een leeuw op een gekweld mens– gecombineerd.

Giroldo da Como (werkzaam ca. 1267-1274), doopvont, 1267
travertijn

Het doopvont staat tegenover de ingang en bestaat uit twee afzonderlijke delen. Het vierkante onderstuk werd in 1267 door steenhouwer Giroldo da

Como uitgevoerd met een *deesis* (Christus tussen Maria en Johannes) en gebeurtenissen uit het leven van de Doper en de heiligen Cerbonius en Regulus. Het bovenstuk met profeten en patriarchen werd door een onbekende kunstenaar in de 15e eeuw toegevoegd.

**Goro di Gregorio (werkzaam ca. 1300-1334),
sarcofaag van heilige Cerbonius, 1324**
steen

Achter het hoofdaltaar en voor de gotische polygonale koorafsluiting bevindt zich het belangrijkste kunstwerk van de dom: de sarcofaag van Cerbonius. Daarin zijn de relieken van de uit Afrika afkomstige bisschop van Populonia geborgen, die in 575 op Elba stierf. Goro di Gregorio ontwierp in 1324 dit hoofdwerk van de Siënese beeldhouwkunst van de 14e eeuw.
Op het deksel van de marmeren sarcofaag omgeven heiligen de madonna met het kind. Goro gaf hen weer als elegante, zittende figuren in medaillons. De zijkanten zijn versierd met reliëfs met voorvallen uit het leven van de heilige Cerbonius, die worden omlijst door bloemenranken en inscripties. De heilige Cerbonius wordt door de koning der Goten, Totila, voor de beren geworpen en wonderbaarlijk bevrijd, burgers smeken de heilige een mis te lezen, hij wordt beschuldigd door de paus en een afgezant eist zijn verschijning bij de paus. Cerbonius melkt een hinde voor de dorstige gezant, vlak voor Rome geneest hij een zieke, de heilige verschijnt voor de paus, vergezeld door ganzen die zijn onschuld bewijzen en bij de mis hoort de paus een door engelen gezongen gloria. Voor een neutrale achtergrond gesticuleren de figuren in fijnbewerkte reliëfs. Rotsformaties, bomen of architectonische decorstukken vormen de achtergrond van het gebeuren.
Duidelijk is te zien dat de beeldhouwer inspiratie heeft geput uit de schilderkunst van die tijd.

**Duccio di Buoninsegna
(ca. 1255-1319), Madonna delle
Grazie, 1316**
tempera op paneel,
168 x 100 cm

In de Cappella della Ma-
donna in de linkerdwars-
beuk staat het altaarstuk
'Madonna della Grazie' uit
1316, dat grote overeen-
komst vertoont met de
'Maestà' van Duccio in het
Dommuseum in Siena.
Ondanks de stilistische
overeenkomsten en de uit-
stekende kwaliteit wordt
het toch aan een van zijn
naaste medewerkers toege-
schreven. Op de voorkant
van het paneel is Maria
met het kind weergegeven,
op de achterkant een groter
kruisigingstafereel en op
kleinere schaal passiestuk-
ken. Verbazingwekkend is
het gemak waarmee de
schilder het Byzantijnse type van de *hodegetria*, de
wegwijzende die naar het
kind als belichaming van
de waarheid en de juiste
weg wijst, behandelt. Het
vloeiende ritme van Ma-
ria's goudgerande mantel
en het licht gebogen hoofd
geven het lichaam charme.

Palazzo Pretorio – Museo Archeologico e Comunale

In de zuidwesthoek van de Piazza Garibaldi werd in 1230 het Palazzo Pretorio gebouwd, een imposant blok van wit-grijze travertijn met een onregelmatige reeks tweelingvensters en zonder toren. De gaten en consoles onder de openingen verwijzen naar de oorspronkelijk aanwezige houten omloop en loggia's. Van verre zichtbaar zijn de wapens van Massa Marittima en Siena, omgeven door emblemen die stadscommandanten en hoofden van Justitie lieten aanbrengen als teken van hun macht. Nu bevindt het Museo Archeologico zich in het Palazzo. Het bezit opgravingsvondsten uit Poggio Castiglione en Lago dell'Accesa, majolica uit Faenza en Gubbio en ook talrijke Romeinse munten. Een schilderijenverzameling uit gemeentelijk bezit completeert de collectie.

Ambrogio Lorenzetti (ca. 1293-1348), madonna met engelen en heiligen, ca. 1335 tempera op paneel, 155 x 206 cm

In 1867 werd op de zolder van het augustijnenklooster in de stad een altaarstuk gevonden dat rond 1335 door Ambrozio Lorenzetti, een Siënese kunstenaar, werd geschilderd. Het werk toont de madonna en het kind in een liefdevolle omarming – de gezichten en lichamen buigen zich vol genegenheid naar elkaar toe. Op de treden van haar troon herkennen we personificaties van de christelijke deugden geloof, hoop en liefde. Op

de eerste trede zit Fides, in het wit gekleed, met een spiegel in de hand waarin we de drie-eenheid herkennen. Op de tweede trede zit Spes, in het donkergroen gekleed, met een krans in het haar. Op de bovenste trede troont Caritas, frontaal afgebeeld in een vlammend gewaad met een hart en een pijl in haar geheven handen. De madonna is omgeven door haar hemelse hofhouding: profeten en patriarchen onder de arcaden, heiligen, vrouwen en op de voorste rij de jongere heiligen als Cerbonius met de ganzen. Op de voorgrond zien we zes musicerende engelen aan de voet van de troon waaromheen vier andere engelen zich scharen. Lorenzetti schilderde op dit kostbare met goud en in stralende kleuren uitgevoerde paneel de weg naar de hemelse verlossing: het geloof vormt de basis van het geestelijke bouwwerk, dat door de hoop gebouwd en door de liefde gekroond wordt.

aan de blokken travertijn die in grootte verschillen de twee afzonderlijke gebouwen. De linkertoren met een paar smalle vensters was de rond 1250 ontstane Torre del Bargello, oorspronkelijk de verdedigingstoren van de graaf van Biserno, de eigenaar van het kleine, links ervan gelegen paleis. Toen de grafelijke familie in 1335 Massa Marittima verliet, trokken de bisschoppen vanuit hun op een heuvel gelegen residentie in dit paleis. De toren daarentegen werd de kern van het huidige gemeentehuis. In de periode daarna verwierf het stadsbestuur ook het geheel rechts gelegen torengebouw uit de tweede helft van de 13e eeuw en liet de gebouwen in 1344 door de bouw van een middenvleugel met elkaar verbinden. De mooie tweelingvensters nemen de ordening van de Biserno-toren over. Op de benedenverdieping is een bas-reliëf van Urbano da Cortona met de wolvin van Siena aangebracht. De kantelen en de bovenverdieping met de drie vensters zijn toevoegingen uit de historiserende 19e eeuw.

Palazzo Comunale

Net als de dom staan ook de paleizen van de gemeentelijke macht aan de Piazza Garibaldi: het enorme, vier verdiepingen tellende Palazzo Comunale is een samenvoeging van twee gebouwen met torens uit de 13e en 14e eeuw. Nu nog herkennen we aan de indeling van de vensters en

Interieur (plafond)

In het Palazzo Comunale bevinden zich de ruimten van het huidige stadsbestuur. Het kabinet van de burgemeester, ontstaan door de verbouwing van een kapel, is voorzien van fresco's. Deze zijn afkomstig van de werkplaats van schilder Riccio en laten taferelen uit de scheppingsgeschiedenis zien. Riccio werd als Bartolommeo

Neroni rond 1505 in Siena geboren en werkte als leerling in de werkplaats van Sodoma, wiens dochter hij later trouwde. In zijn schilderstijl toont hij zich een navolger van zijn schoonvader. Daarnaast zijn ook invloeden van de andere grote schilder uit die tijd, Domenico Beccafumi, merkbaar.

Pitigliano

Pitigliano biedt een van fascinerendste stadsgezichten van zuidelijk Toscane. De huizen lijken uit het geel-rode vulkanische tufsteen te groeien – op het eerste gezicht is het moeilijk te zien of het om een raam van een gebouw of om een van de talrijke grafkamers in de rotsen gaat. De plaats ligt op een gespleten plateau, dat slechts aan een kant met het volgende bergmassief is verbonden. Vanwege deze ontoegankelijke, strategisch gunstige ligging was Pitigliano vermoedelijk al in de pre-Etruskische tijd bewoond. De Etrusken haalden het tufsteen uit een groot, onderaards labyrint. In de jaren '30 van de 20e eeuw boden de verlaten grafkamers onderdak en bescherming; nu dienen ze als voorraad- of wijnkelder.

In de Middeleeuwen was het kasteel in het bezit van de graven Aldobrandeschi en door een huwelijk in 1293 kwam het in handen van de machtige familie Orsini. Zij lieten in 1545 de markante vesting op de enige toegankelijke plaats tot op het plateau uitbouwen. Nu nog steekt de toren boven het silhouet van de stad uit.

Pitigliano werd in de periode daarna ook als residentie van de bisschoppen gebruikt, hoewel het naburige, door het Romeinse Colonna bestuurde Sorano tot 1600 de officiële bisschopszetel bleef. Pitigliano behoorde in die tijd echter al zo'n 52 jaar tot het groothertogdom Toscane.

Palazzo Orsini

In de Middeleeuwen was een groot deel van het zuiden van Toscane in het bezit van de graven Aldobrandeschi. De naam van de familie is afgeleid van haar beroemde stamvader Ildebrando (Hildebrand), die in 1020 in het naburige Sovana werd geboren en als paus Gregorius VII de geestelijke heerschappij van de Heilige Stoel tegenover de keizerlijke aanspraken van Hendrik IV verdedigde. De familieleden werden tot rijksvicarissen benoemd om zo over het hele territorium te kunnen heersen. In 1293 ging, door het huwelijk van Anastasia Aldobrandeschi, de laatste afstammeling van de familie, het hele bezit dat ze had geërfd van haar moeder Margherita over in handen van haar echtgenoot Romano Orsini. Na zijn besluit zich in Pitigliano te vestigen, liet hij een verstevigde residentie met drie ronde torens bouwen. De eigenlijke Orsinivestiging, het belangrijkste bouwwerk van Pitigliano, ontstond pas in de 16e eeuw onder Niccolo Orsini, die de meest gerespecteerde vestingingenieur van zijn tijd, Antonio da Sangallo de Jongere, de opdracht voor het ontwerp gaf. Het oorspronkelijke bouwwerk werd in een uitgestrekt, vijfhoekig complex met een bastion aan de noordkant geïntegreerd. Vandaaruit was er via een trap toegang tot de citadel met de kazernes. Deze citadel werd van de vesting gescheiden door een plein met een kruittoren en een reusachtige gracht, die uit drie boven elkaar gebouwde terrassen bestond. De grootte van de vestingtoren geeft nu nog een idee van de omvang van het complex. Het ondanks zijn weerbare karakter geriefelijke renaissancepaleis met loggia's en een representatieve binnentuin is bewaard gebleven.

De middeleeuwse vesting en de stad uit de Renaissance hebben de meeste overblijfselen van de Etruskische bewoning uitgewist. Slechts enkele delen van de stadsmuur zijn bewaard gebleven, enorme vierkante blokken die in de middeleeuwse verdedigingscomplexen werden opgenomen. Op veel plaatsen in de stad zien we nu de beer, het wapendier van de Orsini (It. orso: beer). Rechts van de voorgevel van de dom staat een kleine berensculptuur: de *Progenie ursinea*.

Aquaduct

Tussen 1543 en 1545 bouwde Antonio da Sangallo de Jongere in opdracht van Gian Francesco Orsini een aquaduct. Antonio had vooral door zijn bouwwerken in Rome naam gemaakt – hij leidde aan het eind van de jaren '30 van de 16e eeuw de bouw van de St. Pieter. Met vijftien bogen werd naar Romeins voorbeeld het ravijn van de rivier de Lente overbrugd. Daarmee was niet alleen de watervoorziening veiliggesteld, maar kreeg ook het stadsbeeld een bijzonder accent. Dit aquaduct komt uit op de Piazza della Repubblica. Nu staan er twee fonteinen uit de 18e eeuw op het plein.

Elba en de keizer in ballingschap – Napoleon

"De prettigste gebeurtenis die het eiland beroemd zou kunnen maken, is nu werkelijkheid geworden. Onze verheven heerser, keizer Napoleon, is hier gekomen. Geef gerust uiting aan de vreugde die uw ziel ongetwijfeld vervullen moet. Luister naar de eerste gedenkwaardige woorden die hij tot u allen gericht heeft, terwijl hij met zijn ambtenaren sprak die u vertegenwoordigen: 'Ik zal een goede vader voor u zijn, wees dus als goede zonen voor mij.'"

Met deze woorden kondigde de onderprefect in Portoferraio, de hoofdstad van het Toscaanse eiland, de komst van Napoleon aan.

Napoleon had Elba verkozen boven Korfu en zelfs boven zijn geboorte-eiland Corsica; deze

Aankomst van Napoleon op Elba, gekleurde gravure uit die tijd, Bibliothèque Nationale, Paris

waren hem in overeenstemming met het verdrag van Fontainebleau op 2 april 1814 als woonplaats en laatste toevluchtsoord aangeboden. Hij mocht zijn keizertitel behouden en kreeg voor zijn hofhouding in ballingschap zevenhonderd infanteristen en honderdvijftig cavaleristen toegewezen.

Napoleon gaf de bewoners van Elba twaalf uur de tijd om zich voor te bereiden. Dus werd hij op 4 mei 1814 met kanonschoten en klokgelui passend ontvangen. Zelfs de sleutel van de stad Portoferraio werd hem overhandigd. Weliswaar was in de haast de juiste sleutel niet te vinden, maar een ijlings vergulde keldersleutel voldeed ook, vooral omdat het een symbolisch gebaar was en de keizer de sleutel onmiddellijk minzaam aan de burgemeester teruggaf.

Napoleon was serieus van plan om op Elba, dat vroeger de Etrusken en Romeinen waardevolle bodemschatten had geleverd, zijn regering voort te zetten en nam hiervoor passende voorzorgsmaatregelen. De hem toegewezen woning in het gemeentehuis was te koud, te donker en vooral te onveilig. In permanente angst voor aanslagen en met veel gevoel voor mooi gelegen plaatsen had hij reeds bij zijn landing een passend domicilie ontdekt. Het Palazzo dei Mulini bood een weids uitzicht en was gemakkelijk te bewaken, omdat het op een stuk grond op een steile klip aan zee lag. Het paleis was onderdeel van een dubbele vesting die al onder Cosimo I de'Medici gebouwd was. De gebouwen die pas in de 17e eeuw gebouwd waren, dienden als verblijfplaats voor het leger en de artillerie. De nieuwe heerser liet ze tot een paleiscomplex met

Antonio Canova, buste van Napoleon, Galleria d'Arte Moderna, Florence

een centrale feestzaal verbouwen en hij liet een wonderschone tuin met veel exotische planten aanleggen, die een van zijn lievelingsplekken zou worden. Hier heeft hij over de zee uitgekeken en nog steeds vol dadendrang over zijn eigen toekomst en over de organisatie van zijn nieuwe eilandenrijk nagedacht.

Een van de eerste wensen van Napoleon was de aanwezige wegen veranderen in goed berijdbare straten. Hij wist dat er zonder een goed functionerend wegennet geen sprake kon zijn van cultuur, van een werkzame verdediging of van een florerende economie. Daarnaast

Villa Napoleonica di S. Martino, Elba

toen de bewoners van de plaats niet betaalden. Ook de uitbreiding van de tonijnvangst, die al onder De'Medici floreerde, de verhoging van de ijzerertsproductie en de exploitatie van de zoutziederijen moesten de lege staatskas vullen. Bovendien probeerde Napoleon door de invoer van wijnstokken en moerbeibomen voor het telen van zijderupsen de landbouw op het eiland nieuw leven in te blazen. Het is bijna vanzelfsprekend dat de keizer aan een residentie in zijn nieuwe imperium niet genoeg had. In het dal van San Martino liet hij op een verborgen plek, waarvan de schoonheid en de ligging dichtbij de stad hem ideaal leken, een bescheiden zomerpaleis bouwen – gefinancierd met de verkoop van enige briljanten van zijn zuster Paolina. Een Duitse cultuurhistoricus, Ferdinand Gregorovius, noemde het spottend het 'Versailles van Elba'. Later, in 1852, liet prins Anatol Demidoff het complex uitbreiden tot een pompeuze villa. Hier zijn nu de ruimten die in die tijd door de Corsicaan bewoond werden in originele toestand als onderdeel van het Napoleon-museum te zien.

Maar noch in het Palazzo dei Mulini, noch in de villa van San Martino vond Napoleon rust. Van tijd tot tijd zocht hij zijn toevlucht in het kluizenaarsverblijf van Madonna del Monte, een bekende bedevaartskerk uit de 16e eeuw die op een hoogte van 630 m boven het dorp Marciana ligt. Hier, in de eenzaamheid en de wil-

wijdde hij zich aan het bestuur en hield zich met de gezondheidszorg bezig – hij liet sanitaire voorzieningen zoals nieuwe putten bouwen, organiseerde het ophalen van de vuilnis en verbeterde de stootkracht van zijn troepen. Voor levendigheid aan het hof zorgde de jongere zuster van de keizer, Paolina Borghese, die hem samen met hun moeder was gevolgd. Zij organiseerde imposante feesten, gigantische bals, theatervoorstellingen, ontvangsten en concerten. De hertogelijke kerk werd tot theater omgebouwd en in 1815 onder de naam 'Teatro dei Vigilanti' geopend. Dit alles kostte natuurlijk geld, dat Napoleon niet had – de hem door Parijs toegezegde jaarlijkse toelage van enkele miljoenen Franse franken kreeg hij, naar men zegt, nooit. Daarom werd er belasting geheven en voor de pas ingerichte afvalwatersystemen per direct een 'heffing' geheven. Vaak ging dit gepaard met geweld – de burgemeester van Capoliveri werd als gijzelaar vastgehouden

dernis van Monte Giove, gezeten op een bizar gevormd brok graniet met de naam *l'aquila* omdat het leek op een adelaar, zou Napoleon uitgeroepen hebben: "Schaduw en water, wat heeft een mens nog meer nodig om gelukkig te zijn?"

Hij had meer nodig. Op 1 september 1814 landden een gesluierde dame en een kleine jongen in Portoferraio. Napoleon ontmoette beiden heimelijk en bracht ze naar het kluizenaarsverblijf waarin hij zich al sinds een paar weken had teruggetrokken. Maar zijn geliefde, de Poolse gravin Maria Waleska, en hun beider zoon Alexander deelden maar enkele dagen de verbanning van de keizer. Gealarmeerd door het bericht over de aankomst van zijn echtgenote Marie-Louise en overtuigd van het feit dat de eilandbewoners een dergelijke verhouding niet zouden dulden, offerde Napoleon zijn persoonlijke geluk op omwille van gepastheid en vermeende populariteit. De geliefde moest op 3 september ondanks een ruwe zee weer naar het vasteland terugvaren.

Napoleons positie werd steeds moeilijker. Franse politiespionnen omringden hem, het toegezegde geld van de regering in Parijs bleef uit, de soldaten zonder soldij werden onrustig en zijn schoonvader, keizer Franz II van Oostenrijk, verbood zijn echtgenote het verblijf op Elba. Op 26 februari 1815 maakte Napoleon gebruik van de afwezigheid van zijn Engelse bewaker en keerde terug naar het vasteland, wat tegelijkertijd een terugkeer op het politieke toneel betekende. Op 1 maart 1815 landde hij onverwachts in Cannes en greep nog één keer voor honderd dagen de macht. Dit intermezzo eindigde in juni 1815 met de slag bij Waterloo. Napoleon was definitief verslagen en werd naar Sint Helena verbannen. Elba kwam daarna weer in handen van het groothertogdom Toscane en behoorde vanaf 1860 tot het verenigd koninkrijk Italië.

Palazzo dei Mulini op Elba, plantsoen

Livorno

Livorno

De kleine Toscaanse nederzetting Potus Liburni werd vanaf 1017 in oorkonden genoemd en in de 12e eeuw al met een versterkte haven uitgebreid.

Omdat de monding van de Arno precies hier het diepst was –en ook omdat de haven van Pisa verzandde– besloot de eerste groothertog van Toscane, Cosimo I de'Medici, Livorno tot nieuwe, grote havenstad van Toscane te maken. Hier moest een belangrijke overslagplaats voor goederen en het arsenaal voor de vloot ontstaan. Met de uitvoering van de plannen werd evenwel pas onder zijn zoon, Ferdinando I de'Medici, in het laatste kwart van de 16e eeuw begonnen. Er ontstonden een vergroot, versterkt havengebied en een 'nieuwe' stad op het terrein van een vijfhoekig bastion. Binnenin leiden telkens vijf straten orthogonaal in elke windrichting.

De Torre di Matilda uit de 12e eeuw in het oude havenbassin

In opdracht van Ferdinand I werd aanvullend het noordoostelijke bastion tot een enorme vesting, het Fortezza Nuova, verbouwd en de beroemde wetten van Livorno, de *constituzione livornina*, –vrijheid van oponthoud, handel en religie, onafhankelijk van huidskleur of politieke gezindheid– werden in 1593 uitgevaardigd. Zo was, zoals in de reisaantekeningen van Charles de Brosses uit 1739 geschreven staat, "een geheel nieuw stadje, zo leuk en handzaam, om in een tabaksdoos te stoppen", ontstaan.

Livorno groeide zeer snel uit tot de op een na grootste stad van Italië, het had in 1838 honderd joodse (sinds 1603 was er een synagoge) en 25 Engelse handelshuizen en kreeg een eigen Engelse, nu nog gebruikte naam: Leghorn.

Na verdere stadsuitbreidingen in de 19e eeuw en de wederopbouw na de verwoestingen van de Tweede Wereldoorlog is Livorno nu een van de belangrijkste havensteden in het Middellandse-Zeegebied; het heeft een grote containerhaven, belangrijke veerverbindingen, werven, raffinaderijen en de gerenommeerde Italiaanse marineacademie is er gevestigd. De beroemde componist van de opera *Cavalleria rusticana*, Pietro Mascagni, en schilder en beeldhouwer Amadeo Modigliani (1884-1920) zijn uit Livorno afkomstig.

Aan de oude haven staat het monument voor de De'Medici-groothertog, Ferdinando I (1549-1609), met vier geketende, zwarte overwonnenen. In 1595 had Giovanni Bandini de opdracht gekregen een

Pietro Tacca, I Quattro Mori, monument voor Ferdinando I de'Medici op de Piazza Micheli

marmeren standbeeld van de heerser te maken. Twaalf jaar later voltooide Pietro Tacca, een oorspronkelijk uit Carrara afkomstige beeldhouwer, in Livorno de wasmodellen van de geketende zwarte slaven. Maar pas in 1623 werden de laatste beelden van de groep over de Arno vanuit Florence gevaren en tot een groep samengevoegd.

Livorno

Fortezza Vecchia en Torre Mathil-
da, Piazzale dei Marmi, blz. 486

Monumento Quattro Mori,
Piazza dei Pamiglione,
blz. 487

Villa Mimbelli – Museo Civico
Giovanni Fattori, Via S.
Jacopo in Acqua viva 65,
blz. 492

0   N   400 m

P
Me

P
Ars

*Mare
Tireno*

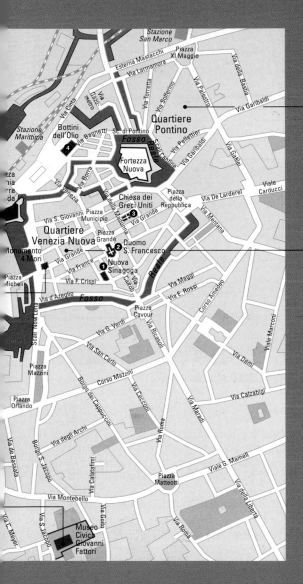

Quartiere Pontino, blz. 491

Quartiere Venezia Nuova, blz. 490

Andere bezienswaardigheden
(niet in het boek besproken):

1 Nuova Sinagoga, Piazza
  Benamozegh

2 Duomo S. Francesco, Piazza
  del Duomo

3 Chiese dei Greci Uniti, Via della
  Madonna

4 Bottini dell'Olio, Viale Caprera

Quartiere Venezia Nuova

In de 17e eeuw werd het plan opgevat om het oude stadsdeel van Livorno, de Borgo Vecchio, te verbinden met zowel de twee vestingen, de Fortezza Nuova en de Fortezza Vecchia, als met de zee. Gedacht werd aan een uitbreiding van de stad op een zandbank tussen de zee en de twee vestingen en aan een verbetering van de transportmogelijkheden voor goederen via

de waterweg. Het bevaarbare kanaal vanuit Pisa moest met de drie kanalen van de twee vestingen verbonden en in het nieuwe stadsdeel geïntegreerd worden. In de eerste bouwperiode werden 23 huizenblokken gebouwd, waarvan de bovenverdiepingen als woningen voor een internationale koopmans- en handelsklasse en de benedenverdieping als opslagruimte voor allerlei goederen moesten dienen. Via onderaardse gangen met deuren aan het water waren de kelderverdiepingen van de

huizen direct met het kanaal verbonden en via speciale laadperrons konden de goederen ook direct op het niveau van de straat worden afgeleverd. Voor de consolidering van het hele gebied en de bouw van paalwoningen werden specialisten uit Venetië gehaald en als een reactie hierop werd het hele stadsdeel *Venezia nuova* genoemd.

In het verder zo moderne Livorno herinnert alleen dit stadsdeel nog aan de traditie en het verleden van de stad.

I Pontino

Het kruispunt van het grootste kanaal, de Fosso Reale, met de oude en nieuwaangelegde straten werd overbrugd door een grote boog en in de 18e eeuw voorzien van een uitgestrekt plein: de 240 m lange, onderaards bevaarbare Piazza della Repubblica. Nu nog is het stadsdeel met zijn aanlegsteigers, havengebieden en bruggen zeer levendig en schilderachtig.

Villa Mimbelli – Museo Civico Giovanni Fattori

In het zuiden van de stad Livorno staat de Villa Mimbelli, een mooi gerestaureerde, eclectische villa midden in een park. De villa werd in 1865 in opdracht van koopman Francesco Mimbelli uit Livorno naar het ontwerp van de grote architect Giuseppe Micheli gebouwd. Sinds de overname door de stad bevindt zich hier een cultureel centrum met een theater, een bibliotheek en de stedelijke schilderijenverzameling met werken uit de 15e tot de 19e eeuw. Naast werken van de schildersgroep die onder de naam *Macchiaioli*, vlekkenschilders, in de tweede helft van de 19e eeuw bekend werd, zijn vooral schilderijen van schilder Giovanni Fattori (1825-1908) uit Livorno te zien. Giovanni Fattori en zijn collega's Telemaco Signorini, Silvestro Lega, Adriano Cecioni en Diego Martelli waren als studenten aan de kunstacademie van Florence ingeschreven, maar hadden zich afgekeerd van de academische manier van schilderen van hun tijdgenoten. Zij waren op zoek naar nieuwe, individuele uitdrukkingsmogelijkheden en ontwikkelden een aan het Impressionisme verwante stijl met een pasteuze verflaag, een nieuw palet en sterke licht-donkercontrasten. Na de wereldtentoonstelling van 1861 in Florence, waar ze door een expositie de aandacht hadden getrokken, werd in een artikel in de

Turijnse *Gazzetta del Popolo* in 1862 voor de eerste keer de toen nog spottende benaming *Macchiaioli* gebruikt.

Fattori was de onafhankelijkste van de groep. Van Delacroix had hij de romantische voorliefde voor eenzaamheid overgenomen –"eenzaamheid wekt eerder herinneringen dan de verveling van steden" (Delacroix)– en hij bracht veel tijd door aan de kust ten zuiden van Livorno en in de Maremma. In de *Ricordi autobiografici per Ugo Projetti* uit 1907 verklaarde hij het begrip *macchia* en de daarmee verbonden opvattingen: het zuiver optisch zien van een menselijk of dierlijk figuur, de fysiologische waarneming van heldere lucht of andere objecten als tweede component van de weergave van de 'atmosfeer', de zonnevlekken op het veld, de kleurnuances in voorwerpen en in natuurverschijnselen en als derde element de onrust van zijn kritisch realisme, dat hem ook politiek vormde. Hij voelde zich net als de door hem vaak afgebeelde, door de zeewind gegeselde steeneiken – geworteld in het Toscaanse landschap, maar losgewoeld door een kracht waaraan je je niet mag overgeven.

Giovanni Fattori (1825-1908), zeelandschap bij Antignano, Museo Civico Giovanni Fattori, Livorno

Feesten en festiviteiten in Toscane

Op de feestdagen van heiligen vonden jaarlijks in steden en gemeenten met veel vertoon feestelijke processies plaats, maar ook ondergeschikte feesten gaven regelmatig aanleiding voor vermaak met toneel- en pantomimevoorstellingen en boks- en voetbalwedstrijden. Wanneer we bedenken dat een overzicht van het jaar 1457 in Florence alleen al 87 feestdagen laat zien, waar bovendien de door de vorstelijke regering aangemerkte feesten nog bij kwamen, dan kunnen we ons de drukte voorstellen die in het Florence van de Renaissance geheerst moet hebben ter vermaak en amusement van inwoners en bezoekers, waarbij alle sociale barrières werden geslecht.

Er werd veel geld en tijd in de voorbereiding geïnvesteerd. Kunstenaars van naam ontwierpen praalwagens, feestelijke architectuur en wapenschilden. Tegenwoordig wordt nog steeds voor de kostuums het hele jaar gewerkt en de kostbare traditionele kleding van de deelnemers, vlaggendragers en vaandelzwaaiers kan slechts met behulp van sponsors gefinancierd worden.

Veel van deze spelen zijn in de loop van de eeuwen nauwelijks veranderd – ze vinden hun oorsprong in riddertoernooien, de traditionele kerkelijke spelen of ze berusten op volksgebruiken. Zo is het *Scoppio del Carro* op paaszondag in Florence het oude, heidense volksgeloof verbonden met het feest van de offerdood en de verrijzenis van Christus. Voor deze gebeurtenis, die ook wel 'Fuoco di Pasqua' wordt genoemd, wordt een rijkversierde, met vuurwerk uitgeruste wagen door twee witte ossen door de dicht op elkaar gepakte massa naar het plein tussen het baptisterium en de dom getrokken. De symbolische 'explosie van de wagen' gebeurt met behulp van een branden-

'Calcio storico', historische voetbalwedstrijd, Florence

'Scoppio del Carro', explosie van de wagen, Florence

de duif van papier-maché, die als een raket aan een draad vanaf het hoogaltaar in de richting van de wagen wordt geschoten door de aartsbisschop. Als de wagen en het vuurwerk direct branden, is er kans op een goede oogst en goede zaken. Niet in de laatste plaats is deze traditie een overlevering van het eeuwenoude metier van de auguren, de Etruskische zieners die de vlucht van de vogels bestudeerden en duidden.

Of het nu het carnaval in Viareggio, het *Gioco del Ponte* in Pisa, het *Giostra del Saracino*, het lanssteken in Arezzo, het *Giostra del Orso*, het toernooi met mechanische beren in Pistoia, het handboogschieten in Massa Marittima, het *Calcio storico*, het historische voetballen in Florence, het *Cento del Maggio*, het mei-zingen of de barbecue tijdens Hemelvaart is – het enthousiasme van de Toscanen kan het beste worden samengevat door middel van een gedicht van Lorenzo de'Medici: "Oh, hoe mooi is toch de jeugd, die o zo snel weer verdwijnt, wees daarom blijmoedig, want niemand weet wie er morgen nog leeft."

Pisa

Pisa

De wereldberoemde scheve toren zorgde ervoor dat Pisa de bekendste stad van Toscane werd. Dit wonder is heel toepasselijk voor de geboortestad van twee beroemde wiskundigen: Leonardo Fibonacci (ca. 1180-1250) gebruikte voor zijn getallenkunde voor de eerste keer Arabische cijfers en Galileo Galilei (1564-1642) zette het middeleeuwse wereldbeeld op de kop door zijn natuurwetenschappelijk onderzoek.

In de delta van de Serchio en de Arno ontstond in een lagune, vermoedelijk al in de 7e eeuw v.chr., een handelsnederzetting van Griekse en Etruskische zeevaarders met de naam 'Pisa' (monding). In 180 v.Chr. werd Pisa een Romeinse kolonie –wat nu nog te zien is aan de schaakbordachtige plattegrond van de stad– en onder keizer Augustus een marinebasis met de naam 'Colonia Julia obsequens'. Aan het einde van de 9e eeuw, toen het hele Middellandse-Zeegebied onder islamitische heerschappij stond, begon de zegetocht van de Pisaanse marine tegen Moorse piraten. In grote zeeslagen verdedigde de stad in de volgende eeuwen Rome en Zuid-Italië tegen de Saracenen, laveerde in 1030 voor Carthago en heroverde Elba, Corsica en Sardinië. De succesvolle deelname aan de eerste kruistocht (1096-1099) bracht de vestiging van talrijke handelsplaatsen langs de kust van Klein-Azië met zich mee. In 1113 werd de macht van Pisa met driehonderd schepen en 45.000 matrozen op de Balearen uitgebreid en ten slotte werd ook Tunis nog ingenomen. De economische bloei werd al snel merkbaar in de politiek: aan het eind van de 11e eeuw erkenden paus en keizer de grondwet van het sterk uitgebreide Pisa. In 1091 werd Pisa aartsbisdom en in 1162 sanctioneerde keizer Barbarossa Pisa's recht op de kuststrook die van Ligurië tot Latium liep. Omdat Pisa de trouwe bondgenoot van de Hohenstaufens was, betekende het einde van deze familie (1250) ook dat Pisa over zijn hoogtepunt heen was: in de binnenlandse handel was er een toenemende concurrentie van Lucca en Florence en de strijd om de zeehandel verloor Pisa in 1284 definitief van Genua. In de buurt van het rif Meloria werd de vloot van Pisa vernietigend verslagen. In 1406 kwamen de Florentijnen met de inname van Pisa in het bezit van de vurig begeerde haven, die evenwel in toenemende mate verzandde en ten gunste van de nieuwe havenstad Livorno werd opgegeven. Pas in de 16e eeuw zorgden de De'Medici-groothertogen Cosimo I en Ferdinando I voor de wederopbloei van de stad: ze stichtten de botanische tuin, groeven een kanaal naar de zee, lieten waterleidingen aanleggen en breidden de ook nu nog gerenommeerde universiteit uit.

Piazza del Duomo met het baptisterium, de dom en de campanile

Pisa

Campo dei Miracoli, blz. 502

Palazzo dell'Orologio, Piazza dei
Cavalieri, blz. 524

Palazzo dei Cavalieri (Scuola
Normale Superiore), Piazza dei
Cavalieri, blz. 525

Andere bezienswaardigheden:

1   S. Maria della Spina, Lungarno
    Gambacorti, blz. 526

2   Museo Nazionale di S. Matteo,
    Lungarno Mediceo, blz. 527

3   San Piero a Grado, 5 km ten
    zuidwesten van Pisa, blz. 530

S. Stefano dei Cavalieri, Piazza
dei Cavalieri, blz. 524

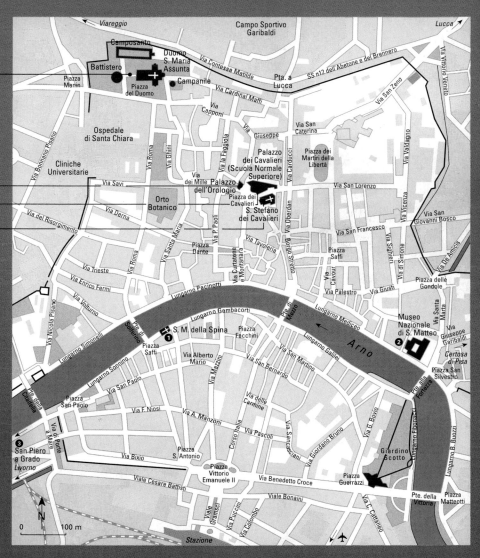

Pisa **501**

Campo dei Miracoli

De Campo dei Miracoli, het plein der wonderen, is nog altijd een harmonisch geheel. Hier werden in de bloeitijd van de stadsrepubliek een dom, baptisterium, campanile en *camposanto*, kerkhof, gevestigd. Een grafveld dat in die tijd buiten de stadsmuur lag, bood de geschikte ruimte voor het complex. Voor het ontwerp ervan werd teruggegrepen op de voorbeelden van klassieke tempels en vroegchristelijke kerken in Rome en gelijktijdig werden Lombardische vormen met oriëntaalse motieven gebruikt. De meer dan driehonderd jaar durende bouwtijd begon met het leggen van de eerste steen voor de dom Santa Maria Assunta in 1063. Bij iedere volgende bouwfase werd uitgegaan van het bestaande; het kostbare marmer bleef gehandhaafd als bouwmateriaal en er werden alleen accenten aangebracht door variaties in de boogmotieven.

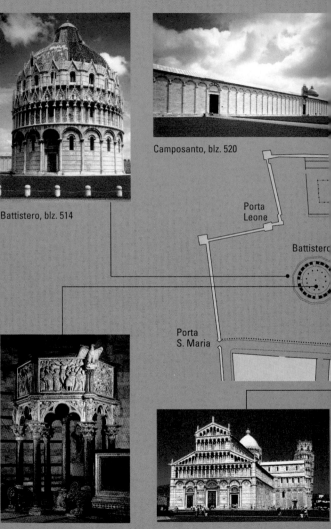

Battistero, blz. 514

Camposanto, blz. 520

Porta Leone

Battistero

Porta S. Maria

Nicola Pisano, marmerkansel, blz. 510 Voorgevel van de dom, blz. 504

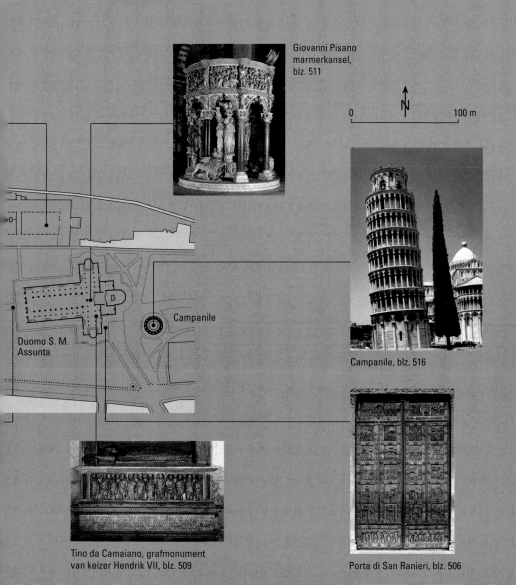

Giovanni Pisano marmerkansel, blz. 511

0 —————— 100 m

N

Campanile

Duomo S. M. Assunta

Campanile, blz. 516

Tino da Camaiano, grafmonument van keizer Hendrik VII, blz. 509

Porta di San Ranieri, blz. 506

Duomo Santa Maria Assunta

"Zes grote, zwaar beladen schepen vielen hun in handen", luidt de inscriptie in de voorgevel, ter herinnering aan de overwinning van de vloot van Pisa tegen de Saracenen in 1063 bij Palermo. Deze buit vormde de basis voor de bouw van de dom. Ook de architecten zijn op de voorgevel vermeld: Buschetus en Rainaldus. Nog in hetzelfde jaar begon Buschetus met de bouw van de kathedraal in de vorm van een Latijns kruis met vijf schepen in het middenschip, drie in de dwarsbeuk en een ovale koepel. Een paar jaar na de wijding in 1118 werd het middenschip van de kerk aan de westkant door de tweede architect Rainaldus met drie traveeën verlengd en van een nieuwe gevel voorzien. In de drie portalen wordt de benedenverdieping geordend door blindbogen, die op hele zuilen rusten die iets verder naar voren steken dan de pilasters. Daarboven springt de gevel terug, waardoor er ruimte ontstaat voor de dwerggalerijen. Opvallend zijn de dicht bij elkaar geplaatste zuilen, de klassieke elementen aan de profielen en kroonlijsten en de incrustaties, die op edelstenen lijken, uit verschillende kleuren marmer. De daklijst van het zijschip volgt de stijgende lijn van de tweede galerijverdieping, die in de topgevel tot het Mariastandbeeld wordt doorgevoerd.

Op de benedenverdieping is duidelijk het decoratiesysteem van het hele gebouw –stroken marmer en blindbogen met ingezette ruiten– zichtbaar. Buschetus verbond de oostelijke bouwkunst met Grieks-Byzantijnse elementen, oriëntaalse versieringen en met een van lisenen en blindbogen afgeleide decoratie uit Ravenna of Lombardië. Zo ontstond de stijl die bepalend werd voor de Italiaanse Romantiek.

De dure bronzen deuren die ooit door Bonanus ontworpen waren, smolten bij een brand in de dom in 1595. Uit het materiaal hiervan werden deuren met taferelen uit het leven van Maria vervaardigd in de werkplaats van een Vlaming: Jean de Boulogne, ook wel Giambologna (1529-1608) genoemd. Een op de Byzantijnse kunst geïnspireerd mozaïek met de hemelvaart van Maria bekroont het timpaan van het middenportaal.

Apsis van het hoofdkoor

Een opvallende decoratie is het op de punt geplaatste blok, dat hier in Pisa trapsgewijs naar binnen afloopt en aan de buitenkant door gekleurd marmer benadrukt wordt. De kleurige, horizontale stroken die rond het hele gebouw lopen, zijn op dezelfde architectonische manier geaccentueerd. Een speelse tegenstelling daarmee vormt de incrustatie in verschillende kleuren. Het gaat hierbij vooral om laatklassieke elementen uit de Oriënt, die waarschijnlijk via het Arabische Sicilië werden ingevoerd.

Bonanus Pisanus, Porta di San Ranieri, ca. 1180
brons, h ca. 500 cm

De vroegere hoofdingang van de dom Santa Maria Assunta was de Porta di San Ranieri aan de oostkant van de zuidelijke

dwarsbeuk, omdat deze dichter bij de stad ligt dan het portaal aan de westkant.

Van de vier deuren die de Pisaanse beeldhouwer Bonanus voor de dom van zijn geboortestad ontwierp, is alleen deze bewaard gebleven. Rond 1180 werden de twee deurpanelen volgens de cire perdue-techniek gemaakt, in brons gegoten en vervolgens op een ander paneel gemonteerd.

De deuren zijn in vier grote en twintig kleine velden verdeeld en de omlijsting hiervan is voorzien van rozetten. Reliëfs met gebeurtenissen uit de levens van Maria en Christus vullen de velden en deze zijn tevens voorzien van inscripties, die telkens van links naar rechts zijn te lezen. De voorstellingen beginnen linksonder met de 'Aankondiging' en eindigen rechtsboven met de 'Dood van Maria'.

Boven en onder completeren telkens twee grotere reliëfs de deurpanelen: linksboven is de 'tronende Christus' te zien en rechts de 'tronende Maria', omgeven door engelen. Op het onderste reliëfpaneel zijn profeten te zien die onder palmbomen wandelen en discussiëren; zij staan voor de verbinding tussen het Oude en het Nieuwe Testament en ze zijn tegelijkertijd een klassiek motief. De twee deuren worden omlijst en gedecoreerd door doorlopende 'koorden'. De deur van Bonanus is niet alleen de oudste bronzen deur in Toscane en een van de vroegste met verhalende afbeeldingen in Europa, maar ook het eerste grotere werk in de Pisaanse reliëfkunst. De deur bekoort door de helderheid van de opbouw en de suggestieve weergave van de handelende figuren. Op een neutrale achtergrond geeft Bonanus de taferelen eenvoudig en verbazingwekkend plastisch weer. De kunst van het terugbrengen tot het wezenlijke is net zo typerend voor deze kunstenaar als de klassieke gewaden van de figuren en de door de wind gebogen palmen. De kennis van Byzantijnse ivoorkunst mag bij Bonanus verondersteld worden. Door verhalende elementen worden de tableaus levendig, zoals het tableau van Jozef die, gebukt onder de vermoeienissen van de reis, vlucht naar Egypte. Waarschijnlijk was Bonanus door Zuid-Italiaanse bronsgieters vertrouwd geraakt met de Byzantijnse

giettechniek. Vermoedelijk hebben de zogenaamde *cofanetti* als voorbeelden voor de vormgeving gediend. Dit zijn doosjes van ivoor die werden gebruikt voor het transport van relieken uit de Oriënt.

Tronende Christus met zes aanbiddende engelen		Tronende Maria met vier engelen	
Hellevaart van Christus	De drie vrouwen aan het graf van Christus	Hemelvaart van Christus	Dood van Maria
Voetwassing	Avondmaal	Gevangenname van Christus	Kruisiging van Christus
Verzoeking van Christus	Verheerlijking van Christus	Verrijzenis van Lazarus	Intocht Christus in Jeruzalem
Christus in de tempel	Vlucht naar Egypte	Kindermoord in Bethlehem	Doop van Christus
Aankondiging aan Maria	Verzoeking	Geboorte van Christus	De drie koningen en de zondeval
Dialoog tussen de profeten		Dialoog tussen de profeten	

Interieur

Het interieur van de dom bestaat uit een mengsel van vroegchristelijke, Byzantijnse en islamitische vormen en is overweldigend. De dom heeft vijf schepen in het langschip en het koor, een drieschepige dwarsbeuk, galerijen, boven-lichtbeuken en een vieringskoepel die op een octogonale tamboer is gebouwd. De dom behoort tot de vroege monumentale gebouwen van het middeleeuwse Italië.

De zuilen met granieten schachten en de naar klassieke voorbeelden vormgegeven kapitelen zorgen voor een gelijkmatig ritme van de rondbogen; spolia zijn nauwelijks gebruikt. De marmerincrustatie geeft een bijzonder accent. Donkere stroken van verschillende dikten worden afgewisseld met contrasterende witte vlakken en ornamentele medaillons, terwijl de kleuren van de galerijen en de bogen van de zijschepen elkaar afwisselen. Met de medewerking van Cimabue, die op een oorkonde wordt vermeld, ontstond in 1302 het gouden mozaïek van de apsis – een 'Tronende Christus met Maria en Johannes'. Het artistieke hoogtepunt is evenwel de marmeren kansel van Giovanni Pisano. Het vergulde cassetteplafond van het middenschip is van Ferdinando de'Medici na de brand van 1595.

Tino di Camaino (ca. 1280-1337), grafmomument voor keizer Hendrik VII, 1315
marmer

Hendrik VII, die de Italië-politiek van de Hohenstaufens zou voortzetten en op wie de Ghibellijnen hun hoop hadden gevestigd, was tijdens zijn reis naar Rome om daar gekroond te worden, in de buurt van Siena volkomen onverwacht gestorven aan malaria. De inwoners van Pisa lieten het lichaam van de door hen zo vereerde jonge keizer in hun dom begraven en gaven Tino di Camaiano de opdracht voor een grafmonument.

Deze beeldhouwer, die in de werkplaats van Giovanni Pisano was opgeleid, ontwierp een sarcofaag die op consoles rust en waarop apostelen zijn afgebeeld. Daarop ligt de figuur van de keizer in een door rondbogen gevormde blinde nis, die later door de werkplaats van Ghirlandaio met engelen werd beschilderd.

De vertelkunst van de Pisani

Ruth Strasser

Nicola Pisano, kansel, 1260, Battistero, Pisa

De voorgeschiedenis: ongeveer in het midden van de 13e eeuw kwam een steenhouwer vanuit Zuid-Italië, waarschijnlijk Apulië, in Toscane aan. Hij heette Nicola en was, afgezien van het feit dat hij een ware meester in zijn vak was, zijn gildecollega's in twee belangrijke dingen ver vooruit: hij werkte met een 'lopende' boor: een werktuig dat handmatig met een hendel bediend kon worden. Dit betekende een enorm technisch voordeel in vergelijking met de manier van werken van zijn collega's. Daarnaast had hij niet enkel oog voor ambachtelijke afwerking, zoals dat bij de steenhouwers het geval was, maar nam hij ook prikkels waar die buiten de gebruikelijke artistieke voorbeelden te vinden waren. Belangrijke voorbeelden voor hem waren vooral Etruskische en Romeinse sarcofagen, die in het sacrale gebied, in kerken en kathedralen, te vinden waren of op begraafplaatsen opgesteld stonden, omdat ze regelmatig hergebruikt werden bij christelijke begrafenissen. Nicola had opdracht gekregen om voor het baptisterium van Pisa een kansel te ontwerpen en die was na voltooiïng zo ongewoon

Geboorte van Christus	Aanbidding van de koningen	Christus in de tempel	Kruisiging	Laatste oordeel

mooi, dat hijzelf erg trots op zijn werk was en op een lijst onder het beeldvlak een inscriptie in het Latijn aanbracht: "In 1260 beitelde Nicola Pisano dit uitstekende werk – moge een zo hoogbegaafde hand geprezen worden op de manier die hij verdient." Hij werd vanaf dat tijdstip 'de Pisaanse Nicola', dus 'Nicola Pisano', genoemd en naar Siena geroepen om daar voor de dom een tweede kansel te ontwerpen. Hierbij kreeg hij hulp van zijn jonge zoon Giovanni, die zijn vader in ieder opzicht navolgde. Het was daarom geen toeval dat Giovanni –nadat hij vanwege zijn artistieke flair als opzichter bij de bouw van de domgevel werd aangesteld en daar de veel bewonderde, meer dan levensgrote beelden had gehakt– ook zelf een kansel wilde ontwerpen. Hij maakte er, net als zijn inmiddels gestorven vader, zelfs twee: de eerste tussen 1298 en 1301 voor de kerk Sant' Andrea in Pistoia en de tweede tien jaar later voor de dom van Pisa, zodat ook hij Giovanni 'Pisano' werd genoemd.

De vier marmeren kansels onderscheidden zich verregaand van het tot dan toe gebruikelijke type, want de Pisani maakten vrijstaande veelhoeken die vrij in de ruimte stonden en niet meer met de rug tegen de wand of een pijler hoefden te leunen. Deze kunstzinnige kansels boden de gelegenheid eromheen te lopen en ze van alle kanten te bekijken. Dit kwam overeen met de toenmalige ideeën over de vernieuwing van de diensten en de liturgie. Omdat de burgers het Latijn van de preken en ceremoniën niet meer verstonden, moesten de christelijke geloofsinhouden rechtstreeks duidelijk ge-

Giovanni Pisano, kansel, ca. 1310, Duomo, Pisa

Verkondiging en verhalen van Johannes de Doper	Geboorte van Christus	Aanbieding door de koningen	Christus in de tempel en de vlucht naar Egypte	Kindermoord in Bethlehem	Verraad en geseling van Christus	Kruisiging	De uitverkorenen	De verdoemden

Nicola Pisano, kanselreliëf met de geboorte van Christus, 1260, Battistero, Pisa

maakt worden. Dit gebeurde bij voorkeur via de taal van de beelden, die door hun symbolische inhoud opriepen tot herbeleving en navolging – en wat was daar beter geschikt voor dan de kleurige kerkramen, de frescocycli op de wanden en de plastische beeldendecoratie van portalen, kansels en altaren?

Volledig nieuw op de kansels was ook de figuurlijke weergave. De middeleeuwse plastiek bestond overwegend uit reliëfkunst, de sculptuur was meestal ondergeschikt aan het architectonische kader. Bij de Pisani-kansels komen de sculpturen echter los van de achtergrond, ze lijken uit de omlijsting te springen en krijgen door de nadrukkelijke driedimensonaliteit een dynamiek die ze als het ware uit het beeldvlak naar buiten laat treden. Deze grote plastische indruk berust op een nauwkeurig uitgedachte verhouding van licht en schaduw. Er werd van links naar rechts gewerkt en voordat er met de eerste rij van figuren van linksboven naar onderen werd begonnen, moest de diepte van de tweede rij met betrekking tot de schaduwverdeling vastgesteld worden. Beide

Giovanni Pisano, kanselreliëf met de geboorte van Christus, ca. 1310, Duomo, Pisa

beeldhouwers lieten zich inspireren door klassieke voorbeelden en zo kregen de gezichten met krullend haar en golvende baarden weer levensechtheid, waardigheid en op een bepaalde manier ook realisme en individualiteit. Door een extreem plastische uitwerking van de gewaadplooien maakt het geheel een plechtige indruk. Aan de andere kant hebben ze in de klassieke marmerreliëfs naar voorbeelden van houdingen en gebaren gezocht die ze in hun composities konden gebruiken om zo de uitgebeelde figuren hartstocht en emotionele spanning te geven, opdat de beschouwer zich ermee kon identificeren.

Van het geschreven schrift en het gesproken woord naar een plastische weergave – met behulp van de realistische lichamelijkheid van de gebeitelde figuren kreeg men direct toegang tot de harten van de gelovigen, wat een diepe belangstelling opwekte.

Leeuwen die een lam of een ram tussen de poten houden, zijn symbolen voor het bewaken van de heilige plaatsen en de zege van Christus op de antichrist.

Battistero

Als een monumentale re-
liekhouder staat het baptisterium op het gazon. De
bouw begon in 1152 naar
een ontwerp van Diotosal-
vi. De gotische wimbergen,
pinakels en de rijke figuurlijke versiering ontstonden
vanaf 1260 onder leiding
van Nicola en Giovanni Pisano. In 1358 werd de Ro-
maanse hoekige koepel
omgebouwd tot een pom-
poenvormige koepel. Het
naar de dom gerichte por-
taal was versierd met ranken, bladeren en prachtige
rozetten. De in reliëfcasset-
ten, aan de linkerkant afgebeelde werkzaamheden
van de mens in de verschillende maanden en de dis-
cussiërende apostelen aan
de rechterkant stammen uit
de 12e eeuw. In de traditie
van de Byzantijnse ivoor-
snijkunst staan engelen en
apostelen op de architraaf
rond Christus, Maria en Johannes. Het origineel van
'Maria met kind' van Gio-
vanni Pisano in het boog-
veld uit 1295 bevindt zich
in het Camposanto.

Interieur

Het interieur van het baptisterium is een harmonische, contemplatieve ruimte met een uitstekende akoestiek. Zuilen en pijlers wisselen elkaar ritmisch af en bakenen de centrale ruimte van de hoge omgang af. Opvallend hoge arcadebogen leiden de blik naar de galerijverdieping en naar het gewelf, dat in de eigenlijke betekenis van het woord niet echt een koepel is.

Net als in het Romeinse pantheon had de punt tot aan het einde van de 14e eeuw een opening waardoor de hemel te zien was. Direct daaronder neemt de octogonale doopvont met marmerintarsia, rozetten en figuurlijke decoraties de centrale plaats in het baptisterium in. Deze doopvont werd in 1246 vervaardigd door Guido Begarelli uit Como.

Daarnaast is de oudere kansel van Nicola Pisano te zien, die in 1260 werd voltooid en daarmee de eerste vrijstaande kansel was.

Campanile (met detail)

Zoals te lezen valt in de inscriptie naast het portaal ontstond de campanile als derde bouwwerk van het heilige gebied in 1174 op de kalender van Pisa – dat wil zeggen in 1173, omdat het nieuwe jaar in Pisa reeds begon met de verkondiging aan Maria op 25 maart. Architect was Bonanus of, volgens nieuw onderzoek, Gherardo di Gherardo. Op een houten fundament werden in 1185 de eerste drie verdiepingen gebouwd. Vervolgens trad er een bouwpauze in, ofwel omdat de architect naar een ander bouwwerk werd geroepen, ofwel omdat de alluviale grond al meegaf. In 1275 was de verzakking al 17 cm. Giovanni di Simone nam de leiding bij de bouw over en probeerde bij het bouwen van de volgende verdiepingen door middel van zuilen die in hoogte verschillen een evenwicht in niveau te krijgen – daarom zijn de zuilen aan de zuidkant hoger dan die aan de noordkant. Ook hij kon echter het werk niet voltooien; in de voor Pisa noodlottige Slag van Meloria tegen Genua kwam Giovanni di Simone in 1284 om op zee. Pas in 1350 werd het zevende compenserende vlak gebouwd door Tommaso Pisano; hij voltooide de toren met de klokkenverdieping. Sindsdien is de hellingshoek steeds groter geworden – Galilei zou aan de hand hiervan de valwet hebben onderzocht. Ook zonder de dramatisch hellende positie, waarvan de voortgang nu is gestopt, is de campanile in vergelijking met de hoekige Toscaanse klokkentorens iets bijzonders. De ronde basis is een grote cilinder met een lege kern, die wordt omhuld door een lichte, elegante mantel van zuilen. De blindbogen en halfzuilen op de benedenverdieping die met ruiten versierd zijn en de gelijkmatig gevormde ronde zuilenloggia's op de overige verdiepingen benadrukken de verwantschap met het baptisterium en de dom. Elk van de acht verdiepingen is door een sterk naar voren springende lijst van de andere gescheiden. Alleen de klokkenstoel met zijn slankere structuur en nissen onderbreekt de gelijkvormige opbouw van de toren. Bij nauwkeurige beschouwing valt de als correctie bedoelde contrahelling op.

La torre pendente – de scheve toren van Pisa

Ruth Strasser

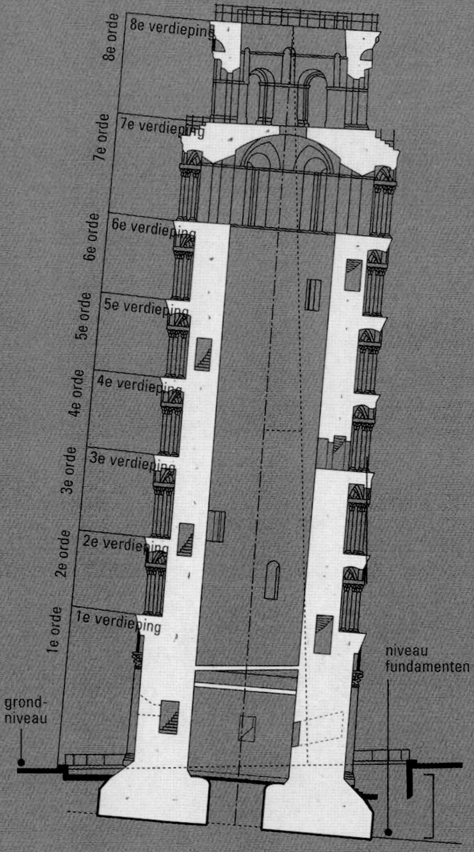
8e orde
8e verdieping
7e orde
7e verdieping
6e orde
6e verdieping
5e orde
5e verdieping
4e orde
4e verdieping
3e orde
3e verdieping
2e orde
2e verdieping
1e orde
1e verdieping
niveau
fundamenten
grond-
niveau

Grafische voorstelling van de toren van Pisa

De huidige helling van de toren –voor veel inwoners van Pisa een deel van hun identiteit– bedraagt vanaf de rand van de klokkentoren gemeten ongeveer 5,2 m van het noorden naar het zuiden. Ondanks vele wetenschappelijke onderzoeken en berekeningen kan niet met zekerheid worden vastgesteld of de toren binnenkort, op een of ander tijdstip of nooit zal instorten.

Wie ook de eerste architect is geweest –Bonanus of, zoals nieuw onderzoek uitwijst, Gherardo di Gherardo–, hij was in ieder geval bekend met de zanderige, onbetrouwbare ondergrond. De conditie van de bodem in het oostelijke deel van de Piazza dei Miracoli is in de bovenste laag van zandig leem nog het stabielst. Tot een diepte van 40 m volgt een zachte, meegevende kleilaag, vermengd met zand en schelpen. Daarom werd er op 9 augustus 1173, toen de bodem droog en de grondwaterstand het laagst was, een ronde groeve met een diepte van 3 m en een diameter van bijna 20 m gegraven. Daarin kwam eerst een laag stenen en daarop tot de rand van de groeve een vulling van ongeveer 700 m^3 breuk- en bakstenen en metselkalk.

Op dit fundament werd eerst een sokkel met een paar treden gebouwd en daarop kwam de dubbelwandige muur van de houten cilinder. Deze muur is op de benedenverdieping nog 4 m dik, maar naar boven toe wordt hij dunner tot een dikte van 2,4 m. Het binnenste deel bestaat uit losjes op elkaar gestapelde, met metselkalk bevestigde breukstenen uit de heuvels van Pisa.

Aan de buitenkant is de muur bekleed met 50 tot 60 cm dikke platen marmer, die glad gepolijst zijn en nauwkeurig aansluiten. In deze muur bevindt zich ook de brede wenteltrap die met 294 treden naar de top voert. Dertig treden lopen in iedere galerij met een afstand van 1 m rond de binnenste muur. In totaal zijn er op de acht verdiepingen 207 zuilen. Door hun sierlijke vormgeving lijken ze alleen ter decoratie aangebracht, maar ze hebben een belangrijke evenwichtsfunctie, want de rondbogen en gewelven ondersteunen elk de daarbovenliggende omgang. Toen de bouwwerkzaamheden in 1350 tot de klokkenstoel gevorderd waren, moest daar de vloer geëgaliseerd worden. Met twee extra treden aan de zuidkant werd de helling met bijna 1,5 m gecompenseerd en de klokkenstoel werd door een wig in een horizontalere positie gebracht. Toen de bouw na 180 jaar voltooid was, bedroeg de totale hoogte 54,74 m, de omtrek aan de basis was 48,83 m en het geheel woog ongeveer 15.000 ton.

De reddingsplannen die al tientallen jaren uit de hele wereld binnenkomen zijn ontelbaar: bijvoorbeeld de toren afbreken, corrigeren en dan opnieuw opbouwen of een tweelingtoren met contrahelling bouwen of een monumentaal standbeeld van de stadspatroon van Pisa, San Ranieri, als steun tegen de toren bouwen of het idee van een moderne Chinese architect om onder de fundamenten een laag van rijst en gedroogde bonen aan te brengen en te laten 'oppompen'.

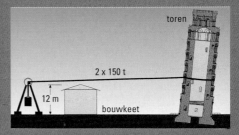

Een tijdelijke geotechnische ingreep aan de toren van Pisa

Sinds 1988 houdt een wetenschappelijk-technische commissie zich met de sanering bezig. Dit internationale college van vooraanstaande architecten, ingenieurs en historici heeft als eerste de sluiting van de toren bevolen – die kreeg tot 1990 ongeveer 1.000.000 bezoekers per jaar. Een andere maatregel was een contragewicht van 600 ton lood, dat in betonnen bakken die aan de noordkant werden opgestapeld, aangebracht werd. Intussen is het contragewicht verzwaard tot 750 ton; de jaarlijks groter wordende helling werd daardoor gestopt. Na een paar ongelukken –men had vroegere bouwverslagen genegeerd en bij vergissing betoninspuitingen doorgezaagd, wat tot een verdere helling van de toren en eindeloze discussies over de 'schuldvraag' leidde– worden sinds kort de renovatiewerkzaamheden voortgezet. Iedere verdieping wordt met een stalen kabel omgord en krijgt in de bodem aan de noordkant een speciale verankering. Ondanks zijn scheve 'groei' was de campanile eeuwenlang een schoonheid – pas nu, als gevolg van zijn redding, ziet hij eruit als een 'invalide met bretels'.

Camposanto

Zeer bijzonder is het complex dat aan de noordelijke stadsmuur aan de Campo dei Miracoli ligt. Al in de vroege Middeleeuwen was er op deze plek een begraafplaats. Toen echter –zo luidt het verhaal– op aandringen van aartsbisschop Ubaldo dei Lanfranchi, na zijn kruistocht in 1202, vijftig scheepsladingen aarde van de berg Golgatha naar Pisa werden gebracht, was herinrichting noodzakelijk. De bevolking wilde in die tijd in 'heilige aarde' op een *campo santo*, een heilig veld, begraven worden.

In 1278 begon de architect Giovanni di Simone, die toen ook werkzaam was aan de toren, aan het project van een kerkhof met rondlopende, overdekte omgangen in de vorm van een langgerekte kruisgang en een binnenhof met een gazon.
De buitenkant van het complex is eenvoudig vormgegeven en heeft regelmatige, hoge, blinde arcaden. Ook de ingang is tamelijk onopvallend. Alleen het bekroonde, fijn bewerkte baldakijn trekt de aandacht. Dit laatgotische stuk omvat een beeldengroep van Maria en heiligen en de stichter van dit tabernakelbeeldhouwwerk, Pietro Galamcorti, uit het midden van de 14e eeuw.

Binnenhof

De binnenhof van de Camposanto straalt plechtige rust uit. De tuin is ruim opgezet; hij is 126 m lang en 52 m breed. De regelmatige arcaden van de omgang werden aantoonbaar in de late 14e eeuw van rijk maaswerk voorzien, waardoor de blik op de vierkante binnenhof valt. In de 14e en de 15e eeuw werden de wanden van het kerkhof met frescocycli beschilderd, die de 'Triomf van de dood', het 'Laatste oordeel' en verhalen uit het Oude Testament als onderwerp hebben. Tot in de 18e eeuw werden de burgers van Pisa in de Camposanto begraven – daarvan getuigen meer dan 600 in de bodem geplaatste grafzerken en hergebruikte Romeinse sarcofagen, die in de Middeleeuwen rond de dom stonden en nu langs de wanden staan opgesteld. De aartsbisschop van Pisa vindt tot op heden hier zijn laatste rustplaats.

Toen bij bombardementen op Pisa in de zomer van 1944 een smeulende brand werd geblust, liepen de wandschilderingen door het gesmolten lood dat langs de wanden naar beneden gelopen was, onherstelbare schade op. De tekeningen, die bij de restauratie gered en blootgelegd werden, zijn intussen in het Museo delle Sinopie tegenover het baptisterium tentoongesteld.

Buonamico Buffalmacco (werkzaam ca. 1315-1345), De triomf van de dood (detail), 1340-1345
fresco

DIt oudste fresco, ' De triomf van de dood', dat volgens recent onderzoek vermoedelijk door Buonamico Buffalmacco werd gemaakt, is na de brand verwijderd en hangt nu in de noordelijke vleugel.

De mystieke vermaningen die zich in het aangezicht van de dood weerspiegelen, maken nog altijd zeer diepe indruk. De wereldlijke idylle en de triomftocht van de dood staan in schril contrast met elkaar, vooral bij de ontmoeting tussen de ridders en de doden. Een koninklijk jachtgezelschap dat is voorzien van allerlei anekdotische details over zijn nutteloze doen en laten, moet abrupt stoppen voor de doodskisten van drie koningen, van wie de lichamen in verschillende stadia van ontbinding verkeren. Het spandoek van kluizenaar Makarios verwijst naar de vergankelijkheid van het aardse: 'Wat u bent, dat waren wij, wat wij zijn, dat zult u zijn!' De schilder van deze fresco's toont zijn plezier in verhalende schilderingen en werkt de details, zoals de hoofse kledij van de personen en de individuele paardenhoofden, liefdevol uit. Hij schilderde vooral bekende gezichten van de bovenlaag van Pisa; in de valkenier herkennen we de heerser van Lucca, Castruccio Castracani, in de baardige gestalte met de boog koning Lodewijk van Beieren en in de ruiter met de dichtgeknepen neus de heer van Pisa, Uguccione della Faggiola.

Santo Stefano dei Cavalieri

Aan de oostzijde van het plein ontstond onder leiding van Giorgio Vasari tussen 1565 en 1569 de ordekerk Santo Stefano. De vroegbarokke voorgevel van marmer is een ontwerp van Giovanni de'Medici. Het groothertogelijke wapen boven het gevelportaal en het wapen boven de ramen herinneren aan de speciale rol van de familie De'Medici. Erg fraai in het interieur zijn de houtgesneden plafonds, die beschilderd zijn met gebeurtenissen van de orde, en het kostbaar bewerkte hoogaltaar.

Palazzo dell'Orologio

In 1607 werden twee torenhuizen met een straat ertussen geïntegreerd in het Palazzo dell'Orologio, het vroegere klassieke forum en later het hart van de middeleeuwse republiek, gelegen aan de Piazza dei Cavalierie. In het linkerdeel is nog de Torre delle Sette Vie, de vroegere gevangenis, te herkennen aan de in vieren gedeelde vensters. In de rechtertoren hield de republiek adelaars als levende wapendieren.

Dante schildert in zijn *Divina Commedia* het noodlot van graaf en legeraanvoerder Ugolino della Gherardesca, die als vermeend verrader met zijn zonen en neven in dit paleis opgesloten werd en de hongerdood stierf. Het paleis wordt ook wel naar hem genoemd: Palazzo della Gherardesca.

Palazzo dei Cavalieri

De De'Medici-groothertog Cosimo I koos in 1563 het voormalige gemeentelijke paleis als zetel van de nieuw gestichte 'Ordine dei Cavalieri di Santo Stefano'. Deze ridderorde was officieel opgericht om de kust tegen de Saracenen te beschermen, maar diende in de eerste plaats om controle over Pisa uit te oefenen, omdat de grootmeester van de orde de zittende De'Medici-groothertog was. De opdracht voor de verbouwing van het Palazzo dei Cavalieri werd aan Giorgio Vasari gegeven.

Hij ontwierp voor de voorgevel de sgraffito-decoratie met grotesken en medaillons. De vrijstaande trap werd pas toegevoegd toen Napoleon in 1810 de orde ophief en in het gebouw de door hem opgerichte universiteit vestigde. Op deze universiteit kon een graad worden behaald: de ook nu nog zeer gerenommeerde 'Scuola Normale Superiore'. Op het plein ervoor staat een standbeeld van Cosimo I de'Medici als ridder van de Stefansorde. De glorierijke heerschappij over de zee wordt symbolisch weergegeven door de voet van de groothertog, die triomfantelijk op een dolfijn geplaatst is.

Santa Maria della Spina

Het oratorium Santa Maria della Spina is rijk versierd en heeft een zeer bewerkte gevel, waardoor het op een kostbaar reliekschrijn lijkt. Met de voor Pisa kenmerkende, gekleurde marmerincrustatie en de overdadige vormen van de late Gotiek –met wimbergen, pinakels en tabernakels– werd tussen 1323 en 1360 een ouder gebedshuis verbouwd tot een kerk met een midden- en zijschip. Het direct aan de oever van de Arno gelegen oratorium was voor een kostbaar reliek bedoeld, die een inwoner van Pisa uit het Heilige Land had meegebracht: een doorn (*spina*) uit de kroon van Christus.

De westgevel van de zaalkerk doet bijzonder eigenzinnig aan door de indeling in twee schepen, die op de dakverdieping nog een derde topgevel krijgen. De gevel wordt in tweeën gedeeld door een pilaster, waaraan een beeld van Maria met kind en twee engelen in een aedicula is bevestigd. Dit werk wordt toegeschreven aan Giovanni Pisano. De buitengewoon rijke figurendecoratie in de tabernakels boven de kroonlijsten die met kleine roosvensters versierd zijn, aan de muur die naar de straat gericht is, stamt uit een lokale werkplaats in navolging van Giovanni Pisao.

De kerk lag oorspronkelijk beneden aan de oever van de Arno. Als bescherming tegen waterschade door hoogwater werd de kerk in 1871 afgebroken en op een iets hogere plek weer opgebouwd.

Museo Nazionale di San Matteo

In de ruimten van het voormalige, tussen de 11e en de 13e eeuw gebouwde benedictijnenklooster San Matteo werd na de Tweede Wereldoorlog een museum voor kunstwerken uit verscheidene kerken in Pisa gevestigd. Rondom de middeleeuwse kruisgang met mooie renaissancezuilengang liggen de museumzalen. Hier worden belangrijke werken van de schilder- en beeldhouwkunst uit de 12e tot de 15e eeuw getoond. In de eerste ruimten heeft de archeologische afdeling een plaats gekregen, waar aan de hand van talrijke vondsten het ontstaan van de stad wordt geïllustreerd.

Tot de kostbare schatten van de verzameling behoren de zogenaamde *croci dipinte*, beschilderde crucifixen uit de 12e en de 13e eeuw die oorspronkelijk op de galerij van het priesterkoor of op de triomfbalken van de middeleeuwse kerken van de stad stonden en een waardevolle getuigenis van de Toscaanse paneelschilderkunst zijn. Er worden hier verschillende soorten kruizen getoond: zowel het type van de 'triomferende Christus', de overwinnaar over de dood, als het nieuwe, byzantijnsachtige type van de 'lijdende Christus'. Daarnaast zijn er prachtige beelden te zien, bijvoorbeeld een verkondigingsengel van hout van Andrea Pisano en de 'Madonna del Latte', een werk in polychroom en verguld marmer van zijn zoon, Nino Pisano.

Simone Martini (ca. 1284-1344), madonna met kind en heiligen (veelluik), ca. 1320

tempera op paneel, middenpaneel 192 x 64 cm, vleugels elk 155 x 45 cm

Omdat Pisa, net als Lucca, in het Trecento geen ervaren schilders had, werden de grote altaarstukken in deze periode meestal in belangrijke kunstcentra, zoals Florence en Siena, besteld.

Een uitstekend voorbeeld, dat te vinden is in het Museo Nazionale, is het veelluik dat in 1320 door het catharijnenklooster aan Simone Martini, die uit Siena afkomstig was, in opdracht werd gegeven. Het altaar-stuk bestaat uit zeven goudachtige panelen en een predella. De madonna in het centrum wordt door drie heiligen op elke zijvleugel omringd; aan de linkerkant zijn dat Dominicus, Johannes de Evangelist en Maria Magdalena en aan de rechterkant de heilige Catharina, Johannes de Doper en Petrus. Vooral in de figuur van de heilige Catharina is heel mooi de kunst en het eigen karakter van de kunstenaar Simone Martini te herkennen – de mooie lijnvoering, de kostbaarheid van de stoffen en de bijzonder zachte schildering van het gezicht maken duidelijk dat dit werk van zijn hand is.

Donatello (1386-1466),
San Rossore, 1427
brons (verguld), 56 x 60,5 cm

Deze schitterende reliek-
buste is een van de hoogtepunten van de verzameling
in het klooster San Matteo.
Donatello, een Florentijn,
maakte deze portretbuste
van verguld brons van de
ridderheilige Rossore tussen 1422 en 1427. De sjerp
en uitrusting van de figuur
en de baard- en haardracht
komen overeen met de
mode van de 15e eeuw.
Donatello geeft de vroeg-
christelijke martelaar, die
eigenlijk Luxurius heet en
onder de Romeinse keizer
Diocletianus in Cagliari
werd onthoofd, zeer le-
vensecht en fijn gemodel-
leerd weer als een tijdgenoot met een peinzende

uitdrukking. Opvallend zijn niet alleen de
grote ogen onder het brede voorhoofd, de
rechte neus en de gewelfde lippen, maar
ook de natuurlijk gevormde schouders en
de op de borst bij elkaar gehouden mantel.
De reliekhouder in de vorm van een hoofd
was in 1422 in het klooster Ognissanti in
Florence terechtgekomen en pas na de tijdelijke opheffing van het klooster door
paus Pius V in 1570 aan de ridders van de
Stefansorde geschonken. Daardoor keerde

de reliekhouder van de heilige, die vooral
in Pisa vereerd werd en aan wie ook een
groot beschermd natuurgebied ten zuiden
van de stad gewijd is, terug naar de stad.
Deze terugkomst had een grote symbolische waarde, want de Florentijnen hadden
in 1406 het onderworpen Pisa niet alleen
zijn vrijheid, maar ook zijn heiligen afge-
nomen – zo formuleerde Scipione Amira-
to, een kroniekschrijver uit de 17e eeuw,
het in ieder geval.

San Piero a Grado

Ten westen van Pisa, aan de oorspronkelijke monding van de Arno, staat de vroegromaanse kerk San Piero a Grado. Deze belangrijke halte voor middeleeuwse pelgrims naar Rome is genoemd naar de treden waarop de heilige Petrus zou hebben gelopen toen hij voor de eerste keer voet op Italiaanse bodem zette. De huidige kerk van tufsteen werd in de 11e eeuw op vroegchristelijke restanten gebouwd. Het eenvoudige metselwerk is met klassieke brokstukken, smalle lisenen en een rondlopend bogenfries onder de kroonlijst versierd. De oostelijke kant wordt benadrukt door de mooi gevormde apsissen, waar cirkels en ruiten afgewisseld opgenomen zijn in de geprofileerde rondbogen.

Interieur

Het middenschip met een dubbel koor wordt door telkens twaalf –verwijzend naar de discipelen– zuilen met klassieke kapitelen afgescheiden van de zijschepen. De omvangrijke wandschilderingen zijn van de hand van Deodato Orlando uit Lucca uit de periode rond 1300. Een geschilderd arcadefries boven de roodwitte scheibogen toont portretten van de pausen vanaf Petrus tot paus Johannes XVII in 1003. In de middelste zone is op ongewoon uitvoerige wijze het leven van de apostelen afgebeeld. In twintig beeldvelden wordt het leven van Petrus verteld en in nog eens tien tableaus het leven van Paulus. In het bovenste gebied kijken engelen uit illusionistisch geschilderde openingen, die het hemelse Jeruzalem voorstellen. In het westelijke gedeelte van de kerk bevinden zich onder een ciborium de resten van het legendarische Petrus-altaar, die bij opgravingswerkzaamheden tevoorschijn zijn gekomen.

UBI BEATUS PETRUS SEPULTUS FUIT

Deodato Orlandi (ca. 1280-voor 1331), Graflegging van de heilige Petrus, ca. 1300
fresco

De fresco's in het midden-deel vormen de uitvoerig-ste, bewaard gebleven Petrus-cyclus uit de Mid-deleeuwen. De keuze en rangschikking van de le-vensfasen zijn gemaakt naar het voorbeeld uit de 7e eeuw: het intussen ver-nielde fresco in de oude Sint-Pieter te Rome. Klaar-blijkelijk wilde de op-drachtgever, een vertrou-weling van paus Bonifatius VIII –juist in de buurt van de keizergetrouwe stad Pisa– de betekenis van het pausdom uitdrukken.

De hoekig geschilderde ge-zichten, de amandelvormi-ge ogen en de langgerekte figuren horen nog thuis in de traditie van de *maniera greca*, maar de kunstenaar verrast door zijn poging de beeldruimte met behulp van een groot baldakijnbouwwerk perspectief te geven en tegelijk de figurengroep te ordenen. De 'Graflegging van de heilige Petrus' vindt plaats in een tempelachtig gebouw. Het in een lijkkleed geklede li-chaam van de heilige wordt door twee mannen in de sarcofaag gelegd, terwijl de bisschop het sacrament toedient.

Deodato Orlandi, Navicella, ca. 1300
fresco

Terwijl de discipelen in een boot zitten, wandelt Petrus op de voorgrond over het water naar Christus. Volgens het verhaal in het evangelie van Mattheus (14; 22-33) had Petrus Christus bijna bereikt, toen de wind steeds heftiger ging waaien. Uit angst riep hij om hulp en Christus stak hem zijn hand toe met de waarschuwing voortaan niet aan het geloof te twijfelen.

Over kometen, sterrenboodschappers en Venus' schijngestalten – de bewijzen van Galileo Galilei

"Men moet meten wat meetbaar is en dat wat niet gemeten kan worden, meetbaar maken." In de dom in Pisa bestudeerde een jonge student de schommelingen van de kroonluchter die in het gewelf hing. Hij merkte dat de tijd tussen het heen en weer pendelen –gemeten met zijn eigen hartslag– gelijk bleef, hoewel de slingerbewegingen steeds kleiner werden. Op een eenvoudige manier ontdekte Galileo Galilei de wet van de 'isochronie van de pendelbewegingen'. In 1581 was Galilei als zeventienjarige uit Florence naar de universiteit van zijn geboortestad Pisa gegaan, om naar de wil van zijn vader medicijnen te studeren. Vanaf zijn tiende had hij in Florence, waar de familie woonde –zijn vader was lakenhandelaar en een zeer belangrijke musicus– een kloosterlijke vorming in dichten, muziek, tekenen en ook praktische mechanica genoten.

Justus Sustermans, portret van Galileo Galilei, 1635, olieverf op doek, 66 x 56 cm, Galleria degli Uffizi, Florence

De klassieke geschriften van filosoof Aristoteles en wiskundige Claudius Ptolemaeus vormden de basis van de natuurwetenschappen en de medicijnen. Het Heilig Officie van de Inquisitie waakte in de tijd van de Contrareformatie over de 'zuiverheid' van deze wetenschappen. In 1600 werd Giordano Bruno beticht van ketterij en tot de brandstapel veroordeeld. Volgens het door de Kerk vertegenwoordigde, geocentrische wereldbeeld werden de sterren door engelen bevolkt en de aarde werd, als onbeweeglijk centrum, in de laagste categorie van zijn eigen universum ingedeeld; dit wereldbeeld kwam op deze manier overeen met het zondige leven van de mens.

De beschouwingen over een eenvoudigere berekening van de beweging van de hemellichamen die Nicolaas Copernicus, domheer in Frauenburg, in 1543 –het jaar van zijn dood– uitgaf, weerspraken dit wereldbeeld: hij ging uit van een bewegende aarde en een centrale, onbeweeglijke zon. De onderzoekers aan de universiteiten en de kerkelijke instituten hielden –op zijn minst in het openbaar– aanvankelijk vast aan de overgeleverde, officiële leer.

Na vier jaar brak Galileo Galilei zijn medicijnenstudie af en ging in 1589 werken als professor en privé-leraar in de 'hulpwetenschap' wiskunde in Pisa om in zijn onderhoud te voorzien. Hij bestudeerde echter vooral de zwaartekracht,

de vrije val en de dynamica en hij gaf de resultaten uit in de aanhangsels van zijn *Discorsi e dimostrazioni matematiche*. Hij gebruikte experimenten, metingen en euclidische meetkunde om natuurkundige processen te verklaren.

In 1592 werd hij door de senaat van Venetië tot professor benoemd in Padua. Hij kreeg een contract voor zes jaar en ging als wiskundige werken aan de wereldberoemde universiteit, waar ondanks de Contrareformatie nog protestanten mochten studeren. In zijn zeer geliefde colleges besteedde hij aandacht aan de proportiecirkel – een voorloper van de rekenliniaal.

In 1609 hoorde Galileo over de Nederlandse ontdekking van de telescoop. Hij liet vervolgens zelf lenzen slijpen en bood het nieuwe instrument aan de Signoria van Venetië aan als mili-

Symbolische voorstelling van het doorbreken van het middeleeuwse wereldbeeld, 1888, gekleurde houtsnede

Galileo Galilei, Compassi di Galilei, Cod. Galil. 37. fol. 3r. perkament, Biblioteca Nazionale, Florence

tair werktuig.

Zijn wens om naar Florence terug te keren werd in juli 1610 werkelijkheid. Met een vergelijkbaar inkomen werd hij *mathematicus primarius* en *philosophus* van de De'Medici-groothertog Cosimo II van Florence.

Galilei had aan hem vier maanden daarvoor nog een pas gedrukt, ongebonden exemplaar van zijn werk *Sidereus nuncius* gezonden, waarmee hij zich kwalificeerde als astronoom en enorm veel bijval vond onder de moderne wetenschappers – en verontwaardiging onder de conservatieve. In dit werk verklaarde hij zijn ontdekkingen die hij met behulp van de telescoop had gedaan. Hij beschreef het oppervlak van de maan met zijn kraters en bergen, het sterrenkarakter van de melkweg en het hemellichaam Jupiter. Daarna volgden de ontdekking van de schijngestalten van Venus en de zonnevlekken. Op deze manier had nog nooit iemand de hemel beschreven of gezien. Copernicus had zijn ideeën hoofdzakelijk op basis van wiskundige berekeningen ontwikkeld. Galilei echter beschreef op basis van het systeem van Copernicus de aanschouwelijkheid, de zinnelijke waarneembaarheid van de hemellichamen en probeerde hun verhouding tot elkaar wiskundig te verklaren. "Ik zal bewijzen dat ze (de aarde) beweegt en de maan in glans overtreft en dat ze geen product is dat ontstond uit het vuil en bezinksel van de wereld en ik zal dat met honderden redenen onderbouwen."

Hij werd toen nog steeds met grote eer in Rome ontvangen en maakte talrijke vrienden in het college van kardinalen. Pas in 1616 werd Galilei op het matje geroepen en gewaarschuwd; hij mocht niet langer beweren dat de theses van Copernicus waar zijn. De leer zelf werd als ketterij vervloekt. Galilei schreef daarover: "Op dit moment Copernicus verbieden, terwijl door nieuwe onderzoeken en door de bemoeienis van talrijke geleerden (...) elke dag overtuigender bewezen wordt dat zijn stellingen waar zijn en zijn leer steeds opnieuw bevestigd wordt (...) – hoe anders zou het zijn wanneer zou worden getwijfeld aan honderd passages van de Heilige Schrift, die ons leren hoe de roem en de grootte van het Hoogste op een prachtige manier in al zijn werk erkend wordt en op een goddelijke manier in het open boek van de hemel te lezen is?"

Galilei was ervan overtuigd dat er slechts één waarheid was. Omdat die in het Boek van de schepping niet ontkend kon worden, moest de Heilige Schrift eigentijds geïnterpreteerd worden. Hiermee overschreed Galilei de grenzen van de wetenschap, want de uitleg van de Bijbel was voorbehouden aan de theologen van het Heilig Officie.

Toen zijn 'oude vriend' Maffeo Barberini in 1623 als Urbanus VIII de pauselijke troon besteeg en in hetzelfde jaar Galileo's boek *Il saggiatore* gedrukt mocht worden, voelde de onderzoeker zich zeker – maar ook de nieuwe paus erkende de leer van Copernicus niet.

Toen Galileo in 1632 toestemming vroeg om zijn *Dialogo* over de 'wereldsystemen' uit te geven, dacht hij over voldoende versluierde ironie te beschikken om zijn ware gedachten daarachter te kunnen verbergen. Zonder het in de gaten te hebben, was de geleerde in een machtsstrijd tussen dominicanen en jezuïeten terechtgekomen. Zelfs de paus stond niet meer aan zijn kant.

In 1633 kwam het tot een proces. Onder bedreiging met foltering werd Galilei tot zijn beroemde meineed gedwongen. De spreekwoordelijk geworden zin "en toch beweegt zij zich" hoort echter in het rijk der fabelen thuis. Galilei heeft deze zin nooit ten overstaan van het Heilig Officie geuit – het zou hem zijn leven gekost hebben. Hij werd veroordeeld tot huisarrest en zo lukte het Galilei in elk geval verder onderzoek te doen en contacten met collega's en uitge-

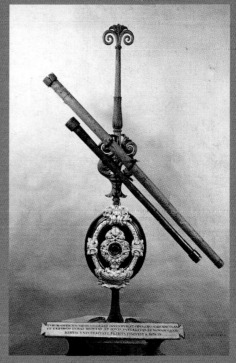

De originele telescoop van Galileo Galilei, Museo di Storia della scienza, Florence

vers te onderhouden. Zijn werken waren door de roomse Kerk verboden, maar ze werden vanuit het Italiaans in het Latijn vertaald en aan de andere kant van de Alpen gedrukt.

Toen Galileo Galilei in 1642 volkomen blind stierf en in de Santa Croce werd begraven, waren zijn inzichten en de wiskundige methode van de moderne natuurwetenschap niet meer tegen te houden.

Volterra

Volterra

Volterra is een afgelegen plaats op een hoogte van 550 m in een bars heuvellandschap. Tussen de 7e en de 4e eeuw v.Chr. was het Etruskische *Velathri* lid van het verbond van twaalf steden en het landbouwkundig centrum van Etrurië. De stadstaat heerste over een brede kuststrook en over de eilanden Corsica en Elba en had handelsbetrekkingen met Cyprus, Egypte, Fenicië en vooral met Griekenland. Vanaf de 5e eeuw werd een muur gebouwd met een lengte van 7,3 km rond de grote necropolis en de stad, die toen zo'n 25.000 inwoners telde. Beide zijn slechts gedeeltelijk bewaard gebleven – de rest is weggesleurd door de *balze*, de steile afgronden die door de erosie ten westen van de stad zijn ontstaan. Uit deze tijd stammen de twee Etruskische stadspoorten, de Porta all'Arco en de Porta Diana. De stad verbond zich in de 3e eeuw met Rome en kreeg onder de naam *Volaterrae* de rechten van een vrije stad (municipium). Deze status verloor de stad in 79 v.Chr. door partij te kiezen tegen de succesvolle patriciër Sulla in de Romeinse burgeroorlog. Later kreeg Volaterrae door de voorspraak van Cicero de burgerrechten weer terug.

Vanwege de strategisch gunstige ligging en de rijke voorraad mineralen begunstigden de Karolingers en de Franken de stad. In de Middeleeuwen maakte Volterra een bloeiperiode door; in deze tijd werd ook het stadsbeeld bepaald. Linus uit Volterra was de eerste opvolger van Petrus als paus en bisschop. Ook was Volterra al zeer vroeg bisschopszetel geworden, daarom probeerde de burgerij als tegenwicht voor de sterke positie van de bisschop een vrije gemeente te vormen. In 1193 werd de eerste burgemeester gekozen en in 1208 werd begonnen met de bouw van het gemeentelijk paleis van Toscane.

Het kwam tot een hevige strijd met de naburige steden en vooral met Florence om het recht op de winning van zout. In de zogenaamde 'aluinoorlog' onderwierpen de troepen van Lorenzo de'Medici onder aanvoering van de hertog van Montefeltro de stad. Het priorpaleis werd de zetel van de Florentijnse hoofdman. Door oorlogen, belegeringen en pestepidemieën brak een periode van economische teruggang aan, die pas door de industrialisatie van de zoutwinning en de opbloei van de handel in albast in de 19e eeuw tot stilstand kwam. Nu voorzien de 14.400 inwoners van Volterra in hun levensbehoefte door handwerk van albast en inkomsten uit de toerismesector. In de buurt van de stad bevinden zich industriegebieden, de *Saline di Volterra*, chemische fabrieken en een geothermische elektriciteitscentrale, die door middel van onderaardse stoombronnen de stad voorziet van elektriciteit.

Volterra

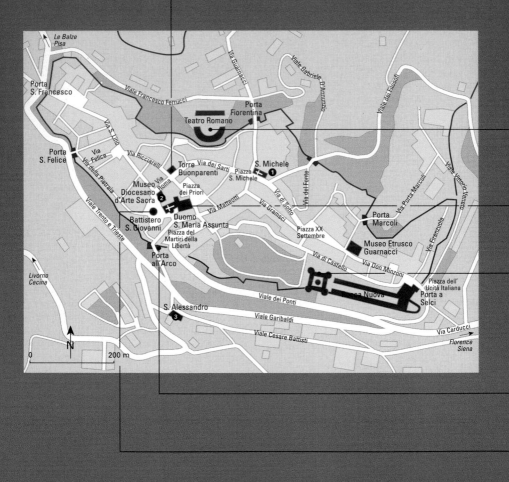

Torre Buonparenti, Via Buonparenti, blz. 545

Teatro Romano, Viale Francesco Ferrucci, blz. 546

Duomo S. Maria Assunta, Piazza S. Giovanni, blz. 552

Rocca Nuova, blz. 544

Porta all'Arco, Via Porta all'Arco, blz. 557

Battistero S. Giovanni, Piazza S. Giovanni, blz. 556

Andere bezienswaardigheden
(niet in het boek besproken):

1 S. Michele, Piazza S. Michele

2 Museo Diocesano d'Arte Sacra, Via Roma 13

3 S. Alessandro, Viale Cesare Battisti

Rocca Nuova

Boven de stad –waar ooit de Etruskische akropolis gelegen was– is een grote vesting uit de Renaissance te zien. Al in 1343 is in het oostelijke deel, op de plaats van het bisschoppelijk paleis, de Rocca Antica met haar ronde toren, die *Femmina* ('vrouw') genoemd wordt, gebouwd. De Ghibellijn Belforti voerde van hieruit een regime dat de politieke tegenstellingen in de stad aanzienlijk verscherpte. In 1361 smeekten de Welfische burgers Florence om hulp. Dit had tot gevolg dat Volterra een afhankelijke, slechts in naam 'vrije' gemeente werd. Opstanden tegen de Florentijnse overheersing leidden in 1472 tot een belegering en de verovering van de stad. Na de inname liet Lorenzo il Magnifico de'Medici op de Rocca Nuova een nieuwe, grote, ronde toren bouwen om de vrede in de stad te herstellen en als bolwerk tegen Siena. Deze werd *Maschio* ('man') genoemd. Sinds de tijd van de De'Medici's wordt deze enorme vesting als gevangenis gebruikt.

Torre Buonparenti

Ook Volterra had in de Middeleeuwen, net als San Gimignano, een veelvoud aan torenhuizen, die niet alleen ter verdediging tegen aanvallen van buitenaf dienden, maar ook bescherming boden bij twisten tussen families. Vaak zijn de hooggelegen ingangen nog herkenbaar waarlangs men via een opklapbare ladder in huis kon komen wanneer de ingang op korte termijn moest worden afgegrendeld. De woontorens van de familie Buonparenti uit de 12e eeuw liggen aan de linker- en rechterkant van een kruising. Ze zijn door middel van een bogengang verbonden en hadden als onderdeel van de oorspronkelijke stadsmuur een zeer belangrijke strategische functie. Al in 1207 vaardigde de gemeente een wet uit, waarin was bepaald dat de woontorens nog maar dertig *braccia* (ellen) hoog mochten worden. Heel karakteristiek voor Volterra zijn de zogenaamde kinderramen, die we ook nu nog in de voorgevels van huizen kunnen terugvinden – weliswaar zijn er vele intussen dichtgemetseld. Om de kinderen ook een blik op straat te gunnen zonder dat ze daarbij het gevaar liepen uit het raam te vallen, werden er onder de grote ramen kleinere openingen voor hen gemaakt.

Teatro Romano

Toen men in 1950 begon met de opgravingen tussen de middeleeuwse en de klassieke stadsmuur kwamen ruïnes van een aan de godin Bona gewijde tempel, een theater en een thermencomplex tevoorschijn. Aan het eind van de 1e eeuw v.Chr., in de tijd van Augustus, kreeg Volterra in opdracht van de Etruskische familie Cecina, die in Volterra woonde, een theater. De steil aflopende, halve cirkel van de toeschouwerstribune werd in de heuvel gebouwd en er kwamen negentien rijen stenen zitplaatsen, die via radiaal aangelegde traptreden en een, nu nog zichtbare, overdekte gang te bereiken waren. Aan de voet van de toeschouwersrang ligt de halfronde *orchestra,* waarin ook de hooggeplaatste personen hun zitplaats hadden. Achter de diepte voor het toneelgordijn ligt het toneel en de toneelwand (gereconstrueerd).

De thermen die daar direct achter liggen, zijn in de 1e helft van de 4e eeuw n.Chr. met het materiaal van het tussentijds volgestorte theater aangelegd. Nu nog herkenbaar zijn de kleedruimte en het *frigidarium, tempidarium* en *caldarium* – de afzonderlijke koude, warme en hete baden.

Museo Etrusco Guarnacci

In het paleis van Mario Guarnacci bevindt zich een van de belangrijkste verzamelingen van Etruskische kunst in Italië. De collectie omvat vondsten van de prehistorische tot de Romeinse tijd, maar wereldfaam genieten vooral de meer dan zeshonderd Etruskische urnen.

Het museum gaat terug op een schenking van de kanunnik Pietro Franceschini in het begin van het onderzoek naar de Etrusken in Italië in 1732. Verzamelaar en onderzoeker Mario Guarnacci, die op de kwaliteit en het belang van de Etruskische kunst heeft gewezen, liet vervolgens in 1761 de stad zijn omvangrijke collectie na. Sindsdien heeft de collectie van het museum zich voortdurend uitgebreid door opgravingen, schenkingen en aankopen. Bij de nieuwe inrichting is erop gelet dat, met behoud van de oorspronkelijke verzameling, de bezoeker een thematisch-chronologische rondgang door de *Villanova*-tijd kan maken via afzonderlijke etappes van de Etruskische cultuur tot aan de Romeinse werken.

Standbeeld van een jongeman, de zogenaamde 'Ombra della Sera', 3e eeuw v.Chr.
brons, ca. 60 cm

Raadselachtig en voor moderne ogen tegelijkertijd fascinerend zijn de slanke, uitgerekte bronzen figuren die in Midden-Etrurië in de graven bijgezet werden.

Uit Volterra stamt het bijna 60 cm hoge standbeeld van een jongeman, dat zich al sinds de 18e eeuw in de Guarnacci-collectie bevindt. Gabriele d'Annunzio, een dichter, noemde het doeltreffend 'Ombra della Sera' – avondschaduw. Inderdaad doen de proporties aan door de avondzon verlengde schaduwen denken en de figuur zelf lijkt op een modern kunstwerk uit de 20e eeuw. Alleen het hoofd, de voeten en de genitaliën van de naakte figuur zijn plastisch vormgegeven. Overeenkomstige votieffiguren werden als verzoek of dank aan de goden gewijd en konden als krijger of priester geïdentificeerd worden. Onduidelijk is of dit type verwijst naar een bepaalde cultus. De onconventionele haardracht duidt op invloeden van de Griekse portretkunst uit de 3e eeuw v.Chr.

Urn, De dood van Actaeon, 2e eeuw v.Chr.

De mannen en vrouwen die in een liggende houding op de deksels van urnen afgebeeld werden, zijn geen portretten van de echte overledenen, maar decorstukachtige beelden die met kleine variaties seriematig voor dit doel werden vervaardigd. Hetzelfde geldt voor de op de urnen afgebeelde taferelen, die voornamelijk episoden uit de Griekse of lokale mythologie tonen en in de regel thematisch betrekking hebben op een doodsstrijd of een andere ongelukkige gebeurtenis.

De hier afgebeelde kist toont een in de grafplastiek geliefde voorstelling: de held Actaeon, die door centauren tot jager opgeleid was, slaat heimelijk de godin Artemis en haar nimfen gade terwijl ze een bad nemen en wordt dan door hen ontdekt. De vertoornde godin verandert hem daarop voor straf in een hert en zo wordt Actaeon door zijn eigen honden, die hem niet herkennen, verscheurd.

De voornaam geklede, met sieraden behangen dame op het deksel is afkomstig uit de Etruskische bovenlaag. Haar haar is kunstig opgestoken, ze draagt een krans op haar hoofd en er valt een dunne sluier van haar schouders naar beneden. In haar rechterhand houdt ze de *patera* vast, de offerschaal voor het opvangen van het bloed van het offerdier. Op de voorkant van het deksel is in Etruskische letters haar naam gegraveerd.

**Deksel van een urn, Urna degli Sposi,
1e eeuw v.Chr.**
terracotta

Het beroemde urnendeksel uit Volterra toont een echtpaar dat in de voor de maaltijd gebruikelijke houding op de kline (ligbank) ligt. Ze kijken elkaar ontspannen aan. Opvallend is de onproportionele verhouding tussen lichaam en hoofd. De levensechte uitdrukking van de lichaamshouding wordt benadrukt. De uitvoering van de overtuigend realistische gezichten en kleding is een spannende variant uit de late fase in de Etruskische kunst in het begin van de 1e eeuw v.Chr. en getuigt van grote technische virtuositeit. Dit vakmanschap wordt nog duidelijker door de keuze van terracotta – materiaal dat door de geringste aanraking van het modelleermesje de weergave van de kleinste details mogelijk maakt. De onderwerpkeuze –een echtpaar aan het banket, wat symbolisch was voor de waarde van de familieband– en de keuze van het materiaal getuigen van de wens van de opdrachtgever zichzelf op 'klassieke' wijze te laten vereeuwigen. Met deze terugblik, deze herleving van de klassieke tradities, omgaf de aristocratie uit Volterra zich na de belegering van Sulla, aan de vooravond van de opheffing van de Etruskische stedenbond en de op handen zijnde integratie in de Romeinse staat.
De Etruskische liggende figuur heeft veel invloed op de beeldhouwkunst in de daaropvolgende perioden gehad; de Romeins-klassieke grafmonumenten, maar ook de beeldhouwkunst van de Protorenaissance getuigen van nauwkeurige kennis van de Etruskische voorbeelden.

Piazza dei Priori

In de Middeleeuwen was de Piazza dei Priori het centrum van de politieke macht. Nu geldt het door privé- en openbare paleizen omzoomde plein als een van de mooiste Toscaanse pleinen van deze tijd.

In het streven naar gemeentelijke zelfstandigheid weigerde de burgerij van Volterra raadsvergaderingen nog langer in de dom te beleggen en liet daarom in 1208 het Palazzo dei Priori (links op de foto) bouwen – het oudste Toscaanse gemeentelijke paleis, dat ook het voorbeeld voor het Palazzo Vecchio in Florence werd. Aan de wapens die de voorgevel op de benedenverdieping sieren, kan de geschiedenis van de stad afgelezen worden. De heersers van de stad, van de priors tot de Florentijnse commandanten, zijn hier vereeuwigd.

Het monumentale gebouw bestaat uit vier verdiepingen. In vroeger dagen werd het ingedeeld door rondlopende houten galerijen, waarvan de gaten en consoles nog duidelijk te zien zijn. De afgeronde vorm van de kantelen komt, net als de tabernakelopbouw van de toren, uit de 19e eeuw. De oostkant van het plein wordt gedomineerd door het Palazzo Pretorio met de Torre del Podestà (rechts op de foto). Vanaf 1224 verwierf de gemeente de gebouwen rechts en links van de toren om ze tot zetel van de Podestà, de opperste rechter, te verbouwen. Naast het gemeentehuis staat het paleis, dat sinds 1618 als bisschoppelijk paleis dienst doet,

Duomo Santa Maria Assunta

Voor de bisschopskerk Santa Maria Assunta is de wijdingsdatum 1120 overgeleverd. In 1254 werd de kerk uitgebreid en in het Quattrocento opnieuw gedecoreerd. Tijdens de verbouwing in de 13e eeuw werd ook de voorgevel veranderd. De basiliek bestaat uit twee verdiepingen. Vermoedelijk was het de bedoeling dat ze rijk gedecoreerd zou worden, maar ze is onversierd gebleven. De domarchitect greep terug op traditionele vormen en nam met de blinde galerij van de topgevel, net als met het bogenfries onder de schuine dakrand, de vormen van de voor Pisa kenmerkende Romantiek over. Toch is er vooral door de ronde vensters en de oculi een heterogene mengeling ontstaan. Op de benedenverdieping wordt de middenas door een fraai marmerportaal uit 1254 benadrukt. Het timpaan is eenvoudig maar doeltreffend met op de Oudheid geïnspireerde ornamentele incrustatie versierd. De klokkentoren met drie boven elkaar liggende rijen tweelingvensters met dubbele bogen werd pas in de 15e eeuw toegevoegd.

Interieur

De oorspronkelijk met fresco's versierde wanden van het drieschepige interieur werden in de 19e eeuw beschilderd met imitatiemarmer. Al in de 16e eeuw waren de eenvoudige Romaanse stenen zuilen met stukken marmer bekleed. Uit dezelfde tijd stammen ook het cassetteplafond van gesneden, geschilderd en verguld hout en de meeste altaarpanelen in de zijschepen, die voornamelijk taferelen uit het leven van Maria, de moeder van Jezus Christus, laten zien.

perspectivische compositie. Met opgeheven hand en een verbaasd gezicht reageert Maria op de boodschap van de engel. Onwillekeurig glijdt onze blik door het portaal in het midden naar het mooie Toscaanse landschap dat op de achtergrond is weergegeven.

Albertinelli gaf later het schilderen op om "zich aan de enige ware kunst, de kookkunst", zoals hij het formuleerde, te wijden en onthaalde zijn collega-schilders in zijn herberg in het centrum van Florence Da pennello ('Naar het penseel'), die nu nog bestaat.

Mariotto Albertinelli (1474-1515), Aankondiging, ca. 1498
olieverf op paneel

Nog uit de 15e eeuw stamt het retabel op het tweede altaar in het linkerzijschip. De afgebeelde 'Aankondiging' komt uit de werkplaats van de Florentijnse renaissanceschilder Mariotto Albertinelli, die met zijn medewerker Fra Bartolomeo della Porta gemeenschappelijk werk heeft nagelaten.

Het schilderij bekoort door de Vlaamse, emailachtige kleurbehandeling in de figuren en door zijn exacte,

Kruisafname, 13e eeuw
hout (gedeeltelijk hersteld en verguld)

Met de 'Kruisafname', die door een Pisaanse kunstenaar vervaardigd is, heeft de dom van Volterra een van de weinige bewaard gebleven, grote, houten plastieken van de Middeleeuwen in Italië in zijn bezit. Overeenkomstig de traditie van grote triomfkruisgroepen staan Maria en Johannes de Evangelist ieder aan een kant van het kruis. Tot de iconografie van de 'Kruisafname' horen bovendien Jozef van Arimatea, die zijn armen om het lichaam van de Heer slaat om hem op te vangen, en Nicodemus, die zich vooroverbuigt om de spijkers uit de voeten van christus te verwijderen.

De figuren doen enigszins onbeholpen aan en hun greep is niet echt stevig. Veel fou-

ten kunnen worden toegeschreven aan de beschildering en vergulding van latere restauraties, maar over het algemeen lijkt de kunstenaar uit het Duecento te twijfelen tussen Romaanse en gotische voorbeelden, tussen vormen uit de kleine en de grote sculptuur.

Kansel, 12e eeuw
marmer

De domkansel hoort thuis in de rij van grote Romaanse kansels van Toscane. De lessenaar wordt gedragen door vier granieten zuilen, die rusten op leeuwen en fabeldieren die mensen en dieren verscheuren. Het vierhoekige balustradereliëf toont taferelen uit het Nieuwe en Oude Testament: 'Aankondiging', 'Verzoeking', 'Offer van Izaäk' en 'Avondmaal'. Deze worden aan een kunstenaar uit de school van beeldhouwer Guglielmus toegeschreven, die in Pisa werkte en in het midden van de 12e eeuw veel invloed op de Romaanse beeldhouwkunst in Toscane uitoefende. De huidige vorm en opstelling van de kansel stamt uit 1584, toen hij na lang gedemonteerd te zijn geweest niet goed opnieuw is samengevoegd.

Avondmaal
(detail van de kansel)

Bijzonder gedetailleerd en krachtig is de weergave van het 'Avondmaal': een maal van vis, brood, borden en messen staat klaar voor de discipelen. Aan het hoofd rust de lievelingsdiscipel, Johannes, met zijn hoofd op de schouder van zijn Heer. Op de voorgrond komt Judas naar voren. Als teken van zijn verraad is hij van de discipelen afgezonderd. De duivel in de vorm van een gevleugeld, slangachtig wezen zit hem op de hielen.

Battistero San Giovanni

Het laatromaanse baptisterium kreeg in de 16e eeuw een kloostergewelf. Sindsdien springt het dak achter de buitenmuren terug en dat geeft het baptisterium een opvallend accent.

Het achthoekige gebouw, bestaande uit twee verdiepingen, is vooral indrukwekkend door zijn eenvoud. Het hele gebouw bestaat uit het zogenaamde *panchina*, de lokale lievelingssteen van de inwoners van Volterra. Alleen de ingangpartij is voorzien van een wit-groen gestreept patroon; mogelijkerwijs was dit tijdens de verbouwing in de late 13e eeuw voor het hele gebouw gepland.

De architraaf van het mooie, meervoudig geschakeerde portaal is versierd met een rij sculpturen: naast het gelaat van Christus bevinden zich de hoofden van Maria, Maria Salome en de elf discipelen – Judas ontbreekt.

In het interieur staat een wijwaterbekken op een vierkante zuil; deze is in de Middeleeuwen van een *cippi*, een Etruskische grafstèle, gemaakt.

De originele doopvont staat rechts van het altaar en is van Andrea Sansovino uit 1502, terwijl het grote bekken pas in het midden van de 18e eeuw werd geplaatst.

Porta all'Arco

De Porta all'Arco is de enige, goed bewaard gebleven stadspoort van een 7 km lange Etruskische muurgordel, die vijf keer zoveel land omsloot als de poort in de Middeleeuwen. Alleen in het zuiden van de stad werd de archaïsche muur verstevigd en hier werd de Porta all'Arco geïntegreerd. Dit indrukwekkende monument vormt sinds de bouw al ongeveer 2400 jaar de toegang tot de stad vanuit het zuiden.

Het door de zoute zeewind verweerde metselwerk van grote steenblokken, waarvan we nog een beeld krijgen aan de hand van een urn in het Guarnacci-museum, komt overeen met de Etruskische stadsmuur uit de 4e eeuw v.Chr. De poort van tufsteen, die zonder specie gemetseld is, werd pas ruim een eeuw later toegevoegd en verving de vroegere bekleding van hout. De poort is versierd met koppen, die intussen door verwering bijna onherkenbaar zijn geworden. Het is mogelijk dat deze koppen Jupiter en de twee Dioscuren Castor en Pollux voorstellen of de opperste Etruskische godheden Tinia, Uni en Menvra, die met de kapitolijnse goden Jupiter, Juno en Minerva overeenkomen en de beschermgoden van de stad waren.

Tegelijkertijd met de poort ontstond het tongewelf in de doorgang. Aan beide bouwwerken is te zien dat het Etruskische volk –waarschijnlijk zelfs als eerste in Europa– al het wigvormige wangewelf gebruikten.

Museo Civico in het Palazzo Minucci-Solaini

Het elegante renaissancepaleis Minucci-Solaini biedt onderdak aan het Museo Civico, met een opmerkelijke keuze uit de Toscaanse schilderkunst uit de 15e en de 16e eeuw.

**Luca Signorelli,
(ca. 1450-1523)
Aankondiging
(en detail), 1491**
tempera op paneel,
282 x 205 cm

In de 'Aankondiging', die in 1491 door Luca Signorelli uit Cortona is geschilderd, wordt de ruimte door de in perspectief weergegeven zuilengang in tweeën gedeeld. Maria wijkt onzeker terug voor de haar naderende engel. Haar half afgewende houding drukt de verwarring en schrik uit die ze in de tegenwoordigheid van de hemelse boodschapper aanvankelijk gevoeld moet hebben. De gebaren van beide figuren, vooral die van de engel, zijn bijna theatraal te noemen. De slechts aangeduide schaduwen en de zachte belichting doen denken aan de Vlaamse schilderkunst – in tegenstelling daarmee is de purperen hemel vol kleurige wolken. De uitgesproken sensibiliteit voor lichteffecten en de poëtische weergave van details getuigen van de expressiviteit en schilderkunstige gave die de werken van Luca Signorelli in de jaren '90 van de 15e eeuw kenmerken.

**(afbeelding volgende
bladzijde) Rosso
Fiorentino (1494-1540)
Kruisafname, 1521**
tempera op paneel,
335 x 198 cm

Hoogtepunt in de pinacotheek is een hoofdwerk van het vroege Florentijnse Maniërisme: de 'Kruisafname' van Giambattista di Jacopo, bijgenaamd Rosso Fiorentino. Hij werd in 1494 in Florence geboren en is in Fontainebleau gestorven. Voor een verduisterde hemel in een eenvoudig landschap zijn het kruis van Christus en drie ladders samengevoegd tot een stellage om de dode Christus van het kruis te nemen. De contouren en gebaren van helpers en treurenden vullen elkaar aan en vormen een eenheid – om te beginnen bij de in elkaar gezakte Maria Magdalena aan de voet van het kruis, via de mannen rond Christus met hun extreem uitgerekte ledematen tot aan de geschokte, afgewende houding van Maria en vooral van Johannes. Juist dit in elkaar grijpen van

gebaren is karakteristiek voor het Maniërisme van de kunstenaar Rosso Fiorentino.

Door de lichte kleuren en de hoekige vormen geeft de schilder deze compositie een grote expressiviteit. Net als de gebaren geven ook de gezichten uiting aan heftige gevoelens: de ingehouden droefenis en de onmachtige smart van Maria en Johannes vinden hun bijna agressieve tegenpool in de verwrongen gezichten van beide verbaasde mannen op de ladder. De man in de rode mantel met de blauwe tulband buigt zich met zijn hele bovenlichaam over de dwarsbalk van het kruis, de man in een oranje-zwart gewaad wijst op Christus, lijkt te schreeuwen.

Fiorentino werkte slechts een jaar in Volterra. Hij keerde vervolgens weer terug naar Florence, waar hij echter niet lang bleef. Tien jaar later werd hij aan het Franse hof in Fontainebleau benoemd, waar hij tot zijn dood werkzaam zou zijn.

Een heel bijzondere steensoort – albast uit Volterra

Ruth Strasser

Chemisch gezien is albast een sulfaat van calciumhydraat met de formule $CaSO_4\ 2H_2O$, dat gedurende miljoenen jaren uitgekristalliseerd is in zeewater en later door aardverschuivingen ingesloten is. De formule zegt echter weinig over dit zachte, fijnkristallijne materiaal. De Etrusken kenden albast al van de langwerpige, slanke zalfflesjes zonder oren en met een nauwe hals die ze uit Egypte importeerden en die in het Grieks *alabastron* werden genoemd. Met het winnen van albast in de omgeving van Volterra begonnen de Etrusken zelf met de verwerking en de ontwikkeling van een bloeiende handel in kunstvoorwerpen van albast. Voor de verwerking van de naar verhouding zachte steensoort konden ze dezelfde gereedschappen gebruiken die nodig waren voor de bewerking van hout. In talrijke werkplaatsen werd het materiaal met grote artistieke vaardigheid tot sculpturen, urnen, vazen en schalen verwerkt. Terwijl het minderwaardige, goedkope en bontgekleurde kunstalbast van stof en cement wordt gemaakt, bestaat natuurlijk albast in de kleuren melkwit, groen, geel, oranjerood en barnsteenachtige kleuren, zoals de begeerde agata-albast. De soms geaderde steensoort onderscheidt zich bovendien door zijn transparantie. Zo wordt doorschijnend albast, de zuiverste en de duurste soort, bij voorkeur gebruikt voor lampen en kerk- en mausoleumramen. Terwijl marmer de indruk van koele gladheid en duurzaamheid maakt en daarom bij

Atelier voor het bewerken van albast

voorkeur voor grafstenen en monumenten wordt gebruikt, is albast met zijn matzijden glans een levendig, warm materiaal met een bijna erotische uitstraling. Zonder scherpe kanten lijken de contouren in elkaar over te vloeien en op te lossen in het onbekende. Metaforen als albasten schouders of een huid van albast verwijzen naar deze eigenschap. Net als het menselijk lichaam is deze steensoort aan een verouderingsproces onderhevig en doet niet, zoals marmer, onveranderlijk aan. De verwering slaat in veel grotere mate toe – zon, water, hitte en kou zorgen ervoor dat albast met de tijd vergeelt.

Appendix

Vormenleer

Sacrale gebouwen

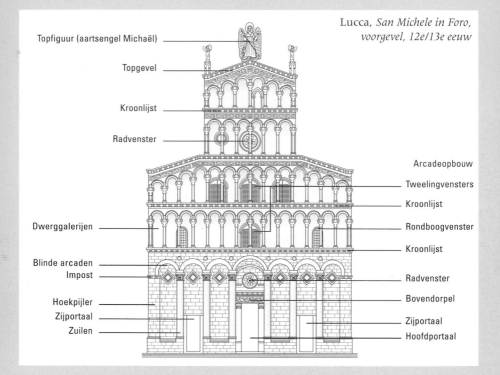

Lucca, *San Michele in Foro, voorgevel, 12e/13e eeuw*

Topfiguur (aartsengel Michaël)

Topgevel

Kroonlijst

Radvenster

Dwerggalerijen

Blinde arcaden

Impost

Hoekpijler

Zijportaal

Zuilen

Arcadeopbouw

Tweelingvensters

Kroonlijst

Rondboogvenster

Kroonlijst

Radvenster

Bovendorpel

Zijportaal

Hoofdportaal

Loggiavoorgevel

Prachtige loggiavoorgevels met boven elkaar geplaatste galerijen sierden ettelijke kerken en dommen in Pisa, Lucca en Arezzo. Zo ook de San Michele in Foro in Lucca. Blinde arcaden sieren de muren van de hoge benedenverdieping; daarboven zijn vier schaduwrijke omlopen in de vorm van zuilengalerijen. Het filigraaneffect van deze architectuur, die het gebouw als een gordijn omgeeft, wordt nog verhoogd door de ornamenten aan zuilen en wanden.

Incrustatievoorgevel

De als fragment bewaard gebleven voorgevel van de Badia in Fiesole is een belangrijk voorbeeld van de Toscaanse Protorenaissance van de 11e en 12e eeuw en de rijkversierde incrustatiestijl. Dunne platen van licht carraramarmer en donker serpentijn *(verde di Prato)* bedekken de wand. Daarmee corresponderen de wandvelden in geometrische basisvormen met de strenge ordening van zuilen, rondbogen en kroonlijsten, terwijl getande lijnen en kleine ornamenten de architectuur verrijken.

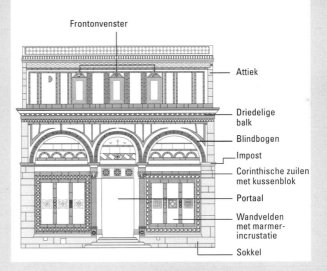

Voorgevel van de Badia Fiesolana, 12e eeuw

Frontonvenster

Attiek

Driedelige balk

Blindbogen

Impost

Corinthische zuilen met kussenblok

Portaal

Wandvelden met marmerincrustatie

Sokkel

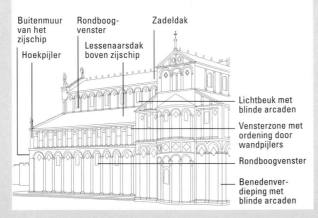

Pisa, opstand van de zuidzijde van de dom, 12e eeuw

Buitenmuur van het zijschip

Hoekpijler

Rondboogvenster

Lessenaarsdak boven zijschip

Zadeldak

Lichtbeuk met blinde arcaden

Vensterzone met ordening door wandpijlers

Rondboogvenster

Benedenverdieping met blinde arcaden

Opstandtekening

Ook de zijmuren van de dom van Pisa vertonen een hechte structuur. De blinde arcaden van de benedenverdieping omlijsten de rondboogvensters van de zijschepen; daarboven ordenen slanke wandpijlers de muurvlakken in smalle en bredere traveeën. In de vensterverdieping (lichtbeuk) boven het lessenaarsdak van de zijschepen zien we opnieuw een ordening van zuilen en blindbogen.

Plattegronden

Toscaanse plattelandskerken en stedelijke sacrale gebouwen werden vaak volgens het schema van een vroegchristelijke basiliek, een middenschip met twee zijschepen, gebouwd. Het middenschip eindigt in een halfronde apsis; soms hebben ook de zijschepen een kleine apsis. De hoge op zuilen of pilaren rustende wanden van het middenschip hebben boven de vensterzone een dakstoel of gaan in een gewelf over.

Veel bouwwerkzaamheden werden vanaf de 13e eeuw in de Toscaanse steden ontplooid door de dominicanen en de franciscanen. De ruime bedelordekerken, vaak zonder dwarsbeuk en toren, kunnen een- of meerschepig zijn en een dakstoel of een gewelf hebben. Met de rechthoekige afsluitende koorkapellen en, in de dwarsarmen, de kleine kapellen nam de Siënese franciscanenkerk –net als andere Toscaanse kloosterkerken– het schema van de Franse cisterciënzer bouwkunst over.

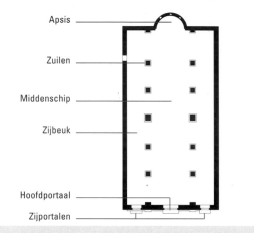

Lucca, San Pietro Somaldi, ca. 1200

Apsis
Zuilen
Middenschip
Zijbeuk
Hoofdportaal
Zijportalen

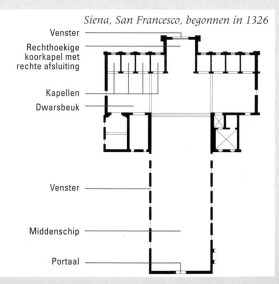

Siena, San Francesco, begonnen in 1326

Venster
Rechthoekige koorkapel met rechte afsluiting
Kapellen
Dwarsbeuk
Venster
Middenschip
Portaal

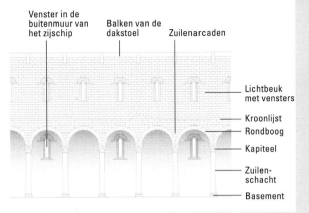

Lucca, San Michele in Foro, opstand van de wand van het middenschip

Venster in de buitenmuur van het zijschip

Balken van de dakstoel

Zuilenarcaden

Lichtbeuk met vensters

Kroonlijst

Rondboog

Kapiteel

Zuilenschacht

Basement

Opstand

De gelijkmatige rij –verhoudingsgewijs kleine– bogen kenmerkt de opstand van de wand van het middenschip van een basiliek. De arcaden in het middenschip van de San Michele bestaan uit zuilen en halfronde bogen. Een doorlopende kroonlijst scheidt de benedenverdieping af van de lichtbeuk waarin smalle rondboogvensters zijn opgenomen. De balken van de dakconstructie rusten op de kruin.

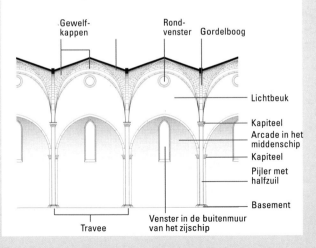

Florence, Santa Maria Novella, begonnen in 1246, opstand van twee traveeën van het middenschip

Gewelfkappen

Rondvenster

Gordelboog

Lichtbeuk

Kapiteel

Arcade in het middenschip

Kapiteel

Pijler met halfzuil

Basement

Travee

Venster in de buitenmuur van het zijschip

Anders dan gebruikelijk in basilieken wordt de indruk van ruimte in de dominicanenkerk Santa Maria Novella in Florence wezenlijk door de hoge en brede arcaden tussen het middenschip en de zijschepen bepaald. Een travee in het middenschip komt overeen met de breedte van een spitsboog. Hierboven verrijst echter een lage lichtbeuktravee met kleine rondvensters. Deze specifiek Toscaanse opvatting van ruimte doet de grenzen tussen midden- en zijschip vervagen. Hetzelfde ervaren we ook in de dommen van Florence en Arezzo.

Wereldlijke gebouwen

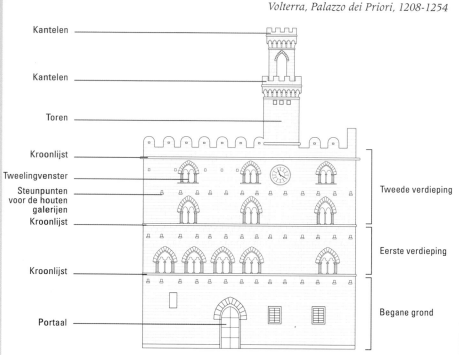

Volterra, Palazzo dei Priori, 1208-1254

Kantelen

Kantelen

Toren

Kroonlijst

Tweelingvenster

Steunpunten voor de houten galerijen

Kroonlijst

Kroonlijst

Portaal

Tweede verdieping

Eerste verdieping

Begane grond

De compacte bouwvorm met kantelen en toren van het stadhuis van Volterra werd het voorbeeld voor het Florentijnse Palazzo Vecchio en andere Toscaanse gemeentelijke paleizen. Oorspronkelijk had het gebouw houten galerijen. Het defensieve karakter kwam terug in andere middeleeuwse woonhuizen (Siena, Palazzo Tolomei) en zelfs nog in de 15e eeuw in de villa's van de familie de'Medici in Caffaggiolo en Careggi.

Voorgevel

Typerend voor de voorgevels van Toscaanse renaissancistische stadspaleizen zijn de verticale vensterassen, de markante indeling van de verdiepingen door kroonlijsten en het licht-schaduwspel van het bossagewerk. Dit wordt ook rustica genoemd (Lat. *rusticum*: 'landelijk, eenvoudig, sober') en komt in de benedenverdieping van het Florentijnse Palazzo Gondi tot uiting in vierkante blokken met een gewelfde, gladde voorkant. Daarentegen zijn op de eerste

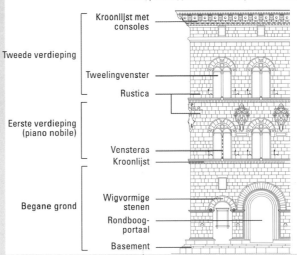

Siena, Palazzo Piccolomini, 1460-1495

Tweede verdieping
- Kroonlijst met consoles
- Tweelingvenster
- Rustica

Eerste verdieping (piano nobile)
- Vensteras
- Kroonlijst

Begane grond
- Wigvormige stenen
- Rondboogportaal
- Basement

Florence, Palazzo Gondi, 1490-1501

Tweede verdieping
- Kroonlijst met consoles
- Rustica
- Gehakte stenen
- Vensteras

Eerste verdieping (piano nobile)
- Kroonlijst
- Rondboogvenster

Begane grond
- Kroonlijst
- Bossage
- Wigvormige stenen
- Rondboogportaal
- Basement

verdieping (piano nobile) de vlakke vierkanten van een gehakte rand voorzien, terwijl de vorm van de stenen op de tweede verdieping slechts door de fijne voegen wordt geaccentueerd. Terwijl de rustica aan het Palazzo Gondi per verdieping verschilt, bedekt de rustica aan het Palazzo Piccolomini in Siena de hele gevel. Vaak beschikken de paleizen over een rondlopende sokkelbank op de benedenverdieping. Een goed voorbeeld hiervan is het Florentijnse Palazzo Ruccellai.

Loggia's

Architect Filippo Brunelleschi bouwde een van de bekendste Toscaanse loggia's met het weeshuis aan de Piazza van de Florentijnse kerk Santissima Annunziata. Boven de ervoor gelegen trap ondersteunen zuilen de brede rondbogen en de gewelven van de 71 m lange zuilengang. Op de bovenste verdieping rusten de drie frontonvensters op een lage sokkel. De stedelijke werking van het aantrekkelijke gebouw, dat met terracotta tondi uit de werkplaats van Della Robbia versierd was, werd nog verhoogd toen in de 16e eeuw ook aan de overkant van het plein en voor de kerk zuilenhallen werden gebouwd.

Portalen en vensters

Vormenrijkdom kenmerkt de Toscaanse portalen en vensters. Gebruikelijk zijn portalen met een bovendorpel en een wand die wordt begrensd door rondbogen en de zogenaamde Siënese boog, een gedrongen boog met een spitsboog erboven. De tweelingvensters (biforen) met twee door zuilen ondersteunde bogen en daarboven een spitsboog hebben een middeleeuwse oorsprong, maar werden nog lang gebruikt. Biforen met een bovendorpel onder de boog of met een vensterkruis verraden de drang van de Renaissance om dragende en drukkende elementen in een strenge opbouw te differentiëren.

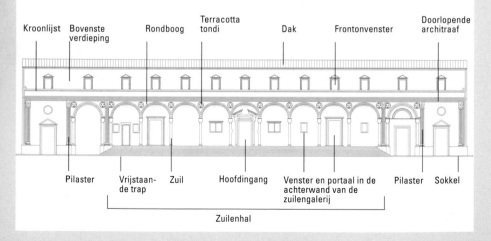

Florence, loggia van het Ospedale degli Innocenti, begonnen in 1419

Kroonlijst — Bovenste verdieping — Rondboog — Terracotta tondi — Dak — Frontonvenster — Doorlopende architraaf

Pilaster — Vrijstaande trap — Zuil — Hoofdingang — Venster en portaal in de achterwand van de zuilengalerij — Pilaster — Sokkel

Zuilenhal

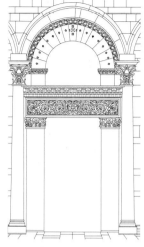

Pisa, dom, portaal,
12e eeuw

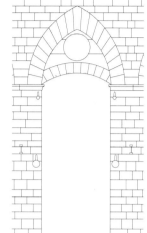

Siena, portaal van het
Palazzo Grottanelli (Siënese
boog), 13e eeuw

Florence, Palazzo Vescovile,
bifora, 12e eeuw

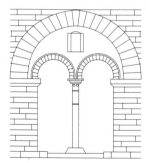

Florence, Palazzo Rucellai,
bifora met bovendorpel,
1446-1451

Florence, Palazzo Vecchio,
bifora met drie passen,
na 1299

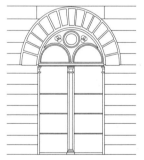

Siena, Palazzo Piccolomini,
bifora met bovendorpel en
vensterkruis, 1459-1462

Verklarende woordenlijst

Aankondiging, volgens Lucas (1:26-38) de boodschap van de engel Gabriël aan Maria dat zij uitverkoren is Jezus te ontvangen en te baren. In de katholieke kerk wordt de groet van de engel het gebed 'Ave Maria'. De afbeelding van de Aankondiging was in de Middeleeuwen en de Renaissance een van de meest gebruikte beeldthema's van de Europese kunst.

Acanthus (Grieks *akantha*: 'doorn'), een in het Middellandse-Zeegebied voorkomende distelsoort, behorende tot de familie van de berenklauw. In een gestileerde vorm sinds de Oudheid gebruikt ornamentmotief.

Al fresco, schema van de opbouw van een fresco (detail). Passiecyclus, ca. 1330/1340. Evangelische kerk, Waltensburg

Aedicula (Latijn *aedicula*: 'huisje'), omlijsting voor portalen, vensters en nissen met zuilen, pijlers of pilasters met een door steunen gedragen balkwerk, meestal bekroond met een driehoekige of segmenttopgevel.

Al fresco zie Fresco (Italiaans: 'op het verse'), frescoschilderkunst, muurschilderkunst op vers aangebrachte kalk, in tegenstelling tot seccoschilderkunst.

Allegorie (Grieks *allegoria*: 'anders afbeelden'), de afbeelding van een op zich abstract begrip, literaire betekenis of samenhang. Hoofdmiddel zijn personificaties (in de gestalte van personen), genreafbeeldingen of symbolen. Werd vooral gebruikt in de 16e en 17e eeuw; in de 19e eeuw vaak als toevoeging in samenhang met gebouwen en monumenten.

Al secco (Italiaans: 'op het droge'), seccoschilderkunst, wandschilderkunst op droge kalk, in tegenstelling tot frescoschilderkunst.

Altaar (Latijn *alta ara*: 'verhoogde offerplaats'), teken van de aanwezigheid van God, vooral de plek waar het Laatste Avondmaal gevierd wordt. Over het symbolische begrip verschaffen het altaarbeeld en het antependium uitkomst. Het tafelaltaar, dat uit steunen (Lat. *stipes*) en een bovenblad (Lat. *mensa*) bestaat, is de oudste en meestvoorkomende vorm. Er zijn nog drie andere typen. Zo heeft het kastaltaar onder de mensa een van buiten toegankelijke holle ruimte waarin relieken of het altaargerei wordt bewaard. Bij het blokaltaar bestaat de onderbouw uit een massief blok waarvan de voorkant vaak versierd is met maaswerk of bouwornamenten. Het sarcofaagaltaar dankt zijn naam aan het graf dat zich onder het altaarblad bevindt. Altaren zijn vast of draagbaar (draagaltaar); de functie is derhalve niet plaatsgebonden. Het hoofdaltaar staat meestal voor of in de naar het oosten gerichte koorapsis van een kerk. Zijaltaren bevinden zich vaak in de zijapsiden, in de zijkapellen of in de crypte.

Altaarbeeld (Latijn *altare*: 'offertafel'), ook altaarpaneel, kunstwerk dat in de Middeleeuwen vaak altaren versierde, aanvankelijk goudsmeedkunst of plastische figuren, later schilderingen. De decoratie kan uit een enkel schilderij of uit meerdere panelen bestaan. Vaak verheft het zich achter het altaar of staat het als een retabel (opstand) achter op het altaar.

Ambo (Grieks *ambon*: 'verhoogde rand, verhoging'), in vroegchristelijke en middeleeuwse kerken een verhoogde lessenaar met een borstwering aan de zijde van het koorgestoelte, voor de lezing van het epistel of het evangelie. In de late Middeleeuwen werd deze lessenaar –vaak verbonden met de koorbanken of het priesterkoor– een zelfstandige kansel. Nu worden ook eenvoudige lessenaars ambo's genoemd, waarbij een in de liturgische kleuren geschilderd bovenblad de plaats van de schriftlezing aangeeft.

Architraaf, Abbazia S. Antimo

Amfitheater (Grieks *amphitheatron*: van *amphi*, 'aan beide kanten, rondom' en *teatron*, 'schouwburg'), Romeins theater in de openlucht. Meestal ellipsvormige arena met rondom oplopende tribunes; diende hoofdzakelijk voor gladiator- en andere spelen.

Antependium, antipendium (Latijn: 'voorhang'), voorhangsel aan de voorzijde van een altaartafel. Als materiaal dienden sinds de 4e-5e eeuw versierde stoffen die de vier kanten van het altaar bedekten. In de 9e eeuw werd het gebruikelijk een voorzetpaneel van metaal aan de voorkant van het altaar te bevestigen. Als dragers van christelijke scènes verwijzen de antependia inhoudelijk naar de symboliek van het altaar.

Apostel (Grieks *apostolos*: bode, voorvechter), de door Jezus zelf uit zijn grote schare aanhangers gekozen twaalf discipelen die van zijn werk getuigen en het evangelie verkondigen. Na de dood van Jezus stonden ze in de christelijke oergemeenschap in hoog aanzien en hun voornaamste opdracht was de missie. Door dit beroep werden ze de navolgers van Christus.

Apsis (Grieks *hapsis*: 'verbinding, ronding, welving'), nisvormige afsluiting van schip, koor of zijbeuk op halvecirkelvormige of veelhoekige plattegrond, waarin een altaar kan staan. Sluit de apsis aan bij het koor van een kerk, dan wordt ze ook wel exedra of hoofdkoor genoemd. Kleinere zij-apsiden bevinden zich vaak in de kooromgang, aan dwarsbeuk of zijschip.

Aquaduct (Latijn *aquaeductus*: 'waterleiding'; van *aqua*, 'water', en *ducere*, 'leiden'), door de Romeinen uitgevonden waterleiding, vaak in de vorm van een boogbrug die uit meerdere verdiepingen bestaat, waarin met een lichte helling over enorme afstanden watergoten lopen.

Arcade (Frans *arcade*: 'boog van een brug, een gewelf'; van Latijn *arcus*: 'boog'), boog die op pijlers of zuilen rust.

Architraaf (Grieks *epistylion*), hoofdbalk die meestal direct op de zuilen rust en in de klassieke bouwkunst het fries en de kroonlijst draagt.

Archivolt (Italiaans *archivolto*: 'voorste boog'), voorzijde van een boog. Boogomlijsting over klassieke, Romaanse en gotische kerkportalen. De archivolten van rijkversierde gotische portalen zijn vaak met figuratief beeldhouwwerk bezet.

Atlant (Latijn *atlante*: 'Atlas'), afgeleid van de in de Griekse mythologie voorkomende Titanenzoon Atlas, die door Zeus werd veroordeeld de zuilen van het hemelgewelf op zijn schouders te dragen. In de bouw- en beeldhouwkunst zijn atlanten pijlers of zuilen in de gedaante van enorme mannelijke figuren die op hun hoofd, schouders of handen de last van een bouwwerk dragen. Ze kunnen verschillende gedaanten aannemen; vaak zijn het personificaties van reuzen, gevangenen of slechte mensen. Zo nu en dan stellen ze bijbelse figuren voor. In de Barok verandert de atlant in een decoratief element. Een atlant wordt ook wel met de benaming 'telamon' aangeduid.

Attiek (Latijn atticus, 'attisch'), lage bovenverdieping boven de kroonlijst van een gevel. Soms verhult de attiek de aanzet van het dak; in de Barok als halve verdieping met venstergeleding.

Attribuut (Latijn *attributum*: 'het bijgevoegde'), een symbolisch voorwerp dat ter identificatie aan een persoon wordt toegevoegd en dat kenmerkend voor hem is of dat verband houdt met een wezenlijke gebeurtenis uit zijn leven.

Augustijnen, middeleeuwse bedelorde, in 1256 volgens de regels van de heilige Augustinus (354-430 n.Chr.), de kerkvader, opgericht. De orde werd in de 14e en 15e eeuw met congregaties uitgebreid. Onder invloed van de Renaissance en het humanisme sloten veel aanhangers van de vroege Reformatie zich bij de augustijnen aan. De orde vervult wezenlijke taken in het onderwijs. Er wordt onderscheid gemaakt tussen augustijner kanunniken en augustijner kluizenaars. De laatsten zijn lid van de in 1256 gestichte bedelorde.

Baldakijn (Italiaans *baldacchino*), draaghemel boven een troon of een bed die aan stangen wordt gedragen bij processies; in de bouwkunst, vooral in de Gotiek, een klein architectonisch, schermachtig dak boven beelden, kansels, troon enzovoort. De naam gaat terug op de kostbare zijden stof uit Bagdad (Italiaans *Baldacco*) waarvan de eerste draaghemel in Italië werd gemaakt.

Balken, alle bij een plafond- of dakconstructie horende balken; het bovenste deel van een zuilenorde (klassiek architectuursysteem) dat uit architraaf (de last van de bovenverdieping dragende hoofdbalk), fries (horizontaal lopende wandversiering) en kroonlijst (vooruitspringende strook onder het dak) bestaat.

Battistero San Giovanni, schematische reconstructie van het eerste baptisterium van Brunelleschi (naar Parronchi)

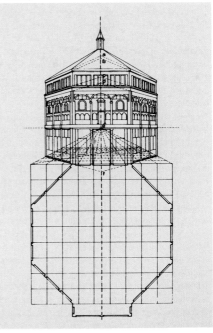

Baluster (Frans *balustre*; Italiaans *balaustro*; middeleeuws Latijn *balaustion*), rijk geprofileerde spijl met een ronde of vierkante basis als drager van een leuning of borstwering; vooral in de Renaissance en de Barok gebruikt.

Baptisterium (Latijn van het Griekse *baptisterion*: 'badplaats, zwembassin'), een zelfstandig, vaak achthoekig centraalbouwwwerk (bouwwerk dat op een middelpunt is gericht), dat vaak rond een doopvont ten westen van een bisschopskerk werd opgetrokken en aan de heilige Johannes de Doper werd gewijd.

Barok (Portugees *barocco*: 'scheefrond steentje'), stijlperiode in de Europese kunstgeschiedenis tussen het eind van het Maniërisme (ca. 1590) en het begin van het Rococo (ca. 1725), met een karakteristieke tendens naar verheerlijking, vergoddelijking en tentoonstelling. Naast religieuze en mythologische thema's treden ook allegorieën, genre- en landschapsschilderijen op de voorgrond. In de schilderkunst zijn classicistisch-idealistische, maar ook realistische tendensen te herkennen. De Barok streeft vooral naar een synthese van bouwkunst, open ruimte, schilderkunst en beeldhouwkunst. Het voornaamste kenmerk is de beleving van de ruimte. Formeel gaat de Barok uit van sterk bewegende, extatisch-pathetische vormen. Het begrip komt oorspronkelijk uit de goudsmeedkunst waar *barocco* 'onregelmatige parel' betekent.

Basiliek (Grieks *basilike stoa*: 'koningshal'), van het ambtsgebouw van de Griekse rechters afgeleid. Het was in de Oudheid een overdekte ambts-, markt- en gerechtshal. Vroegchristelijk kerkgebouw. Langwerpige zuilenhal met twee of vier zijbeuken. Belichting van het middenschip door middel van vensters boven de daken van de zijbeuken (lichtbeuken). Oriëntatie van het middenschip op de bisschopstroon en het altaar. Een gewelfde open of vlakke dakstoel. Verbinding van de zuilen door middel van een recht hoofdgestel (architraaf) of boogstellingen (archivolt). De ruimte voor altaar, geestelijken, lessenaar (ambo) was meestal omgeven door een rijkversierde koorafsluiting.

Benediktijnen, de rond 529 n.Chr. door de heilige Benedictus van Nursia (rond 480-547) gestichte, oudste, westelijke monniksorde. De regels van Benedictus vormen de basis van deze westerse monniksorde. De belangrijkste taken van de orde zijn het onderhouden van de liturgie en het bidden. Hierbij komt de wetenschappelijke, lichamelijke en artistieke arbeid. Beide, gebed en arbeid, verbinden zich in 'ora et labora' tot de basis van het leven. Na de verwoesting van Montecassino verspreidde de orde zich vanuit Rome ook in Engeland en in het Frankisch-Karolingische rijk. Benedictus van Aniane (750-821 n.Chr.) en het in 910 gestichte klooster Cluny bepaalden voor een groot deel de plattegrond van de kloostercomplexen. In het ontwerp van Sankt Gallen (ca. 820) zien we het eerste voorbeeld van een volgens de zienswijze van de benedictijnen gebouwd klooster.

Bedelorden, ook mendicanten (Latijn *mendicare*: 'bedelen'), monniksorden met gecentraliseerde grondwet. De bedelorden zijn verplicht ascetisch te leven en af te zien van bezit. Ze zijn ontstaan in de 13e eeuw als reactie op de verwereldlijking van de kerk. De orden voorzien in hun onderhoud door te werken en te bedelen. Ze wijden zich vooral aan de zielzorg, het onderwijs en missiewerk. Tot de bedelorden behoren de franciscanen, de dominicanen, de kapucijnen, de augustijnen en de karmelieten.

Bifora (Latijn *biforis*, 'tweevleugelig'), tweelingvenster, door een middenzuil in twee openingen verdeeld en door een archivolt optisch tot een eenheid verbonden.

Bisdom, afgeleid van bisschopsdom. Omschrijft het ruimtelijk vastgestelde rechts- en bestuursgebied (diocees) waarover de bisschop de soevereine macht uitoefent. De oprichting, verandering en opheffing van een bisdom is de apostolische stoel voorbehouden. Meerdere bisdommen vormen in de regel een kerkprovincie.

Blindboog, ter versiering van het muurvlak aangebracht blind metselwerk. Een regelmatige rij blindbogen wordt een arcade genoemd. Ze dienen ter geleding en hebben geen openingen. Technisch dienen ze ter verlichting van de muur. Karakteristiek voor de Romaanse bouwkunst.

Boog, de gewelfde overspanning van een muuropening om een erboven liggende last te ondervangen. De gemetselde boog bestaat uit wigvormige of rechthoekige stenen met wigvormige voegen. Afhankelijk van het metselverband wordt er onderscheid gemaakt tussen echte en onechte bogen. Het hoogste punt van de boog met de sluitsteen is de kruin. De afstand tussen de kruin en de lijn tussen de aanzetten is de pijlhoogte; de afstand tussen aanzetlijn en vloer de aanzethoogte. De binnenkant heet binnenwelving, het voor- en achtervlak van de boog worden front genoemd.

Camaldulenser orde, rond 1000 door de heilige Romualdus uit Ravenna (ca. 952-1027) gestichte benedictijnse kluizenaarsorde, genoemd naar de kluizenaarskolonie bij Camaldoli in Toscane.

Campanile (Italiaans *campana*: 'klok') vrijstaande klokkentoren van Italiaanse kerken die hun geïsoleerde plaats ook in de Renaissance behielden. Komt ten noorden van de Alpen nauwelijks voor.

Cenotaaf (Grieks *kenotaphion*: 'leeg graf'), grafmonument voor een dode die elders begraven is of waarvan het gebeente is verdwenen (bijvoorbeeld graf voor een oorlogsslachtoffer). Soms wordt ook een graf dat al tijdens iemands leven gebouwd werd en tot de dood van die persoon leeg staat, een cenotaaf genoemd. Cenotafen kwamen al in de Prehistorie voor. In de Griekse en Romeinse Oudheid namen ze zo nu en dan de vorm van een rijkversierd stenen gebouw aan; daarmee leken ze op het mausoleum. Later werd vaak teruggegrepen op de vroege voorbeelden.

Centraalbouw, een bouwwerk waarvan alle delen gelijkmatig op een middelpunt zijn gericht. In de Renaissance werd bij voorkeur gebouwd naar het voorbeeld van de Oudheid (bijvoorbeeld het Pantheon in Rome).

Ciborium (Latijn *ciborium* en Grieks *kiborion*: 'beker', 'huisje'), op zuilen rustend baldakijn boven het altaar.

Cinquecento (Italiaans: 'vijfhonderd'), Italiaanse benaming voor de 16e eeuw.

Cisterciënzer (orde) (Latijn *Sacer Ordo Cisterciensis*: 'Heilige Orde van Cîteaux'), afgeleid van het door

Campanile, schematische tekening van de campanile van Giotto di Bondone in Florence

Robert van Molesmes (1027-1111) in 1098 gestichte benedictijnenreformklooster Cîteaux. De cisterciënzers streven naar de verwezenlijking van de door de benedictijnen geformuleerde idealen van het monnikendom zonder beperkingen. Daarmee is de cisterciënzer orde op te vatten als de reformatorische beweging van de benedictijnenorde. De grondslagen voor de constitutie en organisatie van de cisterciënzers zijn in de *Charta Caritatis* (in 1119 door paus Calixtus II bevestigd) vastgelegd en verklaard. Onder invloed van Bernard van Clairvaux (1091-1153) verspreidde de orde zich snel. Overeenkomstig de orderegels wordt afgezien van pracht en praal, kostbare materialen en schilderijen.

Colonnade (Frans *colonne*: zuil), rij zuilen met rechte balken zonder bogen.

Condottiere (Italiaans: leider), leger- en huurlingenaanvoerder in Italië in de 14e en 15e eeuw.

Console (Frans *console*: 'kraagsteen, drager'; Latijn *solidus*, 'stevig'), uit de muur vooruitstekende steen als drager van een balk, balkon of beeld.

Contrapost (Latijn *contrapositus*: 'tegenovergesteld', en van Latijn *ponere*: 'zetten', 'plaatsen'), het door de Griekse beeldhouwkunst, namelijk door de beeldhouwer Polycleitos (ca. 460-415 v.Chr.) met het beeld van de 'Doryphoros' en de theoretisch vastgelegde canon als basisprincipe ontwikkelde schema voor de opbouw van een figuur waarbij beurtelings aan de rechter- en de linkerkant een deel van het lichaam naar voren komt. Hiermee wil de beeldhouwer een vloeiende lijn in de compositie van een figuur verwezenlijken. Drukkende en dragende, rustende en bewegende krachten van een lichaam worden evenwichtig verdeeld over stand- en speelbeen. De contrapost kwam in de Renaissance opnieuw in de belangstelling.

Crypte (Latijn *crypta* en Grieks *krypte*: 'overdekte gang', 'gewelf'), onderaardse cultus- of grafruimte, meestal onder het aan de geestelijken voorbehouden koor van een kerk.

Cyclus (Latijn *cyclus* en Grieks *kyklos*: 'cirkel'), in de beeldende kunst een serie inhoudelijk bij elkaar horende werken.

Figura serpentina, Giambologna, Mercurius, 1564-1580, brons, h 180 cm, Museo Nazionale del Bargello, Florence

Dom (Latijn *domus Dei*: 'huis Gods'), ook bisschopskerk, domkerk, kathedraal, hoofdkerk met bisschopszetel; in het Italiaans echter ook de belangrijkste kerk van een stad zonder bisschopszetel.

Dombouwvereniging, werkplaats bij de bouw van een dom: de bij de bisschops- of hoofdkerk betrokken zijnde

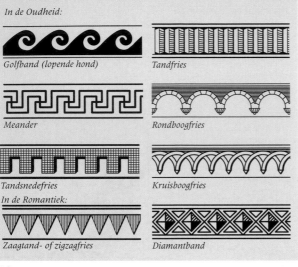

In de Oudheid:

Golfband (lopende hond) — **Tandfries**

Meander — **Rondboogfries**

Tandsnedefries — **Kruisboogfries**

In de Romantiek:

Zaagtand- of zigzagfries — **Diamantband**

Friezen

ambachtslieden, bouwvakkers en kunstenaars verenigden zich daar. Deze vereniging moest een uniforme uitvoering van het ambachtelijke werk garanderen.

Dominicanen (Latijn *Ordo Fratrum Praedicatorum*: 'predikorde', 'Orde van de Predikende Broeders'), bedelorde die door de heilige Dominicus (1170-1221) in Toulouse in 1216 gesticht werd. Het belangrijkste doel van de dominicanen is de verspreiding en de verdediging van het geloof door preken en onderwijs. Ze bestreden vooral de niet-gesanctioneerde, buiten de kerk werkzame, afwijkende (ketterse) armoedebewegingen van de Middeleeuwen en werden daarom in 1232 door de paus belast met de uitvoering van de Inquisitie, de kerkelijke vervolging van geloofsafvalligen.

Driepas, decoratief motief in de gotische kunst: drie cirkels vormen in een grotere cirkel een klaverblad.

Duecento (Italiaans: 'tweehonderd'), Italiaanse benaming van de 13e eeuw.

Dwarsbeuk, in kerken een dwars op het middenschip gebouwd deel dat in vroegchristelijke kerken meestal het gebouw afsluit. Een kerk kan in het westen een tweede dwarsbeuk bezitten; ook aan de oostkant is een toevoeging mogelijk.

Dwerggalerijen, een in de muur uitgespaarde loopgang die zich vaak onder de dakaanzet bevindt. De naam is geïnspireerd op het gebruik van kleine zuilen (dwergzuilen), waarop een boog –heel soms een architraaf– rust. De eigenlijke dwerggalerij ontstond aan het eind van de 11e eeuw in de dom in Speyer (vanaf 1080) en in Noord-Italië (Lucca, Pisa, Parma). Met de opkomst van de Gotiek verdween het gebruik van dwerggalerijen.

Eclecticisme (Grieks *eklegein*: 'uitkiezen'), in de kunst en de architectuur vaak negatief gebruikt begrip voor het kopiëren (naar believen uitkiezen) van reeds voor handen zijnde manieren van afbeelden, motieven en bouwvormen uit vorige stijlperioden.

Etrusken (Latijn *Etrusci, Tusci*; Grieks *Tyrsenoi, Tyrrhenoi*; Etruskisch *Rasenna, Rasna*), een sinds de 8e eeuw v.Chr. historisch te plaatsen volk, dat tot in de 4e eeuw v.Chr. een leidende rol speelde in Italië en zich had gevestigd tussen de Tiber, de Apennijnen en de Arno. De herkomst van de Etrusken is nog altijd onbekend. Taalkundige en culturele betrekkingen met het oosten vallen niet te ontkennen, maar ook de *Villanova*-cultuur in Noord- en Midden-Italië gaat rond 700 v.Chr. zonder breuk in de Etruskische cultuur over. De meest verhelderende getuigenissen van de Etruskische cultuur zijn, naast de bewaard gebleven kunstwerken, de grafvondsten. De huidige benaming 'Toscana' is terug te voeren op de middeleeuwse naam 'Tuscia' voor het klassieke Etrurië.

Evangelistensymbool (Grieks *Euaggelistes*; Latijn *evangelista*), de aan de auteurs van de vier evangeliën toegevoegde gevleugelde wezens (tetramorf), die hen vervangen of als attribuut symboliseren: Mattheus – engel, Marcus – leeuw, Lucas – stier, Johannes – adelaar. Bovendien werden ze tot zinnebeeld van Christus, die in zijn persoon de eenheid van de evangeliën belichaamt. De evangelistensymbolen gaan terug op het godsvisioen van de Oudtestamentische profeet Ezechiël (1:4 e.v.) en op de Openbaring van Johannes (4:6 e.v.).

Exedra (Grieks: 'buitenzetel, afgelegen zetel'), nis met een bank aan het eind van een zuilengang; benaming voor de apsis of altaarnis aan het eind van de aan de geestelijken voorbehouden koorruimte; vaak ook algemeen als benaming voor elke andere halfronde nis.

Figura serpentinata (Italiaans: 'slangachtig', 'slangvormige figuur'), een spiraalvormig naar boven gedraaide figuur of figurengroep. Vooral in de beeldhouwkunst van de 16e eeuw (Maniërisme) benaderde de 'figura serpentinata' het ideaal van een aan alle kanten te bekijken figuur.

Franciscanen (Latijn *Ordo Fratrum Minorum*: 'Orde van de Minderbroeders'), in 1209 (1223) door Franciscus van Assisi (1181/1182-1226) gestichte bedelorde die ascese en bezitsloosheid predikte. Als vurigste Maria-vereerders van de Middeleeuwen plaatsten de franciscanen hun orde onder de bescherming van de Moeder Gods.

Fresco, al fresco (Italiaans *fresco*: 'vers'), muurschildering waarbij kleuren worden opgebracht op verse, natte pleisterkalk.

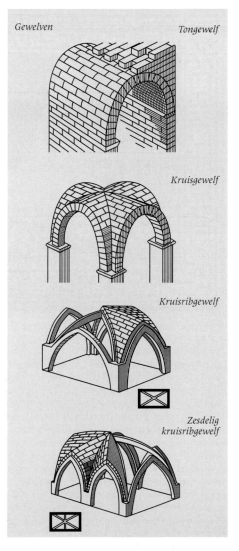

Gewelven

Tongewelf

Kruisgewelf

Kruisribgewelf

Zesdelig kruisribgewelf

Incrustatie, vloermozaïek, Duomo, Siena

Frescoschilderkunst (Italiaans *fresco*: 'vers') techniek van wandschilderkunst waarbij de verf op de natte, verse pleisterkalk wordt aangebracht. Door het snelle drogen kan alleen dat deel van de muur worden bepleisterd dat de kunstenaar in één dag kan beschilderen. Vergeleken met de op droge kalk aangebrachte seccoschilderingen zijn fresco's onder goede klimatologische omstandigheden bijzonder goed conserveerbaar.

Fries (Latijn *frisium*: 'franje, rand'), plastische of geschilderde wandversiering, bestaande uit horizontale, doorlopende banden. Ter afsluiting, geleding of versiering van een muurvlak. Vanaf de Oudheid zijn er talrijke ornamenten voor de versiering van het fries

ontwikkeld. Een van deze siermotieven is het zogenaamde vlechtwerk. Hierbij kronkelen een of meer plastische of geschilderde stroken als in een vlecht om elkaar heen. In het eerste kwart van de 18e eeuw komt het zogenaamde lintwerk op. Bij deze ornamenten vormen symmetrisch gebogen linten rankachtige motieven. Figuurlijke afbeeldingen kunnen eveneens tot een fries zijn samengevoegd.

Galerij (van galerijkerk), in het interieur van een gebouw: een open, galerij-achtige bovenverdieping (ook meerdere verdiepingen) of een tribuneachtige toevoeging in een ruimte. De galerijen van kerken, vaak boven de zijschepen gelegen, waren voorbehouden aan de vrouwen, nonnen, zangers of leden van de hofhouding.

Gewelf, gebogen, vaak uit wigvormige stenen gevormd plafond van een ruimte, rustend op muren of pijlers om de druk en de trek op te vangen. De voegen tussen de stenen moeten, net als bij een boog, naar het middelpunt gericht zijn.

Ghibellijnen (Italiaans), tussen 1212 en 1218 in Florence aanhangers van de Hohenstaufen-keizer Frederik II (1194-1250).
De Ghibellijnen zijn vanwege de strijd om de macht tussen pauselijke en keizerlijke autoriteiten verbitterde tegenstanders van de Welfen, die aan de kant van Otto IV (1198-1218) en de paus staan. Ook nadat de overheersing van het huis Hohenstaufen tot een einde was gekomen, bleef de vijandschap tot in de 16e eeuw bestaan.

Gotiek (Italiaans *gotico*: 'barbaars, niet antiek'), Europese stijlperiode uit de Middeleeuwen die rond 1150 in Noord-Frankrijk ontstond en in Italië van ongeveer 1230 tot 1420 voortduurde. De aanduiding is afgeleid van de Germaanse volksstam der Goten (Goten = barbaren). Typische architectonische kenmerken zijn: de invoering van de spitsboog (in de kruin gebroken spitse boog) en het kruisribgewelf (de rechthoekige oversnijding van twee gelijke tongewelven), en het naar buiten verplaatsen van de ondersteunende delen (de bogen en de pijlers die het gewicht en de spanning van de muren, de gewelven en het dak opvangen). Belangrijk in deze bouwkunst was de kathedraal, die enorm de hoogte in ging en waarvan de wand- en muurvlakken losgemaakt werden en licht doorlieten.

De beeldhouwkunst is op een bijzondere manier met de architectuur verbonden. Kenmerkend is een geïdealiseerde natuuropvatting. Lichamen en gewaden, meestal in buitenproportionele afmetingen, waren van wezenlijk belang voor de expressieve vormgeving.

Hoofdelementen in de schilderkunst waren de boek- en glasschilderkunst. In de Italiaanse Gotiek schiep Giotto een nieuwe monumentale stijl in de muurschilderkunst. Belangrijkste vertegenwoordiger van de 'dolce stil nuovo', de zachte of internationale stijl, is Simone Martini.

Grafbouwkunst, prachtig uitgevoerde, vaak zelfstandige gebouwen, zoals de grafkapel of het mausoleum. Artistiek vormgegeven grafmonumenten zijn in groten getale in bijvoorbeeld kerken en kruisgangen te vinden.

Hallekerk (Grieks *kyriakon*: 'het tot de heer behorende'), kerk waarvan de zijbeuken even hoog zijn als het middenschip, waardoor de indruk van een hal ontstaat. Meestal is er geen dwarsbeuk aanwezig.

Humanisme (Latijn *humanus*: 'menselijk'), levensbeschouwing die halverwege de 14e eeuw in Italië tot ontwikkeling kwam en die, overeenkomstig de klassieke gedachte, het menselijk bestaan in het middelpunt plaatst. Als belangrijke levensbeschouwing in de Renaissance begint in deze tijd de emancipatie van de mens ten opzichte van God. Daarmee gepaard gaat de interesse voor nieuwe ideeën en natuurwetenschappelijke uitvindingen. De humanisten wijden zich in het bijzonder aan de herontdekking van de Griekse en Latijnse taal en literatuur. Het begrip kenmerkt de vermeende ideale verbinding tussen de op de klassieke geleerdheid teruggaande vorming en een op werkelijkheidszin en waarneming berustende volwassen menselijkheid.

Iconografie (Grieks *eikon* en *grafein*: respectievelijk 'beeld' en 'beschrijven'), leer van de inhoud, zin en symboliek van beeldende weergaven, vooral in de christelijke kunst; oorspronkelijk wordt hiermee de portretkunst in de Oudheid bedoeld.

Iconologie (Grieks *eikon*: 'beeld', en *logos*: 'woord', 'rede'), een begrip dat in 1912 door de kunsthistoricus Aby Warburg (1866-1929) in de context van zijn uitleg van de fresco's in het Palazzo Schifanoia in Ferrara werd geïntroduceerd. Wetenschap die zich bezighoudt met de verklaring van beelden en voorstellingen. De systematische uitwerking van de iconologie als interpretatiemethode van de beeldende kunst wordt vanaf ca. 1930 door Erwin Panofsky (1892-1968) voortgezet.

Incrustatie (Latijn *incrustare*: 'met een korst bekleden'): bekleding van wand- en vloervlakken met veelkleurige, gepolijste steenplaten (van marmer of porfier) die zijn samengevoegd tot patronen en zo de vlakken onderdelen en decoratief verlevendigen. Vanaf de 11e eeuw vooral in Toscane een veelgebruikte techniek met een grote decoratieve werking bij de vormgeving van voorgevels van kerken.

Intarsie (Italiaans *intarsiare*: 'inlegwerk', Arabisch *tarsi*: 'het uitspreiden, beleggen'), houtinlegwerk: versiering van houten voorwerpen met kleine stukjes hout, ivoor, schildpad, paarlemoer of metaal die in geometrische of figuurlijke motieven worden aangebracht.

Jezuïeten (Latijn *Societas Jesu*: 'gezelschap van Jezus'), katholieke orde die in 1534/1539 door Ignatius van Loyola (1491-1556) werd gesticht ter bestrijding van ketterij. Houdt zich vooral bezig met de vernieuwing van de kerkelijke autoriteit en probeert de reformatie tegen te werken. Door missie, opvoeding, onderricht en ook door literaire en wetenschappelijke bezigheden oefent de orde veel invloed uit op het onderwijs.

Kapitelen

Corinthisch kapiteel

Teerlingkapiteel

Ionisch kapiteel

Korfkapiteel

Dorisch kapiteel

Toscaans kapiteel

Kandelaber (Frans *candélavre*, Latijn *candela*: 'kaars'), weelderige, rijkversierde kaarsen- of lampenhouder.

Kanteel, een borstwering aan stadsmuren, weergangen en vestingmuren van burchten. Later werden kantelen alleen nog als decoratief element gebruikt. Kantelen kunnen allerlei speciale vormen hebben. Heeft de kanteel in het midden een inkerving waarin het schietwapen gelegd kan worden, dan spreekt men van kerf- of zwaluwstaartkanteel. Verder bestaan er de zogenaamde trapkanteel en een halfronde kanteel die aan een schild doet denken. In de Renaissance komen kantelen met een concave-convexe ronding voor (kroonlijstkantelen). Dakkantelen zijn vaak zadelvormig.

Kapel (Latijn *cappella*: 'kleine mantel'), kleine, zelfstandige, afgescheiden ruimte in kerken; kleine kerk zonder parochierechten voor bijzondere doeleinden (de doopkapel of de grafkapel). De aanduiding is afgeleid van een kleine gebedsruimte in de Parijse koningsburcht, waarin sinds de 7e eeuw de mantel van de heilige Martinus van Tours (316/317-397) wordt bewaard.

Kapiteel (Latijn *capitulum*: 'kopje'), kopstuk van een zuil of pilaar. Het punt waar drager en last elkaar ontmoeten. In principe bestaat het kopstuk uit een verdikking (halsring), een lichaam (romp, kelk) en een vierkante afsluitplaat (abacus). De kopstukken worden, afhankelijk van hun decoratieve vorm, onderverdeeld in bladkapitelen, knoppenkapitelen en iconische kapitelen. In de Oudheid werden drie tot vier verschillende vormen onderscheiden: Dorische, Ionische en Corinthische kapitelen en het composietkapiteel. In de Middeleeuwen en de Renaissance versierde men kapitelen met verschillende blad- en bloemmotieven of met figuren. Het volkomen kale Dorische kapiteel bestaat uit een eenvoudig kussen (echinus) en de abacus (afdekplaat). Het Ionische kapiteel kenmerkt zich door een dwars op de schacht liggende zadelachtige vorm waarvan de zijdelings uitstekende delen eindigen in voluten. Het Corinthische kapiteel is kelkachtig van vorm en versierd met acanthusbladen en hoefvoluten. Het Romeinse composietkapiteel is een combinatie van de Corinthische acanthusbladen en de voluten van het Ionische kapiteel. Er bestaat een nauwe verwantschap tussen de kapitelen van de Dorische en de Toscaanse zuil. Het belangrijkste verschil is de halsring die zich bij het Toscaanse kapiteel onder de aechinus bevindt. Naast deze klassiek te noemen kapitelen ontwikkelden zich in de loop der tijd steeds nieuwe vormen. De belangrijkste zijn: de kubus-, blok- en paddestoelkapitelen; de teerling-, trapezium- of piramidekapitelen, en een korf- of knorrenkapiteel. Daarbij waren in de Romaanse stijl vooral het figurenkapiteel, waarbij vaak plastische weergaven de kapitelen versieren, gebruikelijk. Bladwerk-, kelk- en knoppenkapitelen bepalen de Gotiek. In de Renaissance en de Barok wordt teruggegrepen op de klassieke kapiteelvormen.

Kruisgang, Camposanto, Pisa

Kapittelzaal, ruimte in een klooster waar de monniken bijeenkomen. Meestal in de oostvleugel van de kruisgang gelegen. Doet dienst bij de dagelijkse lezing van hoofdstukken uit de Heilige Schrift en de orderegels.

Kardinale deugden (Latijn *cardinalis*: 'in het snijpunt staan'), de vier overgenomen gronddeugden in de christelijke ethiek van Plato (427-347 v.Chr.): *temperantia* (gematigdheid), *fortitudo* (dapperheid), *prudentia* (wijsheid) en *justitia* (gerechtigheid). Deze werden door Gregorius de Grote (560-604 n.Chr.) aangevuld met drie zogenaamde 'goddelijke' of 'theologische' deugden: *fides* (geloof), *caritas* (liefde) en *spes* (hoop). Op het fundament van deze groep werd in de late Middeleeuwen het christelijke systeem van deugden uitgebreid.

Kathedraal (Grieks *cathedra*: 'bisschopsstoel'), benaming voor de hoofdkerk van een katholiek bisdom respectievelijk een bisschopskerk; in Italië meestal dom (*duomo*) genoemd.

Kerkschip (Grieks *kyriakon*: 'het tot de Heer behorende'), interieur van langwerpige bouwwerken. Er wordt onderscheid gemaakt tussen het middenschip, de parallel verlopende zijschepen en de dwars op het middenschip staande dwarsbeuk.

Kerkvader (Latijn *patres ecclesiae*), door de paus benoemde, vroegchristelijke kerkleraren en theologen. Hun geschriften waren bindend voor de christelijke geloofs- en zedenleer. De Latijnse kerkvaders zijn Ambrosius (ca. 340-397 n.Chr.), Augustinus (ca. 354-430 n.Chr.), Hiëronymus (ca. 340/347-420 n.Chr.) en Gregorius de Grote (ca. 540-604 n.Chr.). Sinds de 8e eeuw worden ze soms gerekend tot de groep van de vier evangelisten en

Paus Clemens IV organiseerde met hulp van Toscaanse bankiers de militaire opstand tegen de heerschappij van de Hohenstaufen in Italië (1266)

Genua verslaat de vloot van Pisa voor het eiland Miloria (1284) en neemt de heerschappij van de handel op zee over

De grote pest van 1348 decimeert de bevolking van Toscane. In Florence sterft meer dan de helft van de circa 100.000 inwoners

Catharina van Siena (1347-1380) treedt als ordezuster steeds weer op als vredestichtster tussen de strijdende partijen in de Toscaanse steden

1250   1300   1350

Gezicht op de stad San Gimignano

Palazzo Comunale, Pistoia, ca. 1300

Interieur van de Santa Maria Assunta, Siena, 13e-14e eeuw

Palazzo Pubblico, Siena, 1297-1325

Voorgevel van de San Michele in Foro, Lucca, 14e eeuw

Cimabue, Tronende madonna, ca. 1280, Uffizi, Florence

Giotto, Ognissanti madonna, ca. 1310, Uffizi, Florence

Simone Martini, Maestà, 1310, Palazzo Pubblico, Siena

Duccio, Maestà, 1311, dom, Siena

Ambrogio Lorenzetti, Allegorie van de slechte regering, 1338, Palazzo Pubblico, Siena

Nicola Pisano, marmeren kansel, dom van Siena, 1266-1268

Zilveren altaar, dom van Pistoia, begonnen in 1287

Giovanni Pisano, domkansel, Pisa, 1311

Reliëf, grafmonument Guido Terlati, dom van Arezzo, ca. 1330

Filippo Brunelleschi, Offer van Izaäk, 1401-1402, Bargello, Florence

Leonardo Fibonacci (ca. 1180-1250), natuurkundige uit Pisa, gebruikt in zijn Liber abbaci (1202) voor het eerst Arabische getallen

Klimaat en geologische positie maken van Toscane in de Middeleeuwen een bloeiend handelscentrum. Miniatuur uit de Specchio umano, begin 14e eeuw

Dante Alighieri (1265-1321): Divina Commedia (1311-1320)

Door de handel ontstond er een wijdvertakt Toscaans bankwezen

Giovanni Boccaccio (1313-1375): Il Decamerone (1349-1351)

Geschiedenis

De schenking van de bezittingen van Mathilde werd door de Hohenstaufen-keizer niet erkend. Op zijn tochten door Italië bestreed Frederik Barbarossa (1152-1190) de soevereiniteit van de Noord-Italiaanse steden

Toscane werd tot de dood van Mathilde van Canossa (1115) als het markgraafschap Tuscia geregeerd. Als bondgenote van de paus in de investituur schonk Mathilde Tuscia aan de kerk

In de strijd van de gemeenten om de heerschappij in Toscane laat Siena in 1203 Monteriggioni, in het grensgebied met Florence, verstevigen

1000   1100   1200

Bouwgeschiedenis

San Piero a Grado, Pisa, rond 1000

Battistero San Giovanni, Florence, 1060-1128

San Giovanni Fuorcivitas, Pistoia, midden 12e eeuw

Campanile en dom, Pisa, 12e/13e eeuw

Schilderkunst

Voorgevel van de San Frediano, Lucca, ca. 1230

Beeldhouwkunst

Crucifix, dom van San Sepolcro, 10e eeuw

Doopvont, San Frediano, Lucca, midden 12e eeuw

Volto Santo, dom van Lucca, rond 1170

Kruisafname, dom van Volterra, 13e eeuw

Afbeeldingen van de maanden van het jaar, voorgevel van de dom in Lucca, midden 13e eeuw

Cultuur

Protorenaissance: als een soort voorloper van de Renaissance laten de bouwwerken in Toscane in de 11e eeuw de oriëntering op de idealen van de architectuur van Oudheid zien, zoals het baptisterium in Florence

Sinds de Middeleeuwen strijden de vertegenwoordigers van de wijken van Siena in een paardenrace tweemaal per jaar om de palio, de zijden overwinningsvlag

De broederschap van de heilige Franciscus (1181/1182-1226) leeft sinds 1213 in de bergen rond Chiusi. Kort voor zijn dood werd Franciscus in Siena door een arts behandeld

Etrusken en Romeinen in Italië

Grafcomplex, Etruskisch,
Museo Nazionale, Lucca

Tomba circolare, Etruskisch
(7e/6e eeuw v.Chr.),
Populonia

Aediculagraf en kistgraf,
Etruskisch, Populonia

Geometrische amfora,
Grieks (7e/6e eeuw v.Chr.),
Museo Archeologico e
d'Arte delle Maremma,
Grosseto

Grafmuur, Etruskisch, Roselle

Canope, Etruskisch
(6e eeuw v.Chr.),
Museo Nazionale
Etrusco, Chiusi

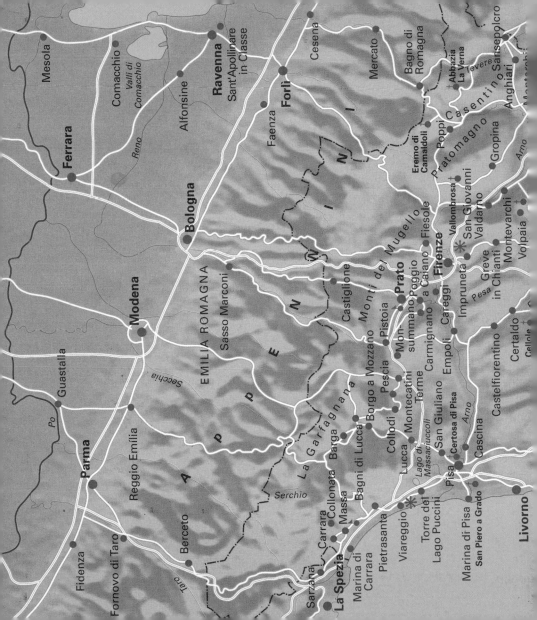

Romeins theater (1e eeuw v.Chr.), Fiesole

Chimaera van Arezzo, Etruskisch (eind 5e eeuw v.Chr.), Museo Archeologico, Florence

François-vaas, Grieks (ca. 570/560 v.Chr.), Museo Archeologico, Florence

Venus Medicea, (begin 3e eeuw v.Chr.), Galleria degli Uffizi, Florence

Aretijnse vaas, Romeins (begin 1e eeuw n.Chr.), Museo Archeologico, Arezzo

Romeins amfitheater (begin 2e eeuw v.Chr.), Arezzo

'Urna degli Sposi', Etruskisch (begin 1e eeuw v.Chr.), Museo Etrusco Guarnacci, Volterra

Porta all'Arco, Etruskisch, (4e/3e eeuw v.Chr.), Volterra

Urn van albast, Etruskisch, Museo dell'Accademia Etrusca, Cortona

Bronzen kroonluchter, Etruskisch (2e helft 5e eeuw v.Chr.), Museo dell'Accademia Etrusca, Cortona

'Ombra della Sera', Etruskisch (3e eeuw v.Chr.), Museo Etrusco, Guarnacci, Volterra

Romeins theater (eind 1e eeuw v.Chr.), Volterra

Wandschildering in een kamergraf, Etruskisch (5e eeuw v.Chr.), Chiusi

Zandsteen-cippus, Etruskisch (6e/5e eeuw v.Chr.), Museo Nazionale Etrusco, Chiusi

De dominicaan Savonarola (1452-1498) veroordeelde de tirannie van de rijke en machtige families en bereidde de afzetting van de familie de'Medici voor (1494)

Niccolò Machiavelli (1469-1527), Florentijns politicus (1498-1512) en schrijver

Ontstaan van het hertogdom Toscane 1531

Republiek Siena ging in 1559 in het hertogdom Toscane op

Toscane wordt groothertogdom (1569). heerschappij van de De'Medici tot Toscane in 1737 aan het huis Habsburg-Lotharingen verviel

1500   1550   1600

Voorportaal van het Ospedale del Ceppo, Pistoia, 1514

San Biagio, Montepulciano, 1518-1540

Sala della Spina In La Rocca, Massa Vecchia, 16e eeuw

Palazzo Pitti, Florence, 1557-1566

Uffizi, Florence, vanaf 1560

Sandro Botticelli, Geboorte van Venus, ca. 1485, Uffizi, Florence

Raffael, Madonna della Seggiola, ca. 1515, Palazzo Pitti, Florence

Pontormo, Bezoeking, 1528/1529, San Michele, Carmignano

Daniele da Volterra, Kruisafname, ca. 1545, S. Trinità dei Monti, Rome

Caravaggio, Hoofd van Medusa, ca. 1595, Uffizi, Florence

Michelangelo, David, 1502-1503, Accademia, Florence

Michelangelo, Pietà, 1540-1543, dommuseum, Florence

Benvenuto Cellini, Perseus, 1545-1554, Loggia dei Lanzi, Florence

Giambologna, Mercurius, 1564-1580, Bargello. Florence

Calcio Storico, sinds 1530 jaarlijks gehouden Florentijns voetbaltoernooi in historische kostuums

Leonardo da Vinci (1452-1519) universele genie van de Renaissance, parachutist

Pietro Aretino (1492-1556): Il Dialoghi (1536)

Giorgio Vasari (1511-1574): Le Vite (Erstausgabe 1550)

La sala delle commedie in het Uffizi, gebouwd in 1586

Galileo Galilei (1564-1642), astronoom en natuurkundige

Als gewetenloze huurling streed de Engelse condottiere John Hawkwood (1320-1394) in de twisten tussen de Toscaanse steden aan de zijde van Florence

In meerdere slagen vanaf 1406 veroverde Florence met Pisa de toegang tot de zee

Heroprichting van de stadsrepubliek Lucca in 1430, die tot 1799 onafhankelijk bleef

Cosimo de'Medici, regent in Florence (1434 1464)

Lorenzo de'Medici, regent in Florence (1469 1492)

1400   1450

Interieur Or San Michele, Florence, 14e eeuw

Brunelleschi, koepel in de dom van Florence, 1412-1436

Westgevel van de dom Santo Stefano, Prato, voltooid in 1457

Palazzo Rucellai, Florence, 1446-1461

Santa Maria delle Carceri, Prato, begonnen in 1484

Triomf van de dood, fresco in het Camposanto, Pisa, 2e helft 14e eeuw

Masaccio, Trinità, ca. 1427, Santa Maria Novella, Florence

Filippo Lippi, Verkondiging, ca. 1440, San Lorenzo, Florence

Piero della Francesca, Droom van keizer Constantijn, 1452-1466, San Francesco, Arezzo

Leonardo, Verkondiging, ca. 1470, Uffizi, Florence

Jacopo della Quercia, bronsreliëf, doopvont in het baptisterium, Siena, 1414-1429

Lorenzo Ghiberti, paradijsdeur, 1425-1452, Battistero, Florence

Donatello, David, 1430-1432, Bargello, Florence

Michelozzo en Donatello, buitenkant kansel, dom van Prato, 1428-1438

Andrea della Robbia, majolica van het Ospedale degli Innocenti, Florence, ca. 1463

Francesco Petrarca (1304-1374) 'Il Canzoniere' (1366)

Net als de kunst van de Renaissance (sinds begin 15e eeuw) richt ook de levensbeschouwing van het humanisme zich sinds midden 14e eeuw op de waarden en ideeën van de Oudheid

De fresco's in de pelgrimzaal van het hospitaal Santa Maria della Scala van Siena (1441-1444) tonen scènes van het Toscaanse hospitaalwezen

Bibliotheek in Siena, genoemd naar Enea Silvio Piccolomini (1405-1454), de latere paus Pius II

De herontdekking van de wetenschap van de Oudheid leidde in Florence in 1469 tot de oprichting van de platoonse academie

hun symbolen. De vier Griekse kerkvaders zijn Athanasius de Grote, Basilius de Grote, Gregorius van Nazianza en Johannes Chrysostomus.

Koepel (middeleeuws Latijn *cup(p)ula*: '(omstulpt) tonnetje, beker'), plafond- of dakvorm, overwelving van een ronde, vier- of meerhoekige ruimte in regelmatige krommingen. De overgang van de vierkante plattegrond naar de ronding van de koepelvorm kan op verschillende manieren worden bewerkstelligd: 1. bij de hangkoepel wordt de basis gevormd door een denkbeeldige cirkel rondom het vierkant van de plattegrond; 2. bij de Boheemse kap is, net als bij de hangkoepel, het te overkoepelen vlak kleiner dan het grondvierkant; 3. bij de pendentiefkoepel is een denkbeeldige hangkoepel horizontaal afgesneden boven de boog. Het zo ontstane cirkelvlak wordt overkoepeld door een halve bol (de hieruit voortkomende sferische driehoeken heten pendentieven, hangzwikken of hoekzwikken); 4. de trompenkoepel heeft zich niet uit het boloppervlak ont-

Land-art, Richard Long, Groene cirkel, 1985, Villa Celle, Pistoia

wikkeld, maar is een polygonaal kloostergewelf. Hierbij wordt de overgang van een vierhoekige ruimte naar een zes- of meerdelig gewelf bewerkstelligd door middel van trompen.

Kraagsteen, in een muur gemetselde uitspringende steen als drager van balken, gewelven enz. Ook wel console genoemd.

Kroonlijst, uitspringende, meestal geprofileerde horizontale rand die de geledingen van een gebouw bepaalt en het gebouw afsluit en tot een eenheid maakt.

Kruisbloem, de als knop of bloem gevormde bekroning van gotische torens, fiolen, wimbergen en dergelijke met kruisvormig bladwerk.

Kruisgang, een gewelfde, soms ook met een vlak plafond afgedekte omgang die de tuin van een klooster of een domkapittel omsluit en die de tot het klooster behorende ruimten met elkaar verbindt. Aan de zuidkant van het klooster dient de hij vaak als begraafplaats. De architectonische uitvoering en ook de aankleding van de dikwijls alleen op de begane grond aangelegde kruisgang hebben meestal een hoge artistieke waarde.

Kruiskoepelkerk, vorm van byzantijnse kerkgebouwen na de 7e eeuw. De plattegrond heeft de vorm van een Grieks kruis en het centrale deel wordt bekroond door een koepel. Dat geldt vaak ook voor de nevenruimten. (Venetië, San Marco).

Land-art, 20e-eeuwse kunststroming. De vormgeving vindt plaats in de openlucht. De artistieke ingre-

pen thematiseren de bijzondere eigenschappen van het landschap, problemen die de technische ontwikkelingen oproepen en de esthetische waarneming en reactie van de kunstenaars. De geestelijke wortels liggen in de landschapsschilderkunst van de 18e en de 19e eeuw.

Lantaarn (Latijn *lanterna* en Grieks *lamptera*: 'luchter', 'lamp'), ronde of vierkante van vensters voorziene opbouw op een koepel- of een gewelfopening.

Lisene, liseen (Frans *lisière*: 'lijst', 'rand'), verticaal verlopende, iets uit de muur springende band zonder kapiteel en basement, die zowel binnen- als buitenmuren structureert. Lisenen worden vooral toegepast in de Romaanse bouwkunst.

Loggia (Italiaans), een onoverdekte, door zuilen of pilaren gesteunde bogengang of bogenhal van gevarieerde lengte; als zelfstandig gebouw in Toscane bijvoorbeeld de Loggia dei Lanzi (begonnen in 1376) in Florence.

Lunette (Frans), muurveld boven deuren en vensters of als bekroning van een rechthoek in de vorm van een halve maan of sikkel.

Maaswerk, het met de cirkel afgemeten gotische bouwornament dat werd gebruikt voor de onderverdeling van de boogspitsen van grote vensters. Later werd deze ornamentele vorm ook gebruikt voor de geleding van puntgevels, wanden en andere vlakken.

Maestà (Italiaans: 'majesteit', 'in heerlijkheid tronend'), benaming voor de weergave van een tussen engelen tronende madonna met kind. Dit motief is overwegend te vinden in de Italiaanse schilderkunst van de 13e en de 14e eeuw.

Majolica, Italiaanse benaming voor witgeglazuurd, beschilderd keramiek; het Italiaanse begrip is afgeleid van de naam van het eiland Mallorca, het vroegere han-

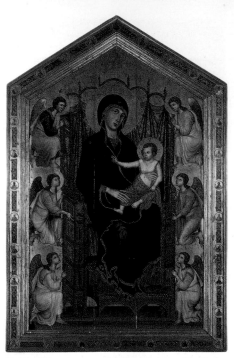

Duccio di Buoninsegna, Maestà, (Madonna Rucellai), 1285, tempera op paneel, 450 x 290 cm, Galleria degli Uffizi, Florence

delscentrum van Majolica. Het synoniem 'faience' is afgeleid van de Franse benaming *Faïence* voor Faenza, het belangrijkste Italiaanse productiecentrum.

Maniera greca (Italiaans: 'Griekse wijze'), benaming voor bepaalde stijlelementen in de Italiaanse schilderkunst van de 13e en begin 14e eeuw die naar Byzantijns voorbeeld gemaakt zijn. Het begrip schijnt voor het eerst door Lorenzo Ghiberti (1378-1455) gebruikt te zijn, die daarmee een heel tijdperk aanduidde. Later nam Giorgio Vasari (1511-1574) het begrip over. Hij gebruikte

Mozaïek, Feestmaal van Herodes (detail), ca. 1225, Battistero San Giovanni, Florence

de term vooral voor de tweedimensionale schilderkunst waarin duidelijk de nadruk op de contouren lag, waardoor een plechtige en tegelijk starre indruk ontstond. De Byzantijnse invloeden worden onder andere duidelijk in de geschilderde crucifixen en madonnaschilderijen. De *maniera greca* was van bijzonder groot belang in Toscane, waar deze de basis vormde voor het werk van Cimabue, Duccio en Giotto. Aan het eind van de 13e eeuw verloor de maniera greca haar betekenis en werd ze geleidelijk door nieuwere tendensen verdrongen, die nu vroeg- of protorenaissancistisch worden genoemd.

Maniërisme, maniëristisch (Frans *manière*: 'manier', 'wijze'; Latijn *manuarius*: 'tot de handen behorend'), kunsttijdperk tussen de Renaissance en de Barok van ongeveer 1520 tot 1600. Ten tijde van het Maniërisme werden de in de Renaissance ontwikkelde ideale vormen, proporties en composities opgeheven. Zo kenmerkt de schilderkunst zich door het verlevendigen van de beelden, het uitrekken van de lichamen en de weergave hiervan in onrealistische houdingen, zeer gecompliceerde composities en irrationeel, sterk theatraal gebruik van licht.

Mantelmadonna, in de schilderkunst de uitbeelding van Maria die de gelovigen beschermend met haar mantel omvat. Het gebaar van de mantelbescherming komt oorspronkelijk uit juridisch-profane kringen: kinderen werden gelegitimeerd en geadopteerd doordat de vader hen onder zijn mantel nam. Hooggeplaatste personen (vooral vrouwen) mochten bescherming bieden aan vervolgden en genade voor hen vragen. Dit mantelbeschermingsrecht van vrouwen werd overgedragen op Maria. Hulpbehoevenden die onder de bescherming van de mantel stonden, waren in zekere zin ook voor de dienaren der wet onaantastbaar.

Mecenas, opdrachtgever en begunstiger van de kunsten. De benaming gaat terug op de Romeinse edelman Gajus Cilnius Maecenas (ca. 70-8 v.Chr.) die als speciale beschermer van de dichters Horatius (65-8 v.Chr.) en Vergilius (70-19 v.Chr.) optrad.

Medaillon (Frans *médaillon*: 'grote medaille'), beeld of reliëf in een ronde of elliptische omlijsting.

Memento mori (Latijn: 'gedenk de [jouw] dood!'), vermanende herinnering aan de onvermijdelijkheid van het sterven en de vergankelijkheid van alle aardse goederen. Verwijzend naar een vooral in het christelijk denken morele vormgeving van het leven. Tegelijk herbergt zich achter deze verwijzing de dreiging dat een mens die niet rechtschapen en in eerbied voor God geleefd heeft, met de verschrikkingen van het 'laatste oordeel' en 'eeuwige verdoemenis' te maken krijgt. Het begrip werd al rond de 13e eeuw gebruikt.

Mezzanino (Italiaans: 'halve verdieping'; Latijn *medianus*: 'middelste'), in de paleisarchitectuur van de Renaissance en de Barok een lage tussenverdieping, meestal tussen de begane grond en de eerste verdieping. De boven de dakaanzet gebouwde halve verdieping wordt ook wel attiekverdieping genoemd.

Middenschip, bij opvallend langwerpige kerken het deel tussen de westbouw (voorgevel) en de viering (het kruisigingsgebied van middenschip en dwarsschip). Het

middenschip kan eenbeukig, zoals de zaalkerk, of meer-
beukig zijn, zoals de basiliek en de halkerk.

Minorieten (Latijn *Ordo Fratrum Minorum*: 'Orde van de
Minderbroeders'), sinds 1517 een zelfstandige tak van
de franciscanenorde.

Mozaïek (Latijn *musaicum, musivum*; naar Grieks *mou-
sa*: 'muze', 'artistieke werkzaamheid'), een uit verschil-
lend gekleurde geslepen stenen, steensplinters, leem-
punten of stukken glas samengestelde ornamentele of
figuurlijke vlakkendecoratie, die in de Oudheid vooral
werd gebruikt ter versiering van vloeren. In Italië
(Rome, Ravenna) bereikte de techniek in de 5e eeuw tot
de 6e eeuw de hoogste perfectie met de opkomst van
het glasmozaïek; in die periode nam men ook de beeldende elementen uit de schilderkunst over.

Necropolis (Grieks *nekros*, 'dode', en *polis*, 'stad';
Spaans *necrópolis*), buiten de stadsmuur aangelegde
begraafplaats in de Oudheid en in het vroege christendom.

Non finito (Italiaans: 'onvoltooid', 'niet beëindigd'),
benaming voor een bewust onvoltooid gelaten beeldhouwwerk; oorspronkelijk gebruikt in de context van de
beschrijving van enige werken van Michelangelo (1475-
1564), waaronder de 'Pietà Rondanini' (Milaan, Castello
Sforzesco). Vaak gebruikt om de expressiviteit van een
beeldhouwwerk te verhogen.

Octogoon (Grieks *okto*, 'acht', en *gonia*, 'hoek'), achthoek, elk gebouw waarvan de plattegrond een regelmatige achthoek vormt. In de Oudheid symbool voor de
voltooiing van de kosmos.

Olivetanen, een in 1313 door Bernardo Tolomei (1272-
1348) en twee andere, uit Siena stammende burgers
(Ambrogio Piccolomini en Patrizio Patrizi) gestichte
orde op basis van de regels van Benedictus, in 1344
door de paus goedgekeurd. Plaats van stichting is

*Non finito, Michelangelo Buonarroti, Mattheus, ca.
1503-1505, marmer, h 271 cm, Galleria
dell'Accademia, Florence*

Accona. De orde is naar de Monte Oliveto (olijfberg)
vernoemd. Maatgevend zijn de regels van de heilige
Benedictus. Daarvan wijkt de Olivetanenorde vooral af

door de veelvuldige wisseling van plaats en daarmee van klooster, en ook door het toestaan van een kortere ambtstijd. Beide waarborgen een grotere beweeglijkheid binnen de orde. De kortere ambtstijd moet bovendien ambtsmisbruik voorkomen.

Oratorium (Latijn *orare*: 'vragen', 'spreken'), kleine privé-kapel voor gebed en dienst. Aanvankelijk alleen aan geestelijken en vorsten voorbehouden; sinds de 16e eeuw gedeeltelijk openbaar toegankelijk.

Oudheid (Frans *antique*: 'oud, ouderwets'; naar Latijn *antiquus*: 'oud') de Grieks-Romeinse Oudheid. Deze begint met de vroeggriekse immigratie in de 2e eeuw v.Chr. en eindigt in het westen in 476 n.Chr. met het afzetten van de Romeinse keizer Romulus Augustulus en in het oosten met de sluiting van de platoonse academie door keizer Justinianus (482-565 n.Chr.).

Palazzo (Italiaans: 'paleis'), in de functie van paleis een vorstelijke residentie; als zodanig een rijkversierd en royaal gebouwd representatief woonhuis voor adellijke en burgerlijke opdrachtgevers.

Paradijspoort (Grieks *paradeisos*: 'tuin'; Latijn *porta*: 'poort', 'deur'), oorspronkelijk wordt met paradijs de siertuin van oriëntaalse vorsten bedoeld en daarnaast de goddelijke hof van Eden. Sinds de 6e eeuw is het net als het atrium een door zuilen omgeven ruimte, bedoeld als ingang van een kerkgebouw. Daarbij worden ook de voorportalen gerekend die direct achter de hoofdingang van de kerk gelegen zijn. De paradijspoort vormt de ingang naar het paradijs en die is vaak versierd met een afbeelding van het Laatste Oordeel. De plek wordt vaak gebruikt voor liturgische processies en begrafenissen. In het paradijs is ook het zogenaamde kerkasiel –voor een bepaalde tijd beschutting bieden aan gerechtelijk vervolgden– van toepassing.

Parnassus (Grieks *Parnassos*, berg bij Delphi, Griekenland), sinds de Griekse Oudheid zetel van de god Apollo en de negen muzen. Later ook het rijk der dichtkunst. Daarom wordt Parnassus sinds de Renaissance, vooral in de Barok, neergezet met een tronende Apollo, omgeven door de muzen, de negen godinnen der kunsten. Als bekroning verschijnt vaak de vliegende Pegasus, het gevleugelde paard met bijzondere krachten.

Pas, de driekwartcirkel in het gotische maaswerk. Afhankelijk van het aantal cirkelsegmenten spreekt men van drie-, vier-, vijf- of zespas.

Patriarch (Grieks: 'vader', en *archein*, 'de eerste zijn, heersen'), in het Oude Testament de benaming voor het hoofd van een familie of stam, later vooral voor de stamvaders van Israël (speciaal voor Abraham, Izaäk en Jakob). Sinds de 5e eeuw wordt er het hoofd van een kerkelijke provincie mee bedoeld. Tegelijkertijd wordt de uitdrukking gebruikt als eretitel voor bisschoppen. Ook nu nog worden de paus en de bisschoppen van Venetië, Lissabon en Jeruzalem patriarchen genoemd. In het jodendom, geldt een vergelijkbare betekenis, zowel voor de orthodoxe als de oriëntaalse kerken.

Pendentief (Frans: 'hangboog'), van een vierkante plattegrond naar de ronding van een koepel leidend gewelf, in een driehoeksvorm (wig).

Pijlers

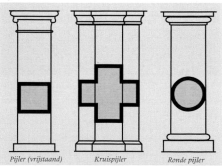

Pijler (vrijstaand)   Kruispijler   Ronde pijler

Perspectief (Latijn *perspectiva*: 'doorheenkijkend'), uitbeelding van driedimensionale voorwerpen op een tweedimensionaal beeldvlak. Door de perspectief ontstaat een met onze waarneming overeenkomende ruimtelijke indruk. In de Italiaanse Renaissance werd de wiskundig juiste perfectief door Filippo Brunelleschi ontdekt en Leonardo da Vinci werkte de wetmatigheden van de centraal- en lineairperspectief uit. De in de diepte/verte verlopende, onderling evenwijdige rechte lijnen die van de toeschouwer uitgaan, snijden elkaar in een punt, het verdwijnpunt (vluchtpunt). Als het punt vanwaaruit de beschouwer de ruimte ziet erg hoog ligt, verschijnen de voorwerpen in 'vogelvluchtperspectief'; als het erg laag ligt, is er sprake van een 'kikvorsperspectief'. De parallelperspectief is een tegenpool van de centraalperspectief.

Piano nobile (Italiaans), ook bel-etage, de meestal boven de benedenverdieping gelegen hoofdverdieping van een gebouw, waar de representatieve ruimten zich bevinden.

Pietà (Italiaans: 'erbarmen', 'mededogen'; Latijn *pietas*: 'vroomheid') (ook vesperbeeld), weergave van de treurende moeder Gods, die het lichaam van Christus in haar armen houdt.

Pilaar, pijler (Latijn *pila*), verticale stut met vierkante, recht- of veelhoekige dwarsdoorsnede, die verdeeld kan zijn in een basis (voet), schacht (middendeel) en kapiteel (kopstuk). Afhankelijk van positie en vorm kan er onderscheid gemaakt worden tussen vrije, wand-, hoek- en steunpilaren (pijlers buiten het bouwwerk die muren, gewelf en dak ondersteunen).

Pilaster (Italiaans *pilastro* en Latijn *pila*: 'pilaar'), enigszins uitspringende, rechthoekige muurpijler die het hoofdgestel draagt, de muur versterkt en de wandvlakken verdeelt. Voorzien van een basement, schacht en kapiteel en vaak van cannelures (ondiepe verticale richels).

Pinakel (Grieks *phiale*: 'vat', 'urn'), gotisch sierelement, een klein torentje met een vier- of achthoekig, hoog spits dak, vooral te vinden op de puntgevel boven vensters en portalen of als bekroning van een steunpijler (aanvullend op pijlers die de last van een gewelf of het dak dragen aan de buitenkant van een gebouw).

Polyptiek (Grieks *polyptichos*: 'rijkgeplooid'), veeldelig altaarpaneel met meer dan twee vleugels, vooral geschikt ter veraanschouwelijking van omvangrijke programma's.

Porticus (Latijn: 'zuilengang', 'hal'), een meestal open, door zuilen of pilaren gedragen uitbouw aan de kant van de hoofdingang. Deze uitbouw heeft doorgaans een puntgevel.

Predella (Italiaans: 'verhoging', 'voetenbank'), voet of sokkel van een vleugelaltaar. Bevat vaak relieken. Meestal met geschilderde of houtgesneden taferelen.

Presbyterium (Grieks *presbyterion*: 'raad der oudsten') (ook koor), een verhoogde, aan de geestelijken voorbehouden plaats achter in het middenschip van een kerk, op de plaats van het hoofdaltaar.

Protorenaissance (ook wel vroege Renaissance of Vroegrenaissance), een door Jacob Burckhardt gebruikt stijlbegrip voor het teruggrijpen –in enige vorm– op de Oudheid in de kunst van de Middeleeuwen, vóór de eigenlijke Renaissance. Deze stijl uit zich onder andere in de overname van klassieke bouwvormen en motieven in de bouwkunst van Italië, vooral sinds de 11e eeuw in Toscane (bijvoorbeeld Florence, San Miniato al Monte, baptisterium, beide 11e/12e eeuw). Sterke tendensen tot antiquiseren zijn vooral te zien in de beeldhouwkunst van Zuid-Italië onder Frederik II (triomfboog in Capua), waarbij een bewust teruggrijpen op het Romeinse machtsdenken een rol speelt. De term Protorenaissance wordt in de kunstgeschiedenis vooral gebruikt in samenhang met bouwwerken in de Proven-

Reliëf, Lorenzo Ghiberti, Mozes, 1425-1452, brons,
80 x 80 cm, paradijsdeur (detail), Battistero San
Giovanni, Florence

ce (Provençaalse bouwschool) en de beeldhouwkunst van Nicola Pisano (ca. 1220-voor 1284), die zich liet inspireren door Romeinse sarcofagen.

Putto (Italiaans: 'knaapje'; Latijn *putus*: 'knaap'), klein, naakt, vaak gevleugeld kinderfiguurtje; in navolging van de klassieke eroten en de gotische kinderengelen.

Quattrocento (Italiaans: 'vierhonderd'), Italiaanse benaming voor de 15e eeuw.

Refter (Italiaans *refectorium*, Latijn *reficere*: 'herstellen'), kloosterlijke eetzaal. Vaak wordt er onderscheid gemaakt tussen een zomer- en winterrefter.

Reliëf (Frans, naar Latijn *relevare*: 'verheffen'), de door beitelen of modelleren uit één vlak opgewerkte weergave. Op grond van plastische diepte kunnen drie soorten reliëfs worden onderscheiden: vlak-, half- en hoogreliëf.

Reliek, relikwie (Latijn *reliquiae*: 'overblijfsel', 'restant'), lichaamsdeel van een heilige of een uit diens bezit stammend voorwerp dat door gelovigen wordt aanbeden.

Reliquiarium (naar Latijn *reliquiae*: 'overblijfsel', 'restant'), een meestal artistiek vormgegeven reliekhouder.

Renaissance (Frans: 'wedergeboorte'; Italiaans *rinascimento*), de in Italië ontstane cultuur van de 15e en 16e eeuw. De late fase van 1530 tot 1600 wordt ook wel de periode van het Maniërisme genoemd. De aanduiding gaat terug op het in 1550 door Giorgo Vasari geïntroduceerde begrip 'rinascita' (wedergeboorte), die daarmee in eerste instantie alleen de overwinning van de middeleeuwse kunst wilde aanduiden. Door het humanisme, dat in navolging van het klassieke voorbeeld naar vorming van een nieuwe mens-, wereld- en natuuropvatting streefde, ontwikkelde zich onder andere het beeld van de 'uomo universalis', van de geestelijk en lichamelijk begaafde en ontwikkelde mens. Zo promoveerden de beeldende kunsten van handwerk naar vrije kunsten, waardoor de kunstenaars een hogere status en een groter zelfbewustzijn kregen. Kunst en wetenschap stonden in direct verband met elkaar en beïnvloedden elkaar, zoals is gebleken uit de ontdekking van wiskundig te berekenen perspectieven en anatomische inzichten. De bouwkunst was vooral gericht op de architectuurtheorieën van Vitruvius (ca. 84 v.Chr.) en onderscheidde zich bovenal door de opname van klassieke bouwelementen en de ontwikkeling van paleis- en slotarchitectuur. De centraalbouw –gebouwen met even lange hoofdassen– werd het typische bouwontwerp van deze stijlperiode.

Rilievo schiacciato (Italiaans: 'gedrongen, samengedrukt, plat reliëf'), door Donatello (1386-1466) ontwikkelde techniek van de minutieuze bewerking van een oppervlak in reliëf, een plastische weergave op een vlak, waardoor op een bijzondere manier een schilderachtig effect en de illusie van diepte worden bereikt.

Romaanse stijl (Latijn *Romanus*: 'Romein(s)'), begrip dat in het eerste kwart van de 19e eeuw in Frankrijk werd geïntroduceerd voor de op het vormenrepertoire van de Romeinse architectuur (bijvoorbeeld rondboog, pijler, zuil, gewelf) geïnspireerde westerse bouwkunst van de vroege Middeleeuwen. De kunst omvatte de tijdspanne vanaf ongeveer het jaar 1000 tot aan het midden van de 13e eeuw. In Midden-Frankrijk werd deze kunststijl halverwege de 12e eeuw vervangen door de vroege Gotiek. Overal kwam het tot de vorming van nationale idiomen en stijlkenmerken. Vooral in Bourgondië, Normandië, Noord-Italië en Toscane werd de kunst sterk ontwikkeld. Het belangrijkste onderdeel is de kerkbouw. Kenmerken van de Romaanse kunst zijn onder andere de toevoeging van afzonderlijke, plastisch uitgewerkte bouwsegmenten en de duidelijke, opzettelijk aangebrachte afwisseling van cilindrische vormen met kubusvormen.

Rustica, Palazzo Strozzi, begonnen 1489, Florence

Rozet (Frans: 'roosje', 'roosvormig strikje'), zeer oud ornament van om het middelpunt van een cirkel gerangschikt bladwerk.

Rotonde (Italiaans *rotonda*), centraalbouw op een ronde of polygonale plattegrond; vrijstaand of als onderdeel van een gebouw.

Rustica (Latijn *rustica*: 'landelijk/rustiek'), buitenmuurwerk van grofgehouwen steenblokken, vooral zichtbaar aan de Toscaanse bouwwerken van de vroege Renaissance.

Sacristie (Latijn *sacristia*, naar *sacer*: 'heilig', 'gewijd'), een nevenruimte van een kerk, bedoeld voor de priesterlijke voorbereiding en de plaats waar de priester zich kon verkleden, tevens bewaarplaats van religieuze cultusvoorwerpen en gewaden.

Sarcofaag (Grieks *sarkofagos*: 'vleeseter'), rijkversierde doodskist, meestal vervaardigd van hout, metaal, leem of steen.

Scholastiek (Latijn *scholasticus*: 'tot een school behorend'), de op de filosofie van de Oudheid, de exegese van de Bijbel en de uitspraken van religieuze leraren gebaseerde filosofie en wetenschap van de Middeleeuwen.

Segmentboog, ook vlakke boog genoemd. De boogvorm bestaat uit minder dan een halve cirkel. Het middelpunt bevindt zich onder de steenlaag tussen muur en pijlers of zuilen en bogen.

Seicento (Italiaans: 'zeshonderd'), Italiaanse benaming voor de 17e eeuw.

Servieten (Latijn *Ordo Servorum Mariae*: 'Orde van de Dienaren van Maria'), orde die naar aanleiding van een Maria-verschijning in 1233 door zeven vooraanstaande burgers van de Stad Florence werd gesticht. De regels van de augustijnenorde vormen de basis. De servieten wijden zich aan geloofsverkondiging, zielzorg en opvoeding en geven les aan de pauselijke theologische faculteit 'Marianum' in Rome.

Sgraffito (Italiaans, naar *(s)graffiare*: 'krassen'), decoratieve vormgevingstechniek voor voorgevels, waarbij een tekening op een zwartgemaakte muur vervolgens met witkalk wordt bestreken. Deze witte kalklaag wordt ingekrast, waardoor zwarte lijnen ontstaan. Sgraffito werd vanaf de 14e eeuw vooral in Toscane gebruikt. Het eerste en belangrijkste voorbeeld ten noorden van de Alpen is het residentieslot te Dresden. Zeer goed houdbaar in de openlucht, in tegenstelling tot fresco. In de aardewerkproductie is de term sgraffito als decoratietechniek eveneens gebruikelijk.

Sibylle (Grieks *sibylla*: 'profetes'), profetes in de Oudheid die geboorte, passie of wederopstanding kon voorspellen. Oorspronkelijk was er in de Oudheid sprake van een, later twee en tot slot tien sibyllen. In het vroege christendom werd het aantal tot twaalf uitgebreid, overeenkomstig de twaalf profeten van het Oude Testament.

Signoria (Italiaans: 'heerschappij'), sinds de Middeleeuwen het bestuur van Italiaanse steden. Een Signoria stond meestal onder voorzitterschap van één enkele familie.

Sinopia (Italiaans: 'ijzeroker', 'rode aarde'), de originele ondertekening van een fresco, een wandschildering op natte, verse kalk. De uitdrukking is afgeleid van de stad Sinope aan de Zwarte Zee, waar de voor een sinopia gebruikte rode aarde wordt gewonnen.

Spolia (Latijn *spolium*: 'buit'; van *spoliare*: 'beroven', 'plunderen'), wapenbuit; elementen van een gebouw of kunstwerk die geroofd en later hergebruikt werden.

Stucwerk (Italiaans *stucco*: 'afgehakte bast'), een snel hard wordend mengsel van gips, kalk, zand en water. Afhankelijk van de toevoegingen, bijvoorbeeld marmer of kalk, onderscheiden we gipsstuc, stucmarmer (*stucco lustro*), kalkstuc, cementstuc en grijze stuc. Gemakkelijk te vormen materiaal dat gebruikt wordt voor het versieren van plafonds en wanden en het herstellen van aangebrachte decoraties, het maken van profielen met sjablonen of het slijpen en polijsten van pleisterwerk.

Tabernakel (Latijn *tabernaculum*: 'kleine tent', 'kleine hut'), in de architectuur de uit zuilen en spitsdak gevormde nis, vaak voor standbeelden (bijvoorbeeld op gotische steunpijlers); houten kist voor gewijde hostie.

Tafelpaneel (Latijn *tabula*: 'plank'), een op een houten plank (in kleinere formaten ook op koper) geschilderde afbeelding. Tafelpanelen kwamen op in de 12e eeuw en werden later door linnen verdrongen.

Tamboer (Oudfrans; Arabisch *tanbur*: 'trommel') (ook koepeltam-

Sacristie, S. Spirito, 1488-1492, Florence

boer), cilindervormige of veelhoekige, meestal van vensters voorziene, ingevoegde trommel op het grondvlak van de koepel.

Tempera (Latijn *temperare*: 'vermengen'), schildertechniek waarbij de kleurpigmenten met een bindmiddel van ei, lijm of caseïne (een belangrijk eiwitbestanddeel van melk) worden gemengd. Vergeleken met olieverf droogt temperaverf zeer snel, zodat nat-in-nat-schilderen niet mogelijk is. Daardoor worden fijne schakeringen en overgangen bereikt met veel lagen parallel uitgevoerde penseelstreken. Door het kleurverschil tussen natte en droge tempera is het bij overschilderen moeilijk dezelfde tint te verkrijgen. Vanaf de 15e eeuw werd temperaverf in toenemende mate verdrongen door olieverf, maar tegen het eind van de 19e eeuw werd de verf weer populair.

Terracotta (Italiaans, naar Latijn *terra*, 'aarde' en Italiaans *cotta*, 'gebrand'), gebrande, ongeglazuurde klei die al in de Oudheid als materiaal voor architectuur en bouwplastische elementen diende, ook gebruikelijk voor reliëfs, gereedschap en kleinplastiek. Uit Florence stammen de geglazuurde terracottareliëfs van Luca en Andrea della Robbia, die met hun opvallende werk in de 15e en de 16e eeuw een monopoliepositie verwierven.

Timpaan (Grieks *tympanon*: 'trommelvel', 'pauk'), het bogenveld boven een portaal of een vlak in een puntgevel. Meestal plastisch gedecoreerd en in de gotische kathedraalsculptuur onderdeel van het omvangrijke programma.

Tondo (Italiaans: 'kogel', 'schaal'; naar Latijn *rotundus*: 'rond'), rond schilderij of reliëf.

Torso (Italiaans: 'stronk', 'romp'), oorspronkelijk een onvoltooid of onvolledig bewaard gebleven klassiek beeldhouwwerk. Sinds de 16e eeuw is de torso echter ook een beeldhouwkundig ontwerp waarbij bewust

Tabernakel, Andrea Orcagna, 1359, marmer, Or San Michele, Florence

wordt afgezien van het weergeven van het hoofd of de armen. Ook met betrekking tot gebouwen spreekt men tegenwoordig van torso's.

Travertijn (Italiaans *Travertino*, Latijn *Tiburtinus lapis*: 'Tiburtijnse steen'), een uit de Abruzzen (bij de huidige stad Tivoli) afkomstige, poreuze tufsteen, die verwerkt is in smalle banden van verschillende kleuren: in witachtige, geel- tot bruinachtige of groene tinten; aan oudere bouwwerken ook in intens goudgeel. De goed te polijsten travertijn werd al in de Griekse Oudheid gebruikt en in het antieke Rome gaf men de voorkeur aan dit bouwmateriaal. Zo werd het Colosseum (vanaf 70 n.Chr.) ermee bekleed. Travertijn wordt vaak als bouw- en bekledingssteen gebruikt en slechts zelden als beeldhouwsteen.

Tondo, Filippo Lippi, Madonna met kind, ca. 1450, tempera op paneel, ø 135 cm, Galleria Palatina, Palazzo Pitti, Florence

Trecento (Italiaans: 'driehonderd'), Italiaanse benaming voor de 14e eeuw.

Triforium (Latijn: 'driebogenopening'), een loopgang onder de vensters van het middenschip, transept en koor. In basilieken bevindt het triforium zich vaak op de hoogte van het dak van het zijschip, tussen de onderste arcaden en/of galerijen en de lichtbeuk. Er wordt onderscheid gemaakt tussen een echt triforium en een blind of schijntriforium. Bij een echt triforium loopt er bijna zonder onderbreking een gang achterlangs, terwijl een schijntriforium uit een reeks blinde bogen of nissen zonder achterliggende gang bestaat. Was tussen 1100 en 1260 vooral gangbaar in Frankrijk en in de omgeving van Keulen en Basel.

Tromp (Frans: 'jachthoorn'), in de bouwkunst een deelgewelf in de vorm van een holle kegel met naar onderen

gekeerde opening. De zo ontstane hoekige trechter bevindt zich daarbij tussen twee muren die een rechte hoek vormen. Boven een vierkant, bijvoorbeeld een viering, kan tussen vier trompen aan de hoeken een trompenkoepel worden gebouwd. Vaak in baksteen uitgevoerd. De tromp werd in de Romeinse en islamitische gewelfbouw ontwikkeld. Een voorbeeld uit begin 5e eeuw is de San Lorenzo in Milaan.

Venstergalerij (lichtbeuk), zone in het bovenste deel van de wand van het middenschip van een basiliek.

Viering, de ruimte die ontstaat door de kruising van middenschip en transept.

Volto santo (Italiaans; Latijn *voltus sanctus*: 'heilig gelaat'), benaming voor een meer dan levensgroot houten crucifix in de dom van Lucca, dat de gekruisigde weergeeft in een tuniek met lange mouwen en met een gordel om zijn middel. Het uit de 13e eeuw stammende crucifix vervangt een ouder exemplaar dat volgens de legende door de in het Nieuwe Testament genoemde Nicodemus gemaakt zou zijn. Engelen houden het gelaat van de stervende Jezus vast: dit verklaart de naam 'Volto santo'. Sinds de 11e eeuw is de verering van het crucifix als genadebeeld bekend. Ten noorden van de Alpen leidt de sinds de late Middeleeuwen plaatshebbende verspreiding van dit type tot verwisseling met de zogenaamde Wilgefortis, de madonna van het verdriet, die vaak als bebaarde, in het wit geklede en gekroonde vrouw aan het kruis wordt weergegeven.

Voluut (Latijn *volutum*: 'het opgerolde'), spiraalvormig ornament, oorspronkelijk aan een Ionisch kapiteel. Ook als verbinding tussen een smalle gevel van een hogere verdieping en een bredere gevel van de benedenverdieping.

Votiefbeeld (Latijn *votivus*: 'beloofd', 'gewijd'), een aan een heilige of aan god gewijd beeld dat bescherming moet geven tegen gevaar en dat een gebedsverzoek

kan steunen; dient als teken van dankbaarheid bij een ingewilligd verzoek.

Wang, ornamentele zijkant van een koorgestoelte.

Welfen (ook: Guelfen), van 1212 tot 1218 Florentijnse aanhangers van de Welfische Otto IV (1198-1218) en de paus. Ze zijn de onverzoenlijke tegenstanders van de Ghibellijnen in de strijd om de suprematie van de keizerlijke of pauselijke autoriteit. De vijandschap hield aan tot in de 16e eeuw.

Wimberg, gotische siergevel boven vensters en portalen, vaak voorzien van blind maaswerk of andere versiering.

Zaalkerk (Grieks *kyriakon*: 'het tot de Heer behorende'), enkelbeukige kerk, bestaande uit een onverdeelde ruimte.

Zachte stijl, ook internationale stijl of 'dolce stil nuovo' genoemd, stroming in de Europese kunst tussen 1380 en 1430. Fase van de late Gotiek respectievelijk de voorbereiding op de vroege Renaissance. Een nieuw concept van plastische en schilderachtige vormgeving, een fijnzinnige weergave, een toenemende dematerialisering van de menselijke figuur en een stoffelijke, driedimensionale modellering –bijvoorbeeld in de zogenaamde 'mooie madonna's'– verlenen de beeldhouw- en schilderkunst een nieuwe intensiteit in licht en kleur ten gunste van het immateriële (meester Theoderich, meester Bertram, Jean de Bruges). Opdrachtgevers waren vooral het patriciaat en de vorstelijke hoven; vroege centra zijn de hoven in Parijs, Bourgondië en Praag en het aartsbisdom Keulen.

Zuilenorde, antiek, vaststaand architectuursysteem, waarbij zuilen, kapiteel, architraaf (de last van dragende balken) en lijsten (horizontale, uitstekende banden) op elkaar zijn afgestemd. In de Griekse bouwkunst wordt onderscheid gemaakt tussen de Dorische, de Ionische en de Corinthische orde. In de Romeinse architectuur worden deze orden in wezen overgenomen. Er zijn echter ook variaties, zoals de Toscaanse orde met Dorische elementen en de composietorde met Ionische en Corinthische bouwvormen.

Zwevende boog, een vrije, tussen gebouwen gemetselde boog die de overbrenging van de horizontale druk dient. Vanwege deze functie bevindt de zwevende boog zich vaak in nauwe stegen of straatjes. Zo nu en dan wordt er ook de luchtboog van een gotische kathedraal mee bedoeld.

Zwik, hoekstuk tussen een boog en de rechthoekige omlijsting waarin deze gevat is. Hangzwikken vormen bij de koepelbouw de sferische driehoeken in de overgang van een vierkante plattegrond naar de ronding van de koepel.

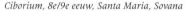

Ciborium, 8e/9e eeuw, Santa Maria, Sovana

Kunstenaarsbiografieën

Alberti, Leon Battista (1404 Genua-1472 Rome) belichaamde het begrip 'uomo universale', de allesomvattende, begaafde humanistische geleerde. Hij woonde van 1432 tot 1434 in Rome; vervolgens in Bologna, Mantua en Ferrara. Vanaf 1443 verbleef hij opnieuw overwegend in Rome. Alberti was als raadgever van rijke Italiaanse families werkzaam en ontwierp als architect onder andere het Palazzo Rucellai en de voorgevel van de Santa Maria Novella in Florence en de Sant'Andrea in Mantua. Van zijn talrijke geschriften zijn de *Tien boeken over de bouwkunst* de belangrijkste en ze vormen de basis van zijn roem als belangrijkste kunsttheoreticus van het Quattrocento.

Ammanati, Bartolommeo (1511 Settignano bij Florence-1592 Florence) werd bij Baccio Bandinelli in Florence en bij Jacopo Sansovino in Venetië tot beeldhouwer opgeleid. Vervolgens keerde hij terug naar Florence en vestigde zich daar, afgezien van een verblijf in Padua, Rome, Pisa en Napels. Als maniëristisch beeldhouwer in navolging van Michelangelo ontwierp hij overwegend fonteinen en grafmonumenten. Ammanati dankt zijn roem aan het feit dat hij als een van de belangrijkste architecten van de vroege Barok in Italië geldt, vooral door de uitvoering van de voorgevel van het Collegio Romano in Rome, de Ponte Trinità en de tuinkant van het door Brunelleschi begonnen Palazzo Pitti in Florence.

Andrea del Sarto (1486 Florence-1530 Florence), eigenlijk Andrea d'Agnolo di Francesco, kreeg zijn bijnaam door het beroep van zijn vader, een kleermaker (Italiaans *sarto*). Volgens Vasari leerde Andrea aanvankelijk voor goudsmid en zette hij zijn opleiding voort bij Piero di Cosimo. Vanaf 1508 werd hij tot lid van het gilde 'Medici e Speziali', waartoe ook schilders behoorden, benoemd. Vanaf 1511 werkt hij in een atelier, samen met Jacopo Sansovino en waarschijnlijk ook Franciabigio. In 1518 ging hij op uitnodiging van Frans I naar het slot Fontainebleau. Hij keerde reeds een jaar later terug naar zijn geboortestad. Andrea del Sarto voerde belangrijke opdrachten voor fresco's en altaarstukken uit. Hij geldt, naast Fra Bartolommeo, als

Onbekende kunstenaar, portret Leon Battista Alberti, 17e eeuw, olieverf op doek, 63 x 45 cm, Galleria degli Uffizi, Florence

een van de meesters van de Hoogrenaissance in Florence en als een van de wegbereiders van het Maniërisme.

Arnolfo di Cambio (ca. 1245 Colle Val d'Este bij Siena-ca. 1302 Florence) werd in de jaren '60 van de 13e eeuw opgeleid in de werkplaats van Nicola Pisano in Pisa en Siena. Vanaf 1276 leefde hij in Rome, waar hij onder andere het grafmonument van kardinaal Annibaldi in de San Giovanni in Laterano en van paus Hadrianus V in de San Francesco bij Viterbo maakte. In 1281 werkte Arnolfo in Perugia, in 1282 in Orvieto en vervolgens weer in Rome. In 1296 keerde hij naar Florence terug. Daar was hij werkzaam als

beeldhouwer en architect, onder andere voor de nieuwbouw van de dom.

Bandinelli, Baccio (1488-Gaiole, Chianti-1560 Florence),
eigenlijk Bartolommeo Brandini, werd door beeldhouwer
Francesco Rustici opgeleid. Als trouwe volgeling van de
De'Medici kreeg hij veel opdrachten van de machtige
familie, vooral van de Medici-pausen Leo X en Clemens
VII en later van groothertog Cosimo I. Hij beconcurreerde
Michelangelo met zijn belangrijkste werk 'Hercules en
Cacus', een monumentale marmergroep op de Piazza della Signoria in Florence. Belangrijk zijn ook de kleine bronzen figuren en ontwerpen voor gravures van deze belangrijke vertegenwoordiger van het Maniërisme.

Barbarossa zie Frederik I, keizer

Barozzi, Giacomo (1507 Vignola bij Modena-1573 Rome),
genaamd Vignola, kreeg in Bologna aanvankelijk een
opleiding tot schilder. Hij richtte zich echter al snel op de
architectuur. Rond 1530 kwam hij voor het eerst naar
Rome, waar hij zich in 1546 in dienst van de familie Farnese voorgoed vestigde, na een kort verblijf in Frankrijk en
Bologna. Hier ontstonden belangrijke en invloedrijke
bouwwerken, zoals de samen met Vasari en Ammanati in
maniëristische stijl gebouwde Villa Giulia en de kerk Il
Gesù. In 1546 volgde de benoeming tot leidinggevend
architect van de St. Pieter.

Bartolo di Fredi (ca. 1330-1410 Siena) wordt voor het eerst
in 1353 in documenten vermeld. Hij opende toen samen
met Andrea Vanni een werkplaats. Als een van de belangrijkste schilders in Siena in de 2e helft van de 14e eeuw
werkte hij vooral in zijn geboortestad en in San Gimignano
en Montalcino. Tot de werkplaats van deze kunstenaar,
die verschillende politieke ambten bekleedde, behoorde
ook zijn zoon Andrea di Bartolo. Op een eclectische
manier liet hij zich inspireren door de stijl van grote voorgangers, zoals Simone Martini en zijn school.

Berlinghieri, Berlinghiero (ca. 1175/1180-voor 1236),
vader van de schilders Barone, Bonaventura en Marco
Berlinghieri. Wordt alleen bij naam vermeld op een lijst
van burgers uit Lucca die in 1228 vrede met Pisa beloof-
den. Zijn werk is geconstrueerd rond een gesigneerd
tafelkruis in Lucca, in het Museo Nazionale di Villa Guinigi.

Zijn schilderijen tonen invloeden van de Byzantijnse
kunst, die een stempel drukte op de Italiaanse schilderkunst in de 13e eeuw.

Berlinghieri, Bonaventura (ca. 1207-na 1274) heeft vanaf
1228 in Lucca zijn sporen nagelaten. Daar had hij samen
met zijn vader Berlinghiero en zes broers een werkplaats.
Van hen zijn schilder Barone Berlinghieri en boekverluchter Marco Berlinghieri bekend. De gezinsleden leverden
kwaliteitswerk af. Het is bijna onmogelijk hun stijlen van
elkaar te onderscheiden, maar het altaarpaneel van de
heilige Franciscus, met taferelen uit het leven van de heilige, wordt op basis van de signatuur aan Bonaventura
toegeschreven. Dit pronkstuk, waarin de Byzantijnse
invloed nog sterk aanwezig is, is vanwege het prachtige,
eenvoudige beeldverhaal een van de mooiste voorbeelden van de 13e-eeuwse Italiaanse schilderkunst.

Bernini, Gian Lorenzo (Giovanni Lorenzo) (1598 Napels-
1680 Rome) ging in de leer bij zijn vader, een beeldhouwer
en schilder. Samen kwamen ze in 1605 naar Rome. Aanvankelijk werkte Gian Lorenzo voor de familie Borghese;
later kwam hij als beeldhouwer en architect in dienst van
paus Urbanus VIII –zijn belangrijkste opdrachtgever– en
van de pausen Innocentius X, Alexander VIII en Clemens
IX. Zijn omvangrijke oeuvre omvat alle genres, inclusief
portretten, ornamenten, fonteinen, mythologische en heidense figuren en grafmonumenten. Hij bepaalde voor een
groot deel het barokke stadsbeeld van Rome, niet alleen
als architect van de St. Pieter, maar ook van diverse andere kerken en fonteinen.

Boccaccio, Giovanni (1313 Florence-1375 Certaldo) studeerde, na een opleiding in de handelsrechtsweten-
schappen, in Napels. Vanaf 1348 leefde hij als onafhankelijk dichter en geleerde in Florence. Zijn laatste
levensjaren bracht hij in afzondering door op zijn landgoed in Certaldo. In 1374 ging hij voor het laatst naar Florence en hield daar de eerste officiële voordracht over
Dantes *Goddelijke Comedie*. Boccaccio's epische dichtkunst bereikte in zijn *Decamerone* een hoogtepunt. De
dichter geldt, naast Petrarca, als een van de eerste grote
geleerden van het humanisme. Als wetenschapper
schreef hij talrijke verhandelingen over de Oudheid.

Giovanni Lorenzo Bernini, jeugdig zelfportret,
ca. 1623, olieverf op doek, 39 x 31 cm,
Galleria Borghese, Rome

Bologna, Giovanni zie Giambologna
Botticelli, Sandro (1445 Florence-1510 Florence), die
eigenlijk Alessandro di Mariano Filipepi heette, was overwegend in Florence werkzaam. Na zijn opleiding tot goudsmid werd hij halverwege de 15e eeuw leerling van Filippo
Lippi. Hij werd beïnvloed door Pollaiuolo en Del Verrocchio; later door Ghirlandaio en Perugino. Hij kreeg
belangrijke impulsen van de humanist Lorenzo de'Medici.
Hij ontwikkelde een manier om mythologische onderwerpen sfeervol weer te geven en voorzag ze van krachtige
fantasiepersonages. Rond 1482 kreeg hij de opdracht drie
grote fresco's in de Sixtijnse Kapel in Rome te schilderen.
Bronzino, Agnolo (1503 Monticelli bij Florence-1572 Florence), eigenlijk Agnolo di Cosimo di Mariano, ook Agnolo

Tori, is een van de beroemdste vertegenwoordigers van
het Florentijnse Maniërisme. Hij was leerling van Raffael-
lino del Garbo en Pontormo. Later werd hij geïnspireerd
door het werk van Michelangelo, dat hij in 1546/1547 in
Rome zag. Van 1530 tot 1533 schilderde Bronzino voor de
hertog van Umbrië in Pesaro. Terug in Florence werd hij
spoedig een van de populairste kunstenaars. In 1540 werd
hij hofschilder van de familie de'Medici. Bronzino voelde
zich aanvankelijk sterk verbonden met het werk van Pontormo, maar ging later in een steeds strengere, zakelijke
stijl werken. Het koele karakter van zijn werk en de lichamelijk-plastische weergave wist hij te bereiken met een
heel eigen kleurgebruik. Naast religieuze en allegorische
motieven schilderde hij vooral portretten.
Brunelleschi, Filippo (1377 Florence-1446 Florence) kreeg
in zijn geboortestad aanvankelijk een opleiding tot goudsmid. Daarna legde hij zich op beeldhouwen toe, voordat
hij tegen het eind van de jaren '20 van de 15e eeuw een
loopbaan als architect begon. Tijdens reizen naar Rome
bestudeerde hij de werken uit de Oudheid. De invloed

Sandro Botticelli, zelfportret (detail uit 'Aanbidding
van de drie koningen'), ca. 1475, tempera op paneel,
Galleria degli Uffizi, Florence

daarvan op zijn werk is duidelijk af te lezen aan de heldere ruimten en strenggeometrische proporties. De voornamelijk in Florence werkzame kunstenaar geldt niet alleen als stichter van de renaissancearchitectuur, maar ook als een van de uitvinders van de centraalperspectief.

Buffalmacco, Buonamico (werkzaam 1315-1345), werd begin 14e eeuw in Florence opgeleid door –waarschijnlijk– Andrea de Ricco, bijgenaamd Tafo. Belangrijke informatie over de schilder leverden beeldhouwer Ghiberti en de schrijvers Giovanni Boccaccio en Franco Sacchetti, die hem als een intelligent en geestig persoon neerzetten. Zijn werk in de traditie van Giotto is rond de fresco's in de dom van Arezzo en in de Camposanto in Pisa gegroepeerd.

Caravaggio (1571 Milaan ?-1610 Porto d'Ercole), eigenlijk Michelangelo Merisi da Caravaggio, was van 1584 tot 1588 in de leer bij Simone Peterzano in Milaan en werkte daarna in Caravaggio bij Bergamo. Rond 1592 vertrok hij naar Rome, waar hij beschermheren in het Vaticaan vond. Rond 1604 werd hij meerdere malen gearresteerd; tijdens zijn laatste levensjaren was hij steeds op de vlucht. Realistische afbeeldingen, duidelijke licht-donkercontrasten en abrupte beeldafsnijdingen kenmerken zijn werk. Caravaggio werd door veel tijdgenoten afgewezen, maar oefende veel invloed uit op menig kunstenaar in Zuid- en Noord-Europa.

Cellini, Benvenuto (1500 Florence-1571 Florence) heeft in een autobiografie zijn avontuurlijke leven beschreven. Bovendien zijn zijn traktaten over de goudsmeed- en beeldhouwkunst bewaard gebleven. Na een opleiding tot goudsmid in Florence, Siena, Bologna en Rome werkte hij vanaf 1524 voor de pausen Clemens VII en Paulus III als muntmeester en medailleur. Nadat hij was gevlucht vanwege een aanklacht wegens moord kwam hij aan het Franse hof terecht. Vanaf 1545 woonde hij weer in Florence en maakte daar al snel het beroemdste beeld van het Maniërisme: de bronzen Perseus.

Cimabue (ca. 1240-1302 Pisa), eigenlijk Cenni di Pepo, werkte waarschijnlijk rond 1260 in de mozaïekwerkplaats van het baptisterium van Florence. In 1272 was hij in Rome en in 1301/1302 traceerde men hem in Pisa. Cimabue oversteeg de Byzantijnse kunst met aanduidingen van driedi-

Florentijnse school, portret van Filippo Brunelleschi (detail), ca. 1500-1565, tempera op paneel, Musée du Louvre, Parijs

mensionaliteit en beweging van de figuren. Ook wendde hij zich af van de middeleeuwse traditie en hij kwam tot een enigszins gestileerde weergave van monumentaliteit en intensiteit. Met deze nieuwe opvatting hoort hij bij de wegbereiders van de nieuwe Italiaanse schilderkunst.

Daddi, Bernardo (ca. 1290-1348) werd waarschijnlijk bij Giotto opgeleid. Hij begon zijn artistieke loopbaan rond 1320. Zijn specialiteit was het maken van kleinere aandachtspanelen in grote werkplaatsproducties, vaak als opklapbaar altaar; zijn unieke kwaliteiten waren zijn levendige verteltrant en miniatuurachtige manier van schilderen. Het grote aantal leerlingen en navolgers getuigt van het belang van deze zeer productieve meester.

Dante Alighieri (1265 Florence-1321 Ravenna) kwam uit een familie van lagere Florentijnse adel. Hij kreeg een gedegen opleiding en hield zich al vroeg bezig met literatuur en poëzie. Hij nam enthousiast deel aan zowel het geestelijke als het politieke leven in zijn stad en bekleedde verschillende hoge politieke functies. In 1302 werd hij ten

Florentijnse school, Portret van Donatello (detail), ca. 1500-1565, tempera op paneel, Musée du Louvre, Parijs

onrechte verbannen en hij keerde nooit naar zijn geboortestad terug. Hij leefde in ballingschap aan diverse Italiaanse hoven en daar ontstond zijn belangrijkste werk: de beroemde *Divina Commedia* ('Goddelijke *komedie*'), een monumentaal driedelig epos.

Donatello (1386 Florence-1466 Florence), eigenlijk Donato di Niccolò di Betto Bardi, werd waarschijnlijk opgeleid bij Lorenzo Ghiberti en Nanni di Banco in Florence. Hij verbleef overwegend in zijn geboortestad, maar was ook in Siena, Rome, Padua en andere plaatsen in Italië werkzaam. Donatello geldt als de grootste beeldhouwer van het Quattrocento. Zijn omvangrijke oeuvre wordt in veelzijdigheid en vernieuwing door geen enkele kunstenaar

overtroffen. In zijn vroege scheppingsperiode maakte hij vooral staande figuren van marmer. Vanaf de jaren '20 van de 15e eeuw maakte hij vooral bronssculpturen.

Duccio di Buoninsegna (ca. 1255 Siena-ca. 1319 Siena) was aanvankelijk cassette- en meubelschilder en boekverluchter. Zijn scheppingsperiode is vanaf 1278 in Siena te volgen. Hij werkte ook in Florence en schilderde vermoedelijk fresco's in de bovenkerk van de San Francesco in Assisi. Hij werd geïnspireerd door de Siënese school en Cimabue. Ondanks zijn verwantschap met de Byzantijnse school stond hij open voor vernieuwing en kwam tot een moderne beeldtaal. Een fijne lijnvoering en helder kleurgebruik kenmerken zijn werk, evenals een tastbare modellering en een ritmische verdeling van de figuren over het beeldvlak.

Fibonacci, Leonardo (ca. 1180 Pisa-ca. 1250 Pisa), ook wel Leonardo van Pisa of Leonardo Pisano genoemd, groeide op in de Algerijnse havenstad Bejaïa. In zijn jeugd reisde hij als koopman door het Middellandse-Zeegebied en vestigde zich vervolgens in Pisa. Leonardo heeft zijn tijdens reizen opgedane kennis van de Arabische wiskunde verwerkt in het boek *Liber abaci* (1202 en 1228). Al bij leven werd hij als wiskundige zeer gewaardeerd en werden zijn geschriften aan het hof van Frederik II regelmatig bediscussieerd.

Fra Angelico (ca. 1397 Vicchio di Mugello bij Florence-1455 Rome), eigenlijk Guido di Piero, ook Beato Angelico, was een belangrijk schilder tussen de late Gotiek en de vroege Renaissance. Als kunstenaar trad hij op twintigjarige leeftijd onder de naam Fra Giovanni di Fiesole toe tot het dominicanenklooster in Fiesole. In 1436 verhuisde hij

met het convent naar de San Marco in Florence. Cosimo de'Medici had deze kerk aan de orde geschonken. In 1447/1448 en vervolgens vanaf 1452 werkte hij in Rome voor het Vaticaan en ook in Orvieto. In zijn fresco's en tafelpanelen nam hij in toenemende mate invloeden van de Renaissance op.

Fra Bartolommeo (1472 Soffignano bij Florence-1517 Pian'di Mugnone bij Florence), eigenlijk Bartolommeo Pagholo del Fattorino, wordt ook Bartolommeo of Baccio della Porta genoemd. Hij werd opgeleid bij Cosimo Rosellini en vestigde zich in 1490 samen met Mariotto Albertinelli als zelfstandig kunstenaar. Als aanhanger van Girolamo Savonarola (1452-1498) trad hij in 1500 toe tot de dominicanenorde en hij gaf in 1504 het schilderen op. Fra Bartolommeo, die door de Vlaamse schilderkunst en door Giovanni Bellini en Leonardo da Vinci werd geïnspireerd, behoort tot de belangrijkste vertegenwoordigers van de Hoogrenaissance. Rustige, bedachtzame gebaren, waardoor een plechtige sfeer ontstaat, en een eenvoudige, vlakke opbouw kenmerken zijn werk. Veel kunstenaars, onder wie Pontormo en Rafaël, werden door zijn kunst geïnspireerd.

Frederik I (ca. 1122-1190 in Klein-Azië), keizer, genoemd Barbarossa, werd als Frederik III hertog van Zwabië, in 1152 Romeins koning en in 1155 keizer. In 1156 trouwde hij met Beatrix van Bourgondië. Hij ondernam verschillende tochten naar Italië: voor zijn kroning tot keizer, om zijn macht in de Lombardische steden veilig te stellen en om het schisma tussen paus Alexander III en paus Victor IV te beëindigen. In 1184 liet hij zijn zoon Hendrik VI tot koning van Italië kronen en hij huwde hem uit aan Constance, erfgename van Sicilië. Tijdens zijn derde kruistocht verdronk hij in de Saleph, in Klein-Azië.

Gaddi, Taddeo (ca. 1300 Florence-1366 Florence) was de belangrijkste leerling van Giotto en jarenlang diens medewerker. Hij liet zich bovendien inspireren door het werk van Lorenzetti en van de beeldhouwer Tino di Camaino. Uitgaande van deze voorbeelden ontwikkelde Gaddi een vrijere opvatting van de ruimte, die hij door een duidelijke diagonale dieptewerking en door middel van veelfigurige composities gestalte gaf. Bovendien kenmerken zijn fres-

co's en paneelschilderijen zich door een rijkdom aan details en een zekere monumentaliteit.

Galilei, Galileo (1564 Pisa-1642 Arcetri bij Florence) studeerde vier jaar wiskunde aan de universtiteit van Pisa, waar hij later ook onderwijs gaf, voordat hij Pisa voor Padua verruilde. In 1610 werd hij wiskundige aan het groothertogelijke hof van Florence. Als aanhanger van de ideeën van Copernicus had hij een heliocentrisch wereldbeeld, volgens welke de aarde om de zon draait en de aarde niet het centrum van het universum is. Hij raakte in een langdurig conflict verwikkeld met de katholieke Kerk, dat in 1633 in een opzienbarend proces eindigde. Hij was de laatste jaren van zijn leven veroordeeld tot huisarrest.

Gentileschi, Artemisia (1593 Rome-na 1651 Napels), was een van de beroemdste vrouwelijke schilders van haar tijd. Aanvankelijk kreeg ze les van haar vader Orazio Gentileschi, die haar vertrouwd maakte met de schilderkunst van Caravaggio. Ze vervolgde haar opleiding bij Agostino Tasso. In 1614 vertrok ze naar Florence, waar ze nauw met de academie verbonden raakte en met groot succes werkte. Rond 1620 keerde ze terug naar Rome en ten slotte vestigde ze zich in 1628 in Napels. Rond 1740 werkte ze korte tijd voor het Engelse hof. Gentileschi schilderde krachtige, hartstochtelijke taferelen waarin ze het psychologische dramatisch opvoerde. Daarentegen schilderde ze in Napels, onder de indruk van een diep religieus gevoel, bijna uitsluitend kerkelijke thema's.

Ghiberti, Lorenzo (1378 Florence-1455 Florence) werd opgeleid in de werkplaats van zijn stiefvader, goudsmid Bartolo di Michele (Bartoluccio). In 1424/1425 bezocht hij Venetië; van 1425 tot 1430 woonde hij in Rome. Zijn werkplaats in Florence, waar talrijke kunstenaars opgeleid werden, hoorde bij de belangrijkste bronsgieterijen van het Quattrocento. In zijn laatste levensjaren beschreef Ghiberti in de *Commentari* zijn eigen leven en de kunstgeschiedenis van Italië.

Ghirlandaio, Domenico (1449 Florence-1494 Florence), eigenlijk Domenico di Tommaso Bigordi, was naast Botticelli de leidende frescoschilder van de vroege Renaissance in Florence. Na zijn opleiding tot goudsmid werd hij verder opgeleid door Alesso Baldovinetti. Zijn stijl is zeer

Lorenzo Ghiberti, zelfportret (detail paradijsdeuren), 1452, brons, Battistero, Florence

plastisch en zijn werk laat duidelijke contouren zien. In zijn figuurrijke scènes in religieuze afbeeldingen legde hij ook de nadruk op het profane door bekende persoonlijkheden en destijds actuele gebeurtenissen weer te geven: daarmee wees hij vooruit naar de genreschilderkunst. Michelangelo werd in Ghirlandaio's werkplaats opgeleid.

Giambologna (1529 Douai-1608 Florence), eigenlijk Giovanni di Bologna, ook Jean de Boulogne, werd opgeleid in Vlaanderen bij beeldhouwer en architect Dubroeucq. In 1545 reisde hij naar Rome voor een studie van de Oudheid en Michelangelo. Zijn hoofdwerk ontstond in Florence in dienst van de De'Medici-hertogen. Daar onderhield hij een buitengewoon productieve en invloedrijke werkplaats. Zijn sculpturen van brons en marmer, vooral ook de kleine bronssculpturen, tonen het ideaal van het rijpe Maniërisme met de gecompliceerd gedraaide figuren en artistiek ineengestrengelde groepen.

Giotto di Bondone (1267 ? Colle di Vespignano bij Florence-1337 Florence) is een van de toonaangevende kunstenaars in de westerse cultuur. Het is zeker dat deze schilder en architect contact had met Cimabue; mogelijk was hij zelfs zijn leerling. Na 1292 werkte hij in Assisi; vervolgens in Rome, Padua, Napels, Milaan en Florence. Hier werd hij in 1334 tot bouwmeester aan de dom benoemd. Vooral onder invloed van de gotische beeldhouwkunst maakte Giotto zich los van de Byzantijnse traditie. Hij ontwikkelde een lichamelijk-plastische en tegelijkertijd moderne opvatting van de menselijke figuur en een nieuwe vormentaal voor het weergeven van religieuze scènes. Zijn figuren bewegen zich voort in met de werkelijkheid overeenkomende landschappen of interieurs.

Goes, Hugo van der (ca. 1440 Gent-1482 Roodeclooster bij Brussel), was een van de belangrijkste Nederlandse schilders van zijn tijd. In 1467 behaalde hij een meesterstitel in Gent. Een jaar later was hij voor Karel de Stoute in Brugge werkzaam. Hoewel hij in 1474 deken van het schildersgilde in Gent werd, trad hij als lekenbroeder toe tot het Roodeclooster. In 1481 reisde Van der Goes naar Keulen. Geïnspireerd door de oude meesters bereikte hij een grote uitdrukkingskracht in gezichten en gebaren. Daarbij zorgde het stralende koloriet voor een bovenaardse glans. Door middel van het in 1483 in Florence geplaatste 'Portinari-altaar' oefende hij aantoonbaar invloed uit op Ghirlandaio, Filippino Lippi en Leonardo.

Gozzoli, Benozzo (ca. 1420 Florence-1497 Pistoia), eigenlijk Benozzo di Lese, verenigde de Toscaanse en Umbrische manier van schilderen met elkaar en bewerkstelligde daarmee een overgang van de Gotiek naar de Renaissance. Omstreeks 1444 was hij medewerker van beeldhouwer Lorenzo Ghiberti in Florence; rond 1448 van Fra Angelico in het Vaticaan. Daarna werkte hij als zelfstandig meester in Montefalco, San Gimignano, Florence en Pisa. Naast frescocycli maakte hij ook paneelschilderijen. Karakteristiek voor zijn werk zijn een levendige verteltrant en een helder kleurgebruik.

Gregorius VII, paus, Hildebrand van Soana (1019/1030 in Toscane-1085 Salerno) groeide op in Rome. Hij ging als benedictijner monnik naar Cluny en sloot zich daar bij de reformatiebeweging aan. Hij zette zich vooral in voor een streng celibaat en streed tegen simonie. Zijn verbitterde strijd met Hendrik IV om de investituur eindigde in 1077 met de gang naar Canossa van de door de paus in de ban

gedane koning. In 1083 slaagde Hendrik erin Rome in te nemen en Clemens III als tegenpaus te installeren. Gregorius stierf in ballingschap.

Hildebrand zie Gregorius VII, paus

Leonardo da Vinci (1452 Vinci bij Empoli-1519 Cloux bij Amboise) was vanaf ongeveer 1468 bij Andrea del Verrocchio in de leer, voor wie hij tot 1477 bleef werken. In 1472 werd hij lid van het Florentijnse schildersgilde. Van 1482/1483 tot 1499 werkte hij voor Ludovico il Moro in Milaan. Daar keerde hij in 1506, na een verblijf in Mantua, Venetië en Florence, naar terug. In 1513 vertrok hij naar Rome en hij volgde in 1516 Frans I naar Frankrijk. Hij werkte als schilder, beeldhouwer, architect en ingenieur en deed natuur- en kunstwetenschappelijke studies. Leonardo da Vinci hoorde bij de belangrijkste vertegenwoordigers van de westerse kunst en belichaamde het renaissance-ideaal van de in alle genres werkzame en universeel opgeleide kunstenaar.

Lippi, Filippino (ca. 1457 Prato-1504 Florence), was de zoon en leerling van schilder Fra Filippo Lippi. Na de dood van zijn vader in 1469 volgde hij een opleiding bij Sandro

Christofano dell'Altissimo, portret van Leonardo da Vinci, 1566-1568, Galleria degli Uffizi, Florence

Portret van Giotto di Bondone (detail), ca. 1500-1565, tempera op paneel, Musée du Louvre, Parijs

Botticelli in Florence. Naast hem geldt Filippino Lippi als de belangrijkste Florentijnse schilder op de drempel van de vroege naar de hoge Renaissance. Hij had zijn vruchtbaarste scheppingsperiode in de jaren '90. Filippino Lippi behoorde tot de belangrijkste vertegenwoordigers van de westerse kunst. Hij schilderde grote altaarstukken, afzonderlijke allegorische voorstellingen en portretten, en trad vooral als frescoschilder op de voorgrond.

Lippi, Fra Fillipo (ca. 1406 Florence-1469 Spoleto), werd in 1421 in de karmelietenorde opgenomen en woonde tot 1432 in het klooster Santa Maria del Carmine in Florence. In 1431 werd hij voor het eerst in een oorkonde als schilder genoemd. Hij verbleef een tijdje in Padua en Venetië en hij kreeg vanaf 1437 talrijke opdrachten van de familie de'Medici. Vanaf 1452 woonde hij in Prato. Daar schilderde hij grote wandfresco's in het hoofdkoor van de dom. In 1467 maakte hij fresco's in de dom van Spoleto.

Lorenzetti, Ambrogio (ca. 1293 Siena-1348 Siena) is een van de belangrijkste meesters van de Siënese Gotiek. Waarschijnlijk werd hij opgeleid door zijn broer Pietro. Daarna werkte hij tot 1324 in zijn geboortestad. In 1327

trad hij in Florence toe tot het artsen- en apothekersgilde. Op zijn vroegst vanaf 1332 werkte hij weer in Siena. Lorenzetti verbond de schilderkunst van Siena met elementen van de Florentijnse kunst. Zo bereikte hij een geestelijke verdieping van de thema's en stijlmiddelen van Giotto en Martini. Karakteristiek voor Lorenzetti's vroege werk zijn de duidelijke, heldere vormen en een krachtig koloriet. Bovendien zorgde hij voor een verbinding tussen voorwerpen en ruimte. Het latere werk toont een overzichtelijk ruimtebegrip, dat een perspectivisch juiste weergave benadert. Zijn figuren zijn nog niet geheel uitgewerkt.

Lorenzetti, Pietro (ca. 1280/1290 Siena-1345 Siena), die tussen 1320 en 1344 te volgen is, behoorde tot de belangrijkste kunstenaars van de Siënese school in de vroege 15e eeuw. Geïnspireerd door de kunst van Duccio en Giotto nam hij de vernieuwingen van Martini en de uitdrukkingskracht van beeldhouwer Giovanni Pisano over. In tegenstelling tot zijn broer Ambrogio schilderde hij strenge, symmetrische vormen waarin hij suggestief driedimensionale figuurgroepen verwerkte. Kenmerkend voor zijn werk zijn een opmerkelijke observatie van de werkelijkheid en de lichtbehandeling: Lorenzetti schilderde het licht in overeenstemming met het jaargetijde en het tijdstip van de dag.

Machiavelli, Niccolò (1469 Florence-1527 Florence) genoot als zoon van een jurist een grondige klassiek-humanistische opleiding. Vanaf 1498 bekleedde hij hoge politieke functies in de republiek Florence. Als gezant reisde hij langs verschillende Italiaanse hoven en eveneens naar de paus, de keizer en het Franse hof. Met de terugkeer van de De'Medici naar Florence in 1513 raakte hij zijn positie kwijt, werd gevangengenomen en bracht de rest van zijn leven op zijn landgoed door. Daar ontstonden beroemde geschriften, zoals *Il principe* (*De heerser*), en schreef hij een geschiedenis van Florence.

Maiano, Benedetto da (1442 Maiano bij Fiesole-1497 Florence) kreeg waarschijnlijk les van zijn vader, een houtsnijder en steenhouwer. In zijn jonge jaren werkte hij ook vaak met zijn broer Giuliano samen. In zijn eigen werkplaats in Florence ontstonden talrijke altaren, grafmonumenten, tabernakels, kanselbeelden en busten, voorna-

melijk voor opdrachtgevers in Toscane. Bovendien werkte de bij voorkeur met marmer werkende kunstenaar voor het hof in Napels.

Maiano, Giuliano da (1432 Maiano bij Fiesole-1490 Napels) werd opgeleid tot meubelmaker en houtsnijder. Hij voorzag met zijn drukke werkplaats vooral kerken en kloosterruimten, maar ook privé-woonhuizen, van decoraties in de vorm van fijn houtsnij- en intarsiewerk. Later werkte hij overwegend als architect. In 1474 werd Maiano bouwmeester in de dom van Florence. In 1485 kwam hij als hofarchitect in dienst van de koning van Napels. Het was zijn verdienste dat de stijl van de vroege Renaissance zich in Toscane en tot in Zuid-Italië kon verspreiden.

Mantegna, Andrea (1430/1431 Isola di Carturo bij Padua-1506 Mantua) ging in 1441 bij Francesco Squarcione in Padua in de leer. Hier raakte hij vertrouwd met de Oudheid. Van zeer grote invloed waren echter het beeldhouwwerk van Donatello en de schilderijen van Andrea del Castagno en Jacopo Bellini. Vanaf 1448 werkte Mantegna zelfstandig; in 1460 werd hij aan het hof van Padua benoemd. Zijn werk kenmerkt zich door anatomisch juiste figuren, een nauwkeurig weergave van details en een virtuoos geconstrueerde perspectief. Deze vernieuwingen waren vooral van invloed op Gentile en Giovanni Bellini.

Martini, Simone (ca. 1284 Siena-1344 Avignon), een belangrijke meester in de gotische schilderkunst in Siena, werkte onder andere in dienst van zijn geboortestad en koning Robert d'Anjou van Napels. In uiterlijk 1339 vertrok hij naar het pauselijke hof in Avignon, waar hij bevriend raakte met dichter-geleerde Francesco Petrarca. In zijn werk werd hij geïnspireerd door Duccio, Giotto en beeldhouwer Giovanni Pisano, maar ook door de nieuwe ontwikkelingen in de Franse kunst. Zijn elegante, gevoelige en lyrische schilderkunst is naast Giotto's kunst de belangrijkste van zijn tijd.

Masaccio (1401 San Giovanni Val d'Arno, Arezzo-1428 Rome), eigenlijk Tommaso di Ser Giovanni Cassai, was een van de meest revolutionaire kunstenaars van zijn tijd. In 1422 trad hij toe tot het Florentijnse artsen- en apothekersgilde en in 1424 tot het Lucasgilde. Daarna werkte hij nauw samen met Masolino. Kort voor zijn dood vertrok hij

eind 1427 naar Rome. Wezenlijke prikkels kreeg Masaccio van Donatello en Brunelleschi. Als eerste verbond hij plastische figuren met de perspectivisch weergegeven ruimte. Architectuur en landschap gaf hij realistisch weer.

Masolino (1383 Panicale di Val d'Arno-na 1440 Florence), eigenlijk Tommaso di Cristofano Fini, was van 1403 tot 1407 medewerker van Ghiberti in Florence. Daar werd hij lid van het gilde 'Medici e Speziali', waartoe ook de schilders behoorden. In 1424 maakte hij de fresco's in de Santo Stefano in Empoli en nog in datzelfde jaar begon de samenwerking met Masaccio. In 1425 begonnen de twee kunstenaars met de beschildering van de Brancacci-kapel in de Florentijnse karmelietenkerk. Van 1425 tot 1427 onderbrak Masolino zijn werk voor een aanstelling als hofschilder in Boedapest. Na zijn terugkeer werkte hij verder in de Brancacci-kapel. In 1428 reisde hij met Masaccio naar Rome om daar voor kardinaal Branda Castiglione de wandschilderingen in de San Clemente uit te voeren. Tot het laatste werk van Masolino, die tot de belangrijkste Florentijnse schilders van de vroege Renaissance gerekend wordt, behoren de fresco's in Castiglione d'Olona bij Milaan.

Medici, De'Medici, Florentijns patriciërsgeslacht dat van 1434 tot 1737 met korte onderbrekingen de heerschappij over Florence en vanaf 1569 ook over Toscane uitoefende. Een van de invloedrijkste De'Medici was Lorenzo il Magnifico (1449-1492), die vooral de kunst en wetenschap bevorderde en aan de platoonse academie in Florence de leidende humanisten verzamelde. Zijn zoon Giovanni de'-Medici (1475-1521) regeerde van 1513 tot 1521 als paus Leo X in Rome.

Michelangelo Buonarroti (1475 Caprese, Toscane-1564 Rome), eigenlijk Michelangiolo di Ludovico di Lionardo di Buonarroti Simoni, ging na zijn eerste schildersonderricht bij Ghirlandaio in Florence rond 1490 naar de werkplaats van beeldhouwer Bertoldo di Giovanni. In de kringen rond Lorenzo de'Medici werd hij gestimuleerd de Oudheid en de filosofie te gaan bestuderen. Tijdens een verblijf in Rome van 1496 tot 1501 hield hij zich met beeldhouwen bezig. Terug in Florence ontstonden zijn eerste schilderijen. Van 1505 tot 1520 en vanaf 1534 voerde hij opdrachten uit voor het Vaticaan. Daar werd hij in 1535 tot leidingge-

Bertoldo di Giovanni, portret van Lorenzo de'Medici, 1478, brons, ø 65,6 cm, Bargello, Florence

vend architect, beeldhouwer en schilder benoemd. In zijn schilderkunst ontwikkelde Michelangelo heel nieuwe uitdrukkingsmogelijkheden en zijn figuren kregen een enorme plastische intensiteit.

Michelozzo di Bartolommeo (1396 Florence-1472 Florence) genoot zijn beeldhouwkundige opleiding bij Lorenzo Ghiberti. In Ghiberti's werkplaats was hij aantoonbaar tussen 1417 en 1424 en tussen 1437 en 1442 werkzaam. Ook is een samenwerking met Donatello, van 1424 tot 1433, bewezen. Hoewel hij tot het eind van zijn leven als beeldhouwer werkzaam bleef, leverde Michelozzo, die in 1446 als opvolger van Brunelleschi tot bouwmeester in de dom van Florence werd benoemd, zijn grootste prestaties als architect. Tussen 1430 en 1455 was er nauwelijks een groot bouwproject in de stad te vinden waaraan hij niet zijn medewerking verleende. Tot zijn hoofdwerken horen het Palazzo Medici-Riccardi, de bibliotheek van San Marco en de kerk Santissima Annunziata in Florence.

Orcagna, Andrea (ca. 1315/1320 Florence-1368 Florence), eigenlijk Andrea di Cione Arcagnuolo, werd volgens Vasa-

Jacopino del Conte, portret van Michelangelo Buonarroti, ca. 1535, olieverf op paneel, Casa Buonarroti, Florence

beeldformaten en de monumentale vormgeving van de standbeeldachtige figuren, die zijn interesse voor Giotto verraden. Het levendige koloriet en de ritmisch-gotische lijnvoering zijn kenmerken van een nieuwe stijl die de Florentijnse schilderkunst in de daaropvolgende tijd zou bepalen.

Peruzzi, Baldassare (1481 Siena-1536 Rome), werd in zijn geboortestad opgeleid en kwam in 1503 naar Rome. Hij bewoog zich in de kringen rond Rafaël en net als die grootmeester was Peruzzi zowel als schilder als als architect werkzaam. Een prachtig voorbeeld hiervan is de voor Agostino Chigi vanaf 1506 in Rome gebouwde Villa Farnesina, die hij samen met andere kunstenaars van fresco's voorzag. In Siena werd hij in 1527 stadsbouwmeester en militair architect. Talrijke theater- en feestdecoraties bezorgden hem faam. Ook bouwde hij, op de drempel van het Maniërisme, het beroemde Romeinse Palazzo Massimo alle Colonne.

Piero della Francesca (ca. 1415 Borgo Sansepolcro bij Arezzo-1492 Borgo Sansepolcro), eigenlijk Piero di Benedetto dei Franceschi, was een van de belangrijkste kunstenaars van de vroege Renaissance en wegbereider van de perspectivische constructie. Van 1439 tot 1442 woonde en werkte hij in Florence, waar hij met Domenico Venziano samenwerkte. Geïnspireerd door diens kunst en de perspectivische en coloristische vernieuwingen van de Florentijnse schilders, vooral van Del Castagno, zocht en vond Piero della Francesca zijn eigen beeldtaal. Plastisch gemodelleerde figuren en een wiskundig juist geconstrueerde ruimte maken dit duidelijk. Bovendien

ri door zijn oudere broer Nardo opgeleid. Vanwege de vele opdrachten voor het schilderen van fresco's en altaarpanelen bleef Andrea zijn hele leven in Florence woonachtig. De veelzijdige meester was ook als beeldhouwer, architect en dichter werkzaam. Al in 1347 werd hij voor het eerst in een oorkonde in Pistoia een van de beste Florentijnse kunstenaars genoemd; later roemden Ghiberti en Vasari hem. Typerend voor zijn werk zijn de grote

ontwikkelde hij een belangrijke lazuurverftechniek, waarmee hij een atmosferische weergave van de figuren wist te bereiken. Piero della Francesca was overwegend in zijn geboorteplaats werkzaam, maar voerde ook opdrachten in Ferrara, Arezzo, Rome en Urbino uit.

Pietro da Cortona (ca. 1596 Cortona-1669 Rome), eigenlijk Pietro Berrettini, werd aanvankelijk opgeleid door de Florentijnse schilder Andrea Commodi en was vanaf ca. 1613 werkzaam bij Baccio Ciarpi in Rome. Rond 1620 werd hij door zijn begunstiger, graaf Marcello Sacchetti, bij de familie Barberini aanbevolen, voor wie hij in de daaropvolgende tijd enkele opvallende opdrachten uitvoerde. Van 1634 tot 1638 was hij bestuurslid van de Accademia di San Luca in Rome. Van 1640 tot 1647 werkte hij weer in Florence; vanaf 1647 was hij opnieuw ingezetene van Rome. Pietro da Cortona, die ook naam maakte als auteur van een verhandeling over kunst, was zowel in zijn functie van schilder als die van architect belangrijk. Hij gaf met zijn levendige, van licht doortrokken fresco's de plafondschilderkunst van de Barok een belangrijke impuls.

Pinturicchio (ca. 1452 Perugia-1513 Siena), eigenlijk Bernardino di Betto Biagio, werd vermoedelijk opgeleid in de werkplaats van Fiorenzo di Lorenzo. Hij werd echter ook sterk beïnvloed door Perugino, toen hij als diens medewerker van 1481 tot 1483 deelnam aan het schilderen van fresco's in de Sixtijnse Kapel in Rome. Buiten Perugia en Rome werkte hij in Orvieto, Spoleto, Spello en Siena, waar hij in 1502 ging wonen. Pinturicchio was in de eerste plaats als frescoschilder werkzaam, maar hij schilderde ook religieuze historische schilderijen en portretten. Zijn stijl is bevallig, met vaak veel vertellende details en een sterk decoratieve werking, omdat hij afziet van dramatische elementen. Zijn kleurgebruik is heel helder en stralend. Pinturicchio nam als een van de eerste schilders van de Italiaanse Renaissance de uit de Oudheid stammende grotesken in zijn werk op.

Pisano, Andrea (ca. 1290 Pontedera-ca. 1349 Orvieto) kwam tegen 1330 vanuit Pisa naar Florence, waar hij voor het eerst in 1330 wordt genoemd als medewerker aan het zuidportaal van het baptisterium. Na de dood van Giotto in 1337 nam Andrea de leiding over van de bouw van de Campanile van de dom Santa Maria del Fiore in Florence. In 1340 wordt hij in een oorkonde als bouwmeester genoemd. Van 1343 tot 1347 schijnt hij met zijn zoon Nino, die in 1349 ook het ambt van 'Capomaestro' (bouwmeester) in Orvieto overnam, een werkplaats in Pisa geleid te hebben. Vermoedelijk stierf Andrea korte tijd later en hij werd volgens Vasari in de dom van Florence begraven.

Pisano, Giovanni (ca. 1250 Pisa-ca. 1319 Siena) werd opgeleid door zijn vader Nicola Pisano, met wie hij samenwerkte aan de kansel voor de dom van Siena en de fontein in Perugia. Tot zijn hoofdwerken behoren de ornamenten voor de dom van Siena (1284-1298), de marmeren kansel in de Sant'Andrea in Pistoia (1298-1301) en de dom van Pisa (1302-1311) met zijn levendige, dramatische reliëfs en de verschillende madonnagroepen, die worden gekenmerkt door een innige verhouding tussen moeder en kind.

Pisano, Nicola (ca. 1220 Apulië-voor 1284 Toscane) werd waarschijnlijk opgeleid in Zuid-Italië, in een beeldhouwschool van keizer Frederik II. Omstreeks 1250 vertrok hij naar Pisa, waar hij in 1260 met zijn werkplaats de belangrijke kansel in het baptisterium voltooide. Van 1264 tot 1267 werkte hij in Bologna aan het grafmonument voor de heilige Dominicus; tussen 1265 en 1268 aan de kansel voor de dom van Siena. De fontein op het domplein van Perugia voltooide hij in 1278. Klassieke voorbeelden en Frans-gotische stijlvormen kenmerken zijn beeldhouwkunst.

Pontormo (1494 Pontormo bij Empoli-1557 Florence), eigenlijk Jacopo Carrucci, kwam na de vroege dood van zijn ouders in 1508 naar Florence waar hij, afgezien van enkele korte verblijven in de omgeving, zijn hele leven bleef wonen. Hij werd na zijn eerste artistieke contacten met Leonardo da Vinci en Piero di Cosimo waarschijnlijk aanvankelijk bij Fra Bartolommeo en van 1512 tot 1513 bij Andrea del Sarto opgeleid. Hij bestudeerde het werk van Dürer en liet zich inspireren door Michelangelo. Reeds rond 1520 schilderde hij in een nieuwe, expressieve, boven de klassieke schilderkunst van de Hoogrenaissance uitstijgende stijl. Naast Rosso Fiorentino geldt Pontormo als hoofdvertegenwoordiger van de eerste dramatische en expressieve fase van het Maniërisme.

Pozzo, Andrea (1642 Triënte-1709 Wenen) trad in 1665 als

lekenbroeder toe tot de orde van de jezuïeten in Milaan. Van 1676 tot 1678 volgde de beschildering van de jezuïetenkerk San Francesco in Mondovi. In 1681 werd Pozzo op advies van Carlo Maratta door de jezuïetenoverste Padre Oliva naar Rome gehaald. Daar vond begin jaren '90 de beschildering plaats van het plafond van de jezuïetenkerk Sant'Ignazio. Vanaf 1703 was de kunstenaar in Wenen werkzaam, waar hij onder andere het gewelf van de universiteitskerk beschilderde en de plafondfresco's met de daden van Hercules in het tuinpaleis van Lichtenstein in Rossau maakte. Andrea Pozzo werkte als schilder, architect en kunsttheoreticus. Zijn verhandeling *Prospettiva de'pittori e architetti* verscheen in 1693 in Rome.

Quercia, Jacopo della (ca. 1374 Siena-1438 Siena), zoon van een beeldhouwer en goudsmid en belangrijkste Siënese beeldhouwer van de vroege Renaissance. Hij was vooral in Siena, Bologna en Lucca werkzaam. In 1401 nam hij deel aan de wedstrijd voor de bronzen deuren van het baptisterium van Florence. Het elegante, nog aan de Gotiek verplichte grafmonument van Ilaria del Carretto in de dom van Lucca bracht zijn carrière in een stroomversnelling, die haar hoogtepunt en afsluiting had in de prachtige, dynamische reliëfs voor het hoofdportaal van de San Petronio in Bologna. Zijn werk beïnvloedde verschillende kunstenaars, waaronder Michelangelo.

Rafaël (1483 Urbino-1520 Rome), eigenlijk Raffaello Santi, werd aanvankelijk opgeleid door zijn vader – schilder en dichter Giovanni Santi. Hij ging in 1500 naar Pietro Perugino in Perugia. In 1504 vertrok hij naar Florence. In 1508 werd hij door paus Julius II naar Rome gehaald. Hier

Rafaël, zelfportret (detail), olieverf op doek, Accademia di San Luca, Rome

werkte hij vanaf 1509 onder andere aan de fresco's in de stanza van het Vaticaan. Na de dood van Bramante werd hij in 1514 tot bouwmeester van de St. Pieter benoemd. In 1515 nam hij het ambt van conservator van de oudheden van Rome over. Rafaël is de belangrijkste schilder van de Hoogrenaissance.

Robbia, Andrea della (1435 Florence-1525 Florence), werd in de werkplaats van zijn oom Luca della Robbia opgeleid. In 1470 nam hij de werkplaats over en zette de zeer succesvolle productie van geglazuurde terracotta plastieken voort. Hij paste de ontwikkelingen in de glazuurtechniek ook toe op grotere, veelfigurige altaren. Daarnaast schiep

hij busten en een groot aantal reliëfs, vooral met afbeeldingen van de madonna, voor privé-devotie. De heldere kleurigheid van zijn werk heeft ertoe bijgedragen dat de grenzen tussen reliëf en schilderkunst vaak vervaagd zijn. **Robbia, Luca della** (1399/1400 Florence-1482 Florence), over de afkomst van deze kunstenaar is weinig bekend. Hij wordt in 1431 voor het eerst genoemd in een oorkonde in Florence. Naast zijn werkzaamheden als beeldhouwer ontwikkelde hij een techniek voor het vervaardigen van geglazuurd terracotta, waarmee hij vooral tondi en lunetten met kleurige reliëfs versierde. Luca della Robbia wordt tot de beste beeldhouwers van het Quattrocento gerekend en is naast Lorenzo Ghiberti en Donatello een van de grondleggers van de vroege Renaissance in Florence.

Rossellino, Bernardo (ca. 1409 Settignano-1464 Florence), zoon van een steenhouwer, had in Florence een grote beeldhouwerswerkplaats waar ook zijn broer Antonio werd opgeleid. Nadat hij het prachtige grafmonument voor Leonardo Bruni in de Florentijnse kerk Santa Croce had gemaakt, kreeg hij nog meer opdrachten voor grafmonumenten, die hij met zijn werkplaats uitvoerde. Als architect trad hij in 1451 in dienst van paus Nicolaas V en hij bleef voor hem werken tot 1453. In 1461 werd Rossellino bouwmeester in Florence. Paus Pius II gaf hem belangrijke opdrachten in Pienza.

Rosso Fiorentino (1494 Florence-1540 Fontainebleau), eigenlijk Giovanni Battista Rosso, werd opgeleid in de werkplaats van Andrea del Sarto. Omstreeks 1520 werkte hij een jaar in Volterra; vervolgens keerde hij terug naar Florence. In de hoop opdrachten van paus Clemens te krijgen, besloot Rosso in 1524 naar Rome te vertrekken, maar al in 1527 zag hij zich gedwongen voor de 'Sacco di Roma' te vluchten. De daaropvolgende jaren bracht hij afwisselend door in Perugia, Sansepolcro, Città di Castello en Arezzo. In 1530 werd hij dankzij de bemiddeling van zijn vriend Pietro Aretino aan het Franse hof benoemd en kreeg hij de leiding over de bouw van Fontainebleau. Daar ontstond zijn hoofdwerk, de vormgeving van de galerie van Frans I, met fresco's en stucdecoraties die de stijl van de door Rosso en Primaticcio gestichte school van Fontainebleau voor een belangrijk deel zouden gaan bepalen.

Sangallo, Antonio de Oudere da (ca. 1460 Florence-1534 Florence) werkte veertig jaar lang met zijn broer Giuliano samen in een gemeenschappelijke werkplaats. Antonio, die altijd enigszins in de schaduw van zijn oudere broer is gebleven, voerde verschillende architectonische projecten in Toscane en Rome uit. Zijn hoofdwerk is de kerk Madonna di San Biagio in Montepulciano.

Sangallo, Antonio de Jongere, da (1484 Mugello bij Florence-1546 Terni bij Rome), neef van Giuliano en Antonio da Sangallo de Oudere, kwam in 1503 naar Rome. Vanaf 1539 leidde hij de bouw van de St. Pieter. Zijn hoofdwerk is het in 1534 begonnen en door Michelangelo en Giacomo della Porta voltooide Palazzo Farnese in Rome.

Sangallo, Giuliano da (ca. 1445 Florence-1516 Florence), werd waarschijnlijk opgeleid door zijn vader, een timmerman en steenhouwer. Als twintigjarige ging hij naar Rome om daar de bouwwerken van de Oudheid te bestuderen, die hij in verschillende schetsboeken vastlegde. Omstreeks 1470 keerde hij terug naar Florence, waar hij al snel door Lorenzo de'Medici in dienst werd genomen. De meeste van zijn villa's, paleizen en kerken in de stijl van de Vroegrenaissance, evenals de latere vestingwerken, ontstonden in Florence en omgeving, ook toen hij tussendoor in Rome voor paus Julius II werkzaam was.

Sassetta (waarschijnlijk 1392 Siena-1450 Siena), eigenlijk Stefano di Giovanni, werd vermoedelijk in de werkplaats van Paolo di Giovanni opgeleid. In 1472 werd hij voor het eerst in een oorkonde in Siena genoemd. Sassetta geldt als de belangrijkste Siënese schilder van het Quattrocento. Zijn werk vertoont stilistische verwijzingen naar de overgangstijd van de Gotiek naar de vroege Renaissance en is duidelijk beïnvloed door Masaccio en Masolino. Sassetta handhaafde de door Simone Martini honderd jaar eerder in de Siënese schilderkunst ingevoerde lijnvoering en diens gebruik van ruimte en ontwikkelde in zijn relatief eenvoudige composities een unieke, vaak sprookjesachtige vertelstijl.

Savonarola, Girolamo (1452 Ferrara-1498 Florence), brak op 23-jarige leeftijd zijn studie medicijnen en filosofie af om toe te treden tot de dominicanenorde. Als boetprediker ging hij naar Florence en daar werd hij leider van het

Titiaan, zelfportret, ca. 1566, olieverf op doek, 86 x 69 cm, Museo del Prado, Madrid

beschimpingen aan het adres van de paus werd hij in 1497 door Alexander VI in de ban gedaan en In 1498 werd hij als ketter voor het stadhuis van Florence verbrand.

Signorelli, Luca (ca. 1450 Cortona-1523 Cortona), genoot waarschijnlijk een opleiding in de werkplaats van Piero della Francesca in Arezzo: invloeden van het werk van deze schilder zijn in het vroege werk van Signorelli terug te vinden. Onder invloed van Andrea del Verrocchio en Antonio del Pollaiuolo kwam hij in Florence al snel tot een krachtige vormentaal waarin hij zijn figuren vaak in de geometrisch-gestileerde houdingen weergaf. Deze vormentaal markeert in Midden-Italië een hoogtepunt van de schilderkunst van het late Cinquecento. Omstreeks 1482-1483 schilderde Signorelli onder leiding van Perugino twee fresco's in de Sixtijnse Kapel in Rome. De rest van zijn leven bracht hij door in het zuiden van Toscane en in Umbrië, waar hij onder andere in Spoleto, Volterra, Perugia en San Sepolcro werkzaam was.

Sodoma (1477 Vercelli-1549 Siena), eigenlijk Giovanni Antonio Bazzi, kwam uit een klein plaatsje in Piemonte. Tussen 1490-1497 werd hij in het atelier van een plaatselijke schilder, Giovanni Martino Spanzotti, opgeleid. In 1500 ging hij, na bemiddeling van de bankiersfamilie Spanocchi, naar Siena. In 1508 werd Sodoma voor het beschilderen van de Stanza della Segnatura in het Vaticaan naar Rome gehaald, maar uiteindelijk kreeg hij deze opdracht niet. In 1510 verbleef hij voor zijn huwelijk in Siena. In 1512 keerde hij terug naar

klooster San Marco. Hij vond met zijn scherpe preken en zijn visioenen over het einde der tijden gehoor bij de burgers van Florence. Na de verdrijving van de familie De'-Medici in 1494 wist hij met zijn aanhangers politieke veranderingen door te zetten. Vanwege zijn openlijke

Rome, waar hij voor Agostino Chigi het Alexander-fresco in de villa Farnesina schilderde. Na 1515 was Sodoma vooral werkzaam in Siena; in zijn late scheppingsjaren werkte hij ook in Volterra, Pisa, Lucca en Piombino.

Titiaan (ca. 1488 Pieve di Cadore-1576 Venetië), eigenlijk Tiziano Vecellio, werd vermoedelijk opgeleid bij Giovanni Bellini in Venetië. Hij werkte vanaf 1515 voor de invloedrijkste opdrachtgevers van zijn tijd, onder wie de families d'Este, Gonzaga, Farnese en della Rovere en ook voor koning Frans I van Frankrijk. In 1533 werd hij hofschilder van keizer Karel V en werd hij opgenomen in de orde van het Gulden Vlies. In 1545 werkte hij voor paus Paulus III in Rome. Later werkte Titiaan bijna uitsluitend in dienst van Philips II. Hij geldt als de grootste Venetiaanse schilder van het Cinquecento.

Uccello, Paolo (ca. 1397 Pratovecchio bij Arezzo-1475 Florence) werd van 1407 tot 1412 opgeleid in de werkplaats van Lorenzo Ghiberti in Florence, waar hij hem assisteerde bij zijn werk aan de deuren van het baptisterium. In 1415 werd Uccello als meester opgenomen in het gilde van 'Medici e Speziali', waartoe ook schilders behoorden. Van 1425 tot 1431 was hij volgens een oorkonde werkzaam in Venetië als medewerker aan de mozaïeken in de San Marco. Vervolgens vestigde hij zich in Florence, waar hij twee grote fresco's met scènes uit de Genesis in de kruisgang van de Santa Maria Novella uitvoerde. Onder invloed van het werk van Masaccio en Donatello ontwikkelde Uccello zich tot de grootste meester van zijn generatie in de beheersing van de perspectief. De kunstenaar wordt tot de belangrijkste wegbereiders van de vroege Renaissance in Florence gerekend.

Vasari, Giorgio (1511 Arezzo-1574 Florence) kwam als dertienjarige naar Florence, waar hij een veelzijdige, humanistische opleiding kreeg. Vanaf 1531 woonde hij afwisselend in Rome en Florence. Tijdens zijn vele reizen door Italië bestudeerde hij de kunst vanaf de Oudheid tot zijn eigen tijd. Als schilder werd hij beïnvloed door het Maniërisme. Hij maakte fresco's en paneelschilderijen. Tot het belangrijkste project van bouwmeester Vasari wordt het Uffizi in Florence gerekend. Zijn bijzondere roem dankt hij echter aan zijn *Levensbeschrijvingen van de beroemdste* *schilders, beeldhouwers en architecten* (1550/1568), de belangrijkste historische bron van de Italiaanse kunstgeschiedenis.

Verrocchio, Andrea del (1435 Florence-1488 Venetië), eigenlijk Andrea de'Cioni, werd na de dood van Donatello de belangrijkste meester van de Florentijnse beeldhouwkunst. In Florence vervaardigde hij overwegend kleinplastiek en bouwplastieken. In 1486 vertrok Verrocchio naar Venetië. Daar maakte hij het ruiterstandbeeld van condottiere Bartolomeo Colleoni. Als schilder wordt hem alleen de 'Doop van Christus' (ca. 1470/1480) in het Uffizi toegeschreven, die hij in samenwerking met zijn leerling Leonardo da Vinci maakte.

Vignola zie Barozzi, Giacomo

Giorgio Vasari, zelfportret, 1566-1568, olieverf op doek, 100,5 x 80 cm, Galleria degli Uffizi, Florence

Bibliografie

Barincou, Edmond: Machiavelli. Reinbeck 1998

Barincou, Edmond: Oeuvres complètes: Machiavel. **Gallimard,** Parijs 1952

Baron, Hans: Bürgersinn und Humanismus im Florenz der Renaissance. Berlijn 1992

Baxandall, Michael: Painting and experience in 15th century Italy. Oxford 1972

Belting, Hans en Blume, Dieter (red.): Malerei und Stadtkultur in der Dantezeit. München 1989

Bering, Kunibert: Baupropaganda und Bildprogrammatik der Frührenaissance in Florenz, Rom, Pienza. Frankfurt a. M. 1984

Berti, Luciano: Die Uffizien. Florenz 1979

Boccaccio, Giovanni: Dantes Leben [1360] (dt. von Else von Hollander). München 1963

Boccaccio, Giovanni: Decamerone. 1348–1353

Borst, Arno: Barbaren, Ketzer und Artisten. Welten des Mittelalters. München 1988

Bowsky, W.M.: A Mediaval Commune. Siena under the Nine, 1287-1355. Londen 1981

Braunfels, Wolfgang: Mittelalterliche Stadtbaukunst in der Toskana. Berlijn 1953

Braunfels, Wolfgang: Brunelleschi und die Kirchenbaukunst des frühen Humanismus. Basel 1981

Breidecker, Volker: Florenz oder: Die Rede, die zum Auge spricht. Kunst, Fest und Macht im Ambiente der Stadt. München 1990

Brucker, Gene Adam: Florenz 1138-1737. Stadtstaat – Kulturzentrum – Wirtschaftsmacht. München 1984

Brucker, Gene Adam: Florenz in der Renaissance. Stadt, Gesellschaft, Kultur. Reinbeck 1990

Buck, August: Humanistische Lebensformen. Basel 1981

Burckhardt, Jacob: Der Cicerone. Eine Anleitung zum Genuß der Kunstwerke Italiens. Stuttgart 1986

Burckhardt, Jacob: Die Kultur der Renaissance in Italien. (1860) Stuttgart 1988

Burke, Peter: Die Renaissance in Italien. Sozialgeschichte einer Kultur zwischen Tradition und Erfindung. Berlijn 1984

Cesare, Angelo en Marchesi, Gustavo: Puccini – Schauplätze seines Lebens. München 1982

Chastel, André: Die Kunst Italiens. München 1988

Cleugh, James: Die Medici. München/Zürich 1977

Crichton, G.H.: Romanesque Sculpture in Italy. Londen 1954

Dante Alighieri: Divina Commedia (1311–1321)

Dirschel, Klaus (red.): Die italienische Stadt als Paradigma der Urbanität. Passau 1989

Doornik, N.G.M. van: Katharina von Siena. Eine Frau, die in der Kirche nicht schwieg. Freiburg 1980

Fossi, Gloria: Florenz – Blühende Metropole der Toskana. Ein Begleiter durch Geschichte, Kunst und Kultur. München 1987

Friedrich, Hugo: Epochen der italienischen Lyrik. Frankfurt a. M. 1964

Fruttero & Lucentini: Der Palio der toten Reiter. München 1986

Fuhr, Andreas: Machiavelli und Savonarola. Politische Rationalität und politische Prophetie. Frankfurt 1985

Galamini di Recanati, Carlo (red.): Toscana. Milaan 1974

Galilei, Galileo: Siderius Nuncius (1610)

Garin, E.: Astrology in the Renaissance. Londen 1982

Grayson, Cecil (red.): The World of Dante. Oxford 1980

Gurrieri, Francesco en Fabbri, Patrizia: Die Paläste von Florenz. München/Berlijn 1996

Hausmann, Friederike: Zwischen Landgut und Piazza. Das Alltagsleben von Florenz in Niccolò Machiavellis Briefen. Berlijn 1987

Hemleben, Johannes: Galilei. Reinbeck 1997

Herde, Peter: Guelfen und Neoguelfen. Stuttgart 1986

Heydenreich, Ludwig H.: Studien zur Architektur der Renaissance. München 1981

Höslinger, Clemens: Giacomo Puccini. Reinbeck 1984

Kauffmann, Georg: Florenz. Stuttgart 1962

Kempers, Bram: Kunst, Macht und Mäzenatentum. Der Beruf des Malers in der italienischen Renaissance. München 1990

König, Eberhard: Boccaccio. Decameron. Stuttgart/Zürich 1989

Kreytenberg, Gert: Der Dom zu Florenz. Untersuchungen zur Baugeschichte im 14. Jh. Berlin 1974

Leonhard, Kurt: Dante Alighieri mit Selbstzeugnissen und Bilddokumenten. Reinbeck 1970

Lill, Rudolf: Geschichte Italiens vom 16. Jahrhundert bis zu den Anfängen des Faschismus. Darmstadt 1980

Lohrum, Meinolf OP: Katharina von Siena. Leipzig 1997

Machiavelli, Niccolò: De heerser. 1513

Machiavelli, Niccolò: Geschiedenis van Florence 1532

Machiavelli, Niccolò: Discorsi. 1519

Marchetti, Leopoldi en Bevilacqua, Carlo: Italian Basilicas and Cathedrals. Novara 1950

Nenzel, Nana Claudia: Toscana. Keulen 1997

Neumann, Florian: Francesco Petrarca mit Selbstzeugnissen und Bilddokumenten. Reinbeck 1998

Origo, Iris: 'Im Namen Gottes und des Geschäfts' – Lebensbild eines toskanischen Kaufmanns der Frührenaissance. Francesco di Marco Datini 1335-1410. München 1985

Origo, Iris: Der Heilige der Toskana. Leben und Zeit des Bernardino von Siena. München 1989

Paatz, Walter en Elisabeth: Die Kirchen von Florenz. Ein kunstgeschichtliches Handbuch. 6 delen. Frankfurt a. M. 1940-1954

Pallottino, Massimo (red.): Die Etrusker und Europa. Gütersloh 1993

Palma, Annelie de: Florenz, Kunstdenkmäler in Italien (red. Reinhardt Hootz). Berlin 1983

Petrarca, Francesco: Canzoniere. 1366

Piper, Ernst: Savonarola. Umtriebe eines Politikers und Puritaners im Florenz der Medici. Berlin 1979

Pope-Hennessy, John: Italian Gothic Sculpture. Londen 1955

Pope-Hennessy, John: Italian Renaissance Sculpture. Londen 1955

Previtali, Giovanni en Zeri, Federico (red.): Italienische Kunst. Eine neue Sicht auf ihre Geschichte. 2 delen. Berlin 1987

Procacci, Giuliano: Geschichte Italiens und der Italiener. München 1983

Rodondi, Pietro: Galilei, der Ketzer. München 1989

Rother, Almut en Frank: Elba. Keulen 1991

Santini, E.: Compagnie e mercanti di Firenze antica. Florence 1957

Schultz, B.: Art and Anatomy in Renaissance Italy. Ann Arbor 1985

Tönnesmann, Andreas: Pienza. Städtebau und Humanismus. München 1990

Toman, Rolf (red.): Die Kunst der italienischen Renaissance. Architektur, Skulptur, Malerei, Zeichnung. Keulen 1994

Torelli, Mario: Die Etrusker. Frankfurt/New York 1988

Vasari, Giorgio: Leben der ausgezeichnetsten Maler, Bildhauer und Baumeister, von Cimabue bis zum Jahr 1567 [2. erw. Ausgabe 1568], dt. Ausgabe von Ludwig Schorn und Ernst Förster. Stuttgart/Tübingen 1837, neu herausgegeben und eingeleitet von Julia Kliemann. Worms 1988

Weinstein, D.: Savonarola and Florence. Prophecy and Patriotism in the Renaissance. Princetown 1970

Weiss, R.: The Renaissance Discovery of Classical Antiquity. Oxford 1969

Zimmermanns, Klaus: Toscana. Keulen 2000

Plaatsnamenregister

Personenregister

Agnolo di Ventura 297, 299
Agostino di Giovanni 297, 299, 360
Alberti, Leon Battista 81, 234, 273, 395, 398, 602
Albertinelli, Mariotto 553
Alexander III 607
Alexander VI 207, 257, 616
Alexander VII 603
Ammanati, Bartolommeo 182, 221, 246, 602
Andrea del Sarto 149, 187, 222, 223, 260, 602, 614, 615
Aretino, Pietro 279
Aretino, Spinello 220
Arnolfo di Cambio 10, 162, 168, 169, 182, 200, 370, 602
Augustus 39, 304, 499
Bandinelli, Baccio 49, 182, 249, 602, 603
Barozzi, Giacomo 407, 603, 618
Bartolo di Fredi 439, 440, 603
Berlinghieri 61
-, **Berlinghiero** 79, 603
-, **Bonaventura** 110, 603
Bernini, Gianlorenzo 366, 373, 603, 604
Bigarelli, Guido 86
Boccaccio, Giovanni 81, 213, 215, 257, 264, 290, 444, 445, 603, 605, 618, 619
Bonannus Pisanus 506
Botticelli, Sandro 185, 187, 191, 192, 198, 214, 223, 604
Brancacci, Francesco 134, 203, 226, 611
Bronzino, Agnolo 604
Brunelleschi, Filippo 100, 107, 134, 143, 157, 162, 165, 171, 174, 208, 228, 236, 240-244, 248, 249, 262, 325, 507, 574, 594, 602, 604, 605, 611, 612, 618
Bruni, Donato 201
Bruni, Leonardo 201, 279, 615
Bruno, Giordano 535
Buffalmacco, Buonamico 523, 605
Buglioni, Santi 107
Caravaggio 186, 199, 222, 223, 605, 607
Cellini, Benvenuto 605

Cellino de Nese 101
Cimabue 188, 456, 509, 592, 605, 606, 608, 619
Civitali, Matteo Niccolò 36
Clemens VI, paus 391
Clemens VII, paus zie de'Medici, Clemens VII
Constantijn 12, 283, 284
Consagra, Pietro 113
Daddi, Bernardo 178, 181, 605
Dante Alighieri 16, 67, 75, 105, 156, 170, 201, 205, 212-215, 264, 265, 273, 290, 411, 429, 436, 444, 449, 453, 472, 524, 603, 605, 618, 619
Domenico di Bartolo 363
Donatello 129, 157, 165, 166, 168, 172, 174-176, 178, 180-182, 201, 202, 209, 211, 241, 242, 243, 300, 367, 372, 379, 529, 596, 606, 611, 615, 617
Doni, Angelo 196
Duccio di Buoninsegna 188, 383, 384, 400, 456, 471, 591, 592, 606, 610, 611
Eleonora van Aragon d'Este 221, 374
Eugen IV 306
Fancelli, Luca 221
Ferdinand I 216, 486, 487
Ferdinand II 18, 225
Ferdinand III 21
Fibonacci, Leonardo 120, 499, 606
Fra Angelico 250, 252, 253, 323, 324, 606, 608
Fra Bartolommeo 223, 254, 553, 602, 607, 614
Fra Guglielmo 103
Francesco di Giorgio Martini 325, 337, 389
Francesco di Marco Datini 137, 140, 619
Frederik I 57, 65, 607
Frederik II 65, 125, 579, 595, 603
Frederik III 374, 607
Gaddi Agnolo 132
Gaddi, Taddeo 103, 607
Galilei, Galileo 18, 26, 201, 209, 499, 517, 534-537, 607, 618, 619
Galli, Jacopo 210
Gentile da Fabriano 188, 455
Gentileschi, Artemisia 222, 607
Gherardi di Gherardo 517

Verantwoording van de afbeeldingen en kaarten

Het merendeel van de afbeeldingen is afkomstig van de SCALA Group S.p.A. in Florence. De uitgever bedankt daarnaast de musea, verzamelaars, archivarissen en fotografen voor hun toestemming te reproduceren en hun vriendelijke ondersteuning bij de totstandkoming van dit boek.